NÍA BLANCO

PIEL DE CUERVO

Montena

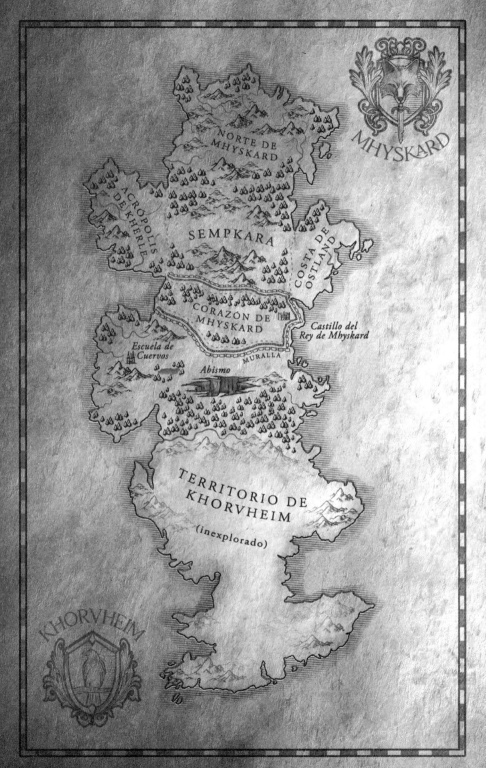

Papel certificado por el Forest Stewardship Council®

Primera edición: mayo de 2025

© 2025, Nía Blanco (@mikigaiblog)
© 2025, Penguin Random House Grupo Editorial, S. A. U.
Travessera de Gràcia, 47-49. 08021 Barcelona
Diseño de la cubierta: Penguin Random House Grupo Editorial / Ariadna Oliver Belmonte
Ilustración de la cubierta: © Elena Masci
Mapa de los interiores: © Giulia Calligola

Penguin Random House Grupo Editorial apoya la protección de la propiedad intelectual. La propiedad intelectual estimula la creatividad, defiende la diversidad en el ámbito de las ideas y el conocimiento, promueve la libre expresión y favorece una cultura viva. Gracias por comprar una edición autorizada de este libro y por respetar las leyes de propiedad intelectual al no reproducir ni distribuir ninguna parte de esta obra por ningún medio sin permiso. Al hacerlo está respaldando a los autores y permitiendo que PRHGE continúe publicando libros para todos los lectores. De conformidad con lo dispuesto en el artículo 67.3 del Real Decreto Ley 24/2021, de 2 de noviembre, PRHGE se reserva expresamente los derechos de reproducción y de uso de esta obra y de todos sus elementos mediante medios de lectura mecánica y otros medios adecuados a tal fin. Diríjase a CEDRO (Centro Español de Derechos Reprográficos, http://www.cedro.org) si necesita reproducir algún fragmento de esta obra.
En caso de necesidad, contacte con: seguridadproductos@penguinrandomhouse.com

Printed in Spain – Impreso en España

ISBN: 978-84-10396-11-1
Depósito legal: B-4.514-2025

Compuesto en Compaginem Llibres, S. L.
Impreso en EGEDSA, S. A.
Sabadell (Barcelona)

GT 9 6 1 1 1

A mi madre,
la mayor guerrera de mi vida,
la que me inspira a no rendirme nunca.
Gracias por ser mi refugio y celebrar mis alas.
Todo lo que soy es gracias a ti

Quien con monstruos lucha cuide de
no convertirse a su vez en un monstruo.
Cuando miras largo tiempo a un abismo,
también este mira dentro de ti.

FRIEDRICH NIETZSCHE

Deseo cumplido

Nosotros le rezábamos a Mhys,
diosa de la venganza.
Deseábamos paz.
El fin del abismo que controlaba el enemigo.
La extinción de los monstruos que a veces escapaban,
que devoraban a los guerreros de la muralla.
Y una noche nos concedió el deseo,
arrebatándome a mi hermana,
despertándome a mí.
[...]
Desgraciadamente,
ninguno de ellos
estaba listo
para eso.

1

El detonante

Algunas historias están disfrazadas de un solo instante.

Algunas comenzaron cuando aún no habíamos nacido. Algunas son desafíos que requieren de nosotros algo que no sabíamos que teníamos. Puede que a partir de ese momento nos estuviéramos convirtiendo en algo que ni siquiera nos imaginábamos. Algunas historias son rápidas y ocurren en un día. Otras comenzaron hace veinte años y llegan hasta hoy.

La mía empezó el día en que me arrebataron a mi única hermana, Orna.

Era el día de mi decimosexto cumpleaños y también era la noche de verano en la que el Reino de Mhyskard, una vez al año, rezaba a Mhys, la diosa de la venganza. Desde Corazón de Mhyskard, la capital, lanzábamos faroles al cielo como si así pudiésemos asegurarnos de que nuestros deseos llegaban a oídos de ella. Ese día también cumplía años el Príncipe de Khorvheim. Aunque eso tampoco es que me importara. Porque el día que comenzó mi historia estaba centrada en mis pasos, subiendo por las escaleras interiores de la gigantesca muralla de cincuenta metros que protegía a Mhyskard del abismo de Khorvheim.

Desde pequeña había sido imparable. El día que mi hermana me enseñó a montar a caballo, este enloqueció y galopó hasta las profundidades de los bosques del norte, donde pasamos dos días perdidos. El animal había esperado el momento justo en que Orna me había dejado a solas en su lomo para echar a correr. Al principio, pensé que el caballo había traicionado mi confianza, que me odiaba y me quería muerta, pero no me abandonó cuando caí al suelo y me torcí el tobillo. Creo que comprendía cuán salvajes éramos los dos. Estuvimos vagando por las montañas hasta que me topé con una tribu que veneraba a las brujas. Fueron ellas las que me curaron el pie antes de devolverme a la capital. Desde entonces, ansiaba escaparme de mi hogar para atravesar los bosques a pie y a caballo, para conocer los terrenos salvajes de las montañas y escalar los riscos o correr a través de pantanos con los niños de aquella tribu.

Era rápida y salvaje.

En las montañas me lo decían a menudo, aunque mi hermana y mi padre procurasen ignorar este hecho porque ya tenían suficiente con que una de las dos hijas estuviera entrenándose para ser guerrera de la muralla. Pero yo lo sentía en mi sangre, ese vacío en busca de llenarse de algo más.

Quizá el error más grande de mi vida fue pedirle a Orna ese regalo por mi decimosexto cumpleaños: ver juntas el espectáculo de faroles en la parte más alta de la muralla.

El fuego de las antorchas creaba sombras turbulentas en las paredes de aquella escalera de caracol infinita. El esfuerzo que suponía subir a lo alto de la muralla no debía ser nada para mí. Pero me tropecé. Solo una vez. Cuando conseguí estabilizarme hincando los dedos entre los recovecos de la pared de piedra y mis uñas se resquebrajaron, fue mi hermana mayor quien me empujó con más fuerza. El fuego de una antorcha ondeó alterando la iluminación. Orna quería asegurarse de que estaba preparada para seguir subiendo, de que podría salvarme yo sola si perdía el equilibrio. No caí. La miré con rabia y ella me sonrió.

—Está bien, no te has caído. Sigamos.

Ella tenía los labios carnosos, la nariz redonda y el pelo castaño, heredado de mi padre, trenzado hasta las caderas. Nos parecíamos mucho, excepto por el color de ojos. El suyo, ámbar como los otoños en las montañas de las brujas Seerhas. El mío, verde como los valles que se extendían alrededor del abismo, ese agujero infernal que sospechábamos que había originado nuestro enemigo y que podíamos contemplar desde el portón de la muralla cuando padre accedía a regañadientes a que nos acercásemos. Había guerreros que se quejaban en murmullos, pero ninguno ponía objeciones porque nuestro padre era el General de las Murallas de Mhyskard. De él dependía la seguridad de nuestro reino, por esa razón hacía cumplir la ley con mano de hierro: nadie podía cruzar de un reino a otro, salvo los comerciantes con el permiso adecuado. Así lo dictaba el Tratado de Guerra Pausada entre ambos territorios: Mhyskard administraría sus recursos naturales más abundantes, como el cuero, las pieles y la madera de nuestros bosques, y Khorvheim mantendría la seguridad de los reinos controlando el sello de magia sobre el abismo, además de facilitarnos hierbas medicinales y algunos cultivos frescos.

Subiendo el último tramo de las escaleras, le tiré de la trenza a Orna y ella empezó a reírse a carcajadas mientras aumentaba el ritmo de sus zancadas. Sabía que un tirón de trenza era mi forma de intentar sacarla de quicio, pese a que nunca lo conseguía. Porque Orna era increíble. Había cuidado de mí desde que éramos pequeñas, había sido el gran apoyo de padre cuando madre murió dándome a luz. Nunca me había guardado rencor por ello. Al contrario, era la primera en salir conmigo a veces a hurtadillas de la capital para cumplir mis deseos salvajes y mis fantasías imprudentes. Orna era paciente y generosa, muy fuerte, y la más noble sobre la muralla de Mhyskard. Hacía un mes que la habían nombrado guerrera, después de aprender a luchar en la formación durante años.

Además, tenía la sonrisa más bonita que pudiera existir en Mhyskard.

Pero ese día su sonrisa se desdibujó. Lo supe al principio del túnel que conducía a las escaleras. El miedo a que nos descubrieran y la deshonraran por desobedecer el juramento de proteger la muralla de cualquier altercado o peligro. Yo era el altercado, pero también era su hermana menor que cumplía dieciséis años. Solo por eso accedió a mi petición.

Al error.

Introdujo la llave en la cerradura. La giró, asomó la cabeza al exterior, asegurándose de que no hubiese ningún guerrero merodeando la zona, y movió los labios en silencio para decirme que la siguiera con cautela. En cuanto puse un pie en el exterior, el corazón se me paró en seco. El cuerpo también, a pesar de que sentía fuego recorriéndome las venas. Me arrebaté las pocas lágrimas que se me habían escapado. Con la piel erizada y los labios entreabiertos, lo contemplé por primera vez desde allí arriba.

El abismo de Khorvheim.

Un gigantesco agujero cubierto de niebla densa que parecía tener vida propia, del que escapaban melodías extrañas y en el que se vislumbraban algunas formas moviéndose entre el espesor de la niebla. Eran las bestias que habitaban dentro, pero que pocas veces salían de su guarida porque el linaje del Rey Kreus Khorvus las controlaba. De hecho, en Mhyskard había rumores de que realizaban una expedición cada cinco años hacia lo profundo del abismo en busca de tesoros o algo parecido. Esa monstruosidad bajo tierra, que solo los Khorvus sabían dominar, era lo que nos mantenía bajo control, sin que pudiéramos cruzar la muralla para recuperar el terreno que nos habían robado.

Más allá del abismo se encontraba el propio Reino de Khorvheim.

—Dicen que aquellos que nacen el mismo día que un príncipe o princesa están destinados a luchar por la corona —susurró Orna con la vista perdida en el horizonte—. Y que antes asesinaban a los bebés que nacían ese día para evitar el conflicto.

—Se olvidaron de asesinarme a mí —me burlé mientras me sentaba al borde de la muralla junto a ella.

Orna me reprendió con la mirada, yo bufé. Siempre se creía todas las leyendas y los presagios antiguos. Las piernas me colgaban. Se podía decir que una parte de mí estaba en Khorvheim ahora, ese reino que nunca podríamos conocer porque estábamos en una tregua con ellos. La estúpida Guerra Pausada, un pacto de paz que sabíamos que romperían cuando menos preparados estuviésemos. Cuando se hubiesen abastecido lo suficiente de nuestros recursos. Nos queríamos muertos los unos a los otros y lo único que habíamos podido hacer había sido erigir una muralla contra el abismo y ellos.

Hoy era el cumpleaños del Príncipe Khorvus. Veintiún años. Nació el mismo día que yo. Mal augurio, eso me habían dicho siempre. Me asomé al precipicio. El vacío penumbroso me tentaba a saltar.

—Esta mañana escuché a unos comerciantes de cuero que cruzaron la muralla hablando acerca del Príncipe Khorvus. Como hoy cumple la mayoría de edad, estaban preparando su armadura para la... expedición —terminó de decir después de vacilar.

—¡¿La expedición?! —me asombré. Era el primer año que se hacía pública esa información después de muchos rumores—. ¡Entonces, es cierto!

Asintió despacio mientras me acariciaba la melena corta y enmarañada. Su mirada ámbar se suavizó. Siempre lo hacía, me observaba con una ternura propia de madre. O de hija. Nunca me atreví a preguntarle si me miraba de esa manera porque yo me parecía a mamá. Tampoco me habían hablado jamás de ella.

—Deberías peinarte, enana —musitó.

—No me gusta.

—Podría hacerte una trenza por tu cumpleaños.

—No me gustan tus trenzas.

—¿Qué harás si viene una bestia del abismo y decide morderte el pelo?

—Sacarme las dagas de aquí. —Señalé mi cinturón, donde escondía un par que le había robado a papá para la ocasión—. Y clavárselas en un ojo.

—Ni siquiera sabes utilizarlas.

—Claro que sé.

—No como una guerrera de la muralla.

—Pues aprenderé.

Orna rompió a reír en bajito. Sus ojos se achinaron tanto que me enfadé. La ignoré y dije en voz alta lo que estaba pensando:

—Jamás sería capaz de vivir como una princesa.

—Serías la princesa de los salvajes —se burló.

—Quiero ser guerrera, como tú —declaré.

En ese instante, su sonrisa se esfumó. El ambiente se tensó. Esta vez su mirada se entornó con la advertencia del peligro que suponía sobrevivir a la formación.

—Una guerrera debe llevar su cabello trenzado —sentenció. Mediante un movimiento ágil, casi invisible para mis ojos, me sacó una daga del cinturón y la dirigió a mi cabello. Luego, a su trenza—. Solo necesitarías una de estas para cortar tu pelo y huir.

—Una guerrera nunca huye.

—Tienes razón. La muerte es nuestra victoria. —Me sonrió satisfecha, haciendo danzar el arma en el poco espacio que nos separaba—. Pero ya sabes nuestro lema: «Debemos elegir por qué queremos morir». Hay cosas mayores contra las que luchar que un miserable peón del enemigo.

—Puede que algún día compartamos espalda en una batalla.

—¿Tú crees? —inquirió al cielo.

Sin embargo, dejé de prestarle atención a la conversación cuando los faroles de nuestro reino comenzaron a volar sobre nuestras cabezas. Pataleé contenta, sin dejar de mirar aquellas luces, los deseos latentes de Mhyskard, los rezos que llevábamos a cabo una vez al año para pedirle a la diosa Mhys que destruyese el abismo. Nuestro único grito de guerra contra Khorvheim. Cerré los ojos un segundo e hice lo mismo que mi pueblo. Le recé a la diosa de la venganza para que nos brindase la oportunidad de acabar con aquel agujero infernal que muchas veces se había cobrado las vidas de los guerreros de nuestra muralla. Sentía el precipicio en mis piernas, la oscuridad bajo mis pies. Un silencio sepulcral que, por un momento, me hizo olvidar que estábamos rompiendo el juramento de Orna por haberme traído aquí.

De repente, mi hermana me cubrió la boca con una mano y abrí los ojos de sopetón. Vi el terror en sus enormes pupilas dilatadas, en su tez empalidecida y en su ceño fruncido, lista para luchar. Me mandó callar llevándose un dedo a los labios.

—No te muevas —me susurró al oído devolviéndome la daga para sujetar con fuerza la empuñadura de su espada enfundada.

Y no me moví, aunque desde allí podía verlo todo. Había tres personas ocultas bajo una capa larga con capucha en la muralla. Dos de ellas apuntaron con su arco y atravesaron un par de faroles entre burlas. Estaban a unos metros, pero no nos vieron porque nosotras nos habíamos encajado en la almena del borde de la muralla. No reconocí esas capas y, a juzgar por la expresión de Orna, deduje que ella tampoco. Si esos tres pertenecían a Khorvheim y habían conseguido subir hasta la muralla, solo podía significar una cosa.

Eran Cuervos.

—Quédate aquí —le supliqué en un susurro ahogado. Me aferré a su muñeca notando cómo el miedo me paralizaba el corazón por primera vez en mi vida—. Es peligroso.

—Esa gente no debería estar aquí. —Cerró los ojos un instante y negó para sí misma lo que fuera que estaba pensando—. Soy una guerrera de la muralla, mi deber es protegerla.

—Te deshonrarán si descubren lo que has hecho hoy.

—Me deshonraré a mí misma si no impido que esos necios causen algún problema a Mhyskard.

Sonrió. Sabía que mis palabras no eclipsarían jamás su sentido del honor. Se acercó a pasos sigilosos a la pared de la torre por la que habíamos subido y desenvainó su espada. Viéndola moverse en la oscuridad hacia el enemigo, reconocí la verdadera sensación de terror de la que muchos hablaban, pero que yo nunca había entendido. Dirigí mis manos inseguras al cinturón, rocé mis dagas y su voz me robó el último aliento de esperanza de que diese media vuelta y volviese a mi lado. De que eligiese la cobardía de ser mi hermana y no el honor de ser guerrera.

—¡Muestren su rostro! —gritó Orna.

Uno de ellos, que estaba derribando los faroles, escupió una carcajada burlona al desviar su arco para apuntar a Orna; el otro que disparaba al cielo hizo lo mismo; el tercero formó una bola de energía oscura entre las manos y en sus dedos refulgió un anillo con una piedra verde que me resultaba familiar. El aire escapó de mis pulmones. Sí, eran Cuervos. Y eso era Magia Prohibida, exclusiva de la sangre oscura de la realeza. ¿Acaso se trataba del mismísimo Rey Kreus Khorvus? Eso era imposible. Debía de ser el Príncipe. Aquello era un error. Orna no debía luchar. Mucho menos tras romper su juramento. Si alguien del Cuerpo de las Murallas se enteraba de esto, ella perdería su honor como guerrera. Afectaría a padre. Lo mismo ocurriría si me descubrían a mí.

—Qué sorpresa. El mismísimo Príncipe pisando nuestra muralla. —La rabia en la voz de Orna se palpaba a leguas.

—Ni se te ocurra acercarte con esa espada —la amenazó una voz femenina—. O te atravesaré la cabeza antes de que puedas dar un solo paso.

—Quizá deberíamos hacerlo. Nos ha visto —sugirió el que sostenía el arco, este masculino.

—Ya sabes qué somos —canturreó la voz femenina—. ¿Por qué te contienes?

—*Kostrus ikkam kharam* —pronunció el Príncipe.

La oscuridad desapareció de sus manos, dio un paso hacia el precipicio y, antes de permitir que el vacío lo engullese, dijo:

—*Tem kaet.*

Ese fue el detonante. Él se esfumó saltando al precipicio. La piedra verde en su mano lanzó destellos hasta difuminarse en las tinieblas. Mi hermana se posicionó para defenderse. Los arqueros tensaron la cuerda y Orna no dudó en danzar como la guerrera de Mhyskard que era. Esquivó una flecha y alcanzó el brazo de uno de ellos con su espada, pero el arquero se sacó una hoja curvada de la funda en su espalda, decidido a terminar con aquello. En un movimiento veloz, un corte diagonal atravesó el aire y su torso con una precisión letal.

Un reguero de sangre salpicó el suelo empedrado de la muralla.

Mi hermana acalló el grito de dolor con un gruñido que se me quedaría grabado para siempre. Cayó de rodillas al suelo. Los Cuervos enfundaron sus armas para huir indemnes. Yo ahogué mi voz y dejé de pensar. Me llevé las manos a mi cinturón, dispuesta a saltar tras ellos. A morir defendiéndola. O a morir con ella.

—¡No te muevas! —bramó Orna.

Sabía que aquel grito desgarrador que había escapado de su garganta iba dirigido a mí. Los Cuervos saltaron de la muralla hacia Khorvheim y empecé a gatear en dirección a Orna con el campo de visión nublado por el llanto hasta que logré recoger su cabello empapado de sangre en mi regazo. Me arranqué la tela del pantalón de un tirón para intentar taponarle la herida. Era inútil. Tenía que sacarla de allí.

—Estoy aquí contigo —sollocé aferrándome a su rostro pálido—. Te salvaré.

—Corre y… sálvalos a to… dos.

Su mirada cargada de miedo se clavó en el cielo. Fue entonces cuando pude verla. El cielo repleto de plegarias se había teñido de oscuridad. Algo monstruoso y enorme se había alzado sobre la muralla.

Una bestia del abismo.

Era una de esas criaturas que volaban y que emitían un violento canto para debilitarnos antes de arrebatarnos la vida. Orna me lo había enseñado en sus apuntes de la formación. La criatura con forma de ballena se elevó por encima de nosotras. Los Cuervos la habían invocado para borrar las pruebas de su crimen. El mundo bajo mis pies desapareció. Se la comería, se la comería. Nos comería a las dos.

El fatídico canto de la bestia me descompuso el estómago al instante y supe que había comenzado su ritual.

—Co… rre, Lhyss.

Mi hermana murió en mis brazos y un trozo de mi alma se fue con ella. Mis sueños, mi esperanza, mi humanidad. El brillo en sus ojos abandonó todo atisbo de vida. Le arranqué el cuerno que portaba en la cadera. El Cuerno del Abismo. Empecé a correr hacia la torre mientras soplaba con el alma y el fuego en las venas. Aquel profundo sonido bastaría para alertar a Mhyskard de que las bestias del abismo habían sobrepasado la muralla. En respuesta, un cuerno sopló desde la otra punta de la capital.

Entonces, me detuve.

Estaba preparada para morir luchando mientras el resto de los guerreros llegaba. Podía ganar tiempo entreteniendo a la bestia, arrancarle al menos un ojo.

Los gritos despavoridos se extendieron por la ciudad. El terror despertó en Mhyskard. Y, cuando aquel monstruo pareció dudar entre comerse a mi hermana o acabar conmigo, recordé las palabras de Orna:

«Debemos elegir por qué queremos morir. Hay cosas mayores contra las que luchar que un miserable peón del enemigo».

Apreté los labios y mi boca se llenó del sabor de la sangre. Corrí. Corrí tanto como mis piernas respondieron, pero tropecé a medio camino. El cuerno salió volando. Las palmas de mis manos frenaron la caída y me empezaron a sangrar. En ese instante, fui testigo de cómo aquel monstruo se decantaba por devorar a mi hermana. Grité sintiendo que me iba romper la garganta. Que iba a vomitar. Que los ojos me iban a reventar. Tragándome mis lágrimas ensangrentadas, prometiéndole al mundo que la vengaría. Decidí que regresaría a casa y me esconderría, nadie se enteraría jamás de que habíamos estado allí. Orna moriría con el honor de haber protegido la muralla. Y me hice una promesa.

Que encontraría a esos Cuervos.

Que los asesinaría.

Que mis manos se teñirían de la sangre del Príncipe Khorvus.

Información adicional

Extracto de *Historia de Mhyskard, año 513*

En el año 513, el ataque de un Cantapenas a la capital de Mhyskard provocó centenares de bajas en la muralla, guerreros que dieron su vida luchando hasta que los soldados más experimentados y la élite de Khorvheim consiguieron devolver a la bestia al abismo. Ante la posibilidad de que este hecho pusiese en riesgo la Guerra Pausada, paz establecida en el año 312, el Rey Kreus Khorvus solicitó reunirse con el Rey de Mhyskard, Rhyza Tallynx, para ofrecer por primera vez información acerca del abismo a cambio de perpetuar la paz entre ambos reinos.

Se hizo público entonces que aquel Cantapenas debió de escaparse a causa de alguna grieta en el sello del abismo. Revelaron también que en las profundidades de este crece una Flor de Umbra que deben recoger cada cinco años, periodo que tarda en florecer de nuevo, porque su contenido mantiene pura la sangre oscura, única sangre en el mundo capaz de controlar la Magia Prohibida del abismo y que, a día de hoy, solo poseen los únicos supervivientes del linaje real de los Khorvus: el Príncipe y el Rey. De esta manera, aseguran tener el poder necesario para reforzar el sello y contener a los monstruos que habitan el abismo.

Además, expusieron que, cuando un príncipe cumple la mayoría de edad, debe digerir esta flor antes de poder reinar. Según un mito perteneciente a Khorvheim, cualquier sangre oscura al cumplir veintiún años siempre atrae algún tipo de calamidad al mundo.

2

El destino siempre viste de hilos mágicos

Cinco años más tarde

—¡No me puedo creer que vaya a bajar al abismo! —canturrea Rawen dando un giro sobre sí misma.

Cierro un ojo y apunto. Cierro el otro. Oigo los pasos de Rawen. El murmullo de los árboles. El latir de mi corazón vacío. Lleva años hueco y roto. O quizá más vivo que nunca por lo que se avecina. Lanzo. Al abrirlos, veo que he clavado la daga en el centro de la diana que hemos dibujado con bayas negras en un árbol del bosque. Ella aplaude y sigue danzando, enfundada en su vestido celeste. El sol del atardecer se esconde tras su silueta. Su cabello dorado refulge. Parece un ángel, lo contrario a mí.

Rawen es mi amiga desde el día en que la convertí en mi oportunidad.

Aquel día, mi padre me había pedido que lo acompañase a la muralla para presentármela. Me había contado que uno de los comerciantes de Khorvheim, que cruzaba la frontera cada semana, tenía una hija de mi edad. Al principio dudé de si sería capaz de mirarla a la cara sin desear atravesarle el pecho con mis dagas. Cuando nos conocimos y ella me contó sus sueños, lo tuve claro. Era valiosa. Tenía que esforzarme en ganarme su confianza, pese a que su procedencia era motivo suficiente para sentir el impulso de arrebatarle la vida como los Cuervos me la habían arrebatado a mí.

26

No fue difícil, congeniamos enseguida.

La observo en silencio mientras voy a por la daga clavada en el árbol. Tiene la cara redonda, los mofletes rosados y unos ojos preciosos del color del océano que rodea nuestro reino. Me sonríe ingenua. Está contenta por el día de mañana, en el que se llevará a cabo la siguiente expedición al abismo y ella bajará con la tropa de exploradores. Cree que el Príncipe Khorvus formará parte de ellos porque, según Rawen, siempre es necesaria la Magia Prohibida dentro del abismo para cosechar la Flor de Umbra. Y solo hay dos personas en Khorvheim con sangre oscura: el Rey y él. Me ha contado que se imagina la remota posibilidad de que el Príncipe se enamore de ella; yo solo puedo pensar en que ese abismo es el lugar perfecto para que un príncipe muera «accidentalmente» sin testigos ni dedos acusadores que me apunten como la culpable de su muerte. Está ilusionada con sobrevivir a esa aventura y a la vez encontrar al amor de su vida.

Rawen tiene todo lo que me falta a mí: inocencia, ganas de vivir y un título de cartógrafa que será su billete para bajar al abismo mañana.

La compadezco y me repugna a partes iguales.

—Entonces, ¿nadie conoce el rostro del Príncipe?

—¿Otra vez con lo mismo? —Rawen deja de bailar y pone los brazos en jarra. Su dedo me señala mientras frunce el ceño—. ¡Ojalá! Ya habría ido a buscarlo.

—¿Y el nombre?

—Tampoco.

—Es extraño que tu reino no conozca el rostro ni el nombre de su futuro rey.

—Cuando consuma la Flor de Umbra, será el nuevo rey. Entonces, todos conocerán su rostro y…

—¿No deberías estar practicando para mañana? —la interrumpo. Estoy harta de escucharla hablar de Khorvheim y de sus estúpidos sueños.

—¿Mis tiros con arco o mis dotes de seducción? ¡Por fin podré conocerlo!

—Sí, sí —mascullo y desentierro la daga de un solo tirón—. Os enamoraréis locamente, comeréis perdices y luego te convertirás en un cadáver en las fauces de una bestia por soñar despierta.

—Él me salvará del peligro.

Emite un gritito de emoción que me taladra los oídos. Aprovecho el odio que me nace en las entrañas para frotar la corteza del árbol con todas mis fuerzas y borrar los rastros de la diana. El cielo empieza a oscurecerse y pronto la gente de Mhyskard se encerrará en sus casas para rezar desde un lugar seguro. Lanzarán los faroles de igual manera, aunque todo ha cambiado desde aquella noche. Ahora, antes de iluminar la oscuridad de plegarias, despliegan un ejército de guerreros sobre la muralla, preparados para combatir si otra bestia vuelve a perder el control.

En Mhyskard creen que lo que ocurrió hace cinco años fue un accidente.

Por aquel entonces, en las calles se podían escuchar los llantos a cualquier hora del día. Lloraban que una noche tan sagrada hubiese despertado a una bestia. Porque era un presagio de mala suerte, la desgracia avecinándose a los reinos. El posible fin del orden y del mundo. Nadie, excepto padre y yo, lamentó la pérdida de Orna pese a que hallaron su cuerno destrozado bajo la muralla. Se contentaron con que el orgulloso Rey de Khorvheim se disculpara por primera vez con el condescendiente Rey de Mhyskard por no haber tenido a suficientes Cuervos vigilando el sello del abismo. Mi pueblo se conformó con la miserable información que nos aportó acerca del abismo.

—Deberíamos volver.

—¿Cuánto tiempo nos queda? —pregunta Rawen mientras guarda sus libros en una bolsa de cuero que se cruza tras la espalda.

—Un par de horas hasta que sellen la muralla y tu padre deba marcharse.

—¿Podemos volver a la aldea de las Seerhas? —La fulmino con la mirada y ella amplía los labios en una sonrisa cariñosa antes de anclar su brazo al mío. Hago un esfuerzo por no apartarme—. Vamos, tengo que recoger algo que les encargué hace días.

Después de perder a Orna, Rawen se convirtió en lo más parecido a una amiga para mí. Recojo mi bolsa de entre las hojas del suelo y me la cuelgo al hombro. Accedo a su petición. Da un saltito de alegría que me espanta y emprendemos nuestra marcha a la aldea de las Seerhas, las brujas de las montañas que un día me acogieron. Transitamos la espesura del bosque abriendo bien los ojos para prevenir que los zorros puedan atacarnos de forma inesperada y, pocos minutos después, el asentamiento se revela entre los árboles. Un rincón oculto donde la magia antigua danza en el aire y el aroma a hierbas lo impregna. Una gran hoguera preside el centro de la aldea, con troncos cortados y mujeres que bailan al son de sus propios aullidos mágicos.

Somos las hijas de la tierra,
salvajes y crudas.
Rezamos a Mhys, la sangre de la venganza,
porque la misericordia de Kard no nos ayuda.

Somos las hijas del mar y del cielo,
bravas y libres.
Rezamos a la venganza, la sangre vertida roja,
porque la sangre exige sangre
y el perdón sobre los culpables jamás se arroja.

Veo el fuego. En él, la muerte. Ese secreto que nadie conoce y que me ensarta el corazón como una espina afilada. Las llamas exigiendo venganza. Las veces que vine con mi hermana, las veces que ella cantaba regalándole su voz a los árboles que nos rodean. Yo nunca lo hacía, no encontraba razones para sentir tanto odio. Ahora cada poro de mi piel reacciona a esa canción sagrada y siento la tentación de sacar la voz que se arremolina en mi estómago y se me atasca en los pulmones, pero Rawen me devuelve a la realidad tirando de mi brazo hacia la tienda de las Seerhas. Trago saliva, el nudo de la garganta se afloja. Desvío mi atención de la hoguera, de las llamas que me llaman. Alrededor, han montado puestos para honrar esta noche llenos de curiosidades, accesorios artesanales y fragancias extrañas.

Al entrar en la tienda, las brujas envueltas en túnicas me reciben con miradas recelosas, como si ya supieran todo lo que se avecina. Lo que he planeado. Lo que ocurrirá mañana. Nunca les he gustado, tampoco cuando las visitaba de la mano de Orna. Rawen les entrega varias bolsas de cuero repletas de hierbas que solo crecen en Khorvheim a cambio de un diminuto saco que se guarda orgullosa sin comprobar antes el contenido.

—¿Qué es? —le pregunto, bajando la voz.

—Ya lo verás.

Mi amiga les hace una reverencia. Ninguna de las tres brujas dice nada hasta que Thramtid, la misma que hace unos años intentó asustarme con sus presagios falsos, alarga las manos arrugadas y apresa nuestras muñecas entre sus dedos. Están tan delgados y fríos que cualquiera se aterraría de tocarla. Sin embargo, son sus minúsculos ojos lo que la gente evita. Brillan con un dorado cegador cuando se cuelan en nuestras almas porque ven el futuro. Y lo hacen justo ahora al colarse en mis pupilas.

—El destino siempre viste de hilos mágicos —sisea con voz fúnebre.

Me cortaría el brazo antes de admitir que Thramtid me produce escalofríos. Sacudo la mano, me zafo de su agarre y saco a Rawen de la tienda a rastras. Ella resopla aliviada. Puedo oír el terror en su respiración irregular, aunque trata de fingir que todo está bien. Y lo cierto es que nada lo está, pero es más fácil seguirle la corriente y centrarnos en regresar a la capital para que atraviese la muralla antes de que la sellen al caer la noche.

—¿Por qué crees que ha dicho eso? —me pregunta a medio camino.

—Siempre son así de extrañas.

Asiente con una sonrisa. Rawen es ingenua, jamás desconfiaría de mi palabra. Disimulo el suspiro de hastío que necesito dejar escapar. Estoy tan acostumbrada a decir medias verdades y callarme el resto de la historia que las palabras se me han comenzado a agolpar en la garganta. Sí, es cierto que esas viejas siempre son así de extrañas. Sin embargo, lo que no le digo a Rawen es que las Seerhas no hablan.

A menos que tengan algo que decir.

Información adicional

Extracto de *Historia de Mhyskard*

La Isla de Mhyskard inicialmente se componía de dos territorios diferenciados: sur de Mhyskard y norte de Mhyskard. Atrapados en una isla rodeada de inmensos océanos y sin noticias de los exploradores que partían en barco para descubrir nuevos territorios, los mhyskardianos creyeron que su incapacidad para expandirse a otros territorios se debía a la falta de formación de sus guerreros. Conocían la magia, pero la reservaban para los rituales de sanación o para predecir qué acontecimientos se aproximaban y cómo prevenirlos. Sin embargo, en la misión de empoderar a sus exploradores para que pudiesen partir a nuevas tierras con mayor tasa de éxito, comenzaron a crear un ejército de magos. Gran parte del sur de Mhyskard se destinó a la enseñanza intensiva y vivienda de los magos, ya que eran territorios menos poblados. Sin embargo, con el pasar de los siglos, el gremio de los magos no se contentó con la magia limitada que les permitían aprender. Algunos decidieron cometer el delito de aprender la magia por su cuenta, también comenzaron a enseñarla y muchos fueron ejecutados públicamente por cometer tal abominación. Una pequeña parte de ellos se rebeló.

Un día la tierra tembló.
El abismo nació.
Y Mhyskard se dividió para siempre.
El linaje de los Khorvus no solo aprendió la Magia Prohibida y la llevó a cabo, sino que accedió a una fuente de poder infinita, que era el abismo, y a un ejército imposible de combatir para los guerreros de Mhyskard, que eran las bestias.

Tras una cruenta batalla que se cobró la vida de miles de guerreros, Mhyskard aceptó la división de la Isla de Mhyskard a cambio de la paz en el año 312. Se canceló la misión de encontrar territorios inexplorados al otro lado del mar porque había nacido un nuevo enemigo en sus propias tierras.

Todos, en el fondo, sabían que esa paz algún día llegaría a su fin.

3

Los dioses saben que un día serán destruidos

Atravesamos las calles empedradas de Corazón de Mhyskard a toda prisa.

La gente que sale de los pequeños comercios camina precipitada de vuelta al hogar, a su familia, mientras los guerreros peinan las distintas zonas para asegurarse de que no se desate el caos ni que nadie se salte la nueva e inútil ley de protección. Las casas de la capital son de piedra, varían en tamaño y forma, pero todas tienen algo en común: sus ventanas están encendidas, abiertas para lanzar los faroles de plegarias al cielo cuando se acerque la medianoche, y las puertas cerradas a cal y canto por si hoy el sello del abismo fallase de nuevo. No saben que eso no ocurrirá, que el sello no falló. No saben nada porque nunca se dignaron a preguntar más allá de lo que les contaron. La muralla de cincuenta metros se eleva por encima de nuestras cabezas a medida que nos acercamos. El portón de la muralla, que conecta nuestra capital con la frontera, aún está abierto.

A un lado, junto a los guardias, varios comerciantes hacen los últimos ajustes en los carromatos para regresar a sus hogares en Khorvheim. Localizo al padre de Rawen, que nos saluda de forma disimulada para no levantar sospechas, con una sonrisa tan gentil como la de su hija y la cabellera rubia alborotada. Nunca he comprendido la relación entre ese hombre y mi padre, o puede que nunca haya sido capaz de aceptar la amistad que tienen desde hace años.

Para mí, solo es un Cuervo más.

Rawen se detiene sobre sus pasos acelerados y me abraza. Respira con fuerza, enterrando su rostro en mi cuello. El miedo y la ilusión la sobrecogen desde hace días. Sé que ella ansía cumplir su sueño y vivir, aunque cumplir su sueño de bajar al abismo ponga en riesgo su deseo de vivir.

—Dime que mañana vendrás a despedirme.

—Estaré ahí —le prometo.

—¿En el túnel del este que me enseñaste?

Asiento despacio y me trago el nudo de dolor que se forma en mi garganta al recordar que hace cinco años estaba subiendo las escaleras de ese túnel con mi hermana.

—¿Me traerás algún recuerdo del abismo? —bromeo con cierto hastío.

—Ya sabes lo que nos enseñan. Todo lo que pertenece...

—Todo lo que pertenece al abismo, en el abismo debe permanecer —termino el refrán por ella y sus labios se amplían, orgullosa de todo lo que me ha enseñado estos años.

Lo cierto es que Rawen ha dedicado su vida entera a formarse como cartógrafa y a través de ella he aprendido más sobre Khorvheim y el abismo de lo que nunca se nos reveló a los mhyskardianos. Que se haya graduado como la mejor cartógrafa de cuarto curso es lo que le ha otorgado el billete de ida al infierno. La vuelta no es segura, pues el último cartógrafo que descendió fue devorado por un Sacránimo en el segundo nivel de los seis que lo componen.

—Reza por mí —me pide al apartarse de mi lado.

—No te hará falta. Vivirás.

Rawen me dedica una breve sonrisa nerviosa mientras se descuelga la bolsa de cuero y hurga en el interior. Su melena rubia se enreda entre el asa de la bolsa y su brazo izquierdo. Ahora soy capaz de apreciar ese pequeño detalle como un riesgo letal. Podría recomendarle que se corte el cabello o que se lo trence antes de emprender su aventura a ese infierno, pero no lo hago porque sé que, tal y como le he dicho, no le hará falta. He dejado de mentirle para creerme la verdad que llevo planeando desde hace años. La ilusión le cruza la mirada cuando saca el diminuto saco que las Seerhas le dieron un rato atrás. Se cuelga la bolsa y me lo tiende.

—Feliz veintiún años, Lhyss —canturrea contenta. Una mezcla de recuerdos perturbadores me corta la respiración. Enseguida finge sentirse ofendida al ver que no reacciono—. ¿En serio pensabas que me había olvidado?

—No, es solo que…

Es solo que mi cumpleaños me recuerda al día en que vi cómo asesinaban a mi hermana y luego la devoraba brutalmente una bestia. Desde esta mañana me he esforzado en ignorarlo. Ni siquiera padre se atrevió a felicitarme en cuanto atravesé la puerta de mi dormitorio y me senté a la mesa para desayunar juntos. Hace tiempo me dijo que el día en que Orna murió perdió a sus dos hijas, porque yo no volví a ser la misma. No se lo rebatí, pues era y sigue siendo cierto. Dejé de vivir para mí misma. La razón por la que mi corazón aún late es la venganza que le debo a Orna. El odio hacia Khorvheim me ha mantenido más viva que nunca.

—Es por tu cumpleaños —repite Rawen bajando la vista. Esa última palabra me enciende la sangre—. Y también es para que me recuerdes por si me ocurre algo ahí abajo.

Las entrañas me rugen furiosas. Cojo entre mis manos el saquito, tiro cuidadosamente de los hilos para abrirlo y compruebo qué hay en el interior. Parece una pulsera trenzada con finos cordones de cuero, hilos negros por las hierbas que crecen en Khorvheim y algunos otros de color escarlata entre medias que lanzan pequeños destellos. Alzo el accesorio entre nosotras, enarco las cejas. No entiendo qué es, pero tengo tan pocas ganas de hablar con ella que intento colocármelo en la muñeca.

Rawen resopla.

—Es una gargantilla, torpe.

—¿Una gargantilla? —murmuro.

—Sí, ven aquí.

Me lo arrebata de las manos, se coloca detrás de mí y me recoge el cabello castaño oscuro pasándomelo por el hombro. La gargantilla se afianza a mi cuello. No puedo evitar recordar los ojos dorados de la vieja bruja tras recitar sus palabras: «El destino siempre viste de hilos mágicos». Después de todo, el mensaje iba dirigido a mí, pues estoy segura de que Thramtid sabía que esta gargantilla sería mi regalo de cumpleaños. Si pudo ver algo más en mis ojos, aparte de la sed de sangre que me corroe, no debió ser nada bueno. A diferencia de las guerreras, que luchamos por prevenir catástrofes que aún desconocemos, las brujas permiten que el destino suceda. No intervienen aun conociéndolo.

Le doy un último abrazo a Rawen y ella suspira.

—No te pasará nada, te lo prometo —le digo tan bajito que apenas se percibe el timbre de mi voz, y lo digo en serio—. No morirás en el abismo.

—Eres la mejor amiga del reino.

—Ten cuidado mañana. Nadie puede verte cerca de la muralla, Rawen.

Nos despedimos sacudiendo la mano desde la distancia, cada vez mayor entre nosotras, hasta que aprovecha el despiste de los guardias, que comprueban el permiso de un comerciante, para introducirse en uno de los barriles del carromato de su padre. Su vestido celeste desaparece de mi vista y los guerreros de la muralla provocan un imponente estruendo al sellar el portón tras la despedida de los últimos comerciantes. Me froto los párpados, inquieta. Cojo una bocanada de aire que sabe a verano, a noche y a flores, a esas junto a las que habrán crecido las hierbas que me rodean el cuello.

Ha llegado el momento.

Mi atención se posa en la cumbre de la muralla. El Cuerpo de Guerreros está presente, el de Sanadores también. Ahí está mi lugar. Con un paso por delante de otro me planto frente al portón. Uno de los amigos de confianza de mi padre, un guerrero experimentado que estuvo en la batalla contra el Cantapenas hace cinco años y que custodia la entrada a Mhyskard, me guiña un ojo e inclina la cabeza a un lado indicándome el recoveco en la muralla donde ha mantenido a salvo mi equipamiento durante todo el día. Le sonrío en respuesta, luego me cuelgo al hombro la mochila. Entro rápida al túnel que conduce a las escaleras del lado oeste. Ato el corsé de cuero a mi cintura y el cinturón a mi cadera. En ambos tengo dagas enfundadas y la espada que me forjaron para la graduación de mañana como guerrera.

Porque sí, he sido capaz de cumplir alguna de las promesas que le repetía a Orna. Hace un mes que aprobé en la formación, que padre aceptó a regañadientes que yo entrase al Cuerpo de las Murallas como guerrera tras la graduación. Aunque se lo he mantenido en secreto a Rawen por razones que tampoco le he contado a nadie.

Avanzo escalón a escalón, empujo la puerta con el hombro y salgo al exterior. El viento nocturno me azota las mejillas. Se me revuelve la melena larga y castaña, que ha oscurecido con el tiempo y dista mucho del castaño claro que pensé que había heredado de mi padre, la persona que ahora me espera con una sonrisa triste entre las almenas. Sus nudillos, blancos por la fuerza con la que aprieta la empuñadura de su espada, me revelan que está tan aterrado como ansioso por que aparezca una bestia de nuevo. A él también le gustaría vengar la muerte de mi hermana aunque nunca lo haya dicho en voz alta.

—General —me burlo de él haciendo un saludo militar. Enarca las cejas sin perder su postura autoritaria y los ojos ámbar le resplandecen en la oscuridad de esta noche. Entonces, pone su dura mano en mi hombro y tira de mí.

Me estrecha con un cariño que me sobrecoge.

—Feliz cumpleaños. Mañana serás una guerrera, estoy orgulloso de ti. —Nos alejamos unos centímetros. Las líneas de expresión le forman surcos a cada lado de los labios y sus ojos se arrugan al sonreírme con ternura—. Pensé que no vendrías.

—¿Qué sentido tendría eso?

—Es la primera noche que pisas la muralla.

«Ojalá lo fuera».

—Y sé que esta noche es muy dura para ti desde…

—De acuerdo, ya está —lo interrumpo palmeándole los hombros—. Estoy aquí contigo, eso es lo importante. ¿Cómo estás tú?

Su mirada se vuelve ausente enseguida. La desvía hacia el horizonte repleto de lucecitas difusas de Khorvheim, más allá del vasto abismo, de los bosques y de los extensos valles que lo separan de la ciudadela. La nuez de su garganta se mueve cuando traga, procurando aclararse la voz sin que yo me percate de lo duro que es este día para él también.

—Estoy aquí contigo… Eso es lo importante —murmura, modulando el tono como si la ira no le quebrase cada palabra.

Nadie en estos reinos ha visto jamás la debilidad del General Harold aparte de mí. Ni siquiera Orna. Quizá mi madre sí lo hiciera. En cuanto consigue aclararse la garganta, su espalda se endereza adquiriendo la famosa postura severa del General de las Murallas.

—¿Estás segura de hacer el juramento mañana, Lhyss?

Ver el honor coloreado de ámbar en sus ojos es verla a ella por un instante. Lo observo en silencio, decidiendo las siguientes palabras que recitaré porque si hay una persona en estos reinos a la que me duele mentirle es a él.

—Hice el juramento conmigo misma hace mucho tiempo.

Padre asiente despacio y aparta la vista del horizonte.

—Rhyza Tallynx se ha rendido. —El corazón me da un vuelco. Oír el nombre del Rey de Mhyskard en sus labios acapara mi atención de inmediato. Él escupe un suspiro que sabe a pesadumbre—. No cree que pueda tener descendencia a su edad aunque encuentre a una nueva esposa, y está pensando en nombrar herederos al trono según la línea de sucesión.

—¿Cuándo…?

—Hace horas. Está enfermo, Lhyss.

—¿Acaso te sorprende que lo esté? —Me río, mordaz—. Siempre ha sido el rey más débil de todos los que ha tenido Mhyskard. Débil y condescendiente.

—Tú eres preciosa y fuerte, tendrías una vida más fácil si…

—Mírame. Pero mírame de verdad, lo que soy por dentro —lo interrumpo, molesta. Sus ojos recaen en mí cansados—. Estoy tan poco hecha para ese estilo de vida como tú. Tomaste una decisión y sé que lo hiciste por si este momento llegaba. Ambos sabemos a qué me refiero.

—Lo único que veo cuando te miro, Lhyss, es a tu madre.

La melancolía en las palabras de mi padre al hablar de mi madre por primera vez me paraliza. Mi visión se enturbia. Parpadeo varias veces, olvidándome de todo lo que me rodea, excepto de la voz que me habla sobre una mujer de la que nunca me permitieron saber nada.

—Cuando eras pequeña, me pedías por tu cumpleaños que te contase algo sobre ella. Año tras año, me negaba. —Sonríe y me observa de soslayo—. Tu madre era la persona más obstinada y feroz que he conocido jamás. Un lago en calma con su familia, un incendio letal si alguien osaba tocar a los suyos. La primera vez que la vi, de espaldas con su cabello oscuro alborotado, no tenía ni idea de que al darse la vuelta sus ojos oliva me arrancarían de cuajo las pocas neuronas que conservaba.

El tono de su voz decae conforme suelta la información que parece haber guardado durante todos estos años por razones mayores que desconozco.

—También era vengativa. Demasiado —masculla entre risas, y a mí el corazón se me acelera, como si estuviese enamorándome de la viva imagen que he deseado tener de ella toda mi vida—. Una joven a la que yo le interesaba me propuso acompañarla al establo de sus padres al terminar la jornada, ya sabes para qué. ¿Puedes imaginar qué hizo tu madre?

—Prenderle fuego al establo —pienso en alto, imaginando qué haría yo.

—¡Exacto! —Mi padre se carcajea con tanto ímpetu que me roba una gran sonrisa.

—¿Puedo saber su nombre?

—Eso no, Lhyss. No hablaré más de ella por hoy. —Carraspea, incómodo—. Centrémonos, la noche de las plegarias está a punto de comenzar.

No hago más preguntas, me limito a asentir y doy un pequeño paseo mientras clavo mi atención al este del abismo. Hay un antiguo castillo dominado por torres altas y puntiagudas en el que antes solo residían los aprendices de magia de Khorvheim, los futuros soldados de su reino. Según Rawen, tiempo después lo reformaron y se convirtió en la Escuela de

Cuervos, aquellos que se instruyen como futuros exploradores del abismo, que sobreviven a pruebas de todo tipo hasta que deben decantarse por alguna de las distintas secciones, ya sea la magia, la biología, la geología o la cartografía.

A los pocos minutos, los faroles nacen de los hogares mhyskardianos. Flotan en el aire hasta elevarse e iluminar el manto oscuro que se cierne sobre nosotros. Regreso al lado de padre y pienso en mañana, en mis planes. El corazón me bombea despacio. Quizá no sea la forma en que Orna haría las cosas, pero estoy tranquila. Sin embargo, de repente varias gotas nos repiquetean en la frente. Abro los ojos, completamente consternada, solo para comprobar que mi padre está tan asombrado por este hecho como yo. Por primera vez en la historia que conocemos, llueve durante la noche de las plegarias. Habrá gente que mañana cante en las calles sus propias teorías, que cuente que esto significa que Mhys está llorando porque no es capaz de cumplir nuestros deseos. O puede que cuenten que la lluvia es la forma en que Mhys nos responde que el deseo está cerca de cumplirse. La emoción se arremolina en mi pecho.

La lluvia se transforma en un torrente que pronto me empapa la ropa y la melena. Levanto la vista al cielo, luchando por mantener los ojos abiertos. Entonces, hablo sin pensar y las palabras fluyen como el agua helada por mi cuerpo entero:

—Los dioses saben que un día serán destruidos.

Hoy cumplo veintiún años. Se suponía que, tras cinco años de entrenamiento para ser guerrera, mañana debía asistir a mi graduación. Hacer mi juramento, recoger el Cuerno del Abismo tallado con mi nombre. Nadie sabe que no tengo intención de vestir de guerrera.

Porque vestiré piel de Cuervo.

Información adicional

Extracto de *Leyendas del año cero de Mhyskard*

Según la mitología mhyskardiana, tras una catástrofe que condujo a la humanidad al borde de la extinción, los únicos supervivientes, Mhys y Kard, se establecieron en una isla aparentemente deshabitada con el propósito de preservar la especie humana. Esta isla fue nombrada en honor a los salvadores como Mhyskard, quienes más tarde fueron acogidos en el cielo como dioses por su gran hazaña.

De acuerdo con fuentes de origen desconocido, a lo largo de los años, Mhys adquirió la reputación de ser una mujer despiadada que no dudaba en desterrar de la comunidad a las nuevas amantes de Kard, mientras que este último, de corazón cálido y benevolente, optaba por perdonar cada uno de los actos desafortunados de ella.

Se desconoce su origen, de qué reino procedían o el avance de la humanidad antes de la catástrofe. Esta información permanece en la oscuridad de la historia. No obstante, han perdurado expresiones y peculiaridades lingüísticas de su era, así como vestimentas confeccionadas de un material extraño notablemente resistente a todo tipo de abrasiones.

Además, se conservan anotaciones escritas por los propios Mhys y Kard acerca de objetos que contenían inmensurables cantidades de información y permitían la comunicación a larga distancia. En estos escritos se hace referencia a «poderes sobrenaturales» que hoy en día se cree que eran las palabras con las que los humanos de su era se referían a la «magia».

4

Piel de Cuervo

Me despierto con el único recuerdo claro que tengo de los días posteriores al asesinato de mi hermana: el día en que el Rey Kreus Khorvus se presentó en Mhyskard para ofrecer su más «sincera» disculpa. Traía consigo un anillo con esa piedra verde. La sangre me ebulló en menos segundos de los que habría tardado en lanzarme a él para quitarle la vida. Sin embargo, elegí mantener la compostura entre el resto de las personas que observaban aquella escena en Palacio.

Me erguí como si quisiese enterrar los pies en el suelo y eso pudiera ayudarme a conservar la cordura. Como si mis ojos se estuviesen incendiando del propio infierno o mis manos fuesen capaces de recordar el espesor de la sangre de Orna. No sabíamos nada de la piedra que portaban los Khorvus desde tiempos ancestrales, porque en realidad apenas sabíamos de ellos, pero padre se atrevió a preguntarle en mi lugar, solo por el hecho de que no abrí mi boca en días más que para suplicarle que hiciese aquello. Necesitaba conocer la identidad del asesino de Orna para convertirme en su verdugo.

Kreus abrió los ojos, sorprendido. Luego, los entornó de forma peligrosa y todo su rostro se arrugó al sonreír de la forma más espeluznante que jamás había visto. «No está en venta, si es lo que le interesa. Solo hay tres en el mundo y pertenecen a la realeza de Khorvheim», zanjó con una voz ronca y abrasiva.

Es de madrugada. Hace apenas unas horas que acabó la noche de las plegarias y que pudimos volver a nuestros hogares para descansar un poco antes de la siguiente jornada. Yo solo he dormido los míseros minutos que me ha fallado la mente y se me han cerrado los ojos sobre los libros que no he dejado de estudiar desde que he llegado. Son los mismos en los que he ido anotando casi de forma obsesiva todo lo que me contaba Rawen acerca del abismo, de Khorvheim y de la Escuela de Cuervos durante estos años. Me río mientras me desperezo. Es absurdo, incluso tengo un plano dibujado a lápiz de ese dichoso castillo porque ella ha vivido ahí cuatro cursos y se lo conoce al detalle. Apilo los libros para guardarlos en las cajas que hay en la balda inferior de mi estantería, junto al tocador que padre me regaló en mi decimoquinto cumpleaños creyendo que yo aspiraría a ser una chica de vestidos y sueños románticos. Nunca lo he usado.

Busco la libreta que sí llevaré conmigo, un pequeño cuaderno de piel que les compré a las brujas a cambio de la irracional cantidad de comida que sobra en casa porque las doncellas se empeñan en cocinar a todas horas, a pesar de que padre pasa muchas horas en la muralla y yo en las montañas o entrenando en la formación. Lo encuentro, maldigo haber manchado de saliva una página al dormirme y lo abrazo contra mi pecho. Será una de mis armas más poderosas, lo que me ayudará a fingir ser alguien que no soy y a conocer un territorio que no es el mío. Lo meto en la mochila de cuero junto a las dagas antes de empezar a ordenar el dormitorio.

Después, delante del espejo me deshago del camisón y los pantalones de dormir, enfundo las piernas en un pantalón de cuero marrón oscuro, me abrocho la camisa blanca y me ajusto el corsé a la cintura. Decido portar la gargantilla de Rawen hasta el final como prueba de todo lo que he trabajado estos años por mi promesa de venganza. El rato en que me peino el cabello no le quito ojo a la carta que le he dejado escrita a mi padre sobre el escritorio. Por último, me cubro con una capa oscura hasta las rodillas.

No espero que él comprenda lo que voy a hacer.

Observo mi reflejo. Tengo el cabello oscuro recogido en una trenza sobre mi hombro. Me recuerda tanto a Orna y me parezco tan poco a ella que me duele haber elegido este peinado en su honor. Mis labios ligeramente carnosos, mi nariz recta y mis ojos verdes me habrían convertido en una buena candidata para el matrimonio en un mundo que ya no es el mío, que dejó de serlo hace cinco años, aunque tampoco es que soñase con casarme o con el amor más allá de darme algún revolcón en las montañas. Los jóvenes fibrosos de piel cálida de la tribu con los que me mezclaba a menudo eran los mejores candidatos para mis fantasías.

Sacudo la cabeza mientras trato de deshacerme de la estúpida sonrisa que me estira los labios. Me sorprende estar de tan buen humor. Compruebo que llevo lo importante y necesario en la mochila. Luego, me la engancho a los hombros preparada para atravesar el pasillo de puntillas con las botas en las manos. Nuestra casa es grande, tiene varias habitaciones cogiendo polvo porque nadie las utiliza y también muchos pasillos, de modo que me las ingenio para salir indemne. Ninguna doncella me descubre.

Apenas comienza a amanecer, mi momento preferido del día. Me ato las botas al pisar el exterior. Rescato las dagas de la mochila y me las guardo en las fundas imperceptibles del corsé. Alzo la mirada, contengo el aliento. Incluso desde aquí, la colina en la que vivimos, que está casi en la periferia de la capital, el tamaño de la muralla resulta imponente. La caminata se hace larga, por los nervios de que cualquier inconveniente se interponga en mis planes, y pesada, por el sueño que he arrastrado estos últimos días.

A unos treinta metros de la muralla, en la plaza principal de Corazón de Mhyskard, tomo la primera salida a la izquierda hacia el túnel este del abismo, que es donde he quedado con Rawen para despedirnos. Hay pocos guerreros vigilando la zona y casi ninguno cerca de este túnel porque el Cantapenas destruyó una torre en uno de sus ataques y gran parte de los pedazos sepultó estas escaleras. El único fin para el que puede utilizarse ahora es para cruzar al Reino de Khorvheim, razón que solo a un necio se le ocurriría, pues el Tratado de Guerra Pausada permite que se nos castigue con la pena de muerte si pisamos el territorio enemigo.

Los mhyskardianos somos cadáveres andantes en ese reino por muchos motivos.

En cuanto veo el momento perfecto para adentrarme en el túnel, introduzco la llave y empujo con fuerza la puerta. El rechinar del hierro bajo mi peso sobresalta a Rawen, que está sentada sobre un pedazo de piedra a un lado del pasadizo. Su cabello dorado recogido en una coleta danza al correr hacia mí y envolverme en sus brazos. Está temblando.

—Lo admito, tengo mucho miedo.

—Tranquila, vas a vivir.

—Eso espero.

—¿Qué harás ahora? —le pregunto y por instinto empiezo a acariciarle la espalda para que se tranquilice. Reprimo el gesto en cuanto recuerdo que no debo seguir fingiendo que somos amigas.

—Los carruajes me trasladarán desde la Escuela de Cuervos cuando esté lista. Tenemos una hora o poco más.

Me inquietan sus compañeros. Quién la echará en falta o quién conoce su rostro. Se supone que solo una persona se graduó el mismo año que Rawen, el resto pertenece a promociones anteriores de estos cinco años de entrenamiento.

—¿Nadie más de la escuela irá contigo?

—Ya sabes que no.

—Me dijiste que no estabas segura de si ese biólogo…

—¡Ah! ¿El pedante de Nevan? —vocifera entusiasmada y se aparta de mí—. No, no. Ayer estaba escupiendo maldiciones porque han decidido sustituirlo.

Va vestida con ropajes de cuero tan similares a los míos que, cuando repara en mi vestimenta, sabe que algo no va bien. Se le desencaja la mandíbula.

—¿A dónde vas vestida así? —El desconcierto le quiebra la voz.

—Tengo cosas que hacer…, promesas que cumplir.

—¿Qué cosas? No me has contado nada.

—Si te hubiese contado que quiero bajar al abismo —respondo irguiéndome—, ¿habrías permitido que te robase tus sueños?

Nuestros ojos, a la misma altura, reflejan emociones muy contrarias. La tez de su rostro empalidece. Su semblante se inunda de una mezcla de decepción y confusión. Rawen da un paso atrás, yo lo doy hacia ella.

—No quiero hacerte daño —me advierte, lo que me roba una risa socarrona porque no sé en qué reinos una cartógrafa con tantas ganas de vivir podría hacerle daño a una guerrera que no tiene nada que perder.

De pronto, me asesta un golpe en la mandíbula que consigo esquivar a medias y me corta la risa. Inflo mis pulmones, me palpo la piel caliente.

—Ha dolido, aunque no ha sido lo suficientemente fuerte como para dejarme inconsciente.

—Eso es porque tienes buenos reflejos —admite preguntándome con la mirada qué sucede—. Se suponía que éramos amigas.

—Ya hablas en pasado. —Posiciono los pies equilibrando el peso de mi cuerpo para prepararme.

—Porque no voy a permitir que nadie me robe mis sueños.

—Entonces, supongo que esto es un adiós.

Rawen se pone alerta. Lleva una mano a la hoja curvada en su cinturón, pero soy más rápida y la empujo fuerte contra la pared rocosa haciendo que pierda el equilibrio y la hoja salga volando hacia la otra esquina del túnel. Rawen exhala un quejido ahogado. El tintineo de su arma al caer lejos de ella le apaga la esperanza en las pupilas. Sin embargo, no se rinde, sino que se abalanza contra mí y, cuando trastabillo de espaldas, me asesta un puñetazo en la nariz que anula mi equilibrio por completo. Las piedras del suelo se me hunden en la espalda. Siento el cosquilleo de la sangre que me brota de la nariz descendiendo por mi mejilla derecha.

—No quiero hacerte daño. —Ahora soy yo quien lo dice y ella quien se ríe.

No me escucha, tampoco intenta escapar. Se toma la libertad de escudriñarme desde arriba con una mirada de superioridad que incendia cada ínfima gota de sangre que recorre mis venas. Maldita sea, todos en Khorvheim son así. Todos los Cuervos son igual de arrogantes. Quizá no me haya creído cuando le he dicho que no quiero hacerle daño, pero no me queda otra alternativa. Aprovecho los pocos centímetros que nos separan para impulsarme con las piernas y cerrarlas en torno a su cabeza haciéndole una llave. Me golpea las piernas sin cesar, la cara se le amorata por la presión que ejercen en su cuello y empieza a toser. Tengo mis dagas a mano, aunque no las utilizaré contra ella.

—Dime dónde tienes el título de cartógrafa y la carta de aprobación para la expedición.

—Vete al infierno —balbucea con dificultad.

Sonrío, resignada.

—Llevo viviendo en el infierno toda mi vida.

Los ojos se le llenan de lágrimas. No de tristeza, sino de rabia. Rawen no se corta en contraatacar de la única manera que puede y me escupe a la cara con desprecio. Cierro los dedos en un puño y le golpeo la sien con la fuerza justa. Pierde el conocimiento al instante. Procuro sostener su peso para que no se golpee la cabeza al caer al suelo repleto de escombros y reviso su respiración con el miedo latiéndome en la garganta.

Suelto un largo suspiro de alivio, está viva.

La tumbo a un lado asegurándome de que queda completamente inmovilizada con las cuerdas que he traído de casa. La sangre que brota de mi nariz no cesa mientras rebusco desesperada en las pertenencias de Rawen, cojo algunos apuntes que se había guardado para bajar al abismo y encuentro los documentos. El título y la carta, el billete de ida al abismo. La admiro entre mis dedos casi al borde de un ataque de pánico por lo mucho que me ha costado llegar aquí, a esta oportunidad. Por todo lo que dejo atrás hoy. Porque hace más real que nunca las visiones que me atormentan desde hace cinco años cuando intento conciliar el sueño.

Dejo las dos llaves de este túnel, la que le arrebaté a padre ayer y la mía que le presté a Rawen para este encuentro, en una esquina bajo un montículo de arena y escombros. La miro una última vez y siento lástima por ella, por estos años juntas. Sé que no es mala persona, que ha sido la única «amiga» que ha intentado comprenderme en todo este tiempo. Incluso la culpa intenta hacerse hueco en mi pecho por lo que le acabo de hacer.

Hasta que recuerdo que los Cuervos también destrozaron mis sueños.

—Ojalá nos hubiéramos conocido en otras circunstancias, Rawen.

Me doy palmaditas en las mejillas para espabilarme y me dispongo a cruzar la puerta entreabierta. Khorvheim se abre ante mí. Allí a donde voy, la culpabilidad no tiene cabida para mí. Cualquier sentimiento, un paso en falso, podría hacerme perder la batalla. Mis labios forman una perfecta línea recta. Lo tengo más claro que nunca. Vestiré piel de Cuervo hasta la muerte. Comeré con ellos y dormiré con ellos. Sobreviviré con ellos hasta que pueda hundir mi daga en sus cuellos, ver el terror en sus ojos mientras les arrebato la esperanza de vivir y oírlos gritar hasta que les queme la garganta.

Información adicional

Querido padre:

Sabes que no soy una persona que pida perdón a la ligera. Ni que muestre sus emociones o se arrepienta de sus decisiones. Al menos, no desde la muerte de Orna. Quiero contarte la verdad porque hay tantas posibilidades de que no volvamos a vernos que te mereces saber qué sucedió en realidad.

Hace cinco años, le pedí a Orna como regalo de cumpleaños subir a la muralla para contemplar desde ahí la noche de las plegarias juntas. También sentía una curiosidad imparable por ver el abismo con mis propios ojos. Todo iba bien hasta que distinguimos a tres Cuervos en la muralla. Uno de ellos portaba un accesorio inconfundible. Estaba y sigo estando convencida de que se trata de una persona de la que pronto me encargaré yo misma. Ya sabes que Orna era… En fin, da igual. Ella tomó la decisión de enfrentarse a los Cuervos sola. La asesinaron mientras yo lo presenciaba todo como una cobarde, paralizada entre las almenas.

Tu hija Orna murió defendiendo la muralla, pero no fue un Cantapenas lo que la asesinó. Sí, esa bestia devoró el medio cuerpo que le faltaba y la lanzó al vacío para encargarse de los guerreros que iban llegando Sin embargo, ese monstruo solo era un peón más del enemigo. Tu hija Orna jamás sopló el cuerno porque ya estaba muerta. Fui yo quien lo hizo antes de salir corriendo. Porque ella había roto su juramento como guerrera al llevarme allí. Muerta o viva, ¿qué más podía hacer sino conservar el honor de Orna y protegerte de las consecuencias? He vivido con el secreto hasta hoy. Espero que sepas guardarlo con el mismo recelo.

Lo siento.

Aún no soy capaz de perdonarme por haberle pedido ese regalo. Te prometo que la vengaré. Que se arrepentirán de lo que hicieron. Me he preparado estos años para ello. Pero no sé si volveremos a vernos o abrazarnos, a compartir una noche de las plegarias en lo alto de la muralla o si volveré a verte sonreír, así que necesito que sepas que mi partida tiene un significado. Que, si muero, mi muerte también tendrá un significado. Tal y como nos enseñaste desde pequeñas, «debemos saber por qué queremos morir».

Habría sido maravilloso celebrar mi graduación junto a ti y a Orna.

¡Ah! Por favor, necesito que vayas al túnel del este. Es una de las consecuencias de mi plan. Rawen estará ahí. Las llaves también, en la esquina bajo los escombros. Dile de mi parte que ojalá pueda perdonarme algún día por arrebatarle su sueño.

No sé muy bien cómo despedirme... Gracias por todo. Sé que te lo digo poco, pero... Os querré a Orna y a ti hasta la muerte. Espero que esta carta alivie de alguna manera el dolor de tu corazón. Te estaré eternamente agradecida por haberme hablado de mamá.

5

El Cuervo y un cuervo

Estoy a diez minutos a trote de la Escuela de Cuervos.

Lo he calculado muchas noches recorriendo la muralla a hurtadillas. También sé que debo atravesar un bosque espeso, poco transitado debido a los mitos que lo sobrevuelan, y que en él hay un claro con un pequeño lago donde pienso enjuagarme la cara y lavar la camisa blanca, que, después del revolcón entre escombros, parece marrón a parches. El sofocante calor de nuestros veranos se encargará de secar el tejido en menos tiempo del que tardaré en llegar a la escuela.

Me detengo un segundo para recobrar el aliento y sigo adelante. El bosque se abre ante mí, diferente a cualquiera que haya pisado antes. El aire es denso y la ausencia de vida animal en él es… inquietante. El sol de la mañana que comienza a alzarse se filtra a través de las hojas de los árboles, creando un juego de luces y sombras en el suelo cubierto de musgo. Cada uno de mis pasos resuena en la quietud de este lugar, mientras el murmullo de las hojas danzarinas y el canto distante de pájaros que no logro identificar me acompañan en la caminata. Después de atravesar un laberinto de troncos enormes, por fin lo veo: el lago, sereno y cristalino, se extiende ante mí como un espejo apenas iluminado porque la densidad de los árboles oculta el cielo.

Corro hacia él, me deshago de la capa, del corsé repleto de dagas y de la mochila, y me inclino en la orilla mientras me quito la camisa para enjuagar la tela con brío. Me percato de que tengo varias raspaduras en los brazos, tierra incrustada en las heridas y la trenza completamente despeinada. Estoy hecha un asco. Menos mal que decido no mirarme la cara en el reflejo del agua. Una vez que el tejido parece estar limpio o, como mínimo, decente para presentarme en la escuela, cuelgo la prenda como puedo en una de las ramas bajas del árbol más cercano. Entonces, regreso al equipamiento que he abandonado en la orilla y me encojo abrazándome a las rodillas.

Me derrumbo.

El llanto me nace en el estómago y se revela al mundo nublándome la vista. Me pregunto si padre habrá leído la carta. Si habrá advertido mi ausencia. Si Rawen estará bien. Si, a partir de ahora, odiará tanto a los mhyskardianos como yo he odiado a los Cuervos estos años. Me paso el dorso de las manos por los ojos para arrebatarme las lágrimas que solo me convierten en alguien débil, sintiendo un dolor punzante en la nariz que supera al de la mandíbula. Esto no podré hacerlo en el abismo, no frente a mis enemigos. Ser débil no es una opción. Las guerreras vamos a la batalla aunque sepamos de forma anticipada que estamos destinadas a morir, porque nuestra gloria está en la muerte de aquello por lo que luchamos. Y, a pesar de que hoy no podré hacer mi juramento como guerrera, me siento una de ellas. No una guerrera de las murallas, sino de Mhyskard. Mi honor está en proteger a mi familia, la que vive y la que dejó de hacerlo.

Cuando observo mis manos, están manchadas de sangre.

Pero no me asusto. Me despojo del resto de la ropa, la coloco encima de la mochila con cuidado de que no se ensucie de la tierra humedecida de la orilla y me adentro en el lago. La piel de mi rostro lo agradece. Al cabo de unos minutos, el agua helada hace su trabajo: me destensa todos los músculos del cuerpo, me limpia las heridas que voy frotándome con una delicadeza impropia de mí y detiene la hemorragia de la nariz. Creo que la hinchazón no es demasiado perceptible.

Sin embargo, la tranquilidad dura poco. Mis sentidos, agudizados por la conexión innata que comparto con la naturaleza, captan un movimiento entre los árboles antes de que mi mente pueda siquiera enfocar al objetivo. Me aproximo sigilosa a mis armas, salgo desnuda del lago y comienzo a vestirme prestando atención a todo cuanto me rodea. La camisa sigue tendida en la rama, bien. Me visto con ella, aunque aún está húmeda, para poder atarme el corsé y así tener las dagas a mano. Cierro los ojos, afino mis oídos. Creo que escucho algo, pero se ha alejado. Aun así, me atrevo a indagar de qué se trata cuidando el ruido de mis pisadas o que el musgo del suelo no me haga resbalar.

Cuando me acerco al origen del sonido, lo primero que diviso es la figura de un joven de espaldas, vestido con pantalones color tierra y una camisa holgada de lino. La brisa le revuelve despacio la cabellera azabache como si formase parte de las hojas de los árboles. Lo segundo que atisbo, y que de alguna manera inexplicable me paraliza el corazón, es un cuervo posado en la rama más cercana a él. Su plumaje oscuro irradia destellos iridiscentes que me hacen dudar de si pertenece a este mundo. Me quedo inmóvil, cautivada por la fuerza magnética que desprende el animal, presenciando la perfecta armonía entre ese cuervo y el humano que lo observa en silencio, como si compartiesen un vínculo lejos de lo terrenal, algo sagrado y prohibido al mismo tiempo.

El tono claro de su piel contrasta con el cabello oscuro, que le cae húmedo por el cuello, y es tan alto como algunos de esos chicos de la tribu que están acostumbrados a trepar árboles.

Un murmullo sale de la boca del joven.

De pronto, los susurros del viento cambian. El ave clava sus pequeños ojos negros en mi silueta y, por un momento, creo que le brillan de un dorado cegador. Lanza un graznido impetuoso y echa a volar en mi dirección. Ahora sí me asusto, retrocedo un par de pasos, pero alza el vuelo antes de que pueda siquiera rozarme. Para cuando despego la vista de sus alas perdiéndose entre las copas de los árboles, el desconocido se ha dado media vuelta. Nuestras miradas se encuentran. Y conectan, al instante, cargadas de una electricidad similar a la que sentí la primera vez que admiré el abismo desde lo alto de la muralla. Nunca se lo he contado a nadie, pero mi corazón late a una velocidad distinta cuando pierdo el tiempo adivinando qué esconderá ese agujero gigantesco en el suelo.

Justo eso sucede ahora.

—Lo has espantado —me acusa. Tiene la voz profunda, como sus ojos oscuros salpicados de motitas iridiscentes que me recuerdan al plumaje del cuervo. Llevo mis manos a las dagas de mi corsé con disimulo—. No tienes ni idea de lo complicado que es dar con uno.

—¿Estabas… hablando con ese cuervo? —me arriesgo a preguntar para ganar tiempo.

Esboza una sonrisa astuta que me roba el aliento. Se pasa los dedos por el pelo mientras recorta la distancia que nos separa y entrecierra los ojos como si pretendiese leer mis pensamientos. Todo mi cuerpo reacciona a sus movimientos, necesito huir. Lo último que debo hacer a estas alturas del plan es enfrentarme a otro Cuervo. La energía en este bosque es espesa y confusa. No puedo pensar con claridad.

—Los cuervos no hablan —dice. Me ahogo en la intensidad de su voz; extiende una mano y me da un toquecito en la frente sin que ninguna parte de mi cuerpo reaccione ante el peligro—. Conectan con esto. —Aparta la mano y se señala el pecho a la altura del corazón—. Y el mensaje llega aquí.

Tiene los labios carnosos, las cejas bien definidas y una mandíbula angulosa que lo convierten en uno de los chicos más apuestos que he visto jamás, pero su presencia irradia una mezcla de peligro y familiaridad que me desconcierta.

—¿Y qué mensaje te ha llegado? —Sueno a una Lhyss que no soy, que habla con desconocidos y se deja atrapar por las leyendas de reinos que no son el suyo.

—¿Por qué tendría que decírtelo?

—Mi padre es herrero —me invento, vacilante—. Te cortará la cabeza con una de sus espadas si se entera de que estabas espiándome en el lago.

Enarca las cejas y me examina de pies a cabeza, deteniéndose en esas zonas inflamadas, enrojecidas o raspadas por el enfrentamiento con Rawen. Por los dioses Mhys y Kard, es demasiado atractivo para lo que estoy acostumbrada a ver en la tribu de la montaña. Me pregunto si en Khorvheim todos los chicos son así de perfectos. Mi atención recae en su sonrisa, que se ladea sinuosa.

—¿Y por qué no te creo?

—Porque tienes un problema de confianza.

Se carcajea inundando el bosque de su risa. Y juro que por un segundo parece que también sabe hablar con los árboles, porque todas las hojas vibran con él.

—¿Sabes por qué nadie visita este bosque? —inquiere acortando los pocos centímetros entre nosotros. Incluso soy capaz de percibir el olor a cuero que desprende su piel. Niego despacio—. El Bosque de los Cuervos está impregnado de la energía que emana del abismo. A la gente le asusta, incluso a esos magos experimentados de la escuela, porque encontrarse con un cuervo en este lugar significa un presagio del que no puedes escapar.

—¿Son un presagio de muerte? —susurro, absorta en esas volutas extrañas que titilan en la negrura de sus ojos.

—Los cuervos no siempre se les presentan a quienes van a morir, pero es una de las opciones y la mayoría prefiere evitarlo.

—Contengo el aliento cuando sube las manos rozándome los brazos y las descansa en mis hombros—. ¿Tú no?

—No le temo a la muerte.

—Pero sí a la pérdida.

Todo mi cuerpo se tensa, aunque hago un esfuerzo sobrehumano por mantener la compostura para que sus manos no lo noten. Lo miro de frente, sin apartar la vista ni un instante, pero soy incapaz de descifrar su expresión taciturna.

—¿Quieres saber cuáles son las otras opciones? —murmura y, antes de que pueda responder, acerca su boca a mi oído—. A veces, las personas que pisan este bosque y se cruzan con un cuervo se lanzan al lago, olvidan nadar y se ahogan, o tienen alucinaciones y enloquecen.

—¿Estás insinuando que puedes ser producto de mi imaginación? —murmuro.

Su risa maliciosa me eriza la piel del cuello.

—Soy el hijo del panadero que reparte los desayunos en la Escuela de Cuervos.

—¿Y por qué no te creo?

—Porque a las mentirosas siempre les cuesta creer a los demás. —Se aparta de mí con un gesto desafiante ensombreciéndole la mirada. El peso de sus manos desaparece. Las dirige a mi rostro y con los dedos índice dibuja un triángulo, trazando una línea entre mi nariz y el mentón—. Recuerda recoger la daga que se te ha caído en la ribera del lago.

Por acto reflejo, me giro para comprobar la dirección que me ha señalado. El viento me sopla en la nuca. Para cuando me doy la vuelta un instante después, él ha desaparecido. Los dolores y las heridas de mi cuerpo también lo han hecho. Regreso al lago por la ínfima posibilidad de que todo esto haya sido una alucinación. Pero no. Salgo de dudas al vislumbrar el destello del metal.

La daga que se cayó de mi corsé está ahí.

Información adicional

DETALLES QUE DEBO TENER EN CUENTA

Equipamiento para la expedición:
 -<u>2 cuerdas</u> *(para atar a Rawen).*
 -<u>Dagas de hojas cortas</u> o curvadas. Las espadas solo se les permiten a rangos mayores.
 -<u>Vendajes</u>.
 -<u>Nada de hierbas medicinales, ungüentos ni comida</u> de Mhyskard, por si revisan la mochila antes de bajar. Además, Rawen me contó que la comida la proporcionan los Jefes de Tropa.
 -<u>Recipiente vacío</u> para el agua.
 -<u>Este cuaderno</u> con las anotaciones que he hecho del abismo estos años.
 -<u>Brújula</u>.

Rangos y secciones dentro del abismo:
 -2 Jefes de Tropa (rango mayor). Cuervos entrenados en combate y estrategia general.
 -2 Guardianes (rango medio). Cuervos entrenados en combate de cuerpo a cuerpo y larga distancia para preservar la supervivencia de la tropa completa.
 -1 Sanador (rango menor).
 -1 Informante (rango menor).
 -2 cartógrafos (sin rango, sección cartografía).
 -2 biólogos (sin rango, sección biología).
 -2 geólogos (sin rango, sección geología).
 (Solo aceptan como voluntarios a los aprendices con las mejores calificaciones de los últimos 5 años).

~~Quedan 37 días para la expedición~~
~~y 36 días para mi vigesimoprimer cumpleaños.~~

6

Al borde del abismo

El viejo castillo de tonos grisáceos y vitrales multicolores se erige imponente contra el cielo.

Sus torres puntiagudas se recortan en el horizonte como espadas. A medida que me acerco, puedo distinguir a través del gran portón abierto los arcos apuntados y las columnas de mármol que decoran el interior de lo que parece la entrada principal de la escuela. Hay aprendices con túnicas de distintos colores paseando de un lado al otro ahí dentro, aunque en el camino de tierra que conduce al castillo no hay un alma, a excepción de un chico de cabellera oscura y tez pálida que juega a enredar sus dedos de manera errática sentado en las escaleras. Sopeso si tomar asiento en uno de esos escalones mientras espero a que llegue el carruaje es la mejor idea.

Quizá no sea la mejor, pero sí la más lógica.

Desde luego, no tendría nada de lógico evitar cualquier interacción humana en Khorvheim, a pesar de que podría estar sentenciándome a muerte de hacerlo. Rawen decía que en la Escuela de Cuervos nadie tiene amigos, que la gente no se molesta en aprenderse el nombre de los demás. Espero que sea cierto.

Camino lenta hacia las escaleras, estudiando los movimientos nerviosos que ese chico hace con las manos hasta que reparo en lo que intenta: borrarse el rastro de agracejo que se le ha incrustado en las uñas. Es fácil reconocer el color que desprenden las bayas tóxicas si has crecido gran parte de tu vida en las montañas rodeada de brujas y personas salvajes que dependen de los alimentos naturales que se llevan a la boca. Se recolectan en otoño y, aunque son comestibles, en grandes cantidades tienen el poder de destrozarte el estómago.

De todos modos, tengo entendido que en Khorvheim está prohibido su uso o, al menos, limitado a ocasiones puntuales, ya que los agracejos los exportamos nosotros de las montañas del norte. Y este chico no parece tan adinerado como para comprar recursos importados; de hecho, por sus zapatos y pantalones raídos aparenta todo lo contrario. Ahora entiendo su desesperación por borrar ese rastro; como mínimo, debe de haberlas robado.

Me siento en un escalón a la misma altura que él, aprovechando los minutos que me quedan aquí para trenzarme la melena de nuevo. Cuando el chico a mi derecha considera que se ha rascado lo suficiente las uñas al punto de haberse roto un par de ellas, suspira aliviado y descansa los codos en el escalón superior, elevando la vista al cielo.

De pronto, su mirada recae en mí de soslayo.

—¿Qué miras?

—También te has manchado el pantalón de agracejo —apunto.

Abre los ojos claros como glaciares, espantado e irritado en la misma medida, y chasquea la lengua mientras se frota la mancha de la prenda, completamente desquiciado. No sé si sabrá desaparecer por arte de magia, pero está claro que en este lugar escasean las personas normales.

Aún me cuesta creer lo que ha sucedido en el bosque. ¿Tendrá este la capacidad de desaparecer si le viene en gana también? Sé que los aprendices de esta escuela se entrenan en magia básica y artes marciales hasta que se especializan en alguna materia como Rawen hizo con la cartografía, pero jamás me habría imaginado que podían hacer esos trucos.

Todo lo que circunda la escuela son valles y ese bosque frondoso alejado de los caminos de tierra que se difuminan por lo poco transitados que están. Me pica la piel por el sol que ya ha despertado y no puedo reprimir las ganas de elevar la vista a la muralla que separa ambos reinos. Desde aquí se intuye incluso de mayor altura. Me pregunto qué sentirá la gente de Khorvheim al recordar que esa muralla que erigimos los mhyskardianos fue lo que impidió que conquistaran más territorio del que ya nos habían arrebatado.

El carruaje no tarda en salir del espesor verde de mi derecha. Varios caballos tiran de él sin jinetes. Magia, sospecho. En cuanto hace una parada frente a las escaleras y una joven de piel morena desciende de él con una diminuta lista de nombres, me pongo en pie y saco de la mochila la carta de aprobación para la expedición. El castaño de su melena corta contrasta con los mechones malvas que le enmarcan la frente hasta esconderse tras las orejas repletas de aretes.

—Rawen Kasenver, sección de cartografía —enuncia en voz alta.

Doy un paso al frente para entregarle la carta. Ella, que supera el metro setenta, enarca una ceja inspeccionando mi figura. El corazón me va a trepar por la garganta en cualquier momento y se me va a salir de la boca.

—Esperaba que fueras una cría enclenque. ¿Dónde tienes el título?

—Aquí —digo, recuperándolo del interior de la mochila.

Sin embargo, una risotada aguda procedente del maníaco de antes me sobresalta. La joven levanta la vista por encima de mí con un gesto que a cualquiera de estos aprendices podría retorcerle las tripas. Ladeo la cara disimuladamente, rezándole a cualquier dios que esté cerca que le selle los labios a ese niño impertinente y viendo cómo se encoge de hombros mientras se aproxima a nosotras.

—¿Algún problema, aprendiz? —El tono hosco de ella le borra la sonrisa de la boca de golpe.

—Me gusta reírme —dice al plantarse a mi lado. El olor a hierbas que despide es delatador.

—Nadie diría que te gusta hacer amigos.

—No he dicho que me guste compartir mi risa con los demás. —Abre el bolso de cuero que le cuelga del cinturón y le entrega unos papeles—. Soy Nevan Triferholl, sección de biología. —Su pulgar me señala y sonríe malicioso—. Compañero de Rawen Kasenver.

Nevan. Triferholl. El pedante biólogo que, según mi amiga, habían sustituido.

—Yo soy Nadine Vyrthor, segunda Mano del Rey al mando del Consejo de Expediciones. —Parpadeo varias veces. ¿Es una broma? ¿Cómo es posible? Apenas rozará la treintena—. Estaré en la tropa de exploración con vosotros durante la expedición al abismo. Ahora, andando, no hay tiempo que perder.

Nos guía al interior del carruaje, instante en el que se me revuelven las entrañas y mido el peligro que pueden suponerme ambos. Nadine viste un top de tirantes ceñido al torso, de un cuero marronáceo, que le abraza los hombros redondeados y musculosos, y los dos brazaletes de cuero cubriéndole los antebrazos hacen que los bíceps luzcan apretados; está claro que le sobran fuerzas para arrancarnos la cabeza a los dos si se lo propone. Respecto a Nevan, soy como mínimo un palmo más alta que él. Es delgado, un oponente débil si se enfrentase a mí cuerpo a cuerpo, aunque lo que de verdad me preocupa es lo que haga con su lengua afilada. No ignoro el hecho de que, al igual que todos aquí, sabrá manejar la magia básica. Mi cabeza me achicharra las neuronas a una velocidad insólita porque no sé si debo deshacerme de él en cuanto tenga la oportunidad, si me delatará antes de que nos quedemos a solas o si…

—Mi silencio a cambio del tuyo, por lo de la mancha —me susurra interrumpiendo el enredo de pensamientos que me está torturando por dentro, y salta a la vista que hace un esfuerzo monumental por dedicarme un breve guiño sin ganas—. Odio las deudas.

Nos sentamos frente a Nadine. Hace un movimiento circular con las manos en el aire y envía a los caballos la pequeña ráfaga de viento que ha creado, poniendo así el carruaje en marcha. El corazón se me aprieta contra las costillas. Es la segunda vez que veo magia en mis narices. O la tercera, si contamos la Magia Prohibida que vi en las manos del Príncipe aquella noche de hace cinco años. Nevan nos ignora porque prefiere contemplar el paisaje desde la ventanilla. Incluso sin conocerlo me atrevería a decir que simplemente detesta a la humanidad y es la única forma que tiene de ignorarnos dentro de este habitáculo.

Después de lo que me ha dicho, respiro más tranquila, porque deduzco que mis sospechas eran ciertas: él también guarda algún secreto comprometido con esas bayas.

<hr/>

La falta de descanso en estos días que he estado estudiando las anotaciones que iba haciendo a medida que Rawen me relataba sus clases en la escuela ha hecho mella en mí. Soy consciente de ello cuando Nadine me despierta chocando su rodilla contra la mía y enarca una ceja con ambos brazos extendidos a lo largo del sillón del habitáculo.

—¿Para qué te han entrenado, para estar alerta o para dormir?

Joder. ¿Cómo he sido capaz de dormirme con estos dos aquí? Bueno, Nevan ya no está. Supongo que ha bajado del carruaje porque la puerta está abierta y oigo alboroto en el exterior. Me acaricio el bulto en la rodilla, que me duele un demonio, y fulmino a la culpable con la mirada.

—Te he hecho una pregunta, aprendiz.

—Me han entrenado para estar alerta cuando descienda al abismo —mascullo, malhumorada—. Se supone que ahí están los enemigos. ¿O acaso están aquí?

Un brillo de curiosidad le enciende las pupilas y va curvando poco a poco los labios en una sonrisita sombría a medida que se inclina hacia delante con los codos sobre sus rodillas y el mentón entre las manos.

—Será interesante ver si muestras las mismas agallas ahí abajo. —Cabecea en dirección a la puerta del habitáculo—. Vamos, tienes el abismo a unos pocos pasos.

El vasto paisaje de roca agrietada y erosionada que circunda al abismo está completamente desolado. No es de extrañar teniendo en cuenta que en cualquier momento una bestia del inframundo puede aflorar de las profundidades y destruir todo esto. El suelo áspero resuena con cada paso haciendo palpable el silencio inhóspito que se cierne sobre este lugar. Si admirar la magnitud del abismo desde la muralla es un espectáculo digno de ver al menos una vez en la vida, hacerlo desde esta distancia es… paralizante.

Al poner un pie en la superficie musgosa que bordea al agujero negro que se hunde en la tierra, esta vibra. Algo espeluznante lo hace en mí también. El aire se espesa conforme avanzo hacia el precipicio cargado de niebla negra, ignorando al grupo de exploradores que parlotea reunido a la derecha, junto a un par de garitas de piedra. Mi corazón late más deprisa de lo que recuerdo que puede hacerlo, y el silencio que me aplasta solo es roto por la carcajada de una chica rubia que le palmea el hombro a otra pelirroja con gafas.

—¡Eh, cartógrafa con agallas! —vocifera Nadine detrás de mí. Cuando me vuelvo hacia ella, lo hago escondiendo el temblor de mis manos bajo la capa—. Es hora de las presentaciones, ya tendrás tiempo de investigar luego.

Me acerco a la tropa con el corazón en la garganta e intuitivamente busco al chico de ojos celestes que me salvó el pellejo hace nada para colocarme a su lado. Ignoro la miradita de fastidio con la que me recibe. Todos están en formación frente a una plataforma elevada y rocosa que se extiende entre ambas garitas, dos torreones de piedra de cantera negra. Cuento doce chicos y chicas incluyéndome a mí, la mayoría ronda mi edad. Sé por Rawen que se graduaron con las mejores calificaciones años atrás y se ofrecieron voluntarios a la expedición que han estado esperando hasta hoy. Las risitas cesan cuando Nadine sube a la tarima seguida de un tipo espigado con el cabello rubio hasta la nuca que se planta en el centro cruzando los brazos detrás de la espalda.

—Bienvenidos al principal puesto de vigilancia del abismo. Para los nuevos en la formación, esta es Nadine Vyrthor, segunda Mano del Rey al mando del Consejo de Expediciones —dice señalando a la culpable del dolor en mi rodilla—, y yo soy Arvin Khadoric, primera Mano del Rey al mando del Consejo de Expediciones.

Se afianza un mechón rubio tras la oreja y alza la barbilla en un gesto de superioridad crecida mientras pasea su afilada mirada verdosa por nosotros que, lejos de intimidarme, hace que lo ascienda al top de la lista de personas en las que menos confiar ahí abajo. Por supuesto, en mis planes no cabe la opción de hacer amigos, pero sí la de acercarme a quienes me infunden confianza o seguridad para sobrevivir hasta que haya cumplido mi objetivo.

Mis ojos se abren de par en par.

De la garita de la derecha sale una figura arrastrando un aura magnética que reconozco de inmediato y atrae las miradas de los presentes. Alto como ninguno de los que estamos aquí, engalanado en elegantes prendas negras que sugieren un cuerpo fibroso y una capa con hombreras de plumas de cuervos. Camina al centro de la plataforma, lugar que le cede Arvin con cierto respeto que no me pasa desapercibido, y su cabellera del color del ónix centellea bajo un sol que ha sido opacado por el cielo plomizo. Imposible no acordarme del tipo que me había hecho creer que estaba volviéndome loca al desaparecer del lago como si nunca hubiese existido.

—Voluntarios y voluntarias, estáis aquí porque habéis sido los mejores aprendices en vuestra sección de la Escuela de Cuervos durante los últimos cinco años —expone, y su voz autoritaria inunda el espacio abierto en el que nos encontramos. Todos sonríen, inflados por el orgullo de sus méritos, hasta que pronuncia—: Excepto Dhonos Saerendir, único superviviente de la expedición anterior al abismo.

No necesito averiguar de quién está hablando, casi todos se encargan de revelármelo al dirigir sus ojos a un joven erguido como una columna delgada y esculpida. Tiene una cicatriz que le comienza en la mejilla derecha y le trepa a la raíz del pelo rubio pálido, corto por ambos lados y largo por arriba. Se remueve inquieto desde su posición; no parece incómodo por ser el centro de atención, sino amenazante, como si quisiese aplastarnos uno a uno. Lo apunto mentalmente en el top de la lista.

—Como ya sabéis, la expedición de hace cinco años fue cancelada por el ataque de un Cantapenas a la capital de Mhyskard. Todas nuestras fuerzas se concentraron en reducir a la bestia y restablecer el sello del abismo, lo cual resulta irónico, pues sin la Flor de Umbra nuestra magia decae y desde entonces el sello se ha vuelto más débil que nunca —continúa el Cuervo del bosque. A diferencia de Arvin, sus ojos recorren a los miembros de la tropa en una mirada ausente hasta que me detecta entre ellos y noto, de una forma casi imperceptible, cómo los entrecierra con recelo—. Todos cuantos volváis con vida de la expedición seréis recompensados con una pequeña dosis de la Flor de Umbra para que vuestro poder mágico se vea amplificado y podáis servir al Rey como es debido.

»Os damos la bienvenida y tenéis la más sincera gratitud del Reino de Khorvheim por servir en la expedición. Ahora llevaremos a cabo las presentaciones y terminaréis de prepararos en la garita antes de saltar.

¿Cómo? ¿He escuchado «saltar»? Debo de ser la única que no se esperaba esa orden, porque el resto ni se inmuta. Nadine ocupa su lugar y despliega un rollo de papel grisáceo frente a nosotros.

Información adicional

Flor de Umbra

Se trata de una flor negra con pétalos transparentes y el centro escarlata.

Según Rawen, el pistilo es lo que utiliza el Rey Khorvus para crear el brebaje que ingiere. De esta forma, mantiene pura su sangre oscura y amplifica su poder. Los supervivientes a la expedición y los soldados de Khorvheim también reciben una dosis preparada con los pétalos ~~(yo digo que es así como el Rey controla a esas bestias y crea a sus soldados)~~.

La Flor de Umbra, al poseer espinas venenosas para los humanos, solo puede ser cosechada por los sangre oscura antes de ingerirse, pues son los únicos inmunes al veneno. En caso de no poseer sangre oscura, cualquiera que la toque estará condenado a la muerte segura.

He hecho un dibujo lo más parecido posible a la flor que me ha descrito Rawen.

Poderes de la Flor de Umbra en función de la parte ingerida:

-<u>Entera</u>. *No hay información.*

-<u>Pistilo</u>. *El pistilo de la flor únicamente pueden consumirla los sangre oscura, pues ningún otro cuerpo es capaz de soportar la magia que contiene. Supone la eternidad o la muerte instantánea, y el control de las bestias del abismo a través de la Magia Prohibida ya existente en la sangre oscura.*

-<u>Pétalos</u>. Para aquellos que no tienen sangre oscura. Supone una amplificación del poder sobre la magia menor.

Ingerirla sin consentimiento se considera traición contra la Corona y se castiga con la muerte.

7

El salto al vacío

—Su nombre es Kowl, pero ya habréis deducido que no le gustan las presentaciones —dice Nadine reprimiendo una risilla—. A medida que os nombre por rango o por secciones, subid a la tarima y formad dos filas detrás de nosotros. ¿Queda claro?

Un vitoreo extraño nace de la boca de los Cuervos que me rodean, emocionados y espantados a partes iguales.

—Dhonos Saerendir y Kalya Phiana'rah, Guardianes de rango medio.

Una chica esbelta, de tez pálida y ojos rasgados, acompaña al tipo de antes. Lleva su extensa melena oscura recogida en una coleta, el flequillo recto por encima de las cejas y un uniforme bajo la capa similar al de él: pantalones y camiseta negra de un tejido flexible que favorece el movimiento durante los combates. Portan espadas en sus cinturones, además de arcos con flechas tallados en madera rojiza. Aunque me sorprende que, a diferencia de la vestimenta de los guerreros de Mhyskard, ninguno de ellos lleva armaduras consigo.

—Kirsi Kegelrich, Informante de rango menor.

Esta vez, es una joven de poca estatura la que camina hasta la tarima, enfundada en un conjunto de cuero tintado de blanco, bordados de oro que revelan la clase noble a la que pertenece dentro de Khorvheim y una capa verde oscura que apenas le roza la cadera. A juzgar por la manera en que se aferra a la libreta que le cuelga del cinturón, debe ser ahí donde los Informantes relatan lo ocurrido durante las expediciones. Tengo entendido que hacen un juramento de contar la verdad y que, en caso contrario, se les castiga con la muerte.

Inspecciono a mi alrededor para examinar cuántos más parecen especiales como los que están ahí arriba en función de la vestimenta y concluyo que ha llegado la hora de que nombren a los «normales» porque la ropa de los que estamos abajo es casi idéntica.

—Gwyn Ikhellser, Sanadora de rango menor.

La chica rubia que hace unos minutos se carcajeaba forma fila y nos muestra una gran sonrisa risueña. Es la antítesis del que tengo a mi lado con olor a hierbas y bayas tóxicas.

—Thago Rhydalar y Mei Phiana'rah, sección de geología.

El entrecejo se me arruga. No es que mi memoria sea la mejor del mundo, pero juraría que la Guardiana y la geóloga comparten apellidos. Me cercioro de que no estoy equivocada cuando me percato de que también comparten esos peculiares ojos rasgados, aunque esta última tiene el cabello corto y oscuro recogido en un moño diminuto, y su cara de pocos amigos nos fulmina al colocarse en la tarima junto a Thago, que es el chico más corpulento de todos.

—Vera Crysller y Rawen Kasenver, sección de cartografía.

He intentado evitar que la mente me traicione desviando mi atención a Kowl hasta que Nadine dice mi nombre en alto y comienzo a encaminarme hacia ellos. Dirijo mis pasos tras Vera, la pelirroja, y siento de nuevo esa atracción que conecta mis ojos con los de Kowl como si fuesen imanes. De alguna manera, hay algo dentro de mí que responde a su presencia. Algo que jamás había sentido. Y en él no encuentro amabilidad ni la supuesta gratitud de la que ha hablado antes frente a todos, así que desvío la mirada al suelo cuando la suya, cargada de una anticipada amenaza, me deja claro la poca gracia que le hace mi existencia aquí.

—Nevan Triferholl y Xilder Tyropher, sección de biología.

Las presentaciones finalizan con mi compañero de carruaje y un chico de rizos color miel que tiene el rostro repleto de pecas. Miro de soslayo el abismo. ¿De verdad tenemos que saltar?

—De la misma manera en que Nadine os ha nombrado, id pasando a las garitas para que ella y Arvin os revisen y ultimen los preparativos —nos ordena Kowl. Como supuse. Gracias a los dioses que no he traído nada que me relacione con Mhyskard—. El resto, no causéis demasiado alboroto aquí fuera u os tiraré al abismo yo mismo.

La capa negra de Kowl ondea agitando las plumas de las hombreras que la complementan al darse media vuelta y meterse en la garita que hay a nuestra izquierda. Nadine lo acompaña, Arvin entra en la garita de la derecha. Y yo cruzo los dedos para que sea Arvin quien llame a la sección de cartografía, no porque Kowl me intimide como parece ocurrirles a los demás, sino por la perturbadora sensación que despierta en mí. Es innegable que destaca por encima de cualquier otro miembro, que todos evitan el contacto visual con él y que, si uno de ellos es el Príncipe, Kowl reúne todos los requisitos. Pero me cuesta creer que un príncipe de sangre oscura se dedique a perseguir cuervos por los bosques en su tiempo libre, y me pregunto si de verdad estará entre nosotros o si era una simple conjetura de mi amiga.

—¡Rápido, sección de cartografía! —vocifera Arvin asomándose a la tarima, donde nos hemos quedado clavados como estacas sin articular ni una palabra.

Vera y yo pegamos un brinco al mismo tiempo. Empuja la puerta de madera por delante de mí y pasamos al interior, una habitación donde apenas hay unos cuantos muebles desgastados: un par de estanterías al fondo, varios taburetes hechos con troncos gruesos y una mesa de madera ocupada por enseres personales de poca utilidad para la expedición al abismo. Es fácil suponer que Arvin se los ha arrebatado a la sección de geología, que ha sido la anterior a la nuestra. Arrugo la nariz al percibir el fuerte olor a humedad aquí dentro mientras Vera le cede su bolso de cuero.

—Esto no sirve —dice Arvin lanzando una camiseta de repuesto a la mesa y frunce el ceño al alzar en el aire un saquito con hilos y agujas de distintos tipos—. ¿Para qué demonios quiere una cartógrafa agujas en el abismo?

—Puede que haga falta coser heridas. —A Vera le tiembla la voz.

—¿Por qué crees que viene una Sanadora con nosotros? —Arvin chasquea la lengua, irritado, y arroja el saquito junto al resto de, según él, inutilidades—. Si te arrancan un brazo o una pierna, ¿crees que las agujas te servirán de algo?

Se cruza de brazos, me ojea de pies a cabeza y clava su vista afilada en la gargantilla de mi cuello, que se ha convertido en mi promesa de venganza.

—¿Qué es eso?

—Un recuerdo valioso —contesto, firme.

—Los recuerdos no sirven en el abismo. Se te devolverá cuando regresemos, ahora quítatelo.

—Me gustaría llevarlo conmigo.

—¿Qué has dicho?

Trago saliva. Arvin enarca las cejas y, lejos de reconsiderar mi respuesta, se acerca dispuesto a arrancármela con sus propias manos. Enderezo la espalda y me cubro el cuello con los dedos.

—¿Eres una cartógrafa o una rebelde? Quítate esa maldita gargantilla y no me hagas perder más el tiempo contigo.

—Soy Rawen Kasenver, sección de cartografía —digo, contundente, y noto el miedo en el sobresalto de Vera—. Con todo mi respeto, este accesorio no ocupa espacio ni agrega peso adicional. Si voy a bajar al abismo y a poner en riesgo mi vida sirviendo al Reino de Khorvheim, necesitaré algo que me recuerde quién soy y por quiénes me aferro a sobrevivir en los peores momentos.

Ante la floritura que le acabo de soltar, Arvin arruga el rostro en un gesto que se balancea entre el espanto y el asco. Quizá a mí no me necesiten, pero necesitan a Rawen Kasenver ahí abajo, y me lo demuestra asintiendo en silencio.

—Si te metes en problemas porque esa mierda se te engancha en algún sitio, los resolverás tú solita. No le ordenaré a nadie de la tropa que arriesgue su vida por tu estupidez. ¿Lo has entendido?

—Alto y claro.

—Dame esa mochila.

Extiende una mano en mi dirección, me la descuelgo de los hombros y me la quita de las manos en cuanto la tiene a su alcance. Saca la brújula que le compré al mercader de Khorvheim que visita Mhyskard una vez a la semana y no la añade a los enseres de la mesa, sino que la deja caer al suelo. Oigo cómo se resquebraja bajo el tacón de su bota.

Maldito desgraciado.

Nos da la espalda para recoger de la estantería dos bolsas y nos las entrega de malas maneras.

—Son los suministros. Diez unidades de comida para la expedición, elaboradas por los mejores alquimistas del reino. Una barrita de nutrientes por día. Si las malgastáis, nadie compartirá su comida con vosotras y moriréis. ¿Entendido?

Ambas asentimos. Nos guardamos los suministros y salimos a paso acelerado de la garita sin desear otra cosa que alejarnos de este tipo. Por suerte, si Arvin muere antes de lo previsto, podremos robarle unas cuantas a él. Cuando llama a la Sanadora desde el interior de la garita y pasa a nuestro lado, tengo en cuenta que la he visto con Vera desde el principio. La retengo un instante cogiéndola del brazo y me aseguro de que oiga mis palabras atropelladas:

—Le ha quitado un saquito con hilos y agujas a tu amiga. Está en la mesa. —Gwyn me mira con los ojos abiertos y sé que Vera también lo está haciendo—. Pídeselo de vuelta, te servirá para coser heridas cuando no puedas utilizar la magia en el abismo.

—Eso está hecho —me responde segura y sonriente.

Se aleja mientras Vera y yo formamos fila en la tarima a la espera de que terminen los preparativos. El cielo ha ido oscureciéndose. Observo de soslayo la muralla, donde el sol pocas veces se esconde y los guerreros vigilan esta zona por si algo se tuerce o alguna bestia despiadada logra escapar del agujero que se hunde a unos metros del puesto de vigilancia. A diferencia de antes, el silencio sepulcral que envolvía el territorio circundante ha sido reemplazado por las melodías macabras que emergen de las tinieblas del abismo. Aún no puedo creerme que haya llegado el momento. Que de verdad haya funcionado, aunque solo sea el comienzo del plan. El hombro de mi compañera apretujándose contra el mío me devuelve a la realidad.

—Había oído acerca de lo buena cartógrafa que eres, pero no imaginaba que fueras tan valiente —me susurra Vera en tono dulce, aunque enseguida cambia su semblante al de una chica que encuentra inspiración en mis actos impulsivos—. Ese Arvin me produce escalofríos.

—Ya veremos si su afición de intimidar a los demás se le pasa cuando se enfrente a una bestia.

Ambas nos reímos. Gwyn, que sale tan apresurada de la garita como lo hicimos nosotras antes, alza el saquito y lo agita en el aire como si fuese un premio al unirse a la fila. Su ancha sonrisa nos contagia la satisfacción de que Arvin se haya metido sus palabras por el trasero.

Nadine y Kowl abandonan la garita cuchicheando entre ellos y se reúnen en la tarima, de espaldas a nosotros hasta que Arvin cierra con llave la puerta de su garita para unirse a la tropa. Murmuran que todo está listo. El pulso se me acelera. No me dan miedo las alturas, pero tampoco estoy deseando girarme y comprobar la inmensidad del abismo que está a punto de engullirnos.

—¡¿Estáis listos?! —nos insta Nadine.

—¡Sí! —brama la tropa.

—¡Negaos a entregarle vuestras vidas al abismo! —gritan Nadine y Arvin al unísono—. ¡Sobrevivid como Cuervos y servid al Reino de Khorvheim!

Los doce que están sobre la tarima emiten un poderoso grito mientras cruzan las muñecas y llevan sus dos manos abiertas al pecho entrelazando sus pulgares en un gesto que no había visto nunca. Las manos abiertas se asemejan a las alas de un ave, mientras que los dedos forman la cabeza. Es un cuervo con las alas extendidas. El símbolo de la unidad y la osadía para ellos. Si Rawen se lo había aprendido, no me lo enseñó, pero los imito enseguida por instinto y porque es demasiado pronto para que me descubran.

—El pulgar de la mano derecha debe ser el que toque el corazón —me susurra Vera, la otra cartógrafa.

Mierda. Pienso que estoy jodida hasta que ella esboza una sonrisa dulce de complicidad y ladea el rostro para comprobar que esta vez sí lo hago bien. Sus ondas pelirrojas le brincan en torno a los pómulos rosados. Fuerzo una sonrisa en pos de agradecerle el gesto y la apunto en mi lista de posibles aliadas. Porque sé que aquí todos buscarán a alguien en quien apoyarse cuando estén al borde de la muerte, y yo debo sobrevivir lo suficiente para vengar a Orna, aunque sepa que no tengo posibilidad de salir viva del abismo.

Los tres se dan media vuelta y es Kowl quien desvía la vista a la oscuridad que se cierne más allá de nosotros. No es nada personal, pero pienso preguntarle qué hace aquí cuando debería estar sirviendo desayunos en la Escuela de Cuervos. Quizá así pueda acercarme a él, averiguar si es el hijo de un panadero o del mismísimo Rey.

Algo en lo hondo de mi corazón se decanta por lo segundo.

—Hora de saltar —nos dice.

—¿Desde dónde…? —pregunta aterrado el joven musculoso de piel morena.

Creo recordar que su nombre era Thago.

—Lo haremos directamente desde la tarima —interviene Nadine atravesando la fila para asomarse al abismo. Se pone de frente a nuestros rostros desencajados y esboza una sonrisa ferviente, colmada del entusiasmo que nos falta al resto. Entonces, se lleva las manos al pecho para hacer el símbolo del Cuervo—. ¡Como os caguéis en los pantalones y vuestro olor a mierda me arruine la aventura, juro que os pondré a limpiar retretes en Khorvheim si sobrevivís!

Sus aullidos se los traga el viento cuando salta, cayendo de espaldas sin despegar las manos del torso. Todos, por acto reflejo, ahogamos un grito mientras corremos hacia el borde para ver cómo la negrura del abismo la engulle. Tanto Vera como Gwyn hacen un ruido horrible al tragar saliva. Se me seca la boca.

—¡Vamos, no hay tiempo que perder!

Thago es el siguiente en saltar mostrándonos su símbolo del Cuervo. Creo que lo hace porque, como siga pensando en qué es lo más sensato para sobrevivir, va a salir corriendo por patas. Tras él, los Guardianes cogen impulso y se lanzan juntos. Comienzo a hiperventilar. De pronto, no sé si estoy en un sueño demasiado real o si es que la realidad me ha caído encima como una jarra de agua fría. ¿De verdad voy a saltar ahí? El océano de sombras oculta cualquier indicio de lo que yace al caer, como un velo que separa nuestro mundo del que existe ahí abajo. El pecho se me infla y desinfla de una forma tan evidente que Gwyn me roza los dedos y, cuando nos miramos con pura incertidumbre en los ojos, se esfuerza en calmarme con una sonrisa.

Siento una energía cálida trepándome por los dedos. Mi corazón pierde fuerza y vuelve a latir de forma regular. ¿Magia? Gwyn salta antes de que pueda preguntarle. Y Vera. Y casi todos hasta que sobre la tarima quedamos Arvin, Kowl, Nevan y yo, porque juro que tengo los pies pegados al suelo.

—Eres una cobarde —masculla Nevan a mi derecha.

—Tú también sigues aquí —me quejo.

—Das tanta pena que quería ayudarte a saltar.

—Vaya… —murmuro y lo ojeo de soslayo dedicándole una sonrisilla perversa—. ¿Esta es tu forma de hacer amigos?

—¿Quién querría ser amigo de una impostora? —Esto lo dice en un tono tan bajito que me parece adorable que todavía se esfuerce por encubrirme.

—Alguien que ha robado bayas tóxicas, quién sabe para qué.

Mi comentario le hace poner los ojos en blanco, aunque la piel pálida en sus mejillas se enciende, y le da la suficiente rabia como para arrojarse al vacío. Su símbolo del Cuervo me muestra una peineta en cierto momento, y me habría reído de no ser por quien se planta a unos centímetros a mi izquierda.

—¿El hijo del panadero viene con nosotros?

«Vamos, dime quién eres. Fanfarronea de tu título noble y será suficiente para que desenvaine las dagas de mi corsé, aunque Arvin se encargue de mí después». Lo examino de reojo. En sus manos grandes no veo ninguna piedra verde que me revele la información que necesito. Subo a su perfil esculpido; tiene las pestañas espesas, la nariz recta y un mechón resbalándole por encima de la ceja. De nuevo, la mirada ausente de Kowl se pierde en el agujero. Por un breve instante me enfoca de reojo con sus ojos negros como pozos y veo en ellos pura hostilidad.

Parece una persona distinta, no hay rastro del desconocido del bosque.

—Salta —me ordena.

—¿Vendrás con nosotros?

—Si no saltas, te empujaré yo mismo.

Cojo una gran bocanada de aire y doy un paso al frente, sintiendo el borde de la plataforma en la planta de los pies. Tengo la muerte asegurada delante de mí. No. No es eso. Recuerdo las palabras de mi amiga: «Siempre es necesaria la Magia Prohibida dentro del abismo». Sé que, como mínimo, uno de los asesinos debe estar aquí. Y ese es el Príncipe.

Este abismo no será mi muerte, sino mi destino.

—Jamás he necesitado que nadie haga nada por mí —declaro.

Dirijo mis manos al pecho. Dedos extendidos, pulgares cruzados. El símbolo del Cuervo preside mi postura. Me giro sobre mí misma y salto, dejándome engullir por el vacío.

Información adicional

REGLAS DENTRO DEL ABISMO:

(Rawen me ha dicho que aplica para todos sin importar el rango o la sección).

1. SEGUIR A LOS JEFES DE TROPA. *Todos los miembros de la tropa deben seguir sus instrucciones y mantenerse siempre cerca de al menos uno de ellos. En caso de peligro, son los que tomarán las decisiones pertinentes en cada nivel del abismo y frente a las distintas criaturas.*

2. MANTENER LA FORMACIÓN. *Durante la expedición, los miembros de la tropa deben mantenerse juntos, en formación ordenada para evitar perderse o entorpecer la incursión.*

3. ALERTA PERMANENTE, COMUNICACIÓN CONSTANTE. *Los miembros de la tropa tienen que estar alerta en todo momento, observando el terreno, el clima, los posibles peligros naturales o avistamientos de criaturas, y comunicarlo al resto de la tropa de manera rápida y segura.*

4. DESCANSOS PROGRAMADOS. *Los Jefes de Tropa programarán los descansos según las condiciones de cada nivel en el abismo y el peligro que suponga el terreno. Se harán guardias de 2 personas (una de un rango menor a mayor y otra de una sección sin rango).*

5. RESPETO POR EL ENTORNO. *Es importante que los miembros de la tropa respeten el entorno natural de cada nivel del abismo y minimicen su contacto con él o con las criaturas de todos los niveles.*

6. APOYO MUTUO. *Los miembros de la tropa deben ayudarse mutuamente en caso de peligro o dificultad, incluso si para ello deben arriesgar su vida.*

7. LA MAGIA ESTÁ PROHIBIDA. *Es la norma más importante de todas. Los miembros de la tropa tienen <u>terminantemente prohibido el uso de la magia</u> en el abismo. Cualquier ápice de magia en el interior del abismo podría atraer a las criaturas circundantes a la zona donde se lleve a cabo.*

8. USO DE ARMAS. *Siempre deben utilizarse armas en la medida de lo posible para atacar, defenderse o manipular los recursos.*

9. RELIQUIAS. *Los Jefes de Tropa portarán consigo las dos reliquias que absorberán la energía del abismo para que los efectos secundarios en la tropa sean menores. Es sumamente importante remarcar que para regresar a la superficie hará falta como mínimo una reliquia para purificar a los miembros de la tropa. Sin estas reliquias, la muerte de la tropa está asegurada, ya sea por los efectos de la energía del abismo en los miembros o por la imposible salida a la superficie sin la purificación.*

10. OBLIGACIONES. *Los **rangos mayor y medio** salvaguardarán la vida de la tropa hasta el final.*

*El **rango menor sanador** deberá usar la magia para atender a los miembros SOLO en caso de que la herida o lesión sea grave y dificulte su incursión durante la expedición.*

*El **rango menor informante** tendrá que detallar los sucesos ocurridos durante la expedición y entregar el informe personalmente en el Consejo de Expediciones.*

*Las **secciones** cumplirán con las funciones para las que han sido formadas y entregar todos los descubrimientos o anotaciones que hayan hecho acerca de cada nivel o criatura en el Consejo de Dirección de la Escuela de Cuervos.*

8

Bienvenidos al abismo

Valle Antiguo, 100 aps (Escala de presión abisal)

Hace mucho tiempo que le perdí el miedo a la muerte.

Sobre todo, porque, cuando el mundo empieza a girar a mis pies y la bruma espesa del abismo me acaricia la piel como si estuviese flotando entre nubes, ya sé que estoy muerta. Me oprime los pulmones al punto de creer que moriré asfixiada antes de pisar el primer nivel. Me centro en mi posición. ¿Cuántas vueltas he dado? Arvin y Kowl deben de estar aproximándose desde arriba si es que han saltado después de mí, aunque ¿dónde es arriba y dónde abajo? Aquí el sonido es tan extraño que cuesta diferenciar si son murmullos de tu propia mente o si se trata de una bestia al acecho. Por un momento, la desorientación y el vértigo de estar cayendo en picado a través de la oscuridad me provoca náuseas, un nudo de arcadas que se me estanca en la garganta porque ni siquiera soy capaz de abrir la boca. ¿Será por eso que no oigo a nadie más de la tropa a mi alrededor? Parpadeo como si así pudiese quitarme la telaraña de opacidad que me abraza, pero es en vano.

Aquí está mi destino, oigo de algún lugar que deduzco que es mi cabeza.

A medida que pasan los segundos, la densidad en el aire se torna distinta. La velocidad a la que resbalo entre las sombras disminuye y puedo respirar mejor. Consigo mantener el «equilibrio», erguirme en el vacío si es que eso tiene algún tipo de sentido. Primero, una diminuta luz blanca bajo mis pies capta mi atención. Luego, esta se expande y hace que el pecho se me infle de alivio al percatarme de que son nubes blancas. El cielo se abre ante mí. Nubes reales. Puedo tocarlas, están frías. Al atravesarlas, diviso un inmenso valle que se despliega como un tapiz de colores vívidos. A lo lejos, las cumbres de las montañas se recortan contra el cielo azul, bañadas por la luz dorada de un sol inexistente, y el verde intenso de los bosques lejanos cubre las laderas de las colinas. Me quedo sin aliento.

Es el paisaje más impresionante que he visto en mi vida.

En la Escuela de Cuervos no explican qué hay dentro del abismo, ni siquiera se atreven a describir vagamente qué aspecto tiene, pues según mi amiga temen que los aprendices encuentren el camino hacia la Flor de Umbra y se rebelen contra la Corona o la utilicen para métodos de magia prohibidos, pese a que antes necesitarían robar las reliquias para sobrevivir aquí abajo. Lo que sí se esmeran en detallar es el peligro que suponen algunas de las criaturas más letales que lo habitan y que existen tantos niveles de profundidad que es más fácil ser devorado a conseguir descender un solo nivel por tu cuenta.

Tiene su lógica teniendo en cuenta la magnitud de este valle.

—¡Bienvenida al Valle Antiguo, chica con agallas! —me grita Nadine desde abajo, rodeándose la boca con las manos. El eco de su voz en este espacio etéreo hace que mi corazón dé un vuelco—. ¿Te has meado en los pantalones? ¡Recuerda mover los brazos para impulsarte hacia nosotros!

Cuento a diez miembros de la tropa. Como imaginaba, Arvin y Kowl deben de estar aún en la oscuridad, porque cuando alzo la mirada no hay rastro de ellos. Hago aspavientos con los brazos y entiendo que aquí la gravedad funciona de una manera… ¿distinta? Mi cuerpo cae rápido hasta que, a unos pocos metros del prado, me detengo y vuelvo a flotar despacio. Las suelas de mis botas pierden el aire contenido al pisar la superficie.

Parece que todos se alegran de haber llegado ilesos a este nivel riendo y presentándose de una manera más cercana entre ellos, aunque salta a la vista que hay algunos que se conocen de antes porque empiezan a formar pequeños grupos, excepto Nevan, que resopla con amargura sin saber muy bien dónde meterse. A mí tampoco se me da bien encajar, así que ¿qué mejor idea que unirse al grupo de los marginados? O, mejor dicho, del marginado.

—¿Has traído agracejos para intoxicar a alguien más? —susurro inclinando la cabeza.

Me fulmina con su mirada ártica, que me recuerda a los glaciares que se originan al norte de Mhyskard.

—Si me delatas, las reservaré para ti.

—No tengo intención de hacerlo, no conozco a nadie más aquí.

—Y, si los conoces, ¿lo harás? —me pregunta fingiendo indiferencia, gesto que se contradice por el temblor en sus cejas.

—Tampoco. —Me encojo de hombros viendo de soslayo que se esfuerza en ocultar un suspiro de alivio—. Siempre que no te metas en mis asuntos.

La amenaza queda suspendida entre nosotros con tanta naturalidad que apenas se inmuta, solo la acepta. Ahora que me fijo, sus rasgos aniñados se hacen más evidentes, arrugados por el fastidio que le produce cualquier interacción humana, y sumados a su baja estatura lo hacen parecer un niño en plena rabieta.

—¡Eh, Arvin! —Todos dirigimos nuestra atención a las dos personas que están descendiendo—. ¿Te has cagado? ¡Huelo tu mierda desde aquí!

El comentario de Nadine hace reír a media tropa. Arvin, en respuesta, le lanza una daga a la altura de las botas que se hinca entre la hierba silvestre. Varios centímetros adelante y le habría atravesado un dedo del pie.

—La próxima vez apuntaré mejor —chilla con malicia.

No solo tiene una puntería increíble, también un temperamento de mil demonios. Kowl y él aterrizan en el valle despacio y comienzan a planear los siguientes pasos con Nadine mientras los Guardianes Kalya y Dhonos sacan de su bolsa unas hombreras y guantes de cuero que proporcionan protección adicional durante el proceso de tiro y los incorporan a sus vestimentas. Aparte de nosotros, no hay ni un ápice de vida en este territorio, al menos que ponga en peligro nuestra existencia.

—¿Nadie en la tropa ha bajado al abismo antes? —le pregunto a Nevan.

—¿Se puede saber de dónde has salido? ¿De qué parte de Khorvheim eres?

—¿Cómo te has asegurado el viajecito al abismo si te habían sustituido? —Nevan me fulmina con la mirada. Yo también a él—. Te he dicho que no te metas en mis asuntos.

—Está bien. —Levanta las manos en señal de rendición—. Pero ¿estás sorda? Kowl lo mencionó antes. La última expedición fue hace diez años y el único superviviente que regresó es Dhonos Saerendir, ese rompecuellos perturbado que ves ahí. Así que no, ninguno de nosotros ha bajado antes excepto él.

Una sensación de fracaso inminente se arremolina en mi pecho.

—¿Por qué rompecuellos?

—Les partió el cuello a dos de sus compañeros de tropa.

—No entiendo qué hace aquí entonces —comento desviando mi atención al Guardián armado hasta las cejas—, entre nosotros.

Nevan escupe un resoplido de hastío. A juzgar por la preocupación que le tiñe el semblante, tampoco debe de tenerlo demasiado claro.

—Pregúntale al Consejo de Expediciones. Supongo que lo han decidido así porque es el único con experiencia… Y el único que puede orientarnos en caso de que las indicaciones del mapa de los anteriores cartógrafos sean erróneas. ¿Alguna pregunta más, extranjera?

Los ojos se me abren como platos. Miro a mi alrededor enseguida. El tal Xilder Tyropher, de ricitos claros, está vomitando; Gwyn y Vera se encuentran con él, y el resto está discutiendo acerca de un mapa mohoso que Dhonos sostiene en sus manos. Cada uno va a lo suyo, nadie ha escuchado a este niñato insensato. Le estrujo el hombro y señalo una vena en su cuello.

—No vuelvas a llamarme así o un rasguño en esta zona del cuello podría matarte por accidente. —Su cara se pone roja y me dan ganas de reír.

—Suéltame de inmediato o un manojo de bayas tóxicas en tu agua podría ser fatal.

—¿De qué parte de Khorvheim dirías que parezco? —le susurro viendo cómo Tyropher a lo lejos se reincorpora empalidecido y Gwyn le acaricia el estómago.

—De la región de Khum. Ahí la gente se pasa el día tocando instrumentos. Por eso es tan ignorante.

La risa se me escapa entre los dientes. Asiento aflojando el agarre y le doy varios toquecitos en el hombro. Me pregunto si su tez parará de enrojecerse en algún momento.

—¡Hora de avanzar! —nos ordena Nadine y apunta a una montaña que se yergue imponente a kilómetros de este punto—. Según la información que tenemos de la expedición anterior, deberíamos de llegar allí antes del anochecer si no queremos que un Devoracielos nos arranque la cabeza mientras paseamos por el valle.

—Poneos en formación, filas de dos o tres personas como máximo. Necesitamos ojos por todos lados. Informad si veis algo fuera de lo común —expone Arvin encabezando la fila de la derecha.

—¿Algo fuera de lo común? Aquí todo es extraño —comenta Thago a mi espalda.

—Recordad la regla más importante: nada de usar vuestra magia. —Kowl se gira un instante y maldigo ser la primera en cruzarse en su campo de visión porque he estado a punto de atragantarme con mi propia saliva.

Nevan se va con el otro biólogo de la tropa, Tyropher, en cuanto tiene la oportunidad, así que termino caminando junto a Vera casi al final de la fila, y Gwyn se nos une poco después. Nos habla acerca de los efectos secundarios que tiene la presión oscura del abismo en nuestros cuerpos, de cómo nos afectará a medida que profundicemos al estar sometidos a la Magia Prohibida de la que está hecho este lugar insólito. Por un momento me distancio de la conversación y me fijo en lo enorme que es la montaña hacia la que nos dirigimos. ¿Bajo qué lugar de la tierra de nuestros reinos estarán sus picos más elevados?

—Solo las personas sensibles a la presión oscura son capaces de sentir los efectos en este nivel.

Mis ojos recorren la fila hasta toparse con la capa oscura de Kowl. Las plumas de cuervo en sus hombros centellean. ¿Será el Príncipe? Todos parecen respetarle, o quizá infunde respeto por ser tan diferente al resto de los miembros. Aunque, de ser el Príncipe, no tendría sentido llamar la atención con elegantes vestimentas negras ni capas lustrosas. Puede que sea un simple señuelo y el verdadero Príncipe se esconda tras un aspecto ordinario.

No puedo arriesgarme.

No puedo asesinar a la persona incorrecta porque, cuando lleve a cabo mi venganza, estaré acabada. Será lo último que haga y por ello debo averiguar el verdadero rostro del Príncipe, lejos de guiarme por la vestimenta o la actitud de los miembros de la tropa. Acercarme a ellos, cerciorarme de quién es quién.

—¿Qué ocurriría si subimos a esa colina en contra de la presión oscura? —le pregunta Gwyn a Vera.

«Lo peligroso no es descender hacia la presión oscura, sino ascender luego de haber bajado. Hundirse en la profundidad del abismo puede provocar náuseas, mareo o debilidad, pero intentar subir a la misma velocidad sin la protección adecuada supone una hemorragia interna, el colapso de los órganos, un fallo multiorgánico», me explicó mi mejor amiga en su día y es lo que Vera le contesta a Gwyn. Las cartógrafas conocen mejor que nadie los efectos adversos de cada nivel y el peligro que supone retroceder o huir en dirección a la superficie: la muerte.

—También hay que tener en cuenta que, a mayor escala de presión oscura, peores son los efectos secundarios si intentas ascender —prosigue Vera.

Ante la pregunta que me cruza la mente, me muerdo la lengua para no delatarme. Me estoy percatando de que Rawen no me contaba tantas cosas como pensaba, por mucho que la sometiese a un interrogatorio cada vez que nos veíamos.

—Dhonos mencionó que en los Arcos Perdidos hay que subir muchas escaleras para atravesar los cinco arcos. Ahí, por ejemplo, si no lo hacemos de forma pausada tomando descansos, ¿podríamos morir fácilmente? —se interesa Gwyn.

—En efecto.

—Creo que morir es lo más seguro dentro del abismo.

Mi comentario las hace enmudecer, aunque al final asienten bajando la vista al suelo. Saben que tengo razón. Sería iluso creer que los trece tenemos posibilidades de salir de este lugar sin dejar a otro atrás.

—Al menos, aquí no hay criaturas —pronuncia Thago desde atrás.

—Solo espera a que despierten —le dice Mei, y su media risa mordaz acaba siendo un presagio que nos corta la respiración.

En la ladera derecha divisamos un movimiento anormal. No es necesario que nadie informe al resto de que hay una criatura saliendo de entre los árboles porque sus cuernos curvados en forma de medialuna sobre su cabeza aparecen por encima de las copas y todos nos frenamos en seco. Pasamos de estar petrificados a dar varios pasos atrás cuando vemos emerger al otro lado del valle, en la ladera izquierda, una segunda criatura de la misma especie. Sus pisadas retumban. El suelo tiembla. Tienen el cuello largo, muy largo, y se yerguen superando los diez metros de altura con sus cuerpos blancos, diminutos ojos negros y hocicos alargados repletos de espantosos dientes afilados.

Son Devoracielos.

9

Esto es solo el principio

Valle Antiguo, 180 aps (Escala de presión abisal)

«Si la ansiedad y el miedo se descontrolan, la sensación de falta de control se convierte en pánico, y este anula nuestro poder cognitivo. Frente a un monstruo del abismo, esto puede ser un instante crucial, un punto de inflexión, una consecuencia fatal para Mhyskard», nos explicaban en las clases teóricas durante la formación de guerrera. Puede que Khorvheim no sea mi reino, pero yo me he preparado para enfrentar lo peor de él: las bestias que escapan del abismo e intentan traspasar nuestra muralla.

—Mantened la calma —nos susurra Nadine. La corriente de aire que se está formando le despeina los mechones malvas—. No os mováis.

La hierba a nuestros pies vibra como si el suelo fuera a resquebrajarse.

Estamos en medio del Valle Antiguo, una zona casi sin vegetación bajo la que pasar desapercibidos o escondernos en casi un kilómetro a la redonda, entre dos Devoracielos titánicos que se dirigen al centro del valle, nuestra ubicación. Se mueven despacio porque son demasiado grandes, aunque cada pisada es gigantesca. Rozo la fina capa de cuero que cubre las hojas de mis dagas mientras procuro recobrar el ritmo de mi respiración. No permitiré que el pánico haga mella en mí. No le entregaré mi vida al abismo tan rápido. Yo no tengo magia ni habilidades extraordinarias como esta gente, pero dispongo de mis armas y, hasta esta mañana, era la chica más veloz que había en la formación de guerreras. La única capaz de recorrer la muralla de Mhyskard en el menor tiempo hasta el momento.

Los Devoracielos están a poca distancia de nosotros. Tengo que subir la cabeza para contemplar el centenar de dientes que componen sus hocicos. Luego, me fijo en mis compañeros y en los Jefes de Tropa, que se han quedado inmóviles y no dan órdenes acerca de cómo proceder. ¿A qué demonios esperan?

Vera se pone a rezar, Gwyn está hiperventilando con los ojos cerrados. Por delante de nosotras, los Guardianes se han descolgado los arcos de la espalda, preparados para tensar la cuerda, y Thago está desenvainando despacio una gran espada que lleva colgada de su cinturón mientras Mei acerca sus manos como si quisiese invocar magia entre ellas.

—Nada de magia —murmuro sujetándola fuerte del hombro.

Ladea el rostro y su mirada rasgada me fulmina como si yo fuese un insecto al que le encantaría aplastar.

—A mí solo me dan órdenes los Jefes de Tropa.

—En ese caso, nada de magia —interviene Kowl observándonos de soslayo desde la cabecera de la fila. Nuestros ojos se anclan un instante que desdibuja la sensación de peligro, hasta que los desvía hacia ella y esta cede con los labios apretados—. Es una orden.

—¿Cuántos murieron en el primer nivel en la anterior expedición? —pregunta a mi espalda.

—Ninguno. Los Devoracielos suelen irse a dormir un par de horas antes del amanecer —le contesta Nevan.

—Y nada de retroceder o huir hacia atrás. No os habréis dado cuenta, pero llevamos en bajada desde el aterrizaje. —Casi a la vez, todos los miembros ladeamos la cara para comprobar que Kowl está en lo cierto. Hay una pendiente a nuestras espaldas que podría ser mortífera en caso de correr en esa dirección.

—¿Pretendes que aniquilemos a esas bestias titánicas a base de espadazos? —salta Thago, con media hoja de su espada fuera de la vaina.

—No hará falta aniquilarlas. —La voz oscura de Kowl se mezcla con el retumbar de las bestias.

Las pisadas de los Devoracielos truenan con tanta fuerza que nos cuesta mantener el equilibrio sin trastabillar. ¿Esto era lo que tenían pensado en caso de tener que enfrentarnos a alguna bestia? ¿Estar inmóviles hasta que nos devoren? Los ojos negros de Kowl recaen en la mano que me llevo a la gargantilla y luego recorren la profundidad de mis pupilas. Un escalofrío me asciende por la espalda erizándome la piel del cuerpo entero.

Vigila a los de atrás, me viene a la mente. *No nos harán daño. No a nosotros.*

Están a unos pocos metros cuando las bestias se detienen una frente a la otra. Entonces, abren las bocas mostrando la hilera de dientes que ocultan en el interior, la saliva espesa que une sus fauces, y rompen el silencio que por un instante se ha instalado en el valle emitiendo un rugido agudo que obliga a mis compañeros a taparse los oídos. Yo no lo hago, soy incapaz de moverme. Me quedo petrificada abriendo bien los ojos, viendo cómo los Devoracielos agachan sus cabezas y dirigen sus cuernos con forma de medialuna no a nosotros, sino entre ellos.

Entonces, dan una patada trasera al terreno que nos hace caer a varios al suelo y vuelven a rugir en nuestra dirección.

—¡Ahora, corred a los bosques de las laderas! —nos grita Nadine.

Pero estoy tumbada en el suelo, demasiado concentrada en comprender lo que veo como para escuchar las palabras de la Jefa de Tropa. Los músculos de mi cuerpo no responden, ni siquiera cuando los Devoracielos colisionan. Uno de ellos atraviesa con los cuernos el torso del otro y la sangre oscura riega el prado de salpicaduras que también me alcanzan a mí. Siento el líquido caliente en mi mejilla.

¿Qué es esto?

En Mhyskard nos decían que los Cuervos habían diseñado a estas criaturas para aniquilarnos y devorarnos, pero jamás mencionaron que pudieran tener sus propias reglas, su propio comportamiento, tomar sus propias decisiones, incluyendo la de matarse entre ellas. Todos mis compañeros Cuervos han huido como si sus vidas dependiesen de ello. ¿Significa esto que el Cantapenas que devoró a Orna no había sido invocado? ¿O es que el Príncipe Cuervo entre nosotros les ha ordenado a estos Devoracielos que se ataquen? Es imposible que estén siendo controlados. Estos monstruos no solo quieren aniquilarse entre ellos, sino que están torturándose a embestidas antes de acabar con el otro. Sus rugidos me taladran los oídos. No puedo pensar. Los pisotones levantan la tierra del valle formando densas nubes de polvo marronáceo en la atmósfera que me dificultan la vista. Tampoco veo nada más allá de un metro de distancia.

Excepto una figura oscura aproximándose.

Me restriego los ojos. Cuando los abro, veo la capa de cuervo de Kowl ondeando delante de mí. Tiene los brazos extendidos a ambos lados y el viento generado por los ataques de los Devoracielos le sacude el cabello violentamente.

¿A qué esperas? ¡Levántate!

Una punzada eléctrica me sacude el corazón. Mi cuerpo tiembla de nuevo. No me había dado cuenta hasta ahora de que tengo tanto miedo que las piernas no me responden. Y no es miedo a la muerte, sino a algo más que ni siquiera yo puedo comprender. Me arrastro hacia Kowl. Reprimo el gesto de dolor al notar un calambre atravesándome desde los pies hasta la cadera cuando me pongo en pie y me sujeto a uno de sus brazos. No separa la vista de los Devoracielos.

—¿Harás magia? —balbuceo tosiendo por el polvo que hay en el ambiente.

Desvía sus profundos ojos a mí y la siento. Esa extraña conexión como en el bosque. Las motitas iridiscentes en su mirada relampaguean cuando eleva una comisura en una sonrisa sagaz.

—Tenía tantas ganas de contemplar de cerca este espectáculo como tú. —Entreabro la boca para hablar, pero Kowl me atrae hacia él rodeándome la cintura con un brazo—. Aunque, si no salimos de aquí ahora, seremos aplastados por el cuerpo del Devoracielos que pierda la batalla.

—Vas a teletransportarnos como hiciste en el bosque —afirmo por encima de los estruendos de sus embestidas.

Por un momento, su ceño se arruga tanto que me hace dudar de mis palabras.

—Sujétate fuerte a mí, Rawen.

Asiento y me abrazo a su cuello; Kowl me sostiene firme contra su torso. El corazón me late con tanta fuerza por todas las emociones entremezcladas que me colman el pecho que me siento estúpida. Con un movimiento rápido, me levanta en brazos y comienza a correr a una velocidad insólita hacia los bosques de la ladera. No, no está corriendo. Ambos estamos deslizándonos por el aire a unos pocos centímetros del suelo. El viento agita su capa, las plumas en las hombreras se sacuden furiosas.

No estamos retrocediendo ni subiendo una pendiente, pero los efectos secundarios por la velocidad a la que nos movemos se hacen palpables pronto. Una bola de arcadas me trepa por la garganta. Aprieto los labios con fuerza mientras avanzamos, sintiendo la urgencia de Kowl de poner distancia entre nosotros y ese enfrentamiento, y contemplo cómo una última cornada de un Devoracielos le rompe el cuello al otro, que se desploma en el centro del valle profiriendo un rugido de dolor.

La caída de la criatura genera una nube de polvo aún mayor.

Pero esto no impide que presencie cómo el Devoracielos inclina su cabeza y vuelve a erguirla coronando un cielo empañado por la arena que flota, con un trozo de la criatura caída en su hocico alargado. Incluso puedo detectar un ojo desvaído en ese trozo de masa ensangrentada. Agradezco que Kowl se detenga bajo las copas de unos árboles, porque necesito soltarme y correr a un rincón para vomitar. Me apoyo en mis rodillas, notando el temblor y la debilidad en ellas. Joder, es imposible que esas bestias estuviesen siendo controladas. Nos han ignorado para devorarse entre ellas.

Son despiadadas.

Haber sido testigo de esa desgarradora escena me ha devuelto la nitidez de los recuerdos que me he esforzado por emborronar estos años: el cuerpo de mi hermana en las fauces del Cantapenas. Vomito de nuevo, me aprieto el estómago. El mareo se apodera de mi equilibrio. Tengo que ponerme de cuclillas. Los ojos se me humedecen, pero me deshago rápido de las lágrimas en cuanto oigo los pasos de Kowl deteniéndose detrás de mí.

—Los Devoracielos son territoriales, clasificados como criaturas imprevisibles y excéntricas. Puede que ambos despertaran al escucharnos y les molestase más la presencia del otro Devoracielos que la nuestra —comenta con gravedad. Me giro y encuentro su mirada buscando la mía en la penumbra que nos cubre—. En cualquier caso, debemos reagruparnos con los demás cuanto antes.

Se agacha y me frota la mejilla con el pulgar. Es cierto, la sangre de la bestia me cayó encima, aunque trato de no pensarlo demasiado para evitar que las náuseas afloren otra vez.

—¿Puedes seguir?

Asiento, incapaz de articular palabras ante lo que acaba de ocurrir. A diferencia de esta mañana en el puesto de vigilancia, de cerca su voz suena amable. Soy consciente de que analiza mi rostro como si quisiese cerciorarse de algo, o como si buscase algo que ni siquiera él sabe qué es; yo también puedo sentir esa inexplicable sensación cuando lo miro a los ojos, aunque es Kowl quien corta el contacto visual a los pocos segundos y me tiende una mano para ayudarme a incorporarme.

Luego, me adelanta haciéndome señas para que lo siga a través de las nubes de polvo.

—Procura contener tus náuseas o morirás deshidratada antes de que puedas encontrar agua. —Percibo la advertencia en el tono grave de su voz—: Esto es solo el principio.

Información adicional

CRIATURAS DEL ABISMO CLASIFICADAS SEGÚN NIVEL DE AMENAZA

(X) Excéntricas. No responden a una conducta por defecto y, por lo tanto, son más difíciles de prever y entender. Debido a su carácter imprevisible, son las más peligrosas. Según leyendas pertenecientes al Reino de Khorvheim, las criaturas legendarias, como el cuervo común que transmite presagios a quienes lo encuentran, surgieron del abismo y son clasificadas como excéntricas.

La mejor medida de seguridad frente a ellas es la <u>elusión</u>. Evitar la confrontación contra cualquier pronóstico.

Devoracielos

De cuerpo albino que supera los diez metros de altura, cuernos astados con forma de medialuna alrededor de la cabeza y largo hocico colmado de dientes. No suele atacar a los humanos, aunque es extremadamente territorial y no dudará en aniquilar a todo explorador o criatura que pueda suponer un peligro para su territorio.

Su nombre se debe a que se alimenta de las criaturas más pequeñas que sobrevuelan el cielo por la noche. No obstante, a veces lo hace de criaturas terrestres e incluso de su misma especie. No devora seres humanos, aunque los mate.

No se conoce hacia qué siente interés especialmente. En pocas palabras, la conducta de un Devoracielos depende de su estado de ánimo.

10

Sí, estamos vivos

Valle Antiguo, 250 aps (Escala de presión abisal)

La conmoción me ha dejado el cuerpo destrozado.

La energía del abismo comienza a hacer mella en mi organismo, a consumirme ahora que estamos alejados de Nadine y Arvin, que son quienes portan las reliquias contra la maldición de abismo. Tengo la boca seca, los ojos irritados y lucho contra los calambres del estómago vacío. Kowl ha aminorado el paso porque mis pisadas son cortas y débiles. Dicen que en los niveles profundos los exploradores pueden sufrir incluso alucinaciones o paranoias. No es una idea a la que me apetezca darle vueltas, por eso malgasto las pocas fuerzas que tengo en hablar.

—¿Por qué te has arriesgado?

El silencio de Kowl me hace creer que me está ignorando. Sin embargo, como si fuera necesario reflexionar sobre la razón por la que se ha lanzado al campo de batalla sin pensarlo, tras unos minutos de meditación responde:

—Considero que el ecosistema evoluciona de manera constante. Biólogos y geólogos, todos son útiles pero prescindibles. No obstante, no sé qué haríamos sin las anotaciones de los cartógrafos. Sacrificaríamos tropas enteras. Los exploradores de expediciones futuras morirían intentando averiguar el camino mucho antes de encontrar la Flor de Umbra.

—Ya veo, el sacrificio de unos cuantos por el bien común de muchos.

—No hay expedición viable sin la actualización que hacéis de los mapas cada cinco años. —Entreabro los labios para replicar, pero Kowl me fulmina con la mirada por encima de su hombro y prosigue—: Y ya te lo dije. Me apetecía contemplar el espectáculo de cerca. Basta de cháchara.

Alzo las manos en señal de paz y me reservo el agradecimiento por haberme salvado la vida porque me carcome la idea de que, si Kowl fuese el Príncipe, le estaría dando las gracias al responsable del asesinato de mi hermana. Aunque no tendría sentido que las Manos del Rey o los Guardianes le hubiesen permitido adentrarse solo en el lugar del enfrentamiento de los Devoracielos.

Me pregunto, si supiese que soy una mhyskardiana que sabe de cartografía lo poco que una amiga le ha explicado estos años, ¿me habría dejado morir aplastada? Estoy segura de que sí. Mi verdadera vida no tiene tanto valor como la de Rawen Kasenver, la cartógrafa graduada con honores. Los Cuervos no hacen amigos. Colaboran por un bien común.

Tras varios kilómetros de sudor sin pronunciar una miserable palabra que me distraiga del malestar físico, nuestro alrededor comienza a despejarse. El Devoracielos anterior está bastante lejos y seguimos avanzando hacia la montaña que Nadine señaló antes de que todo se torciese. Oímos el suave zumbido del agua fundiéndose con los otros sonidos del entorno, como el susurro de las hojas en el viento o el crujir de la hierba bajo nuestro peso, y lo seguimos cautelosos hasta que nos topamos con el arroyo entre los árboles rumbo a la montaña.

—Debe ser por aquí.

Continuamos el curso del arroyo. La luz del mediodía se filtra entre las copas repletas de hojas, iluminando el camino del bosque y creando sombras en el suelo a medida que avanzamos. Estoy entretenida buscándole formas lógicas al reguero de sombras cuando oigo unas voces en la lejanía. Freno a Kowl tirando de su capa y me llevo el dedo a los labios. Podría ser nuestra tropa o podría ser una bestia simulando sus voces. Sé que existen, las criaturas catalogadas como «atormentadoras» son capaces de simular muchos aspectos de los humanos para convertirnos en una presa fácil, y también conocen nuestros puntos débiles, como los cánticos que debilitan nuestra mente o nos revuelven el organismo.

El Cantapenas que devoró a Orna era una criatura atormentadora.

De repente, el arroyo se divide en dos caudales y me fijo en que el terreno empieza a inclinarse hacia abajo a mi izquierda. Me dejo llevar por el instinto y el sonido más fuerte que proviene de ahí, y Kowl me avisa con señas de que irá a echarle un vistazo rápido al otro camino. Mientras uso mi daga para cortar las ramas que me dificultan el acceso a esta zona del bosque, recuerdo que en Mhyskard dijeron que habían sido los guerreros del Cuerpo de las Murallas quienes habían acabado con el Cantapenas. Sin embargo, según me contó Rawen por las noticias que se habían esparcido por su reino, en Khorvheim decían que habían sido los Cuervos quienes habían devuelto a la bestia al abismo y que no la mataron porque «todo lo que pertenece al abismo, en el abismo debe permanecer».

Menuda estupidez.

Al apartar varias ramitas de unos arbustos frondosos, ahogo un quejido de susto porque mi pie se queda suspendido en el aire y sé que, de haberme caído, me habría abierto la cabeza como mínimo. Me detengo al borde del precipicio que se abre ante mí y contemplo asombrada el espectáculo que se despliega debajo de la ladera de la montaña que Nadine nos había señalado: un oasis escondido, un pequeño paraíso de distintas tonalidades vibrantes que se extiende incluso por debajo de la ladera, donde aprecio lo que parecen ser entradas a una cueva.

Por delante de mí, el curso del arroyo cae en forma de cascada creando un estanque, cuya superficie cristalina refleja los picos escarpados de la montaña que se alza hasta el cielo enfrente de mí. Las orillas están repletas de vegetación exuberante, árboles inclinados sobre el agua y hojas de un verde intenso que contrastan con el azul brillante del cielo.

Y ahí están ellos.

Los miembros de la expedición, todos vivos y sin un solo rasguño, abriéndose paso por el oasis como si hubiesen llegado casi al mismo tiempo que nosotros y colocando sus pertenencias a la sombra que hay entre algunas rocas. A juzgar por su aspecto, parecen animados de estar a salvo y los Jefes de Tropa charlan de manera relajada entre ellos. Si Kowl fuese el Príncipe Cuervo, dudo que estuviesen tan distendidos en su ausencia. Se me escapa un resoplido de alivio y por acto reflejo me cubro la boca con las manos, sorprendida por lo que acabo de hacer.

No debería importarme en absoluto quién viva o muera en el abismo, aunque, para qué mentirme, sería un desperdicio que alguien como él desapareciese de la faz de la Tierra. Y no me refiero a sus extrañas habilidades que le permiten moverse tan rápido como el viento. Niego con la cabeza. No estoy en el abismo para esas cosas. Y, cuando salga de aquí, mi vida ya no me pertenecerá. Estaré muerta o a punto de ser ejecutada colgada en una plaza de Khorvheim.

Pero no voy a negar que los observo y me siento sola. Los envidio. Tienen una razón para vivir que no es la de encaminarse a la propia muerte. Estarán soñando con el día en que vuelvan a la superficie y se les asigne un cargo en la Corte Real de Khorvheim mientras entierran un cuerpo más por los caprichos del Príncipe, aunque esta vez no será el cuerpo de una inocente como lo era Orna, sino el de la futura asesina de ese desgraciado.

Carraspeo, me froto los ojos y me doy palmaditas en las mejillas para apartar los pensamientos de Lhyssarys de mi cabeza y que la sed de venganza no me nuble el juicio. Debo pensar y vivir como Rawen Kasenver, sentir como ella y utilizar mi cuaderno para hacer lo que haría una cartógrafa. Una oleada de paz me inunda el pecho. Cojo una bocanada de aire fresco antes de girarme y ver a Kowl acercándose a mi posición. Le hago señas para que se apresure, me esfuerzo en mostrarme tan animada como el resto de la tropa y, tras asegurarme de que no hay ninguna criatura cerca de ellos, lanzo un grito al oasis a modo de saludo, rodeándome la boca con las manos:

—¡Estamos vivos!

Mis compañeros se sobresaltan al principio, pero luego nos localizan en lo alto del precipicio, abren sus ojos y empiezan a vitorear agitando las manos o sus armas en el aire.

—¡Estamos vivos! —responde la mayoría de ellos al unísono.

Que se joda el ruido, porque vivir hace mucho ruido. Miro a Kowl de reojo, pero no me regaña por haber gritado. En su lugar, bufa expulsando aire por la nariz y las comisuras de su boca se le amplían escuetamente en una sonrisa divertida. Aprieto mis labios para reprimir la sonrisa que me ha contagiado de camino a la pendiente por la que se accede al oasis. Sí, estamos vivos. No se siente nada mal ser Rawen Kasenver.

Y se me olvida que esto es solo el principio.

11

A fuego lento

Oasis Sumido, 270 aps (Escala de presión abisal)

Jamás ningún paisaje de mi reino había celebrado tanto la vida como las tierras de este abismo.

La melodía del flujo constante del agua que serpentea entre las rocas impregna el ambiente de una sensación de serenidad que nos embriaga a todos. Hay flores silvestres de colores brillantes esparcidas por los arbustos que circundan el oasis, despidiendo un aroma dulce que me traslada a mi infancia, cuando correteaba por las montañas de las Seerhas y regresaba a mi hogar llena de rasguños de la vegetación que inundaba aquel lugar tan especial para mí.

Cierro los ojos, abrazada a mis piernas sobre una gran roca de caliza anaranjada, y me olvido de todo lo demás mientras escucho el chapoteo que hacen los que han decidido bañarse en ropa interior en el estanque. Es como si el tiempo se detuviera aquí abajo, como si fuese un refugio en lugar de un territorio despiadado. Lejos del doloroso mundo exterior, de las guerras silenciosas entre nuestros reinos o del miedo a las bestias del inframundo.

—Habría apostado mis bayas tóxicas a que habías sido aplastada por el Devoracielos que se desplomó.

Abro un ojo y luego el otro al ver a Nevan intentando subirse a la roca. Le ofrezco una mano, pero chasquea la lengua a modo de queja antes de clavar sus dagas para impulsarse y hacerse hueco a mi lado.

—Habrías perdido tu apuesta.

—Lo sé —dice paseando su mirada celeste por los miembros que juegan a salpicarse en el estanque. Tiene la cabellera negra húmeda, regándole el torso de la camisa blanca de diminutas gotitas—. ¿Crees que las bestias se alimentan de las almas felices?

—¿Qué quieres decir?

—Que todo es demasiado idílico aquí. Como cuando alimentas al ganado con el pienso de mayor calidad para que su sabor sea mejor.

Su teoría me pilla desprevenida. La macabra idea que ha planteado Nevan se entremezcla con las carcajadas de Gwyn al salir del agua con una fina camiseta blanca y pantalones cortos empapados. Me sonríe al desviar su atención a nosotros. A Nevan no le debe hacer mucha gracia que esté acercándose a nosotros, porque enseguida se dispone a bajar de la roca con una expresión de fastidio.

—Antes, cuando proclamaste a los cuatro vientos que estamos vivos, no me alegré en absoluto. No como ellos. Porque creo que no falta mucho para que estar vivos se convierta en nuestra maldición. Desearemos estar muertos para acabar con todo esto —murmura, sombrío. Por un instante, me mira a los ojos. Y lo hace de verdad, sin fachadas—. En el fondo, prefería perder la apuesta y que siguieras viva.

«Gracias», pienso mientras se aleja, pero no pronuncio ni una sola letra de esa palabra.

—¿Acaso eres un cuervo? —le vocifero.

Gwyn, que está delante de mí estrujándose la ropa y deshaciéndose del exceso de agua, se detiene para contemplarme asombrada.

—¿Por qué le has dicho eso? —inquiere sin dejar de reírse.

«Por los presagios».

—Era un chiste interno. —Me encojo de hombros y bajo de la roca. Si voy a desear morir pronto, al menos quiero disfrutar del calor que desprende el sol inexistente de este abismo.

—¿Sabes? Dicen que Kowl es muy rápido, incluso más que Dhonos, y que desapareció de la agrupación en un abrir y cerrar de ojos.

—¿A qué rango o sección pertenece Kowl?

Kirsi, la Informante, está con los Guardianes y los Jefes de Tropa comprobando algo en su cuaderno, y Thago está bañándose en el estanque con Mei y Vera, que palpa el agua como si estuviese ciega. Me río cínica al ver sus gafas escondidas tras una bolsa de cuero a la orilla.

—Ahora que lo dices… No se presentó. Ni siquiera dijo su nombre en la tarima —responde Gwyn confusa, alternando la mirada entre las gafas de Vera y el joven de rizos de caramelo, el biólogo Tyropher.

—Por eso, fue Nadine quien tuvo que intervenir para que supiésemos su nombre.

—Quizá sea un Guardián más, pero prefiera mantenerse en el anonimato para hacer de señuelo.

—¿Te refieres a…?

—Sí, al Príncipe Khorvus. Vera y yo coincidimos en que está entre nosotros, pero por supuesto no desvelará su identidad hasta que haya consumido la Flor de Umbra y su magia sea más poderosa que la de todos nosotros.

—Hace cinco años, cuando el Príncipe cumplió la mayoría de edad… —Las palabras me arañan la garganta al mencionar ese día en voz alta—. ¿No llegó a consumir la Flor de Umbra?

—¡Rawen! ¿Te has saltado las clases de historia? —Su sonrisa es blanca e inocente, y su cabello rubio le cae ondulado sobre los hombros—. La expedición se canceló por el ataque de aquel Cantapenas, así que no pudieron cosechar ni consumir la flor.

—Estoy un poco aturdida por lo de antes —me excuso, pero no le importa demasiado porque está centrada en el biólogo, que se ha sentado en el suelo, entre dos rocas.

Con Gwyn mentir se convierte en una tarea fácil. Vera también es así de ingenua, aunque dudo que más adelante se trague que una cartógrafa excelente como lo es Rawen Kasenver no sepa hacer su trabajo en el abismo.

—¿Te has hecho daño? Puedo curarte —se ofrece Gwyn, distraída.

—Estoy bien, solo siento algunos efectos de la energía del abismo.

Se contenta con mi respuesta y sonrío al percatarme de lo que pasa. El interés que le despierta Tyropher le ha hecho olvidar que su amiga está en el estanque medio ciega.

—¿Vamos a ver qué está haciendo? —insinúo, a lo que ella se ruboriza sin ocultar que, como mínimo, le gusta lo suficiente para aceptar sin pensárselo dos veces.

Cabecea en dirección a Tyropher, con una media sonrisa coqueta, pero me freno a medio camino para devolverle las gafas a Vera, que frunce el ceño molesta y empieza a llenarse las manos de tierra del estanque. La primera bola de tierra mojada la recibe la nuca de Thago. Me guiña un ojo y vuelvo a sonreír. Sea lo que sea lo que le esté sucediendo a mi boca para ampliarse tantas veces en un mismo día, debe parar. Gwyn no se corta en tirar de mi brazo en dirección a Tyropher, que balancea las manos en el aire jugueteando con… ¿una criatura inofensiva? Los ojos se me abren como platos, no sé si aterrada o emocionada.

—¿Qué demonios es eso, Tyropher? —inquiero al llegar.

Todavía no entiendo qué emoción me hace reaccionar. Gwyn se sienta a su lado y yo me agacho poniéndome a su altura, como si así pudiese salir corriendo en cualquier momento en caso de que esa pequeña masa colorada se lance a mi cara.

—Mi nombre es Xilder —me corrige sin apartar la vista del bicho—, pero llámame por mi apellido si lo prefieres.

Recorto la distancia un poco más y lo observo de cerca. Es una criatura del tamaño de mi puño; su piel rojiza y sus dos ojos saltones la convierten en un ser adorable. Parece divertirse brincando en la mano de mi compañero. Mi atención salta del bicho a la sonrisa de fascinación de él. Solo espero que, por el mero hecho de ser biólogo, no sea tan estúpido de estudiar a las criaturas con sus propios dedos y ponga en peligro la vida de la tropa.

—Es un Coranchín —nos explica a las dos; ambas estupefactas con la boca entreabierta—. Les gusta interactuar con los humanos y suelen ser comunicativas.

—¡¿Hablan?! —vocifera Gwyn, atrayendo la atención de los demás.

—No, Gwyn. No hablan.

Tyropher le cede el bichito adorable a la rubia mientras recupera el cuaderno del interior de su mochila de cuero para anotar lo que sea que haya descubierto. A mí no me da tan buena espina como a ellos, será porque todo lo que crece dentro del abismo es un enemigo para Mhyskard. En apenas unos segundos, tenemos a Thago a nuestro lado, revolviéndose el pelo castaño y salpicando agua a todas partes.

—Dan brincos cuando están felices —musita Tyropher mientras escribe en su cuaderno.

—Felices de que pronto comerán —escupe Thago cruzándose de brazos.

—¿Qué tipo de criatura es? —pregunto.

—Colaborativa.

El corazón me da un vuelco. Que sea colaborativa significa que es traicionera, pues colabora con criaturas letales para alimentarse de nosotros. Por instinto, miro a nuestro alrededor. Todo parece tranquilo, pero tengo una mala sensación. A pesar de que la sección de cartografía apenas recibe formación sobre las bestias del abismo, dudo en preguntar de nuevo, así que acudo al semblante serio de Thago como si pudiese al menos darme una respuesta a si seguimos a salvo en este oasis, porque Gwyn y Tyropher están absortos en los movimientos del Coranchín.

—Por si no lo sabes, su nombre se debe a que se alimenta de corazones humanos —espeta Thago, y sé que se dirige a mí, la única que le está prestando atención.

Su cuerpo robusto se remueve inquieto y molesto ante la presencia de la criatura, pellizcándose la piel de los bíceps como si estuviese deseando aplastar al Coranchín entre sus manos.

—Se alimenta de corazones de humanos que ya estén muertos. Humanos. Muertos —le rebate Tyropher.

—Ese puto bicho está brincando de alegría porque tiene la esperanza de que otra bestia te asesine para comerse tu corazón, imbécil.

—Vete a molestar a otra parte —le discute Gwyn.

—¡Hora de comer, supervivientes! —nos grita Nadine desde el claro en penumbra donde se han asentado los Guardianes y los Jefes de Tropa.

Antes de darse media vuelta, Thago nos dedica una mirada cargada de ira contenida.

—Vosotros mismos.

De pronto, el ambiente animado se disipa. La tensión se hace aún más palpable cuando Thago le cuchichea algo a Mei, que nos escudriña desde la lejanía con la misma rabia que él. Quizá esté en lo cierto y esto sea un grave error. Sin embargo, ¿qué sentido tendría traer a biólogos si no es para estudiar a las criaturas del abismo? Una parte de mí se divide y desearía estar en lo alto de mi roca anaranjada o junto a Nevan, aislada debajo de la penumbra, lejos de este instante que nos hace responsables a los tres de las consecuencias que pueda acarrear interactuar con un Coranchín.

Un instante que podría acabar con la vida de cualquiera de los trece.

Información adicional

CRITATURAS DEL ABISMO CLASIFICADAS SEGÚN NIVEL DE AMENAZA

(C) Colaborativas. A menudo presentan conductas amigables, curiosas o elusivas, e interactúan de forma cercana con los exploradores. Debido a su aspecto inofensivo, suele ignorarse el peligro que acarrea acercarse a una criatura colaborativa. Sin embargo, tal y como su nombre indica, colaboran con el entorno para alimentarse y pueden cooperar con todo tipo de bestias: letales, atormentadoras y excéntricas Algunas pueden desprender un hedor característico a modo de aviso, aunque desapercibido al principio para los humanos; otras emiten ondas o crean interconexiones invisibles con bestias que se encuentren en la zona.

Puesto que las habilidades ocultas de las colaborativas son amplias y desconocidas, la mejor medida de seguridad frente a ellas es el exterminio, en caso de ser posible, a distancia.

Coranchín

De cuerpo pequeño y rojizo del tamaño de un puño humano, similar a un corazón humano, y ojos enormes. No ataca directamente a los humanos, sino que se acerca a ellos para acompañarlos hasta su muerte. Si percibe una amenaza o un explorador le hace daño, avisa a otras criaturas de la ubicación desprendiendo un hedor imperceptible para los humanos, aunque es posible detectarlo si aparecen manchas marronáceas en la piel.

Su nombre se debe a que se alimenta de los corazones de humanos fallecidos en el abismo. Cuando está de buen humor, suele brincar.

12

El mapa impreciso y la experiencia corrompida

Oasis Sumido, 270 aps (Escala de presión abisal)

Las barritas nutritivas que nos dieron en las garitas saben a rayos, una mezcla de agua estancada y estiércol de caballo. Es, si no horrible, espantoso. Separo un trozo con los dientes preguntándome si los alquimistas que las han preparado se habrán equivocado de receta. Procuro masticar lo mínimo y trago aguantando la respiración.

Es un suplicio que aún me queden nueve barritas en la mochila.

Nos hemos sentado haciendo un círculo debajo del refugio que hemos estado fabricando desde el mediodía, junto a la pared del precipicio, a base de materiales que hemos ido recolectando de los bosques más cercanos del Valle Antiguo, como ramas partidas u hojas caídas de gran tamaño. Los síntomas de subir al valle fueron leves, aunque algunos siguen soportando las náuseas y el mareo que sufrieron, a pesar de que hay poca diferencia de altura.

Examino con disimulo los sutiles movimientos en el interior del bolso de Tyropher. No puedo creer que haya metido al Coranchín ahí y pretenda llevárselo con él de paseo por el abismo. Me importa un demonio cómo quiera arriesgar su vida para cumplir con su papel de biólogo y ganarse un buen cargo dentro de la Corte Real de Khorvheim, pero tengo claro que no es buena idea estar cerca de Tyropher por inocente que lo hagan parecer su rostro amable repleto de pecas y esos ricitos miel que le enmarcan la frente. Por ese motivo he preferido colocarme lejos de él, entre la Informante Kirsi y el grandullón de Thago.

—Según los informes de la anterior expedición, los efectos secundarios del abismo tomaron mucha fuerza en la Cueva de los Espectros. No había mapa del interior, así que se perdieron en varias ocasiones y, dado que necesitaban descansar porque llevaban dentro horas, decidieron pasar la noche en la cueva —nos recita Kirsi leyendo varias hojas escritas en lenguaje kheltza mientras pasea su dedo puntiagudo por las letras.

Me acostumbré a ver los escritos kheltza cuando mi amiga empezó a traer fragmentos de textos históricos a Mhyskard para demostrarme lo alucinantes que eran, textos que narraban el origen de Khorvheim. Yo le sonreía fingiendo agradecimiento y le pedía que me enseñase a hablarlo, aunque fui incapaz de aprender más allá de las expresiones básicas, pues ni siquiera ella dominaba el lenguaje de los Cuervos y cada palabra kheltza me desgarraba el corazón. Porque las últimas palabras que el Príncipe Cuervo había articulado frente a mi hermana Orna, antes de que sus secuaces cometieran el asesinato, habían sido en lenguaje kheltza. Le rogué a la diosa Mhys que me ayudase a recordar qué había dicho él aquella noche con la esperanza de traducirlo, pero fue en vano.

—Supongo que eso fue lo que se cobró la vida de tres de ellos —comenta Kalya con un gesto de repulsión clavado en el dedo de Kirsi.

—Exacto. Las probabilidades de perderse dentro son altas porque nuestro mapa es impreciso, y pasar la noche en la cueva es un suicidio.

—De acuerdo. Debemos evitar los errores que cometieron ellos e intentar ser más eficaces dentro de esa maldita cueva, ¿hasta ahí llegamos todos? —interviene Nadine alzando el tono de la voz.

Mis compañeros asienten en silencio. Vigilo las acciones y reacciones de todos ellos. ¿Quién da las órdenes importantes en la sombra? ¿Quién es el malnacido de la piedra verde por el que me he entrenado día y noche desde entonces? Ninguno destaca por una actitud propia de príncipe ni porta anillos con piedras verdes similares al que tenía el Rey Khorvus.

—Cuando lleguemos a este punto —dice Nadine quitándole el mapa de las manos a Kirsi y señalando una zona en la que el camino principal de la cueva se bifurca en tres posibles salidas—, debemos separarnos y buscar la salida por grupos. ¿Cuál tomasteis vosotros, Dhonos?

La atención grupal recae en el Guardián espigado. En cuanto se percata de esto, frunce el ceño y enreda los dedos de forma errática. No es la primera vez que me fijo en que odia ser el centro de las miradas.

—Creo que la bifurcación de la derecha.

—¿No estás seguro?

—No.

—Joder, Dhonos —se queja Arvin inclinándose hacia delante para frotarse la cara con su característica impaciencia.

—Pondría la mano en el fuego a que por aquel entonces solo había dos salidas —contesta Dhonos, y a varios de nosotros se nos desencaja la mandíbula.

—¿El mapa es fiable? —inquiere Kowl, que está examinándolo junto a Nadine.

—Dibujado por las mejores manos cartógrafas de aquella época.

—No entiendo qué mierda está pasando.

El último comentario de Dhonos, sumado a que parece tan desquiciado que opta por levantarse del círculo, provoca los murmullos de mis compañeros. Nadie quiere separarse en grupos, mucho menos si el mapa que realizaron en la expedición anterior no coincide con los recuerdos de la única persona que sobrevivió. Ninguno confía en Dhonos y él lo sabe, por eso prefiere darse paseos cortos en la orilla del oasis mientras algunos lo observan como si en el fondo desearan que la primera víctima del abismo sea él. Suspiro y cojo una ramita que ha caído del techo del refugio para hacer diminutos círculos en el suelo arenoso entre mis piernas mientras pienso en todas las posibilidades existentes dentro de mis planes. Puede que sea una idea retorcida, pero estoy dispuesta a mantener con vida a Dhonos hasta que descubra quién es mi objetivo. Porque no voy a cederle la muerte del Príncipe, sea quien sea, ni al abismo ni a nadie.

Su sangre, su sufrimiento y su último aliento me pertenecen.

—¡Silencio! —chilla Arvin—. Yo estoy de acuerdo en separarnos. Puesto que, a mayor profundidad, mayor es el peligro, los más experimentados en combate nos adelantaremos en esta intersección.

Kowl, que lleva unos minutos estudiando el mapa desde todos los ángulos, le susurra a Nadine algo y se pone en pie para reunirse con Dhonos en la orilla.

—¿Cómo sabes que el mapa es fiable? —le pregunto en voz baja a Kirsi a mi izquierda.

—Porque está firmado por la anterior Informante y nuestros dedos solo expulsan tinta con la verdad —habla con un atisbo de molestia en la voz. Su semblante inexpresivo y la corta melena dorada alrededor de sus ojos fríos le dan un aspecto inhumano—. Jamás pongas en tela de juicio la verdad de una Informante.

—Por supuesto que no —digo volviendo a lo mío, al suelo arenoso y a la ramita rota que ahora me apetece hincarle en la boca.

Kowl regresa enseguida, aunque con una expresión pétrea difícil de descifrar, y retoma su hueco en el círculo mientras Dhonos se cruza de brazos a su lado, taconeando la bota contra el suelo.

—Si es cierto que solo hay dos salidas, Nadine y yo iremos por la izquierda, Kalya y Arvin irán por la derecha. Y tú, Dhonos, te quedarás en la intersección con el resto de la tropa para protegerlos de cualquier inconveniente que pueda surgir —dictamina Kowl.

—Podemos pasar la noche en este refugio, haciendo guardias de dos en dos, y adentrarnos a primera hora de la mañana en la cueva para evitar que se nos haga de noche allí —sugiere Nadine.

—Eso es un error —le advierte Dhonos.

—Según los informes, el error será que nos perdamos y tengamos que pasar la noche en la cueva —espeta Arvin en defensa de ella—. Vosotras, cartógrafas, tenéis que apuntar con detalle todo lo que veáis o percibáis a cada paso. No importa si es un trozo de mierda azul clavada en la pared o una estalactita con forma de duende, ¿os queda claro?

Ambas asentimos. Vera me mira de reojo, se reacomoda y acurruca la frente en el hombro de Gwyn, que sigue mareada por haber subido al valle antes.

—El tiempo en el abismo es oro, nuestros recursos son limitados y la travesía por la cueva puede torcerse en cualquier momento —mascula Dhonos, furioso—. Da igual que sea de noche o de día, la puta Informante de hace diez años pensó que esos Sacránimos nos atacaron porque era de noche y lo registró así, ¡pero viven en una noche constante!

—¡Las Informantes nunca mentimos! —le grita Kirsi.

—Relájate, Dhonos —le pide Kalya, la otra Guardiana—. La decisión está tomada.

—Malditos los dioses que nos acompañan porque estamos en desgracia desde que hemos pisado el abismo —farfulla Dhonos, ganándose la mirada asesina de Arvin.

—¡Eh, cuida esa boca! —vocifera Nadine.

—¡Habéis visto a esos Devoracielos ignorando su ciclo de sueño! —nos brama. Pasa los delgados dedos enguantados por su pelo platino mientras camina de un lado a otro frente a nosotros—. Joder, en la anterior expedición ya estábamos en los Arcos Perdidos al segundo día.

—Y murieron todos, excepto tú —gruñe Kalya.

—¡Por eso sé de lo que hablo!

—La decisión está tomada, Dhonos. Cierra la boca y vete a dormir, te será más útil que seguir lloriqueando —le espeta Arvin con los mofletes llenos de la segunda barrita que se está zampando.

—Maldito rubio arrogante, métete tus órdenes por…

La patada que Arvin le propina a su bolsa de cuero nos sobresalta a todos. Nadine hace uso de toda su fuerza para retenerlo en su sitio mientras el resto nos inclinamos hacia atrás despejando el círculo como si estuviese a punto de empezar una lucha encarnizada entre ambos. Kowl y Kalya se limitan a contemplar el numerito absurdo que está montando Dhonos.

—Más te vale que uno de los dos no salga con vida de aquí porque te juro que ahí fuera vas a comer mierda hasta atragantarte —le amenaza Arvin.

—Ni el propio Rey podría despojarme del título de Guardián.

—Ya lo veremos, futuro comemierdas.

Dhonos nos repasa a todos con una mirada colmada de odio antes de marcharse a paso firme hacia la otra punta del oasis, bajo la ladera donde termina el estanque y comienza la Cueva de los Espectros. Arvin también abandona el refugio en la dirección opuesta, acompañado de Nadine, que seguramente no se atreva a dejarlo a sus anchas. Tras la discusión, la sensación de división y tensión se cierne sobre el grupo como una cuerda a punto de romperse. Nadie se atreve a interrumpir el silencio que de pronto se instaura en el círculo, aunque se oyen rugidos de estómago porque las barritas, por nutritivas que sean, no son suficientes para saciarnos. El oasis, que hace poco parecía un refugio lejano a los problemas de la superficie, de pronto se ha convertido en un lugar denso y pesado.

Resoplo y lanzo la ramita al centro del círculo. Casualmente, termina apuntando a Kowl, que está justo enfrente de mí. Alzo la mirada y nuestros ojos se encuentran en la penumbra, en un instante de silencio repleto de preguntas que no consigo entender porque ni siquiera comprendo qué me une a él. Qué se enciende en mí desde la primera vez que conectamos en el bosque. Carraspeo, no sé si incómoda o avergonzada, y desvío la atención al estanque. Cuando el cielo empezó a oscurecerse, aparecieron pececillos luminosos danzando en el agua. Esta vez es mi estómago el que ruge al imaginármelos asados al fuego de una hoguera.

—Thago, ¿tienes hambre? —La pregunta de Kowl despierta el interés de todos. A mí me congela el corazón porque, por un segundo, parece haberme leído la mente. Y no es la primera vez que sucede.

—Muchísima —le contesta Thago.

—¿Por qué no vas a pescar?

—Pero…

—Esos peces son comestibles.

—¡¿En serio?! —vocifera el grandullón levantándose entusiasmado—. Me voy a llenar el estómago hasta reventar.

—Thago —lo llama Kowl, y siento un escalofrío trepándome por la espalda al percatarme de que lo siguiente lo dice mirándome a mí—: Tus compañeros también tienen hambre. Pesca para todos.

La saliva se me agolpa en la garganta y me veo obligada a tragar rápido para no atragantarme de la impresión. El corazón me bombea frenético, la respiración se me altera. ¿Es esa la conexión que he estado sintiendo? ¿Es capaz de leer mentes a través de miradas como estaba haciendo con el cuervo en aquel bosque? Clavo mi vista en el suelo, aterrada, porque por mi mente revolotean demasiados secretos y, de estar en lo cierto, no sé cuántos de ellos conocerá a estas alturas.

13

El cruce de dagas

Oasis Sumido, 270 aps (Escala de presión abisal)

Después de hacer una fogata vigilando los alrededores de cualquier peligro y de asar varios peces para cada persona, nos hacemos hueco bajo el refugio con nuestros bolsos de cuero.

No me puedo quitar su mirada de la cabeza.

Jamás pensé que podrían existir Cuervos con esa habilidad. ¿O es magia? Estoy furiosa, muy furiosa. Y avergonzada, porque cada vez que me propongo analizar sus reacciones, termino perdiéndome en sus rasgos marcados o en la intensidad de sus ojos, en lo desgraciadamente atractivo que es. O en su torso musculoso, ese que apretujó contra mi cuerpo para sacarme de la batalla de los Devoracielos. Ese magnetismo que desprende y su presencia aquí…, no sé si me gusta o si me inquieta.

Oh, sí. Estoy muy furiosa.

Mis pensamientos son míos y llevo demasiado tiempo urdiendo mis planes como para que venga él a entrometerse. Aplasto la mochila con mi mejilla al acurrucarme y cruzo los brazos sobre mis costillas. Las dagas se me hunden en el corsé como la única protección a la que puedo aferrarme en este momento. Siento que el vientre me tiembla del cúmulo de emociones que he experimentado hoy. Tengo miedo, lo admito. No por las criaturas que habitan el abismo, sino por el peligro que supone lo que ha sucedido hace un rato. Kowl se alejó en busca de los Jefes de Tropa y no ha vuelto a aparecer por el oasis. Tengo que estar lista para lo peor.

Cuando creo que sigo manteniendo alerta mis cinco sentidos, varios toquecitos en el hombro me abren los ojos de sopetón y me doy cuenta de que me había quedado dormida.

—Rawen, ¿estás despierta? —me susurra la voz de Gwyn.

Me restriego los párpados pesados y me enderezo sobre mis codos mientras enfoco el oasis en calma frente a mí. En la gran roca anaranjada que hay a unos metros del refugio diviso a Mei y Nadine haciendo guardia, apenas visibles en la penumbra de la noche.

—¿Qué ocurre?

Gwyn está sentada con las piernas encogidas junto a Vera, se lleva un dedo a los labios en un gesto de silencio y me sonríen con complicidad. A mi lado, Nevan ronca con la boca abierta y el ceño arrugado. Pondría la mano en el fuego a que ni soñando deja de protestar.

—Le estaba diciendo a Vera que me gusta mucho tu trenza. —Gwyn se recoge entre los dedos algunas ondas rubias—. Ya ves lo rebelde que es mi pelo.

—¿Nos peinarías algunas trencitas? —me pregunta Vera sacudiéndose la melena pelirroja.

Pestañeo, confusa. Si alguna de las doncellas de mi hogar me hubiese despertado para que le haga una trenza, habría acabado sirviendo a otro señor. Sin embargo, intento tomármelo con el mejor humor posible, puesto que no debería haberme dormido en primer lugar.

—¿No sabéis haceros trenzas? —inquiero, luchando por mantener un tono amable.

—Sí, sí sabemos —me responde apresurada—. Es que… no podemos dormir.

Arqueo una ceja. Me pregunto si Vera sabe lo mal que se le da mentir.

—En realidad, queríamos hablar contigo y conocerte mejor —confiesa Gwyn, y los mofletes se le ruborizan al instante—. Nos caíste genial desde que le plantaste cara a Arvin en la garita.

La situación es tan extraña e imprevisible para mí que tardo unos segundos en percatarme de que ambas están siendo sinceras. Me incorporo con cuidado de no despertar a mis compañeros, que sí están aprovechando su tiempo libre para descansar, y acepto su petición esbozando una sonrisa a duras penas.

—Solo me dejé llevar por mi mal carácter —me excuso recordando cómo el imbécil de Arvin machacaba mi brújula bajo su bota.

—A nosotras nos pareciste muy valiente.

—Arvin me da bastante miedo —murmura Vera encogiéndose de hombros.

—Pues a mí me aterra Dhonos. ¿Qué clase de persona se presenta voluntaria para bajar al abismo después de haber sobrevivido por los pelos a su primera expedición?

¿Qué clase de persona se enfrentaría a la muerte una segunda vez por voluntad propia? Sonrío cínica, dándome por aludida.

—Una persona retorcida y suicida —digo.

De repente, alguien a mi espalda se remueve y suelta un ronquido que nos eriza la piel ante la posibilidad de que haya sido Dhonos tras habernos escuchado. Falsa alarma. Solo es Kirsi sufriendo alguna pesadilla por cómo arruga la cara en una expresión de terror.

—¿Queréis una trenza como la mía o…?

—Un par de ellas, finas.

—Está bien.

Aún no puedo creer que me hayan despertado para semejante tontería. Me coloco detrás de Gwyn y empiezo a entrelazar finas hebras rubias mientras me convenzo de que es la oportunidad perfecta para ganar aliadas aquí dentro.

—¿No tenéis la sensación de que en el abismo nuestros deseos se emborronan?

—Creo que te entiendo, como si los deseos que teníamos en el exterior perdiesen importancia —afirma Gwyn moviendo la cabeza. Varias hebras escapan y me inflo los pulmones de paciencia—. Mi deseo siempre ha sido ser Sanadora en la Corte Real para ofrecerle mi magia a los exploradores que sobreviven al abismo.

—Es decir, tu deseo es trabajar una vez cada cinco años —se burla Vera, y a ambas se nos hinchan los mofletes de la risa que tratamos de reprimir.

—Porque también quiero casarme, tener muchos hijos y disponer de tiempo para dedicarme a mi familia —dice enfurruñada—. Ningún trabajo en Khorvheim está tan bien pagado como ese ni te da tanta libertad.

—¿Y ya no quieres nada de eso?

Termino de atarle las dos trencitas con algunas hierbas secas que he encontrado en el suelo y Vera intercambia el lugar con Gwyn, que no parece tener muy clara la respuesta.

—Supongo que sí, pero aquí… —Esconde la cara entre sus brazos cruzados sobre las rodillas—. Es como si el abismo jugase con mis sentimientos. No puedo dejar de pensar en un chico. Me gusta desde hace un par de años, cuando ambos íbamos a la Escuela de Cuervos, aunque él asistía a un curso superior.

—Xilder Tyropher —me revela Vera ladeando el rostro con una sonrisilla.

—Es como si todos mis deseos se viesen opacados por…

—El abismo sabe lo que anhelas en el fondo. —La voz me escala la garganta desde una parte tan honda de mí que me asusto de mis propias palabras.

—¡Claro, tiene sentido! Tu deseo oculto tras todos los demás era el amor, Gwyn.

Unos gruñidos en la otra punta del refugio nos mandan a callar. No les quito razón, deberíamos estar dormidas para ser efectivas y no un lastre al amanecer. Hace rato que el sueño se ha vuelto plomo en mis párpados y el hecho de no ver a Kowl por ninguna parte empieza a importarme cada vez menos. Debo descansar todo lo que pueda hasta que llegue mi turno de guardia. Me apresuro en trenzarle el segundo mechón pelirrojo a Vera, se lo ato y ella se ajusta las gafas regalándome una amplia sonrisa al girarse.

—Gracias, Rawen. Eres la mejor.

—Eres todo un descubrimiento —comenta Gwyn guiñándome un ojo.

Les sonrío en respuesta y nos disponemos a dormir. En un par de horas me toca hacer guardia, así que me acurruco de nuevo apoyando la cabeza en mi mochila y procuro conciliar el sueño mientras pienso en padre, en cómo se habrá tomado mi partida o la carta que le dejé en mi escritorio. Pienso en el disgusto que habrá sufrido al perder a la última hija que le quedaba, en su decepción y en cómo hablarán de mí en la muralla de Mhyskard al no haber hecho mi juramento como guerrera. Padre abofeteará a quien sea si lo encuentra mancillando mi honor con palabras, aunque las crea ciertas en su corazón. Pienso en Rawen Kasenver, en sus sueños rotos, en las partes amoratadas de su cuerpo por nuestro enfrentamiento y en mi traición, que la estará haciendo llorar hasta la madrugada. También imagino la desesperación con la que habrá acudido al Consejo de Expediciones para informarles de que hay una intrusa en la expedición.

Es una pena para ella que nunca le revelase mi nombre completo o mi apellido.

Y que nadie pueda bajar a este lugar para detenerme, porque los humanos no soportan la energía del abismo sin las reliquias que portan Nadine y Arvin. Cierro los ojos y me arrebujo en la capa, sumiéndome en la culpa por el daño que le habré hecho a la única persona que aún quiero y en la satisfacción de saber que nada podrá frenarme ahora.

—Rawen, es tu turno —me anuncia alguien al oído.

He dormido tan profundo que me cuesta despegar los párpados y saber qué día es. Dónde estoy. Quién huele a esas flores de colores vívidos del oasis. Me sacude el hombro y emito el mismo gruñido que solía dedicarle a padre cuando nuestros días libres coincidían y me preparaba el desayuno. El rostro pecoso de Tyropher aparece delante de mí. Entiendo que a Gwyn le guste; es guapo y tiene una sonrisa por defecto que los hace encajar a la perfección.

—Hueles a mi infancia, Tyro… —digo, somnolienta.

—Vamos, qué dices. Levántate. Kalya está sola allí.

Acepto su mano para erguirme, notando el calambre de cansancio en cada músculo de mi cuerpo, me cuelgo la mochila al hombro y le doy una palmadita en la espalda a Tyropher para agradecerle que me haya despertado con tanto tacto. Kalya está en lo alto de la roca anaranjada haciendo danzar una daga corta entre sus manos. Sus ojos rasgados, ensombrecidos por el flequillo recto negro, me estudian un breve instante y luego escupe un resoplido al clavar la hoja en la roca para poder ajustarse la coleta alta. Yo también resoplo al hacerme hueco a su lado y concienciarme de que me esperan varias horas soportando el sueño que me pica hasta en las pestañas.

—¿Ninguna amenaza por el momento?

—Este oasis es un maldito remanso de paz.

—Ensartar a una bestia es más entretenido que mirar a las musarañas —ironizo recordando las largas guardias que hacía en la formación de guerrera.

—Tú lo has dicho.

La observo con disimulo. Su belleza peculiar escasea en Mhyskard. Por alguna razón, los linajes con sus rasgos decidieron migrar a Khorvheim incluso después de que la isla se dividiese en dos territorios. Y su parecido con Mei Phiana'rah es tan evidente que resulta imposible ignorar que deben de compartir lazos familiares de algún tipo.

—¿Mei es tu hermana?

Kalya no se corta en fulminarme con la mirada.

—¿A qué viene esa curiosidad? ¿Saber eso te salvará la vida aquí abajo?

Puede que no sea igual de impredecible que Dhonos, aunque sí comparten la ausencia de simpatía, que empiezo a pensar que es un requisito indispensable para formarse como Guardián en Khorvheim.

—Solo estaba pensando en que tenéis el mismo apellido.

—Somos primas —masculla de malas maneras.

Me lo imaginaba, pero no lo entiendo. El hecho de meter en el abismo a familiares y la alta tasa de probabilidad de que una de ellas muera durante la incursión es lo contrario a eficiencia en estrategia general. Se arriesgan a que una víctima caiga detrás de la otra. O quizá soy yo, que estoy dándole demasiadas vueltas a una tontería. Las llamas de la fogata han quedado reducidas a brasas e iluminan la zona con un tenue resplandor anaranjado que me evocan a la chimenea de mi hogar. La quietud del oasis es tan aburrida que cambio mi foco al cuerpo de Kirsi, que tiembla mientras sufre lo que parece alguna pesadilla y comienza a sollozar. Los demás están demasiado cansados como para preocuparse de la niña estirada del grupo.

—Kirsi Kegelrich, la chica que caga oro y que solo está aquí para cumplir los deseos de su papi —comenta Kalya de forma despectiva y arruga la nariz en un gesto de repulsión—. ¿Le has visto el dedo índice?

—No la he visto escribiendo, si te refieres a eso.

—La punta de su dedo se transforma en la punta de una pluma, se afila y expulsa tinta. En otras palabras, una abominación. ¿Qué clase de magia puede ser esa?

—La tinta de la verdad.

—Eso dicen, habrá que verlo para creerlo —espeta poniendo los ojos en blanco.

Eso pienso yo. Por mucho que insistan en que las Informantes, todas femeninas y descendientes de un mismo linaje, solo pueden escribir la verdad con la tinta de su sangre, me cuesta creer que una humana con emociones pueda ser tan objetiva con la realidad que vive. ¿Acaso no fue una Informante la que redactó que la causa del ataque de aquel Cantapenas se debía a una grieta en el sello del abismo? Entierro las uñas en mis manos al cerrarlas con esa rabia que llevo conteniendo cinco años. No se me olvida que, entre los asesinos de mi hermana, escuché una voz femenina, y me planteo la posibilidad de que haya bajado al abismo con el Príncipe. Fueron pocos segundos, pero vi cómo luchaba contra Orna. Podría reconocerla. Nada me gustaría más.

—Kalya —la llamo. Sus ojos oscuros se mueven despacio hacia mí, astutos y malintencionados, como si ya supiese lo que voy a decir—. Te desafío a un duelo.

—¿Una cartógrafa desafiando a una Guardiana?

—Ambas tenemos dagas. Si prefieres subestimarme por un título, es tu problema.

Las comisuras de sus labios se le estiran en una sonrisa ofendida. Le echa un vistazo a nuestro alrededor y luego al refugio. Creo que, si en algún momento se ha preocupado de no hacer ruido para no despertar a nuestros compañeros, deja de hacerlo. Salta de la roca y desenvaina la daga con la que estaba jugueteando hace unos minutos. La sigo y me coloco enfrente disimulando mi postura habitual de lucha.

—¿Eres una suicida cuando te aburres? —me pregunta con una mezcla de lástima y arrogancia en la mirada.

—No me gusta perder el tiempo —respondo extrayendo mi arma de las costillas del corsé.

—Tu desafío, tus reglas. Elige el golpe de derrota y que el destino hable.

—La muerte o la rendición.

—¿Estás tarada?

—Yo no he sido quien ha aceptado el desafío.

Kalya abre los ojos chispeantes, confundida, estimulada. Sé que es una chica orgullosa, que asume que ser Guardiana la hace superior al resto por tener habilidades físicas más desarrolladas. No se rendirá por voluntad propia, tampoco irá a matar, pero yo la provocaré hasta el límite. Porque también sé pelear. Será la única manera de ver cómo pelea de verdad. Cómo mata. Necesito comparar sus movimientos con los que recuerdo.

Siempre me he preguntado cómo sería el enfrentamiento entre una Guardiana de Khorvheim y una guerrera de Mhyskard.

—Que el destino hable —dice.

Doy varios pasos lentos, examinando el espacio libre que tenemos, contando en mi mente cuántos pasos más podría dar en caso de necesitar retroceder. La sombra de los árboles se retuerce por el suelo arenoso. Adopto una postura lateral para ser un blanco difícil de alcanzar, poder esquivar mejor los ataques de Kalya y tener una visión periférica del entorno, y empuño mi daga con la mano dominante, apuntando a mi oponente.

—Me portaré bien —canturrea elevando la daga a la altura de su nariz afilada para adoptar su postura de inicio. En el reflejo de su hoja veo el brillo de malicia que le cruza la mirada.

—Espero que no te excuses en eso cuando pierdas.

14

El preludio de la expedición

Oasis Sumido, 270 aps (Escala de presión abisal)

Pagaría por memorizar la sorpresa que se acaba de llevar Kalya cuando, con un movimiento diestro de muñeca, ha dirigido su daga a mi abdomen y sin apenas esfuerzo me he deslizado a un lado para esquivar su golpe.

Es rápida y diestra. No la subestimo; jamás haría eso con un posible enemigo. Pero he de admitir que mi mente retorcida disfruta viendo cómo frunce el ceño porque no entiende que mis movimientos sean más ágiles que los suyos. A ellos les enseñan a combatirnos porque somos su enemigo; a nosotros, en cambio, nos entrenan para luchar contra las bestias. Después de un par de minutos, yo sigo en pie sin un solo rasguño ni intención de rendirme y ella tiene una expresión de rabia que va en aumento. Sé que en cualquier momento explotará, haciendo un movimiento más arriesgado. Es lo que quiero, provocarla. Que combata de verdad y no se contenga. Porque está claro que una Guardiana de Khorvheim suele asestar golpes más precisos que ella.

Yo ni siquiera he efectuado el mío.

—Tendrás que ir en serio si quieres acabar antes del amanecer —le susurro con una sonrisilla que la desquicia.

Puede que me arrepienta. Sobre la marcha, me esfuerzo en estudiar sus valores. Por qué razón golpea, qué emoción la mueve. Cuando el sentimiento de furia comienza a dominarla, lanza su muñeca a mi brazo, pero en un movimiento rápido efectúo una de mis técnicas personales de combate. Hago girar las dagas para cogerlas por el mango con la hoja hacia atrás y giro sobre mis tobillos. Un sonido afilado nos atraviesa. Son las puntas de su coleta negra cayendo después de que mi daga las haya cortado. Me enseña los dientes, arroja la daga al suelo y me pega un puñetazo en la barbilla que me hace trastabillar de espaldas.

—Cuidado, cartógrafa. No te pases o lo próximo que lanzaré a tu cabeza será la daga.

—Lo siento, he calculado mal —miento elevando las manos en un gesto de inocencia.

Kalya no se parece ni por asomo a la asesina de la muralla. La derrota se hace hueco en mi pecho. Recoge la daga del suelo y me apunta con ella.

—Prepárate.

El combate, de repente, parece un enfrentamiento serio en el que la Guardiana de la tropa quiere asesinarme por haberle cortado un milímetro de cabello. Sí, puede que me arrepienta. No quiero asesinar a nadie inocente. Sus pisadas ágiles recortan la distancia entre nosotras y, estupefacta porque no me esperaba que se tomase tan a pecho lo de su pelo, mis movimientos se vuelven torpes. Consigo esquivarla una, dos veces, hasta que nuestras dagas chocan a la altura de mi brazo, a punto de cortarme el músculo. El brillo del acero refleja la luz de una luna ilusoria. Me mira feroz, con sus cejas finas inclinadas por el resentimiento.

Vaya, qué sorpresa. ¿Dónde has aprendido a pelear así?

La voz en mi cabeza me asusta, pero ya no me pregunto de dónde proviene. Desvío la atención un instante, solo uno, y diviso la silueta oscura al fondo del oasis, apoyado de brazos cruzados bajo el árbol que se inclina por encima del agua.

—Me rindo —le digo enseguida. Kalya se sopla el flequillo recto, cabreada.

—¿Eres una cobarde, además de insolente?

—Soy rápida esquivando, pero no derrotando a otros. —Ligo mi sonrisa a la mentira e inclino el mentón en señal de respeto—. Siento mucho lo de tu pelo. No quiero perder un brazo por aburrimiento.

Si llega a responderme o a escupirme algún improperio, no me entero porque mis piernas se mueven de manera instintiva al árbol desde el que nos observa Kowl. Parece haber disfrutado del espectáculo que estábamos dando. Asoma media sonrisa a sus labios y descruza los brazos para deslizar una mano por la empuñadura de su espada.

—¿Me vas a desafiar a mí también?

Envaino mi daga. Le apunto con el dedo índice y le golpeo el pecho firme con él. Es tan alto que me veo obligada a levantar el rostro.

—No vuelvas a leerme la mente —le espeto clavando mis ojos en la profundidad oscura de los suyos—. Dime qué sabes de mí.

—¿De qué estás hablando?

—De que has estado entrando en mi mente.

Sus labios se amplían en una sonrisa astuta. Puede que para él sea un juego, una diversión en este mundo alternativo, pero para mí significa la vida o la muerte. Luego, endurece la mirada y juro que en la penumbra de sus ojos consigo ver algo… letal. Una amenaza que se convierte en un imán para mí.

—Eres tú la que entra en la mía y me comunica cómo se siente.

—¿Por qué demonios haría yo eso?

—Porque te intereso —murmura ladeando el rostro como si estuviese compartiendo conmigo un secreto de lo más divertido.

El aliento se me escapa de los pulmones. Entreabro la boca, cruzo los brazos. No hay palabras tras la que pueda ocultar esta estúpida vergüenza que no entiendo a qué se debe. Noto el calor ascendiéndome desde el estómago, paseándose por mis costillas, acelerándome el corazón e instalándose en mis mejillas.

Lo estás haciendo de nuevo.

—¿Ves? Te interesa lo que pienso —susurra dirigiendo una mano a mi cara. Me asusto, pero no retrocedo, y sus dedos me retiran con cuidado un mechón de cabello castaño para atraparlo detrás de mi oreja—. Conectas nuestras mentes, pero no controlas el poder.

—¿Qué significa eso?

—Que en mi mente no resuenan palabras como en la tuya cuando te respondo. En la mía solo capto algunas emociones que dejas escapar mientras te preguntas cosas de mí.

El roce de nuestra piel me está poniendo bastante nerviosa. Tanto que soy incapaz de pensar con claridad, de comprender el significado de lo que me está hablando. Pienso en apartarle la mano, regresar junto a Kalya, que debe estar contemplando la escena desde la roca, entendiendo esto incluso menos que nuestro enfrentamiento. Sin embargo, Kowl vuelve a hacerlo. Como en el bosque, desliza sus dedos por mi mandíbula, dibuja un triángulo en mi barbilla y el dolor desaparece.

—No me interesa lo que piensas —protesto bajando la vista a mis manos—. Y no, por supuesto que no controlo ningún dichoso poder. Jamás he hecho nada parecido.

«Porque no soy un Cuervo».

—Si te sirve de consuelo, eres la única. —Maldigo a mi corazón por acelerarse cada vez que Kowl abre la boca—. Hasta ahora solo había percibido sensaciones o palabras procedentes de los cuervos.

Me muerdo la lengua. Me frustro pensando en qué información recibe de todo lo que pienso y me planteo la posibilidad de que esté poniéndome a prueba, porque si de algo estoy segura es de que no tengo magia ni poderes propios de Cuervos. De pronto, mi mente se ilumina. Recuerdo nuestro primer encuentro. El cuervo. El maldito cuervo y el supuesto presagio. Aquel brillo dorado. ¿Acaso aquel cuervo nos conectó de alguna forma?

—¿Qué mensaje te dio el cuervo del bosque?

—¿Otra vez con el bosque?

—Sí, me soltaste aquello de que conectan con la mente y transmiten el mensaje al corazón. Quiero saber qué te dijo, por qué desde entonces siento que estamos conectados de alguna manera.

—Te equivocas, Rawen. —Tras decir esto, su semblante abandona cualquier ápice de amabilidad. La complicidad desaparece. Sus labios trazan una siniestra línea fina—. Te estás confundiendo de persona. No soy quien crees.

—¿Cómo sabes eso?

—Porque no sé de qué bosque me hablas.

—Pero la primera vez que…

—No sigas con eso —me interrumpe, tajante. De repente, un huracán de sombras le cruza el semblante y un escalofrío me recorre de pies a cabeza—. La primera vez que te vi fue en el puesto de vigilancia del abismo.

—Mientes.

—¿Por qué perdería mi tiempo mintiendo sobre eso?

Todo lo relacionado con Kowl me confunde. Su presencia anula mi juicio. Tampoco confío a ciegas en su palabra. Me confirma la impaciencia que tiene por perderme de vista sacudiendo el mentón en dirección a Kalya.

—Tu compañera de guardia te espera.

—Dime una cosa. ¿Puedes leer la mente de los demás?

—No.

—¿Por qué?

—Porque no puedo saber nada que esa persona no me quiera contar.

Una gran bocanada de aire me infla el pecho de alivio y asiento varias veces, convenciéndome de que no tiene razones para mentir en una nimiedad como esa y de que debo ser más cautelosa con él a partir de ahora. De camino a la roca sobre la que Kalya rasca la superficie con su daga, siento la mirada hostil de Kowl en mi nuca. No entiendo casi nada de lo que dice. Ni cómo se siente. Tampoco tiene sentido que mienta acerca del encuentro en el bosque. ¿Quién era entonces? Aquel tipo desapareció en mis narices, no me extrañaría que también tuviese la habilidad de cambiar de forma. O que fuera un presagio en sí.

Le doy una patada a una piedrecilla y resoplo fuerte. Me estoy volviendo loca. Alzo la vista al cielo oscuro, desolador, sin constelaciones a las que pedirles deseos. Sin dioses a los que pedirles ayuda. Y contemplo el inicio del amanecer cerniéndose sobre el oasis.

Un amanecer que augura el verdadero comienzo de la expedición.

15

Un mal presentimiento

Cueva de los Espectros, 500 aps (Escala de presión abisal)

Poco después de terminar mi guardia y de volver al refugio para descansar el tiempo restante junto a Kalya, que no me ha vuelto a dirigir la palabra porque aún está enfadada por lo de su cabello, nos incorporamos y recogemos nuestros enseres del refugio para proseguir con la expedición. A ninguno le apetece abrir la boca más que para bostezar.

Nos plantamos frente a la supuesta entrada correcta de la Cueva de los Espectros, un agujero de tamaño medio en el suelo, cerca del gran arco rocoso que simula ser la entrada principal. Kirsi encabeza la formación mostrándoles el mapa a Nadine y Arvin, que ladea la cara hacia nosotros:

—Recordad, pase lo que pase, nada de separarnos hasta llegar a la bifurcación que señalamos anoche en el mapa.

Dejamos atrás la paz del oasis, el murmullo del agua y la vegetación vívida y, al poner un pie en el interior, nos sumimos en una oscuridad que solo es iluminada por los haces de luz tenues que se filtran desde el agujero y otras pequeñas grietas en el techo. Es inquietante, teniendo en cuenta que sobre la cueva supuestamente se yergue la montaña que podíamos apreciar desde el oasis. Me pregunto si la montaña era una ilusión óptica o la luz tiene otro significado que no consigo comprender.

Vera y Gwyn entrelazan los dedos a mi lado mientras saco la libreta para apuntar cualquier detalle que pueda ayudarnos a recordar el camino, aunque apenas me alcanza la vista para hacer bocetos sucios e imprecisos. El suelo está cubierto de una capa de tierra y rocas sueltas, marcado por el paso de criaturas desconocidas que deben de habitar este nivel del abismo, y las paredes de piedra áspera que se alzan a ambos lados están repletas de musgos y líquenes que brillan a la luz filtrada.

A medida que avanzamos los primeros metros del estrecho pasadizo, siguiendo las indicaciones del mapa de la expedición anterior, nuestra visión se va acostumbrando a la oscuridad. El aire se ha tornado denso y cargado de una humedad que nos supone un esfuerzo extra en cada respiración. A diferencia del oasis, la atmósfera aquí dentro es opresiva. Por no mencionar que más de la mitad de la tropa está tan asustada de lo que pueda estar cerniéndose en la oscuridad que procura incluso contener la respiración, detalle que a mi parecer es una tremenda tontería porque el sonido de los pasos resuena lo suficiente en la cueva como para alertar a cualquier bestia de nuestra presencia.

—¿Cómo eres capaz de centrarte en eso? —me pregunta Vera en bajito, refiriéndose al mapa que estoy dibujando en el cuaderno.

«Porque vivo de mi secreto».

—¿Acaso no es nuestro trabajo? —le susurro al oído.

Vera hace un gesto de desagrado mirando a nuestro alrededor y asiente antes de sacar su libreta. Cuando se pone a ello, veo el terror en el temblor de sus dedos. Sigo sin entender por qué muchas de las personas que están aquí se presentan voluntarias si luego el miedo les impide cumplir con aquello que se les ha confiado. En Mhyskard no hay miedo que nos detenga del deber. No hay miedo ni siquiera de enfrentarse a la muerte cuando nuestro honor o nuestra gente está en peligro. Vivimos para morir entregándonos a ellos hasta el final.

Parece que en Khorvheim no.

Aquí la gente teme a la muerte, la evita o se preocupa más por su propia vida que por cómo le puedan afectar sus acciones a los demás. Y, claro, me molesta que una cartógrafa graduada con honores me haya hecho esa pregunta porque, en teoría, la vida de las personas que lleven a cabo la siguiente expedición depende de ella y de mí. Tienen un abismo, bestias controlables y magia en su sangre; podrían ser invencibles.

Sin embargo, el miedo los vuelve débiles.

Me fijo en cómo hace Vera su trabajo para tomar ejemplo, pese a que tengo conocimientos básicos por todo lo que mi amiga me fue enseñando conforme aprobaba los cursos de la escuela. En una esquina de la hoja está anotando el momento del día en que hemos entrado en la cueva y cuántos somos. Si es cierto lo que dijo Dhonos, que las criaturas no están respetando su ciclo de actividad, apuntar ese dato no servirá de nada. Observo las paredes. Las formaciones rocosas se retuercen y curvan en formas caprichosas, creando sombras que danzan como espectros en la oscuridad. El eco de nuestro caminar se mezcla con el repiqueteo de las gotas que caen en alguna parte de este lugar. Cierro los ojos un segundo y caigo en la cuenta de que llevamos escuchando ese tintineo del agua a la misma distancia desde que entramos. No obstante, el rato que hemos estado caminando sin descanso ahora nos ahoga casi tanto como la humedad sofocante del ambiente.

Un mal presentimiento me atraviesa el pecho cuando veo en la pared el mismo liquen con forma de luna que tocó Tyropher con el dedo hace casi una hora. Incluso tiene el rasguño que le hizo su uña. Oigo un murmullo más adelante, donde

Nevan le comenta algo al oído a Tyropher. Creo que ellos también lo saben. No, estoy casi segura. Nevan es listo y perspicaz, no se le pasaría por alto un detalle como ese. Me guardo la libreta en la mochila y coloco una mano sobre la daga en mi corsé.

Hemos estado andando en círculos todo este tiempo.

—No dejes de dibujar el mapa —le pido a Vera en un susurro y noto la sequedad tanto en mi boca como en la garganta por el exceso de humedad que se cierne sobre el grupo.

—¿Te encuentras bien? —Sus ojos brillan en la oscuridad, atemorizados por lo que pueda significar que yo esté acariciando el mango de una daga.

—Chicas, ¿qué ocurre? —nos musita Gwyn, en el flanco derecho de nuestra hilera de tres.

Detrás de nosotras están Dhonos y Kowl cubriéndonos las espaldas, por esa misma razón prefiero forzarme a esbozar una sonrisa creíble. No quiero alertar al rubio errático que sabía desde anoche que esto sería un error. Si entramos en pánico y dejamos de ser cautelosos, la lista de nombres en el cuaderno de Vera podría recortarse muy pronto.

—Nada, solo me siento un poco mareada —miento y juro que, por un instante, estaba preparada para escuchar la voz de Kowl llamándome mentirosa en mi cabeza.

—Es normal. —Gwyn extiende la mano y me acaricia el brazo en un gesto de consuelo—. Se te pasará cuando te acostumbres a los aps de este nivel.

En cuanto giramos en el siguiente recodo y volvemos a plantarnos en la galería de antes, el grupo no tarda en percatarse de que algo anda mal, de que estamos en un laberinto sin salida desde que entramos en la cueva. Cojo una bocanada de aire que me infla los pulmones con un frío pegajoso y me oprime el corazón, lo que hace aumentar la sensación de claustrofobia que se extiende entre todos. De pronto, alguien frena en seco al inicio de la formación y mi frente choca con el hombro de Thago a la vez que Kowl me apretuja la mochila desde atrás.

El sonido del vómito de Kirsi retumba en cada rincón del pasadizo.

A la Informante le sigue Mei delante de mí, inclinando el cuerpo mientras lucha por contener las arcadas. Varios suspiran, exhaustos. Los efectos secundarios del ambiente son más que evidentes en este nivel. La pesadez ha comenzado a aplastarnos, como si estuviésemos arrastrando un peso invisible sobre nuestros hombros, y algunos están tan mareados y débiles que apenas pueden sostenerse de pie una vez detenida la marcha. Me pregunto cuántos de nosotros llegaremos deshidratados al exterior a este paso.

—Necesito un momento —dice Kirsi aferrándose al brazalete de cuero que le recubre el antebrazo a Nadine.

—Todos necesitamos un momento. —Dhonos chasquea la lengua y, al avanzar en la formación y querer hacerse hueco entre nosotros, nos empuja contra las paredes rocosas. Luego, se agacha junto a Kirsi—. Súbete a mi espalda, debemos seguir adelante.

Sin embargo, es Nadine quien se interpone entre ellos y rechaza la ayuda de Dhonos obligándolo a incorporarse con un movimiento de barbilla.

—Ya sabéis lo que está sucediendo —espeta ella, deshaciendo la formación para regresar a la galería con Kirsi—. Sé que permanecer más tiempo aquí dentro es una idea horrenda, pero necesitamos descansar y pensar qué se nos ha podido pasar por alto para que estemos dando vueltas en círculos.

—Nadine, joder —se queja Arvin—, tenemos que encontrar una salida.

—Vivos, ¿no?

—¿Y si no hay salida? —inquiere de repente Tyropher, desatando el miedo entre mis compañeros.

—¿Cómo no va a haber salida, imbécil?

Thago se exalta con tanta rapidez que Mei termina sosteniéndole el brazo para que no haga una estupidez. Dhonos ha empezado a caminar de un extremo a otro con los nervios a flor de piel y Nevan pasa por mi lado haciéndome señas con la mirada para que nos unamos a Nadine en el centro de la galería.

—Entonces, la crearemos. —La voz autoritaria y grave de Kowl acalla cualquier murmullo.

La atención de todos recae en él, en su rostro serio acuchillándome mientras se acerca a paso firme a mi posición y su capa negra ondea impetuosa en la oscuridad de la cueva. Aprieto los dientes y me concentro en no pensar. Kowl me enseña la palma de la mano enguantada en cuero negro. Alzo la vista a la profundidad de sus ojos y pienso en blanco. En que no hay nada menos interesante en el mundo que su existencia. Sello mi mente. O eso creo. Un rayo de diversión le cruza la mirada.

—¿A qué esperas, Rawen? Dame tu mapa.

—Me temo que la oscuridad no ha facilitado el trabajo —me excuso, sacando de la mochila la libreta y entregándosela—. Vera tiene la parte del mapa que falta en el mío.

Noto que Vera se tensa ante su presencia en cuanto la nombro. Enseguida le tiende su boceto y Kowl se los lleva para compararlos con el mapa de hace diez años junto a Nadine, Arvin y Dhonos.

—Aquí —dicen Kowl y Dhonos al unísono.

Dan varios toquecitos señalando un lugar del mapa y Nadine abre los ojos, conmocionada, mientras Arvin se repeina la cabellera rubia hacia atrás en un gesto de desesperación.

—Ya hemos pasado por ahí.

—Sí, las bifurcaciones de las que hablamos están en la galería contigua.

—Pero no las hemos visto.

—Deben de estar selladas —deduce Kowl—. Vamos, no hay tiempo que perder.

Tan solo tenemos que atravesar un pasillo de varios metros, así que nos ahorramos formar filas y comenzamos a avanzar unos tras otros. De pronto, el ánimo en la tropa se torna liviano, pese a que la maldición del abismo nos aplasta los músculos sin piedad. La esperanza de salir pronto de aquí inunda el rostro de mis compañeros, incluso el de Gwyn, que tenemos que cargarla entre Vera y yo porque la sensación de asfixia que produce la humedad dentro de esta cueva está debilitándola.

Un pequeño tirón en mi mochila me dispara los latidos del corazón. Ladeo el rostro. Apenas puedo diferenciar los ojos claros de Nevan en la penumbra.

—Yo en tu lugar tendría una daga a mano —me murmura desde atrás—. Te aseguro que tengo un olfato excelente y aquí está empezando a oler a perro muerto.

Información adicional

Extracto de *Profecías antiguas de la Isla de Mhyskard*

«*Detened con sangre a aquellos que osan robarle
el día de nacimiento a un príncipe o princesa,
pues lo siguiente que le robarán será la corona. […]
Y que se corra la voz y que todos los habitantes de la Isla
de Mhyskard tomen conocimiento de ello,
que quien se libre de esta muerte, al cumplir la mayoría
de edad, traerá consigo la desgracia al mundo*».

16

El despertar de la realidad

Cueva de los Espectros, 680 aps (Escala de presión abisal)

La galería contigua es más grande que la anterior, con algunas rocas medianas en un rincón y un conjunto de estalactitas y estalagmitas sellando justo las entradas que anoche marcamos en el mapa como la intersección en la que nos separaríamos. No me olvido de las palabras de Nevan, que se ha pegado a Thago, el más corpulento de todos. A su lado, la diferencia de altura es tan notoria que no puedo evitar plantearme qué atributos tendrá Nevan para estar aquí aun siendo el de menor estatura de todos nosotros y, aparentemente, el más débil y joven.

En la Escuela de Cuervos, los aprendices se entrenan en combate y sobreviven a pruebas físicas durante los primeros cursos hasta que en el tercero deben decantarse por una especialización, pero Nevan ni siquiera parece tener veintiún años, la supuesta edad establecida para graduarse.

—Es aquí —apunta Nadine y da varios golpes fuertes—. No nos queda otra.

—¿Estás segura del método? —inquiere Arvin frunciendo el ceño.

—Necesitamos ganar tiempo, salir de aquí cuanto antes, así que sí. Estoy segura.

Thago y Mei, los geólogos, se miran entre ellos y dan un paso al frente. Posan sus manos en la formación en la pared.

Imagino que utilizarán alguna herramienta que lleven consigo en sus mochilas de cuero o la fuerza bruta unida a un ápice de magia, pero no. Los ojos se me abren como platos y los latidos atropellados del corazón se me incrustan en la garganta cuando recitan susurros incoherentes y las estalactitas comienzan a temblar. Qué demonios. Retrocedo un paso. Las estructuras que cuelgan del techo de la cueva se resquebrajan en pedazos que se transforman en arenilla al colisionar contra el suelo.

Magia menor.

Han utilizado magia menor dentro de una cueva en la que estamos encerrados. No soy la única que observa todo cuanto nos rodea con expectación, rezando para que esta insensatez no haya despertado el peligro del que hasta ahora nos habíamos librado. Pero eso no es todo. Puedo ver en las caras de mis compañeros que la situación es peor de lo que esperaban. Porque tal y como nos temíamos durante la discusión en el oasis, hay dos bifurcaciones. Tres caminos en la intersección, si contamos el que hemos estado atravesando y que nos ha hecho avanzar en círculos.

—Como ya lo planeamos, Kowl y yo nos adentraremos en la salida de la izquierda —expone Nadine y se atrapa los mechones malvas tras las orejas—. Arvin, tú investigarás la salida de la derecha con Kalya.

—Así que era cierto que pretendéis que me coma los mocos mientras los «más experimentados», según vosotros, vais a buscar la salida. —El tono ofendido de Dhonos emerge del fondo de la galería resonando en las paredes de la cueva y tensándonos el cuerpo a todos.

—Es buena distracción para un futuro comemierdas.

—¡Arvin, por favor! —le grita Nadine empujándole un hombro.

Dhonos golpea la pared a mi izquierda, provocando que la arenilla de las grietas del techo aterrice sobre nuestras cabezas, y no duda en precipitarse hacia Arvin a paso violento. Una parte de mí desea que le rompa la cara al imbécil que me destrozó la brújula en la garita y que en un momento tan crítico como este tiene las narices de ponerse en posición de pelea, así que me hago a un lado para despejarle el camino. No soy la única. Nadie lo detiene, algunos temen a Dhonos y otros detestan lo suficiente a Arvin, excepto Nadine, que se interpone entre los dos con una mezcla de súplica y furia en los ojos mientras Kowl y Kalya se decantan por retener a Arvin de los brazos.

—Dhonos, por favor —le ruega Nadine—. Te necesito aquí. Tú eres el más experimentado de todos. Conoces los peligros de esta cueva mejor que ninguno de nosotros y te has enfrentado a ellos. Debes proteger a los miembros de la tropa en nuestra ausencia.

—¿Cuántas veces vas a impedir que le rompa el cuello a ese desgraciado?

—Dhonos, escúchame. —En cuanto Nadine le sujeta la cara entre sus manos para obligarlo a hacer contacto visual con ella, el odio en la mirada de Dhonos se suaviza—. Te necesito. Te necesito aquí. La tropa te necesita.

Es fascinante y aterrador ser testigo de cómo el amor es capaz de nublar el odio. Dhonos agacha la cabeza sometiéndose a la petición de Nadine, sin saber que en realidad está acatando una orden disfrazada. Es la primera vez que se muestra vulnerable. Me cuesta reprimir la sonrisa cínica que me tira de los labios, porque conocer las debilidades de mis enemigos es una delicia. Algunas personas utilizan el amor como una herramienta de poder. Los sentimientos nos vuelven débiles, nos convierten en un blanco fácil y manipulable. Así pude robarle su sueño a Rawen Kasenver. Por eso ella está en la superficie y yo estoy aquí.

Por eso nunca me di el lujo de enamorarme.

No permitiré que mi promesa de venganza contemple vacilaciones.

—Vamos, el tiempo es oro en este lugar de mierda —les dice ella.

Antes de que ambas parejas se introduzcan respectivamente en cada abertura negra de la pared, clavo mi vista en la espalda ancha de Kowl, cubierta por la capa del mismo color que su cabellera. Luego, desciendo a su nuca preguntándome si será la última vez que nos veamos. Odio admitir que me fastidiaría, pues sé que él tiene respuestas a algunas preguntas que me inquietan. Por un segundo, Kowl ladea su rostro y nuestras miradas se enredan en la penumbra de la galería. El tiempo se suspende. Los sonidos embotados de la cueva son opacados por el bombeo furioso de mi corazón. Juraría que una de las comisuras de su boca, la que alcanzo a vislumbrar desde aquí, se eleva de forma disimulada. Trago saliva, un nudo me araña el estómago.

Volveré.

Entonces, desaparece en la negrura de la izquierda y me descubro deseando, en lo más recóndito de mí, que sus palabras sean ciertas y no el consuelo para una chica a la que está afectándole una estúpida conexión mental que, estoy segura, tiene algo que ver con el cuervo del bosque y sus presagios. Bufo, enfadada, y le doy una patada a lo que sea que esté en mi camino mientras me dirijo al montón de rocas en el rincón, donde Vera cuida de Gwyn. Culpo a los efectos secundarios del abismo de este aturdimiento. Del calor que me asciende por el cuello y me incomoda en las mejillas.

—¿Estás mejor? —le pregunto agachándome para ponerme a su altura.

Gwyn escupe un suspiro a modo de respuesta y Vera le aparta el cabello rubio de la cara. Aún tiene las trencitas que le hice anoche danzándole entre la melena ondulada y se niega a perder la sonrisa, pero salta a la vista que está demasiado pálida, más que cualquiera de nosotros.

—¿Necesitas agua? —Sacude la cabeza. Miro a Vera, se limita a apretar los labios preocupada y le pasa un brazo por los hombros—. De acuerdo, pensemos en cosas bonitas hasta que vuelvan los demás.

—Las trenzas que me hiciste anoche son bonitas —balbucea a duras penas.

Su inocencia me roba una sonrisa. De pronto, una oleada de olores nauseabundos me invade las fosas nasales y me llevo la mano a la daga en el corsé de forma precipitada al recordar lo que me dijo Nevan. No diviso movimientos extraños a nuestro alrededor. Aun así, no me arriesgo a que uno o dos segundos, los que tardase en desenvainarla, puedan ser determinantes para alguno de nosotros. La saco de la funda que me envuelve la cintura y la empuño oculta bajo mis piernas.

—¿Qué te gustaría hacer cuando salgas del abismo?

—Abrazar a mi padre —murmura sonriendo débil— y enseñarle estas trencitas a mi hermana pequeña para que las ponga de moda en la escuela.

Las tres nos reímos en bajito. Ojalá hubiese conocido a Gwyn fuera del abismo, le habría rogado que no se presentase voluntaria jamás. La superficie necesita a más personas como ella y supongo que es la misma razón por la que está aquí abajo ejerciendo de Sanadora. Atraigo su atención tocándole la rodilla.

—¿No puedes usar tu magia para recuperarte?

—Usar magia de sanación aquí dentro es demasiado arriesgado —me explica Vera rizándose una trencita pelirroja en el dedo—. Es magia mayor, casi tan detectable para las criaturas como la Magia Prohibida, aunque en clase prefieran ocultarnos este detalle.

—Digamos que es... el extremo opuesto.

Ahora entiendo por qué Gwyn me cae tan bien.

—Si estuviéramos en un espacio abierto, sería distinto.

—Entiendo —contesto, soportando la arcada que me contrae la garganta al respirar el olor que inunda esta galería—. Dadme un segundo.

No soporto el hedor que flota en la humedad del ambiente. Echo un vistazo rápido en busca de Nevan y escupo un resoplido de exasperación al erguirme. Está en el centro de la galería, removiéndose inquieto mientras charla con Tyropher. Acto seguido, se asoman al interior de la mochila de este último y solo me queda rezar para que no se le haya ocurrido la fatídica idea de traerse al Coranchín del oasis dentro de esa mochila.

Se me olvida que en el abismo no hay dioses que escuchen.

No, no hay dioses a secas.

Cuando me acerco a ellos, Tyropher cierra la mochila con recelo y Nevan esquiva mi mirada, evitando revelarme cualquier emoción en sus ojos. Sé que no me he equivocado.

—¿A qué huele? ¿Es el bicho ese? —protesto, cuidando mi tono de voz de los oídos del resto.

—El origen del olor no es la mochila. Puedes comprobarlo tú misma. El Coranchín solo desprende olor si muere o sufre alguna herida. Es un acto de supervivencia para...

—Tyropher, por favor —zanjo su discurso de la manera más amable que soy capaz y él se limita a encogerse de hombros—. ¿Por qué lo has traído?

—Para estudiar su comportamiento.

—¿Tú qué opinas?

—Que nunca había echado tanto de menos el sol —ironiza Nevan cruzándose de brazos—. Estábamos pensando en que quizá, si lo soltamos, podría indicarnos la ruta de salida. Los Coranchines necesitan la luz solar para vivir.

—¿Habéis perdido la cabeza? ¿Una criatura colaborativa andando a sus anchas por una cueva en la que estamos atrapados?

—¿Qué otra alternativa propones? —me discute Tyropher.

—Esperar a que regresen.

—¿Y si no regresan nunca?

La última palabra de Kowl retumba en mi mente. «Volveré». Estrujo el mango de la daga con mis dedos como si de esta manera pudiese borrar su voz de mi cabeza.

—Lo harán —contesto, rotunda.

De repente, el hedor y el sonido del goteo incesante que se escuchaba a lo lejos adquieren fuerza. El corazón se me acelera, mis sentidos se disparan. Localizo a Thago, Mei y Kirsi, conversando distendidos junto a las bifurcaciones por las que han desaparecido nuestros compañeros, y sé que lo desconocido nos ha tomado por sorpresa cuando ubico a Dhonos al otro lado desenvainando la espada.

—¡Apártate! —brama corriendo en mi dirección.

Pero sé que no es a mí. El grito desgarrador no nace de mi garganta, sino de alguien a mis espaldas. Me giro, aterrorizada, y la diviso a pocos metros de nosotros. A esa criatura monstruosa que emerge de las sombras, con complexión similar a la de un humano, oscura y con una mandíbula llena de dientes tan intimidantes como sus brazos, terminados en garras afiladas. Un Sacránimo. Sus grotescas extremidades aprisionan desde atrás el torso de Gwyn y hunde los dientes en su hombro. Tras el mordisco, el pánico en los ojos de Gwyn se apaga. Los músculos en su cuello pierden fuerza y su cabeza se balancea hacia delante.

Cuando Dhonos nos empuja para apartarnos de su camino, soy consciente del pánico que paraliza mi cuerpo y me tambaleo contra Nevan. La realidad me aplasta con una brutalidad que no sentía desde la noche en que presencié cómo una bestia del abismo devoraba medio cuerpo de mi hermana.

Clavo mis ojos en Gwyn, en la crueldad con la que el Sacránimo le arranca un trozo de hombro, traga voraz y se desquita de ella arrojándola al suelo para recibir a Dhonos. Sin embargo, él también vacila en el ataque. Porque el Sacránimo se diferencia del resto de las bestias por una característica muy particular: tiene la macabra habilidad de transformar su rostro en el de su última víctima. Es así como juega con nuestro dolor.

Vera llora a gritos, de rodillas al lado del cadáver de su amiga. Hay diminutas líneas negras retorciéndose desde el hombro hasta la nuca de Gwyn. Gusanos. Qué pronto han trepado por su cuerpo.

Y, entonces, me fijo en el movimiento de las paredes. En las sombras, hasta ahora dormidas, que comienzan a germinar.

Información adicional

CRIATURAS DEL ABISMO CLASIFICADAS SEGÚN NIVEL DE AMENAZA

(A) Atormentadoras. Presentan distintas conductas para debilitar la cordura. Se alimentan de la energía vital de las víctimas, invitándolas a rendirse a la muerte a través de episodios de pesadillas o alucinaciones en el nivel en que se encuentren estas criaturas. Algunas han aprendido a imitar voces o rostros para dificultar la toma de decisiones al resto del grupo a la hora de atacar, ya sea después de devorar a una víctima o tras conocer los puntos débiles de los exploradores mediante las pesadillas. Debido a que son criaturas lentas y generalmente menos peligrosas que las letales, prefieren a víctimas débiles. Suelen cooperar con las criaturas colaborativas y letales para su cometido.

Sacránimo

Se la considera la más peligrosa del grupo de las atormentadoras. Es ciega, por lo que se ve atraída por el ruido y el olor que desprenden las colaborativas para advertir la posición de los humanos. Cuerpo musculoso y de gran altura, similar en apariencia humana. Brazos largos y mandíbula mortífera. Puede imitar el rostro de su víctima, aunque no su voz. Se encuentra en espacios oscuros, ya que nace de las sombras del abismo. La mejor medida de seguridad frente a un Sacránimo es la huida.

17

El destino acompaña a aquellos que saben escucharlo

Cueva de los Espectros, 800 aps (Escala de presión abisal)

Ver la inocencia de Gwyn en la cara del Sacránimo, su dulce sonrisa plasmándose en la boca de la bestia, me devuelve a la realidad en la que vivimos desde hace siglos.

No somos libres.

Queríamos serlo, buscar tierras más allá del océano que asedia nuestra isla, pero aparecieron los Cuervos y trajeron un abismo a nuestro mundo. Su sed de conquista nos arrebató la libertad hace mucho tiempo. Lo he visto en el terror de las personas que han muerto en la muralla defendiendo Mhyskard. En los llantos violentos de las familias de las víctimas. En el miedo instalándose en nuestro pueblo cada vez que elevaban la vista hacia lo alto de la muralla. En la sangre de Orna empapando mis manos antes de que un Cantapenas la atrapase entre sus fauces.

Recuerdo el agonizante sonido del cuerno recorriendo nuestras calles. Recuerdo el dolor. Recuerdo que me he formado como guerrera porque tengo un propósito mayor. Recuerdo la muerte y mi venganza. Recuerdo la promesa y siento el odio en mis propias carnes. No le temo a la muerte. Vivo para asesinar.

Para causarles dolor a aquellos que me lo causaron a mí.

Los Sacránimos nos están rodeando a medida que toman forma desde las sombras de las paredes. Aun así, no me lo pienso dos veces. No jugarán con mi dolor. No podrán atormentar un corazón que hace mucho que vive atormentado. Lanzo una daga a la cabeza del Sacránimo, apuntando al falso rostro de Gwyn, para revelarle mi posición mientras Dhonos saca a Vera de ahí y la carga hasta el centro de la galería. Desenfundo dos dagas de mis costados preparándome para enfrentarme a la bestia, que camina con torpeza a mi ubicación. Sin embargo, antes de que pueda alcanzarme, Dhonos se interpone.

—Al centro, con el resto —me ordena.

No vacila. No como los demás. Ahora entiendo que Nadine le suplicara que fuese él quien se quedase con nosotros. Debe de ser una persona tan desalmada como yo, capaz de decapitar a un Sacránimo pese a que podría haber simulado los rasgos faciales de cualquiera de nosotros. Por desgracia, son los de Gwyn los que hacen un gesto de agonía al desplomarse sobre la tierra de la cueva.

No solo asesinan a nuestros compañeros, sino que después nos obligan a imaginar que los estamos asesinando con nuestras propias manos. Puede que mi lucha no sea esta. No tengo el deber de proteger a esta gente, pero tampoco permitiré que el abismo siga cobrándose vidas inocentes.

Mientras los otros Sacránimos se materializan en las tinieblas, Thago desenvaina su enorme espada y pega la espalda temblorosa a la mía. Los demás se han reunido en el centro, a nuestro lado, y Dhonos no tarda en posicionarse por delante de ellos para protegerlos de las paredes de esa zona. No podemos huir como marcan las directrices que enseñan en la Escuela de Cuervos y sabemos que atacar a esas sombras no sirve de nada. Rawen me lo contó. Lo único que conseguiríamos es que su magia oscura nos engulla antes de poder siquiera acercarnos lo suficiente con nuestras armas.

—Deberíamos huir por cualquiera de las salidas —sugiere Tyropher con el terror rompiéndole la voz.

—Si vuelves a insinuar que abandonemos a una de las parejas que han ido a buscar la salida por nosotros… —gruñe Dhonos—, serás el siguiente al que le corte el cuello.

Pienso en el Coranchín. ¿Habrá sido la causa del hedor? No puedo evitar odiar a mi compañero, no mientras oigo los sollozos de Vera y vislumbro el cadáver de Gwyn más allá. Sus trencitas están empapadas de sangre en el suelo como lo estuvo una noche la trenza de Orna sobre la muralla. Pero el abismo es incluso más despiadado que la muralla, aquí no hay tiempo para llorar a los caídos. Los primeros Sacránimos que nacen de la oscuridad se precipitan hacia Dhonos. No me planteo si podrá con ellos. Debe sacar las fuerzas para resistir mientras Thago y yo cubrimos esta zona.

En cuestión de segundos, de las paredes que le corresponden a Thago emergen dos criaturas más. Su corpulento cuerpo nos obliga a retroceder, apretujándonos entre nosotros, hasta que Mei de repente resbala con un grito de horror que me alerta del Sacránimo que ha logrado acercarse a la agrupación reptando por el suelo y está tirando de sus pies para arrastrarla a la negrura de la bifurcación sin salida. Me abalanzo sobre la bestia y clavo mi daga en sus garras con tanto odio que consigo atravesar la carne oscura y hundirla en la tierra mientras me aferro al brazo de Mei.

—¡Cortadle el brazo! —les vocifero a mis compañeros.

Thago da media vuelta sin titubear, alza su gran espada en el aire para aterrizarla a la altura del hombro de la criatura, liberando así el agarre, y la remata una vez que Mei y yo hemos salido disparadas por la inercia contra la agrupación. Nos reincorporamos con la ayuda de Nevan. Siento el sabor metálico en mi boca y una punzada en las costillas cuando me palpo el corsé. Me quedan cuatro dagas y una de ellas pertenece a mi padre. Suspiro con la respiración rota. No sé cuánto podremos resistir antes de sufrir otra baja. Por suerte, los chicos han aniquilado a la primera oleada de criaturas, aunque la herida que tiene Thago en su antebrazo tiene tan mal aspecto como esta situación.

—¿Puedes seguir? —le pregunto.

Traga saliva y asiente sin despegar la mirada del movimiento en la oscuridad. Por supuesto, no nos queda otra. Sin embargo, la esperanza de salir de aquí con vida empieza a esfumarse en cuanto vislumbramos que las paredes están materializando más de una decena de Sacránimos.

—Nevan, dame un puñado de tus bayas —le murmuro.

—¿Por qué?

Apenas debe quedar un minuto para que tengamos que enfrentarnos a la siguiente oleada.

—Porque en algún momento deberemos hacer un sacrificio.

—No pienso dejar que lo hagas. Lucharé con los puños si es necesario.

—Dame un maldito puñado de bayas —mascullo desenfundando dos dagas—. Será la única forma de salvar a las parejas que se han marchado.

Tras un instante de duda en el que clava sus ojos árticos en mí, tratando de comprender mis intenciones, rebusca en su bolso de cuero y saca un buen montón de bayas rojas.

—Confío en tu juicio —me susurra y las coloca en una de mis manos.

Las guardo en el bolsillo trasero de mi pantalón, bajo la capa. Varios brazos musculosos salen de la negrura, luego las cabezas. Es el momento de luchar. No espero a que se acerquen a nosotros. Doy un paso al frente adoptando mi postura de guerrera.

—¡Cuidado con los que reptan por el suelo! —aviso al grupo.

—Yo también pienso luchar —dice Mei empuñando una daga curvada que le tiende Dhonos.

—Y yo —se une Tyropher sacándose una espada corta de la espalda.

—Nevan, cuida de Vera y de Kirsi —le ordeno y, a pesar de que jamás me imaginé recitando estas palabras, escupo el último grito de esperanza para animar a mis compañeros—: ¡Negaos a entregarle vuestras vidas al abismo!

Todos emiten un poderoso bramido mientras cruzan las muñecas sobre sus torsos formando el símbolo del Cuervo. Al diablo el ruido. Ya estamos en el infierno. Me abalanzo contra el primer Sacránimo que emerge de la pared que tengo delante de mí. Sé que son ciegos, así que no pueden anticiparse a mis movimientos. Entrometo un pie entre los suyos y lo empujo para hacerle la zancadilla. Una vez que lo derribo al suelo, le hundo la daga en el corazón, si es que acaso tienen. Su mandíbula exhala un quejido inaudible y sus extremidades se desploman.

—¡Apuntar al corazón sirve! —grito, esperanzada.

Sin embargo, cuando alzo la vista, me percato de que el siguiente ya sabe dónde estoy. Tengo menos tiempo y espacio de maniobra. Y Thago no es el único que está en apuros por la herida en su antebrazo, sino que Dhonos está acorralado por tres bestias mientras Mei intenta salvar a Tyropher del Sacránimo que está a punto de asfixiarlo contra la pared. Miro a Nevan con Vera y Kirsi, desprotegidos en el centro de la galería, a donde se dirigen más criaturas. Siento el vértigo de lo que supone esto. Es nuestro fin. Me trago el grito de impotencia y retrocedo a gatas por el suelo, aferrándome a mis dagas para recordar quién soy. ¿Quién soy?

Soy Lhyssarys, una mhyskardiana que creció con sangre salvaje en las venas.

Agito las dagas evitando que las manos del Sacránimo que se aproxima a mí me atrapen. Debemos huir. Debemos dejar atrás a los cuatro que aún no han vuelto si queremos sobrevivir. Diviso los dos caminos que esconden la salida de la cueva. Un segundo Sacránimo afianza sus garras a mi tobillo. Las uñas me traspasan la piel. Ahogo un gemido de dolor. No puedo zafarme. Si lo hago, el otro aprovechará para aprisionarme los brazos. Nunca me habría imaginado que moriría a manos de una bestia. Soy incapaz de aceptarlo. Cierro los ojos, me repito que no quiero rendirme pase lo que pase. Que no lo haré.

De pronto, una voz grave surge de las profundidades de una de las bifurcaciones.

—¡Negaos a entregarle vuestras vidas al abismo! ¡Utilizad vuestra magia si es necesario!

La espada de Kowl decapita al Sacránimo que tengo casi encima de mí y atraviesa el corazón del que está intentando arrastrarme mientras Nadine ayuda a Thago, y Mei desintegra el brazo de la criatura que sujeta a Tyropher contra la pared, tal y como hizo con las estalactitas hace un rato. Es cierto. Kowl ha vuelto. Me ofrece su mano, la acepto para incorporarme rápida y vuelvo junto a Vera.

—¡Nadine, guíalos a todos hacia la salida! —vocifera Kowl uniéndose al flanco de Dhonos.

—¡¿Qué hay de ti?!

—Alguien tendrá que quedarse hasta que regresen Arvin y Kalya.

Acata la orden enseguida y aprovecha que el camino a esa salida está despejado para comenzar a evacuar la galería. Kirsi, Tyropher y Thago son los primeros en adelantarse. Trato de levantar a Vera tirando de sus hombros, pero ni siquiera con la ayuda de Nevan puedo ponerla en pie porque ella nos aparta las manos entre sollozos.

—¿Estás herida? —le pregunto al agacharme.

—Dejadme… No puedo seguir sin Gwyn.

—No es momento de llorar, Vera —le dice Nevan con una frialdad que me duele incluso a mí.

—Quiero… morir. —Ella agacha la vista al suelo. La debilidad en su voz me recuerda a la de Gwyn en sus últimos momentos.

Ahora que la tengo cerca, puedo percibir el olor nauseabundo de nuevo. Está bajo los mismos efectos que estuvo Gwyn. Debe de haber algún patrón. Me pregunto si realmente los Sacránimos nos detectaron por el sonido o fueron atraídos por el hedor. El corazón me da un vuelco. Recuerdo los gusanos retorciéndose en la nuca y el hombro del cadáver de Gwyn. ¿Cómo no me he dado cuenta antes?

—¡Nevan, Rawen, vamos! —nos exige Nadine—. ¡Es una orden!

Nevan obedece, pero yo me niego a renunciar a Vera. Me cercioro de que Dhonos y Kowl tienen la situación controlada. En el centro de la galería estamos a salvo de momento. Tenemos algo de tiempo. Le aparto la melena pelirroja y ahí están. Tiene la nuca repleta de diminutos gusanos. Son Hemalécidos. Beben sangre humana, la fusionan con su saliva y expulsan la mezcla de líquido pestilente para avisar a las bestias de la posición de su víctima mientras la van debilitando. Le raspo la piel con una daga, retirando los Hemalécidos y untando el líquido en la hoja, y la arrojo a lo lejos por si pudiese servir para despistar a algunos Sacránimos de esa zona. Entonces, agarro la cara de Vera entre mis manos y la obligo a mirarme a los ojos.

—¿Quieres morir llorando la pérdida de Gwyn o quieres sobrevivir para honrar su muerte? —Al oír mi pregunta, un brillo de esperanza le cruza la mirada y sé que ha tomado su decisión porque, en lugar de romper a llorar, aprieta los labios—. Vamos.

Nos levantamos y la ayudo a caminar hacia la bifurcación donde nos espera Nadine. Esta le hace señas a Dhonos, que se retira tras aniquilar a uno de los dos Sacránimos restantes. Al pasar por mi lado, me palmea el hombro.

—Lo has hecho bien —declara Dhonos, y no puedo evitar sentirme orgullosa.

Aunque la sensación de orgullo se disipa cuando mis compañeros emprenden la marcha dejando a Kowl atrás. Detengo mis pasos y escucho cómo se alejan. El último Sacránimo cae al suelo, pero el movimiento en las paredes no cesa, sino que ha ido en aumento conforme hemos exterminado a las criaturas. Cada oleada será peor y sé que no resistirá solo mucho tiempo a menos que utilice su magia, lo cual es contraproducente. Porque atraerá a más bestias.

—Márchate, Rawen Kasenver.

El tono demandante de su voz se me instala en las sienes y, por un instante, siento en el pecho la obligación de obedecerle como si me hubiese dado una orden con palabras conjuradas. La sensación se desvanece rápido. Al contrario de lo que me pide, avanzo hasta la galería y me planto frente a él. Puede que no esté acostumbrado a que nadie desafíe sus órdenes, porque sus ojos se abren con sutileza en un gesto de confusión que le cuesta ocultar. Alzo el mentón y dejo que nuestras miradas se encuentren. Siento esa conexión que nos une recorriéndome de pies a cabeza. Las motitas iridiscentes en sus ojos refulgen.

—Ven con nosotros —le pido.

Las sombras se agitan violentas en las paredes, augurando que faltan pocos segundos para que se abalance una nueva horda sobre nosotros.

—No voy a condenar a muerte...

—No los condenaremos. —Meto la mano en el bolsillo de mi pantalón y le muestro la palma con el puñado de bayas—. Les indicaremos el camino que hemos escogido.

—¿Qué son?

—Bayas del oasis —miento.

Los brazos empiezan a salir de las tinieblas. El tiempo se nos acaba. Entrecierra sus ojos y sé que puede ver a través de mi fachada. Que está en mi mente y sabe que la determinación que me corre por las venas no es propia de una cartógrafa. No me importa.

Sé que el destino me acompaña.

La bruja me lo reveló de forma indirecta al entregarle a Rawen la gargantilla que ahora está atada a mi cuello. Y hay algo dentro de mí pidiéndome a gritos que salga de aquí con Kowl. No quiero dejarlo atrás.

—No me iré sin ti.

—¿Hablas en serio?

Bufa por la nariz y asiente despacio con una sonrisa sinuosa ampliándole los labios. Usa la capa para limpiar la hoja de su espada y envainarla en el cinturón, me arrebata el puñado de la mano y hace una pequeña montaña en el suelo con las bayas, justo frente al camino de la izquierda por el que han huido nuestros compañeros, mientras mi atención se pierde en la silueta desfallecida de Gwyn. Su tez ya no tiene color. Corro hacia ella, le descuelgo el bolso de cuero de la cintura y corto una de sus trencitas ensangrentadas con mi daga. Kowl me sorprende viniendo a por mí, me sujeta la mano libre y tira en dirección a la salida.

—Vámonos.

Información adicional

CRIATURAS DEL ABISMO CLASIFICADAS SEGÚN NIVEL DE AMENAZA

(C) Colaborativas. A menudo presentan conductas amigables, curiosas o elusivas, e interactúan de forma cercana con los exploradores. Debido a su aspecto inofensivo, suele ignorarse el peligro que acarrea acercarse a una criatura colaborativa. Sin embargo, tal y como su nombre indica, colaboran con el entorno para alimentarse y pueden cooperar con todo tipo de bestias: letales, atormentadoras y excéntricas. Algunas pueden desprender un hedor característico a modo de aviso, aunque desapercibido al principio para los humanos; otras emiten ondas o crean interconexiones invisibles con bestias que se encuentren en la zona.

Puesto que las habilidades ocultas de las colaborativas son amplias y desconocidas, la mejor medida de seguridad frente a ellas es el <u>exterminio</u>, en caso de ser posible, a distancia.

Hemalécido

De cuerpo diminuto y negro, similar a un gusano corriente. El líquido narcótico que lo recubre hace que su adhesión a la víctima pase desapercibida. Se alimenta de sangre y energía vital humana. Además, utiliza un porcentaje de la sangre que ingiere para mezclarla con su saliva y expulsarla en forma de líquido pestilente. De este modo, avisa al resto de las criaturas cercanas.

Habita en espacios oscuros y húmedos del abismo, generalmente cuevas, y suele adherirse a su víctima mediante contacto directo, por lo que se recomienda evitar tocar paredes o descansar sobre superficies dentro de lugares oscuros, cerrados y húmedos.

18

El tamaño de una pesadilla

Arcos Perdidos, 970 aps (Escala de presión abisal)

La oscuridad se cierne sobre nosotros como un manto denso y asfixiante que me embota los sentidos con más intensidad a medida que avanzamos por el estrecho pasadizo. Apenas distingo la silueta de Kowl por delante de mí. Me aferro con fuerza a sus dedos, como si mi vida dependiese de ello, porque en realidad así es ahora mismo, y aprieto los párpados sin poder creer que Gwyn haya muerto. Su bolso y su trencita húmeda se balancean en mi mano libre.

Cada paso que damos retumba en las paredes de la cueva, creando un eco siniestro que reverbera a nuestro alrededor y aumenta la sensación de esta claustrofobia opresiva. Pienso en las sombras que pueden estar agazapadas en cualquier rincón, en las que nos persiguen desde la galería. En ocasiones, el dolor en el tobillo que me causaron las garras del Sacránimo me hace tropezar y agradezco que Kowl no me suelte ni un instante. Tampoco pronunciamos una sola palabra que pueda ponernos en peligro. Es el sonido de nuestras respiraciones dificultosas por la presión del abismo, además de las pisadas apresuradas, lo que rompe el silencio.

En cierto momento, la luz comienza a filtrarse desde lo que parece el final del pasadizo y el aire se torna más espeso como si la propia cueva estuviese tratando de impedir que escapemos de la negrura. Tengo la sensación de que mis pulmones se atrofian. Me ahogo.

No respires.

Asiento cabeceando, aunque sé que no puede verme. Contengo la respiración y él afianza su mano firme con la mía para conducirme los pocos metros que nos separan de la salida. Después de lo que parece una eternidad, emergemos de la oscuridad y tardo unos segundos en adaptarme a la luz del exterior. Estamos rodeados por una pequeña pared escarpada que nos impide ver más allá. Cuando nos soltamos, cojo una gran bocanada de aire fresco y, al sentir el ambiente liviano de nuevo, no puedo evitar sonreír.

—Recuerda lo de las alturas dentro del abismo —dice Kowl aproximándose a la pared—. Si sientes arcadas después de subir, contén las náuseas para no deshidratarte.

En lugar de escalar la pared él primero, apoya la espalda contra la superficie rocosa y entrelaza los dedos formando un punto de impulso para mí. Lo contemplo engalanado en esa vestimenta de cuero negro, con el plumaje en la parte superior de la capa ensanchándole los hombros y el cabello oscuro algo revuelto. Kowl es la definición perfecta de Cuervo. Y el hecho de sentir que estoy constantemente dependiendo de la ayuda de un Cuervo me irrita.

—Puedo hacerlo sola —digo atándome el bolso de Gwyn a la cadera y guardando la trencita dentro.

—Tienes el tobillo herido.

—No soy una debilucha. Lo soportaré.

—Lo sé, a Dhonos jamás se le ocurriría felicitar a una debilucha —replica. El corazón se me acelera cuando nos quedamos suspendidos en un desafío de miradas y percibo el interés que le despierta mi comportamiento—. Vamos, te ayudaré.

No me presiona para que acelere el ritmo, tan solo me espera ahí, con su semblante serio y esos ojos oscuros capaces de atravesarme la piel. Me trago el orgullo bufando por la nariz. Está bien. Estoy aquí para actuar como uno de ellos, no para levantar sospechas. No lo pienso demasiado, me impulso en el punto de contacto firme que han creado sus manos y me aferro a los huecos en la pared para seguir escalando. Kowl sube detrás de mí despacio, procurando que llegue a la cima yo primero. Estoy tan acostumbrada a trepar por los riscos de los bosques de Mhyskard que esta pared no me supone ningún esfuerzo, aunque la sacudida en el estómago es tan violenta que evito ponerme de pie.

Hay nubes densas que sobrevuelan la zona e impiden ver qué hay tras la cima. Le tiendo una mano desde arriba y él arquea una ceja como si le resultase divertido que una cartógrafa le ofrezca su ayuda. Me sujeta los dedos con una delicadeza muy distinta a la fuerza que ejerce su otra mano sobre el borde para erguirse. Escupe un suspiro ahogado al sentarse en la cima.

—Gracias —dice sacudiéndose el abdomen marcado bajo la túnica negra—. No habría podido sin tu ayuda.

Tardo unos segundos en percatarme de que se está burlando de mí.

—Claro, yo tampoco habría sido capaz de haber escalado esta ridícula pared si no me hubieras impulsado —le vacilo y me levanto el pantalón para demostrarle que la herida no es para tanto. Parpadeo varias veces. La verdad es que tiene peor aspecto del que imaginaba. Son tres cortes profundos y aún me sangran. De todos modos, disimulo—: Como ves, se trata de un simple rasguño.

Observa con detenimiento la herida, eleva la vista a mis ojos y, al percatarse de lo mal que me ha salido ese contraataque, escupe una breve carcajada que sé, al instante, que se me quedará incrustada en la retina durante más tiempo del que me gustaría. Tiene las pestañas espesas y la mirada se le rasga al sonreír con ganas. Los latidos se precipitan en mi pecho. Carraspeo, incómoda, y me cubro enseguida la piel con la tela, pero Kowl detiene el movimiento de mi mano.

—Te está sangrando, Rawen. Las criaturas te olfatearán a kilómetros si nos acercamos un poco más a los Arcos Perdidos. —Tensa la mandíbula y se pasa los dedos enguantados por el cabello oscuro antes de desviar la vista a mi cadera—. Arvin me contó que Gwyn llevaba un saquito con agujas e hilos, ¿por eso le has quitado el bolso?

—Sí —confieso en un susurro, porque no sé hasta qué punto habrá sido un acto horrible que le haya robado los suministros al cadáver de una compañera—. Thago tenía una herida profunda en el antebrazo y…

—Yo habría hecho lo mismo en tu lugar. Dámelo.

—Sé coser heridas. Puedo hacerlo yo.

—¿Otra vez con lo mismo? —Su sonrisa se desvanece. En su lugar, enarca una ceja en un gesto desafiante.

Sabes coser heridas, pero seré yo quien lo haga.

Admito que escuchar de una forma tan clara su respuesta en mi cabeza comienza a parecerme fascinante. Abro el bolso de cuero y le entrego el saquito.

—¿Siempre eres tan testarudo?

—No siempre —dice con la atención puesta en el interior de la bolsita—. Solo cuando quiero conseguir algo.

—¿Acaso es un premio coserme el tobillo? ¿Te sientes mejor haciéndolo?

Las comisuras de sus labios se estiran.

—¿Y tú, Rawen? ¿Acaso te sientes mejor fingiendo que eres autosuficiente?

—Lo soy.

—No lo creo —contesta rotundo, aunque el tono de su voz apunta a que le resulta gracioso llevarme la contraria—. De todos modos, aquí abajo aprenderás a dejarte ayudar.

Me esfuerzo por morderme la lengua para zanjar la discusión. Saca una aguja y la madeja de hilo marrón. Trago saliva. Esta es la parte que más detesto de las heridas abiertas. De hecho, he llegado a dejar que se me curen por sí solas por no tocar una miserable aguja.

—¿No puedes curármela como siempre haciendo el triángulo con los dedos?

—No soy Sanador —comenta, concentrado en introducir el hilo por la abertura de la aguja—. El triángulo de alivio es magia menor para minimizar el dolor, pero no cierra heridas.

Aprieto los dientes en cuanto la dirige a mi tobillo, aunque se frena antes de atravesarme la piel y dibuja el triángulo alrededor de la herida con la punta de la aguja.

Así no te dolerá.

Me muerdo el labio inferior, contengo la sonrisa. Es irritante cómo empiezo a acostumbrarme a su voz en mi mente. Y peligroso, porque no sé hasta qué punto es capaz de indagar en mis pensamientos. Eso me recuerda que no sé qué hace Kowl en la expedición. Tampoco se presentó, sino que desapareció de la tarima en cuanto terminó el discurso. De no ser por Nadine, ni siquiera sabríamos su nombre. Me centro en sus manos mientras me cose los tres cortes. A pesar de llevar guantes puestos, es fácil intuir la forma de sus dedos y que no porta el anillo con la piedra que busco.

Aun así, no descarto la opción de que la persona que tengo delante de mí pueda ser el Príncipe.

—¿Por qué me ayudas, Kowl?

—Lo pregunta la misma chica que me ha sacado de la cueva a rastras —murmura mientras hace un nudo en el extremo final de la costura.

—La decisión de quedarte solo en la galería era una estupidez.

—Primero le plantas cara a Arvin, luego a Kalya y…

—Lo de Kalya solo fue un pasatiempo —le corrijo y, en cuanto reparo en las consecuencias que podrían tener mis palabras, añado—: Las dos nos aburríamos y ella estaba de acuerdo.

Inclina el mentón asintiendo en silencio. Desenvaina una daga de su cinturón y corta el hilo sobrante de la costura antes de devolverme la madeja y la aguja. Luego, me enjuaga el tobillo con el agua de una pequeña cantimplora que rescata de su bolso mientras frota la sangre seca. Apenas noto una punzada de dolor, nada grave que me impida caminar como hasta ahora. Nos levantamos con cautela y avanzamos unos metros hasta que el entorno va despejándose de las extrañas nubes que nos rodeaban.

Me quedo sin aliento al contemplar el paisaje.

Estamos en lo alto de una meseta, sobre lo que parece el mismísimo cielo. Una gran corriente de viento ondea nuestras capas. Frente a nosotros se erigen como gigantes los majestuosos Arcos Perdidos, cinco formaciones rocosas repartidas a lo largo de este nivel del abismo, uno detrás de otro hasta perderse en el horizonte. El tamaño colosal de los arcos me obliga a alzar la mirada. Las cumbres están tan enterradas entre nubes como las bases de las estructuras. Examino nuestro alrededor y veo a Kowl igual de absorto que yo. ¿Hemos atravesado la montaña del valle? No. No existe más que un inmenso manto nuboso que conduce a ningún lugar bajo esta meseta, un vasto cielo celeste que envuelve todo el territorio y los arcos conectados por delgados puentes colgantes que se mecen al viento.

Tal y como advierten antes de bajar al abismo, aquí dentro todo es una ilusión.

Había escuchado hablar de este lugar. Rawen temblaba cada vez que lo mencionaba porque detesta las alturas y en la Escuela de Cuervos los sometían a entrenamientos para superar el vértigo y las fobias. Solía reírme, pensando en los cincuenta metros que mide nuestra muralla. Pero ahora lo entiendo. Si tengo el corazón atropellado por la mezcla de emociones encontradas que me colman el pecho, ni siquiera lo siento.

—Están allí —apunta Kowl.

Nuestros compañeros, diminutas siluetas oscuras, están a punto de adentrarse en el primer arco por una de sus columnas. Sin embargo, hay algo que no me cuadra. Los puentes colgantes están al otro lado de la entrada de cada arco.

—Kowl… —musito, rezando mentalmente para que mis suposiciones no tengan ningún tipo de sentido—. ¿Cómo avanzamos de un arco a otro?

—Subiendo a sus cumbres —dice, y sé que está haciendo un esfuerzo descomunal por ocultar su preocupación—. Bajando de nuevo por la otra columna, cruzando los puentes y…

—Y volviendo a subir el siguiente arco —deduzco, aterrada.

—Así es.

—¿Qué hay de los efectos secundarios?

—Tendremos que soportarlos.

—Los arcos son gigantescos, Kowl.

—Y la mayoría de las criaturas son voladoras.

—Lo sé, pero… ¿por qué no las vemos?

—Porque se esconden entre las nubes.

Extiende el brazo y mis ojos lo recorren en la dirección que está señalando. El movimiento dentro de una masa de nubes hace que una bandada de Merogaviolas salga frenética del interior como si fuese la copa de un árbol.

El repentino ruido de las decenas de alas batiéndose en el aire rompe la tranquilidad del entorno. De repente, el silbido del viento se transforma en un breve sonido violento que me resulta familiar. Que me desgarra las entrañas con el sabor del horror en la garganta. De la masa blanca surge una cola oscura que, al agitarse, empuja el cuerpo de la bestia fuera de la nube. Y la veo. Del tamaño de una pesadilla y el cuerpo de una ballena. Abre las fauces, revelando la profundidad de su inmensa boca, los dientes en forma de cerdas infinitas que destrozaron el cuerpo de mi hermana.

—Si uso magia para desplazarnos rápido, ese Cantapenas nos detectará —murmura sin apartar la vista de la bestia—. ¿Cómo tienes el pie?

—Puedo correr —mascullo con la voz aplastada por el odio.

—En cuanto nos dé la espalda, deberás correr al interior del arco sin detenerte.

Disfrazo mi semblante y mi mente de miedo porque no puedo arriesgarme a que Kowl descubra el odio que le guardo a esa especie en particular. Me trago el nudo en la garganta y las lágrimas de furia que me enturbian la visión, y me limito a contemplar el aleteo del Cantapenas en el cielo negándome a recordar lo que significa esta bestia para mí.

Entonces, zarandea la cola y su cuerpo se gira lento en el aire.

—Corre, Rawen.

Información adicional

CRIATURAS DEL ABISMO CLASIFICADAS SEGÚN NIVEL DE AMENAZA

(C) Colaborativas. A menudo presentan conductas amigables, curiosas o elusivas, e interactúan de forma cercana con los exploradores. Debido a su aspecto inofensivo, suele ignorarse el peligro que acarrea acercarse a una criatura colaborativa. Sin embargo, tal y como su nombre indica, colaboran con el entorno para alimentarse y pueden cooperar con todo tipo de bestias: letales, atormentadoras y excéntricas. Algunas pueden desprender un hedor característico a modo de aviso, aunque desapercibido al principio para los humanos; otras emiten ondas o crean interconexiones invisibles con bestias que se encuentren en la zona.

Puesto que las habilidades ocultas de las colaborativas son amplias y desconocidas, la mejor medida de seguridad frente a ellas es el exterminio, en caso de ser posible, a distancia.

Merogaviola

Su cuerpo presenta un tamaño mediano, plumaje mayoritariamente blanco y un característico pico rojo. No ataca a los exploradores ni emite sonido alguno mientras sobrevuela merodeando la zona, de esta manera se reserva su estridente e intermitente canto para cuando aviste a posibles víctimas. Si detecta presencia de exploradores en el nivel, sus graznidos son capaces de despertar y alertar a todas las criaturas a varios kilómetros a la redonda, pudiendo incluso extender el sonido con la ayuda de más Merogaviolas.

19

Nada es lo que parece

Arcos Perdidos, 1.050 aps (Escala de presión abisal)

Llego a la entrada del primer arco con el dolor serpenteándome desde el tobillo hasta la cadera y un cúmulo de arcadas en la garganta.

Me cubro la boca con la mano, procuro respirar por la nariz. Si los arcos eran impresionantes de lejos, ahora que me encuentro cerca y distingo qué los conforma me quedo sin palabras. Estoy en el umbral de una gran puerta de hierro retorcida por los golpes de las bestias. A diferencia de lo que había supuesto, quizá que los arcos estaban huecos en su interior o colmados de escaleras arriba y abajo, las estructuras se componen de centenares de viviendas de piedra, unas apiladas encima de otras. Viviendas, pero… ¿para quién? ¿Para qué demonios construirían los exploradores arcos titánicos con viviendas dentro? ¿Y cómo?

No hay recursos cerca.

Tampoco existe fuerza humana ni tenemos medios para hacer construcciones así.

Kowl me da una palmadita en la espalda que me sobresalta. No me molesto en quejarme porque creo que hablar me haría vomitar. Entramos en lo que parece un pasadizo y, mientras nos dirigimos a las escaleras que hay al fondo, siento que necesito asimilar lo que están viendo mis ojos. El suelo se extiende a lo largo del pasillo, compuesto por losas de un marrón tan brillante que refleja mi silueta pese a la suciedad que lo recubre, y la sensación bajo mis pies es suave y uniforme, muy diferente a los suelos de piedra o madera a los que estoy acostumbrada. Incluso las paredes están perfectamente elevadas sin relieves ni materiales naturales, aunque algunas parecen resquebrajadas como si una bestia se hubiese estrellado contra ellas, y las ventanas de cristal permiten que la luz del exterior inunde este lugar de una manera que nunca había presenciado.

Un ruido gutural nos frena en seco justo cuando pisamos el primer escalón.

Luego, el sonido de un líquido desparramándose. Un sollozo. Kowl y yo nos miramos. Es alguien vomitando. Son nuestros compañeros, deben de estar en el piso superior. Aunque la temperatura sea la propia de una primavera en Mhyskard y el aire fresco sea fácil de respirar, subimos despacio para evitar los efectos secundarios. Es, además de cierto, la excusa perfecta para que Kowl no descubra que el tobillo me duele a rabiar.

—¿Rawen? —Oigo a mi derecha en cuanto nos plantamos en el pasillo de arriba—. ¡Rawen!

Se trata de Vera, limpiándose la boca del vómito con un paño húmedo a la vez que parpadea varias veces porque no parece creerse que sigamos vivos. Aún tiene los ojos enrojecidos de haber llorado. Lanza el trapo al suelo y corre hacia mí para recibirme con un abrazo que me toma por sorpresa. Agradezco que Kowl nos deje a solas y se marche en dirección a la vivienda de la que proceden las voces de nuestros compañeros. Vera entierra el rostro en mi cuello y, aunque no le correspondo el gesto porque no sé cómo reaccionar en estos casos, noto que le tiembla el cuerpo. A mí también me duele la muerte de

Gwyn, pero no he bajado al abismo para llorar a los exploradores caídos de Khorvheim.

Debo recordar.

Que ellos son mis enemigos y contribuyen a perpetuar el poder del Rey Kreus cosechando la Flor de Umbra para él. Que están aquí para despertar el poder del Príncipe Khorvus. Que eso ha acabado con mucha gente de Mhyskard, incluida mi hermana, y nadie en Khorvheim ha llorado sus muertes. Al contrario, se han mostrados embriagados por la sensación de poder, porque en esos momentos de pérdida y debilidad les demostrábamos que no teníamos nada que hacer contra ellos.

El frenético ritmo del abismo me ha hecho bajar la guardia con mis compañeros. Tampoco he podido pensar con claridad cuál será mi siguiente paso. Está claro que me urge hacer aliados para recabar información, para que me ayuden en situaciones críticas y para que estén de mi lado si en algún momento todo llega a complicarse demasiado. Y, sobre todo, para acelerar mis planes, porque a medida que descendemos siento la muerte más cerca y el tiempo para cumplir con mi propósito va desvaneciéndose.

Tengo el hombro casi tan húmedo como mi tobillo. Necesito limpiarme la herida y coser los puntos que se hayan abierto al correr. Retomo el control de mis pensamientos y abrazo a Vera. Pensándolo en frío, la ausencia de Gwyn me vendrá bien.

Me hará ganar una aliada en la tropa.

—Me alegro de que tomaras la decisión de sobrevivir.

—Tus palabras me hicieron reaccionar —balbucea en mi cuello—, aunque no sé si merezco estar aquí.

—Eh, no digas eso. —La aparto de mí para sujetarla por los hombros. Tiene el cabello pelirrojo enmarañado y parches rojizos por la cara del llanto—. Ninguna de vosotras se merecía morir.

—Pero ella era más valiosa, Rawen. Era increíble, controlaba la magia mayor de la sanación y…

Y ahora todos estamos jodidos porque Gwyn era la única Sanadora de la tropa. Lo sé. Lo he pensado y estoy segura de que los demás también. Gwyn era la última esperanza en caso de sufrir heridas que amenazasen nuestra vida. Ya ni siquiera nos podemos permitir llegar a ese punto. Por eso he de apresurarme.

—Tú también eres valiosa —le digo forzando una sonrisa—. Harás los mapas que salven la vida de los próximos exploradores que bajen al abismo.

—Si te soy sincera, preferiría haber salvado la vida de Gwyn y que les jodan a los exploradores.

La entiendo. Yo también habría antepuesto la vida de mi hermana a un centenar de guerreros. Pese a que hubiese sido un golpe duro para Mhyskard, no me habría importado lo más mínimo. Ser egoísta no siempre es fácil.

—Hay algo que quiero darte. —Abro el bolso de cuero atado a mi cadera, rescato la trencita del interior y se la coloco entre las manos—. Esto demuestra que existió. Quédatela o dásela a su familia.

—Éramos mejores amigas desde… hacía años —musita con los ojos empañados.

—No llores, te deshidratarás antes —le digo pasándole los dedos por las mejillas—. Lucha por ella y por ti, por salir de este infierno. Es lo único que puedes hacer de aquí en adelante.

—Gracias, Rawen, por todo.

—Apóyate en mí siempre que lo necesites.

Vera agacha la vista y asiente. Me pregunto hasta qué punto confía en mí ahora. Pronto lo descubriré. Le cojo la mano y caminamos hacia el interior de la vivienda en la que nos esperan nuestros compañeros. Al igual que la arquitectura del pasillo anterior, el mobiliario de las habitaciones que atravesamos es extraño y distinto a cualquiera que haya visto antes en las casas de Mhyskard. La tropa se ha sentado haciendo un círculo en una sala presidida por enormes sofás de terciopelo celeste y muebles blancos y lisos, sin detalles ni los relieves tallados a mano a los que estoy acostumbrada.

—Ya era hora —exclama Nadine y se cruza de brazos al vernos llegar—. Sentaos, estoy explicando cómo funciona este nivel.

Tomamos asiento entre Thago y Mei, ambos con la tez amarillenta a causa de las náuseas, y maldigo la punzada en el tobillo al cruzarme de piernas porque me roba un gesto de dolor frente a ellos. El efecto del triángulo de Kowl está desapareciendo. Vera busca entrelazar sus dedos con los míos.

—En primer lugar, debemos evitar a toda costa a las Merogaviolas, tanto como podamos. Son las únicas que pueden adentrarse en las viviendas a través de los balcones o las ventanas rotas.

—¿Cuántas especies hay en este nivel? —pregunta Thago mientras se aprieta el antebrazo para cerrarse todo lo posible el corte profundo.

—Tenemos constancia de tres: Merogaviolas, Cantapenas y Picafauces —prosigue Nadine leyendo los informes antiguos que le tiende Kirsi—. Estas dos últimas son demasiado grandes, así que solo podrían atacarnos cuando crucemos los puentes. Además, pueden embestir los arcos y romper estructuras. Ya lo han hecho antes y debemos evitarlo también. No querremos quedarnos sin puente a medio camino.

—Podríamos emprender la marcha por la noche, parece que están más activas ahora —sugiere Tyropher.

—Olvídate de eso, biólogo —gruñe Dhonos. La cicatriz en el rostro le arruga las facciones al hacer un mohín de fastidio—. Las bestias no están respondiendo a los ciclos de actividad que tenían hace diez años.

Me fijo en el artefacto de proporciones colosales, colocado sobre un mueblecito junto a la pared, enfrente de los sofás. Es como un espejo oscuro, liso y brillante y tiene una serie de símbolos desconocidos en la parte inferior del marco. No entiendo qué demonios hace eso aquí o si algún día tuvo utilidad para las misiones.

—Como habréis supuesto, tenemos que recorrer los cinco arcos para avanzar al siguiente nivel —dice Nadine. Sus contorneados hombros se tensan al resoplar—. Emprenderemos la marcha cuando muestren signos de inactividad, pero no avanzaremos hasta que Arvin y Kalya regresen. No ahora que la Sanadora ha…

Un temblor la interrumpe. La iluminación que proporcionaba la ventana de la sala se opaca de pronto por el descomunal cuerpo de una bestia que vuela cerca de la columna de este arco. Contenemos la respiración de forma abrupta al distinguir un diminuto ojo negro pasando de largo por delante de la ventana. Después, la piel viscosa y de un azul oscuro del cuerpo. Es el Cantapenas de antes. El recordatorio de dónde estamos y de qué me ha traído a este lugar. Me aferro a la herida del tobillo para nublar mis pensamientos y acudo enseguida a la mirada de Kowl, que está clavada en mí como si hubiese esperado el momento oportuno para entrar en mi mente y descubrir qué emociones me despierta esta criatura. Me lleno de rabia. No tiene derecho a hacer esto.

Entonces, caigo en la cuenta de lo que podría significar que Kowl esté en la expedición. Puede que me haya mentido y sí pueda conectar con la mente de todos mis compañeros. Puede que su función en la tropa sea indagar en los pensamientos ajenos para protegerlo del peligro que podamos suponer cada uno de nosotros. De hecho, puede que sea el único que sepa quién es el Príncipe. Recuerdo lo que me dijo en el oasis: «No soy quien crees».

¿Acaso sabe a quién busco o eran palabras simbólicas? La sangre de mi herida me moja los dedos. Cuando la cola del Cantapenas se desvanece por el extremo de la ventana, Kowl se pone en pie. Su presencia se alza oscura e imponente, creando una sombra en el centro del círculo, y me hace una seña sacudiendo el mentón en dirección a la habitación contigua.

—Ven conmigo, Rawen.

20

El primer aliado

Arcos Perdidos, 1.080 aps (Escala de presión abisal)

—Siéntate ahí —me ordena en cuanto llegamos a lo que intuyo que es una cocina. Es incluso más extraña que el salón anterior—. Tu sangre podría poner en peligro a los demás.

Pero no me lo creo, Thago también tiene una herida abierta que podría ser una amenaza para el grupo, así que apoyo la espalda en la pared polvorienta repleta de grietas. Sin embargo, Kowl no espera a que tome asiento. El cuerpo se me tensa cuando recorta la distancia que nos separa y se cruza de brazos.

Me enfrento a sus ojos sombríos.

—¿Quieres ser un lastre para el grupo? —Su pregunta suena a advertencia.

—¿Qué quieres?

—Arreglar el estropicio que te has hecho en el tobillo al correr.

—Ya te dije que sé coser heridas.

—Pero eres tan quisquillosa con las agujas que estoy seguro de que no lo harás y, teniendo en cuenta el orgullo que te mantiene en pie pese al dolor, tampoco pedirás ayuda.

—No hables como si me conocieras.

Entorno la mirada, ofendida por lo obvia que resulto ser para él, y entrelazo mis brazos, a la defensiva, por si tuviese que desenvainar mis dagas con rapidez. Parece que entiende mi lenguaje corporal porque enseguida retrocede un paso y suspira.

—Escúchame bien, la situación es esta —dice, y su expresión se torna severa—. Si alguien muere porque el olor de tu sangre atrae a una bestia, te dejarán atrás; si se te infecta la herida o no puedes caminar, te dejarán atrás. La ausencia de la Sanadora hará que tomemos decisiones más drásticas.

Me cuesta creer que su preocupación esté exenta de segundas intenciones, pero me resigno a aceptar que tiene razón. Soy orgullosa, no tonta, y en este instante no quiero arriesgarme a que nos quedemos a solas de nuevo.

—Hay otra persona que también está herida —espeto, aflojando los brazos—. ¿O acaso solo mi sangre es peligrosa?

—¿Quién?

—Thago.

—De acuerdo —contesta.

Niega para sí mismo. Me fulmina de reojo y escupe un gruñido de camino al salón.

Cuando vuelven, Thago se sobresalta al verme junto al marco de la puerta, frotando con el borde de mi capa la asquerosa sangre de los Sacránimos esparcida por mis dagas restantes. Nos echamos un vistazo, él receloso y yo furiosa de que el líquido oscuro tarde tanto en desprenderse de las hojas.

—¿Qué es esto, una emboscada? —inquiere llevándose la mano a la empuñadura de la espada.

—¿Crees que estamos para emboscadas? —digo al levantar la vista de la daga antes de guardarla en la funda de mi corsé.

—Tu compañera está preocupada por la herida que tienes en el brazo. —La voz grave de Kowl retumba en la cocina mientras se agacha frente a mí y se despoja de los guantes—. No seas estúpido, suelta tu espada y dale las gracias.

El geólogo se queda tan pasmado como yo. Se encoge de hombros y masculla un «perdón» seguido de un «gracias» casi inaudible. El calor me sube a las mejillas, aunque el roce frío de los dedos de Kowl en mi pierna al retirarme el pantalón me eriza la piel.

—Dame el saco.

Lo rescato del bolso y se lo entrego sin perder de vista a Thago, que de los nervios se ha puesto a pasearse por la habitación y a examinar los artefactos desconocidos como si cualquier nimiedad de este lugar fuese lo más interesante que haya podido ver en su vida.

Kowl dibuja el triángulo, el dolor desaparece por arte de magia literalmente y empieza a coser. No cierro los ojos, mi atención se pierde en las manos grandes de Kowl. El tono claro de su piel resalta el color de las venas y los huesos de los nudillos. La presión en mi pecho se acrecienta y sé que no es por miedo. Luego, un cosquilleo en el estómago hace que me plantee si esto que estoy sintiendo hacia él es gratitud. Orna me diría que no importa de dónde procedamos, todos somos humanos y deberíamos cuidarnos entre nosotros. A mí el mínimo hecho de pensarlo me enfurece.

—¿Por qué? —le pregunto bajando la voz.

—¿Por qué qué? —repite él en el mismo tono, concentrado en la aguja.

—Por qué tanto empeño en ayudarme.

—¿Acaso no debería hacerlo?

Mi boca se colma de silencio. Acerca una daga a mi tobillo para cortar el hilo y, antes de incorporarse, eleva la vista a mí durante un instante que compartimos ajenos a la presencia de Thago. Un torbellino de oscuridad le cruza las pupilas dilatadas. Las pocas volutas iridiscentes repartidas por sus ojos centellean.

Por cómo me mira, apostaría lo que fuese a que él tampoco comprende esta vaga sensación de familiaridad entre nosotros.

—*Aeros kheminus natem tekhalt* —susurra en kheltza.

«La chica con coraje debe vivir».

Una oleada electrizante me asciende desde la yema de sus dedos en el tobillo hasta mi cabeza. Ahí está de nuevo, esa conexión entre nuestras mentes a la que no quiero acostumbrarme y hago un esfuerzo por concentrarme en esos rasgos esculpidos y oscuros que deberían ser ilegales porque no auguran nada bueno. Trago saliva, irritada por las sandeces que se me pasan por la mente, y él carraspea mientras se yergue y me entrega la aguja con el hilo aún sujeto a la abertura.

—Es el turno de Thago —le recuerdo.

—¿No sabías coser heridas?

—Claro que sé, pero…

—Entonces, hazlo tú.

—¿Qué hay de su dolor?

Kowl arquea una ceja. Su semblante cambia a uno frío, al de la indiferencia, al de la apatía con la que nos recibió en lo alto de aquella tarima al borde del abismo. Se guarda la daga en el cinturón y aparta la vista.

—Lo soportará.

Acto seguido, regresa al salón y me deja plantada en la cocina con Thago, atónito por los repentinos cambios de su compañero. Frunce el ceño a modo de pregunta y yo me encojo de hombros en respuesta. Ninguno se arriesga a que nos oiga. Le hago señas para que se siente a la mesa y tomo asiento en otra silla cerca de él. Me vacío los pulmones con un largo resoplido. Los muebles de aquí están fabricados de materiales que no existen en la superficie, son antinaturales, y la tabla lisa de la mesa tiembla bajo el peso del brazo de Thago.

—Te estás convirtiendo en la heroína del grupo.

—No lo creo —contesto mientras examino la profundidad de la herida en su brazo. Ha dejado de sangrar, aunque tiene un aspecto horrible.

—Yo sí lo creo. Supiste guiarnos durante el enfrentamiento contra los Sacránimos, sacaste a Kowl de la cueva y te preocupas por todos nosotros.

Eso último podría ser un halago para los demás; a mí me provoca una convulsión mental. Subo mi atención a sus ojos castaños, del mismo color que su cabello corto, y vuelvo a centrarme en coserle el antebrazo.

—¿Sabes? Mi padre es herrero, por eso he crecido entre espadas y sé pelear tan bien —fanfarronea.

Se me amplía la sonrisa al recordar el momento en que le mentí al supuesto «Kowl» del bosque, cuando le conté algo similar sobre mi padre. Thago debe de pensar que me gusta oírlo alardear de sus habilidades, porque enseguida se entusiasma.

—Sopesé la opción de presentarme voluntario a la formación de Guardián en la Escuela de Cuervos —continúa hablando—, pero sabía que sería más útil si me especializaba en geología y sabía luchar al mismo tiempo.

—Si no te callas, me desconcentraré y te atravesaré alguna vena que hará que te desangres —le amenazo, seria, aunque él se lo toma a broma entre risitas mientras apoya la barbilla en el otro brazo que tiene sobre la mesa.

—Te lo mencionaba porque eres increíble luchando, Rawen. ¿Nunca te has planteado ser Guardiana en lugar de cartógrafa? Tendrías un buen lugar en la Corte Real junto al Príncipe y al Rey.

Por un instante, me parece tan extraña su propuesta que, efectivamente, me desconcentro y le pincho más lejos de la herida de lo que tenía previsto.

—Lo siento.

Mantengo la compostura sin apartar la mirada de la herida y repaso en mi mente los atributos de este chico. Tiene los rasgos bastante marcados, la piel cálida y, lo más destacable, es corpulento. A pesar de que a veces no soporto su actitud engreída, intuyo que Thago es de fiar. Podría servirme como aliado, a pesar de que su unión con Mei me hace desconfiar de ambos. No me fío de Kalya, la prima de Mei, y mucho menos de ella desde el primer día en que pisamos el abismo e intentó utilizar su magia contra los Devoracielos, aun sabiendo que nos pondría en peligro a todos. Me pregunto si el Príncipe se esconderá tras una apariencia tan corriente como la de Thago.

Sujeto con fuerza la aguja y me preparo para analizar su reacción.

—Hablando del Príncipe, ¿crees que está entre nosotros?

—Se rumorea que sí, pero…

—¿Pero?

Thago observa a nuestro alrededor como si le preocupase que la conversación salga de aquí y, tras asegurarse de que no hay nadie cerca, aproxima el rostro a mí.

—Pero hace diez años el Príncipe era demasiado joven para bajar aquí y el Rey tampoco bajó al abismo. Y ya sabes que… el único superviviente de la expedición anterior fue Dhonos.

La cabeza me explota. No tenía ni idea de eso. Se supone que no pueden cosechar la Flor de Umbra sin la Magia Prohibida que poseen el Príncipe y el Rey de Khorvheim. Sin embargo, que Dhonos fuese capaz de recolectarla sin ellos dos… solo puede significar una cosa: controla la Magia Prohibida y, por consiguiente, debe tener sangre oscura.

Porque solo un sangre oscura puede canalizar el poder de la Magia Prohibida.

—¿Por qué es tan necesaria la Magia Prohibida para cosechar la flor?

—La Flor de Umbra se considera una bestia más del abismo. Sus espinas provocan la muerte instantánea a cualquier ser humano, excepto…

—Excepto a los sangre oscura.

—Exacto. El veneno no les afecta.

Hay algo que no me cuadra.

—¿Estás insinuando que crees que Dhonos también es hijo del Rey?

—No lo sé. En mi pueblo natal corrieron rumores, Rawen. Muchos rumores. El final de esa expedición fue caótico y acabó con la vida de muchos exploradores, incluidos los padres de Nadine, que eran las anteriores Manos del Rey en el Consejo de Expediciones, así que nadie sabe lo que ocurrió realmente aquí abajo.

Un ruido en el pasillo nos sobresalta. Por cómo endereza la espalda y finge que sufre un ataque de tos, me percato de que hay alguien cerca. Corto el hilo con mi daga y la enfundo mientras vemos a Nevan asomarse a la habitación con el rostro desencajado.

—¿Sabéis dónde está el baño? —pregunta, tratando de aparentar indiferencia.

Contengo la sonrisa. Debo advertirle de que mentir se le da fatal.

—¿Tan despistado eres que no lo has visto al salir del salón? —ironiza Thago a la defensiva. Aprieta el puño sobre la mesa—. ¿O es que estabas metiendo las narices en asuntos que no te incumben?

—Culpa mía. Antes cerré la puerta del baño —me adelanto y lo encubro—. Está justo en frente, Nevan.

No le he visto a Nevan tener un gesto amistoso nunca, pero sé que lo que acaba de hacer tras mi respuesta es lo más parecido a una sonrisa. Por supuesto que no se ha perdido. No lo conozco lo suficiente, pero estoy segura de que un chico astuto como él, que se las ingenió para bajar al abismo y ha traído bayas tóxicas en contra de la ley, encontraría el baño en una vivienda de tres míseras habitaciones. También sé que odia las deudas, me lo dejó claro al cubrirme la espalda ocultándole a Nadine que yo no soy la verdadera Rawen Kasenver. Ambos estábamos tan desesperados por venir aquí que tuvimos que hacerlo a nuestra manera. Y, sumado a esto, deduzco que no está en el abismo porque le apasione la biología, sino por razones parecidas a las mías. Reprimo la sonrisa victoriosa que me estira los labios.

Ya sé quién será mi primer aliado.

Información adicional

Extracto de *fuentes desconocidas*

«A través de los siglos, he fingido ser muchas personas. Me han llamado por muchos nombres porque así lo hice ser, porque así nadie recordaría que yo, el actual Rey, soy el mismo rey que hace 200 años masacró a las familias de quienes hoy me creen el salvador. [...] Y que siga la eternidad y la paz alrededor de mi nombre. Honraré a los caídos, pero jamás les cederé el trono a los vivos.
No existirá príncipe capaz de sentarse en mi trono.
Y, ¡oh!, me creo merecedor del agradecimiento de mis futuros hijos, porque nadie querría vivir la memoria de las muchas vidas que hemos tenido los únicos tres sangre oscura.
Todo aquel descendiente que lo ha intentado hoy yace bajo los cimientos de mi castillo. Bajo la tierra húmeda y entre los restos putrefactos de nuestra propia vida».

21

Solo las mentes frías llegarán al final

Arcos Perdidos, 1.080 aps (Escala de presión abisal)

Me paso la siguiente hora absorta en la conversación que he tenido con Thago, oyendo los lamentos de Mei porque su prima aún no ha vuelto y estudiando cada pequeño detalle de los movimientos extraños de Dhonos mientras se pasea del salón al pasillo maldiciendo que todo está saliendo mal, que nuestro primer error fue esperar al amanecer para transitar la Cueva de los Espectros y que el segundo error que nos condenará al fracaso será este, esperar a que regresen Arvin y Kalya.

Mis compañeros se limitan a comerse su barrita diaria entre conversaciones distendidas que amenizan la pausa de la expedición. Nadie le hace caso, excepto yo, que ni siquiera me he comido la mitad de mi barrita porque estoy demasiado ocupada encajando las piezas en mi cabeza. Aún me faltan muchas para que la información que tengo me cuadre de alguna manera lógica.

Por más que observo a Dhonos, lo único que veo en él es una agresividad contenida que podría explotar en cualquier momento por uno de sus arrebatos de ira. Si tuviese sangre oscura y pudiese controlar la Magia Prohibida…, ¿estaría tan inquieto? Tengo la sensación de que sería muy diferente. Pese a tener la experiencia de haber bajado al abismo antes, parece esconder un terror profundo a algo que el resto desconoce. No me importan los rumores o los informes de la anterior expedición, me niego a descartar la idea de que alguien más lo ayudó a salir de aquí. Quizá me equivoque, pero quiero creer que hay algo que se me escapa, algo que no se contó o se ocultó a la gente de Khorvheim.

Nevan, por su parte, desde que volvió al salón ha estado en una esquina del habitáculo tan ausente como yo, contemplando por la ventana el movimiento de las Merogaviolas que sobrevuelan esta zona. No dejo de preguntarme cuál será su propósito. Por qué arriesgarse a robar justo antes de la expedición y cómo aseguró su plaza en la tropa.

A estas alturas, casi todos me resultan sospechosos.

Le doy un gran bocado a la barrita, guardo el envoltorio de tela en el bolso de cuero que le quité a Gwyn y cuento cuántas le quedaban a ella. En total, tengo diecisiete barritas, más que cualquiera de los presentes, y es un detalle que no pienso revelarle a nadie porque, aunque no lo digan en voz alta, el número de barritas determina el número de días que podemos alimentarnos en el abismo. Es decir, el número de días que podemos permitirnos sobrevivir aquí dentro. Por suerte, más de uno de mis compañeros porta un bolso similar a este y solo Kowl sabe que el que llevo atado a la cadera pertenecía a Gwyn.

Sin embargo, tengo que deshacerme de la mochila que cuelga en mi espalda bajo la capa para no levantar sospechas.

Me saco la libreta de la mochila con cautela, apunto los últimos caminos que tomamos dentro de la cueva y el que nos trajo a los Arcos Perdidos, y me levanto del suelo polvoriento sacudiéndome los pantalones de cuero. Investigar esta vivienda será la excusa perfecta para alejarme de ellos y buscar un lugar donde sea seguro hacer el cambio de mis pertenencias al bolso.

Antes de inspeccionar los dormitorios, clavo mi vista en el enorme artefacto oscuro frente a los sofás. Me aproximo tratando de descifrar qué significarán los símbolos grabados en la parte inferior del marco y los dibujo en mi libreta por si más adelante pudiese traducirlos de alguna manera. Entonces, algo llama mi atención. Son las esquinas de un papel blanco que sobresale de una de las puertas del mueble. Palpo la esquina de lo que se supone que es la hendidura para abrirlo y descubro una serie de hojas en nuestro lenguaje, aunque las letras no parecen haber sido escritas a mano. En el borde de la primera página hay algo escrito en grande: «Cómo configurar tu dispositivo TV». ¿Qué demonios quiere decir? Me agacho para husmear dentro del mueble, pero no hay nada más que figuritas de personas que no reconozco y suciedad. Alterno la vista entre el artefacto y estas extrañas instrucciones que no entiendo en absoluto.

—Maldita la hora en que decidimos separarnos —masculla Dhonos dejándose caer en el sofá.

Una nube de polvo inunda el ambiente. Mei, que tiene la cara entre las rodillas, la alza y lo asesina con la mirada.

—Ojalá te hubieras ido con Arvin en lugar de Kalya —arremete ella.

—Entonces, estarías muerta, niña. Tu primita no habría resistido el enfrentamiento contra los Sacránimos.

—¿Estás diciendo que eres mejor que ella?

—Lo he demostrado mil veces.

Devuelvo las hojas al mueble y cierro la libreta antes de girarme hacia ellos. Mei se ha incorporado con el moño despeinado, sus ojos rasgados enrojecidos de la furia y los puños apretados.

—Ojalá te mueras aquí abajo —sentencia Mei acaparando la atención de todos.

—Sigue diciendo estupideces y seré yo quien me despida de tu cadáver —la amenaza Dhonos impulsándose del respaldo del sofá para levantarse.

De pronto, la inexpresiva Mei esboza una sonrisa retorcida y desvía su mirada a Nadine, que está de espaldas ojeando los informes con Kirsi.

—¿Vas a matarme como hiciste con sus padres?

Dhonos empalidece y tarda unos segundos en reaccionar, hasta que su espalda tiembla cuando Nadine lanza contra la pared los informes que estaba leyendo para ponerse en pie. No se corta en aproximarse a ella a paso lento mientras desenvaina la espada de su cinturón. Todos enmudecemos al ver cómo hunde la punta de su espada de forma superficial en la pálida piel del cuello de Mei.

—Soy la segunda Mano del Rey en el Consejo de Expediciones y mi deber es protegeros hasta el final de la expedición —espeta Nadine con un atisbo letal cruzándole el rostro—, pero vuelve a mencionar a mis padres y te juro que me pasaré por el trasero mi título para cortarte la cabeza.

—Si no lo haces tú, lo haré yo —gruñe Dhonos.

Por un instante, pienso que estamos a punto de sufrir la segunda baja en la tropa. La tensión se cierne sobre nosotros como un manto de silencio, solo roto por el aleteo de una bandada de Merogaviolas que pasa junto a la ventana. Incluso Kowl parece decidido a intervenir en la disputa, puesto que se ha llevado la mano a la empuñadura de su espada. Hasta que Mei, aún con esa cínica sonrisa ensanchándole los labios, levanta las manos en señal de rendición.

—Mi preocupación por Kalya me ha hecho perder los estribos —se justifica.

—Tu preocupación me importa una mierda. —Nadine escupe al suelo antes de envainar la espada—. No vuelvas a abrir tu puta boca para hablar de historias que no conoces o te quedarás sin lengua.

Si Dhonos encabezaba la lista de mayores peligros en potencia dentro de la tropa, comienzo a dudar entre él y Mei, que se da media vuelta para largarse al pasillo a solas. No me gusta, no deberían dejarla vagar por ahí a su antojo. Nadine lo sabe, por eso le ordena a Thago que vaya a acompañarla a donde quiera que se haya ido. Por suerte, a mí no me sigue nadie cuando me encamino a uno de los dormitorios de la vivienda.

—A la mierda —escucho decir a Nadine en el salón—. Avanzaremos en diez minutos, preparaos.

—¿Qué hay de Arvin y Kalya? —pregunta Kirsi, alterada.

—No son imbéciles. Si están vivos, nos alcanzarán.

Suelto el aire contenido en los pulmones. Debo darme prisa. Me adentro en la habitación, espaciosa y con una cama gigante más mullida que a las que estamos acostumbrados en Mhyskard. Las sábanas, de estampados florales, están deshechas como si les hubiese corrido prisa desalojar la vivienda. Y las ventanas, destrozadas. Hay un mueble cuadrado, de gran altura, que parece un armario. Me cercioro de ello al abrirlo y encontrar una cantidad exagerada de ropa de distintos colores colgada de una barra de metal. Es el rincón perfecto para hacer el cambio.

Me quito la mochila, saco mis enseres, que no son muchos, y los guardo de manera organizada en el bolso de cuero después de descartar algunas cosas que no me serán útiles de aquí en adelante, como la cantimplora vacía de agua de Gwyn. Ya tengo la mía propia y el exceso de peso podría ser la diferencia entre la vida y la muerte. Además, será mucho más práctico tener mis cosas a mano en lugar de a la espalda. Una vez que mi mochila está vacía, la escondo dentro del armario, entre el tumulto de ropa. Al sacar la cabeza del mueble, el corazón me da un vuelco.

Nevan está cruzado de brazos con el hombro apoyado en el marco de la puerta, escudriñándome con sus ojos fríos enmarcados por el cabello azabache que le cae por la frente.

—¿Qué haces aquí, Rawen? —murmura haciendo hincapié en mi nombre falso.

—¿Y tú?

—He venido a avisarte de que nos vamos.

—¿Me tomas por tonta? —contesto escupiendo una risa de indignación.

Cierro la puerta del armario y adopto la misma postura que él, quedando cara a cara en los metros que nos separan. Su mirada se queda suspendida en mis ojos un instante, estudiándome como yo lo estudio a él, y entorna los párpados al esbozar una diminuta sonrisa torcida. A pesar de que lo conozco desde hace poco, siento que presenciar una mueca de complicidad en Nevan es casi como contemplar un hecho histórico.

—Ninguno de los dos lo somos —responde al fin.

—¿Qué tal si empezamos siendo sinceros? —inquiero y enarco una ceja, divertida.

—Sería un buen comienzo para una alianza.

—¿Eres de fiar, Nevan?

—Si no lo fuera, no estarías aquí. Y, si tú no lo fueras, yo tampoco.

Me ahorro la carcajada que me trepa por la garganta porque no tiene ni idea de con qué clase de persona está hablando ni de lo que soy capaz. Si lo supiera, no se atrevería a insinuar que soy de fiar.

—Y, si no compartiésemos el secreto del primer día, ¿serías de fiar? —le pregunto mientras vigilo el pasillo detrás de él, asegurándome de que nadie ande cerca.

—Probablemente, no. Nadie es de fiar aquí abajo. Ya has visto lo que el abismo está haciendo con todos.

—¿A qué te refieres?

—A que el abismo saca lo peor de las personas. La energía maldita que nos envuelve ahora mismo, a medida que profundicemos en los niveles, se volverá más fuerte y se asegurará de que, si no nos matan el entorno o las criaturas, lo hagamos entre nosotros —me explica descruzando los brazos y me lanza una baya roja que se saca del bolsillo. La cojo al vuelo—. Por eso quiero confiar en ti. Solo las mentes frías llegarán al final de la expedición, y apostaría mis bayas a que nos parecemos en eso.

—Vaya, Nevan. Qué hablador estás.

—Solo comparto mis palabras con quien es digno de oírlas.

Asiento con una sonrisa en los labios y me guardo la baya en uno de los apartados exteriores del bolso.

—Si no recuerdo mal, fuiste bastante torpe con la excusita del baño hace un rato. Creo que me debes una por lo de antes —musito a medida que me acerco a él—. El trato será el siguiente: no me preguntarás qué hago aquí y yo no te preguntaré qué haces tú aquí.

—Acepto, siempre que seamos sinceros en todo lo demás.

—¿Cómo sé que no me traicionarás?

El alboroto de movimientos nos revela que falta poco para que todos salgan del salón. Nevan se lleva una mano al corazón a modo de juramento para asegurarme que dirá la verdad.

—Mi nombre es Nevan, procedo de las tierras de Khum y falsifiqué mi identidad para ingresar a la Escuela de Cuervos.

—Vaya, qué sorpresa. La tierra de los instrumentos y de los ignorantes, según tú —me mofo—. ¿Eres el Príncipe Khorvus?

—¿Lo eres tú?

—¿Por qué lo sería?

—Nadie conoce su nombre ni su rostro. Podría ser una chica.

Me reservo el dato de que escuché hablar al Príncipe y su voz era masculina.

—Está bien. —Si Nevan me está mintiendo o no, lo descubriré pronto. Aún más teniéndolo cerca durante la expedición. Imito el gesto colocándome la mano sobre el corazón—. Rawen Kasenver conoce mi nombre real y de qué lugar procedo, y nunca he asistido a la Escuela de Cuervos.

Enarca las cejas, sorprendido. Ambos disimulamos una mueca de esa complicidad que afianzamos al darnos un apretón de manos. Luego, le doy una palmadita en el hombro con fingida condescendencia y él chasquea la lengua. Me aparta la mano, irritado. De camino a reunirnos con nuestros compañeros en el salón, pienso en las veces en que Rawen llamaba «pedante» a Nevan. Ella no lo soportaba. Sin embargo, yo empiezo a alegrarme de que él esté aquí. Sé que Nevan y yo habríamos sido buenos amigos de haber coincidido en la escuela.

Cuando llegamos al salón, todos están listos para avanzar.

Ha llegado la hora de ascender el primer arco.

Información adicional

CRIATURAS DEL ABISMO CLASIFICADAS SEGÚN NIVEL DE AMENAZA

(A) Atormentadoras. Presentan distintas conductas para debilitar la cordura. Se alimentan de la energía vital de las víctimas, invitándolas a rendirse a la muerte a través de episodios de pesadillas o alucinaciones en el nivel en que se encuentren estas criaturas. Algunas han aprendido a imitar voces o rostros para dificultar la toma de decisiones al resto del grupo a la hora de atacar, ya sea después de devorar a una víctima o tras conocer los puntos débiles de los exploradores mediante las pesadillas. Debido a que son criaturas lentas y generalmente menos peligrosas que las letales, prefieren a víctimas débiles. Suelen cooperar con las criaturas colaborativas y letales para su cometido.

Cantapenas

De cuerpo voluptuoso similar a una ballena, supera una longitud media de 15 metros, con unas letales fauces colmadas de dientes en forma de cerdas. A pesar de estar clasificada dentro del grupo de las atormentadoras, puede atacar directamente a los seres humanos y devorarlos. Si estos escapan, hace uso de su característica habilidad: emite un violento canto que debilita la voluntad de sus víctimas y amplifica los efectos secundarios del abismo, como el mareo y los vómitos para deshidratar a las víctimas y conducirlas al límite. De esta manera, también alerta a las bestias letales cercanas para que la ayuden. **Algunos Cantapenas han llegado a <u>extender su canto durante días</u>.**

22

Lo único seguro es la muerte

Arcos Perdidos, 1.040 aps (Escala de presión abisal)

Subir las escaleras se convierte en un suplicio cuando apenas hemos alcanzado el vigésimo segundo piso de los casi cincuenta que componen esta columna.

Las caras de mis compañeros están descompuestas, con la tez amarillenta y ojeras violáceas. Algunos quejidos son insoportables porque la altura juega en nuestra contra; es como si al ascender estuviésemos siendo aplastados lentamente por esta. Nuestros pulmones están tan comprimidos que a veces la respiración suena al silbido previo al ahogamiento. Es el mismo sonido que exhalaban los aspirantes a guerreros durante la formación, cuando los derribaba y les aplastaba las costillas con un pie para obligarlos a rendirse a mi victoria.

Aquí no hay enemigo al que derribar.

Somos nosotros luchando contra la voluntad de nuestra propia mente en cada paso que avanzamos. Hay una serie de reglas simples que debemos recordar: no hacer ruidos que alerten a las Merogaviolas, mantenernos hidratados y ascender lo más despacio posible para que nuestros órganos no colapsen a causa de la presión abisal. Lo segundo empieza a ser preocupante conforme las cantimploras se van vaciando. A Tyropher ya no le queda otra que sacudir la suya para verterse en la lengua unas míseras gotas de agua.

El plan era detenernos en la cumbre a descansar, antes del anochecer, pero a este paso será imposible. Una violenta ráfaga de viento zarandea el mobiliario de la vigésima tercera planta, donde estamos esperando a la otra mitad de la tropa. Mei y Thago dan un respingo por el estruendo, pero conservan la calma con el terror plasmado en sus ojos abiertos. Sin embargo, Kirsi, presa del pánico, sube a zancadas las pocas escaleras que nos separan y, en cuanto llega al pasillo de esta planta, cae de bruces. Un pitido le escala la garganta al intentar respirar. Aunque Nadine corre a tranquilizarla acariciándole la espalda, todos retrocedemos, aterrados por la escena, cuando la tos histérica de Kirsi empieza a salpicar de sangre el suelo. Esta chica está agonizando en nuestras narices y nadie puede ayudarla.

Así es el abismo.

Aprieto los dientes, impotente a pesar de que no he creado ningún vínculo con ella y rezo en silencio por su vida como si eso pudiese ayudarla a sobrevivir en el propio infierno. Vera saca su cantimplora de agua, con apenas dos tragos, y se la tiende a Nadine, que enseguida le eleva el mentón a Kirsi para obligarla a beber y le cierra la boca por si la tos pudiese hacer que la expulse.

—*Tekhalt, tekhalt, tekhalt* —le repite en kheltza mientras le pasa los dedos por su corta melena rubia para despejarle la cara.

«Vive, vive, vive».

Kirsi cierra los ojos con fuerza, concentrándose en la voz de Nadine, y parece que poco a poco el pitido de asfixia va aminorando. No es hasta que se yergue cogida de su mano que nos cercioramos de que ha resistido a la crisis y no ha sufrido el colapso que nos temíamos.

—Bienvenida al abismo de nuevo —bromea Nadine para relajar la tensión que se ha instalado en el grupo.

—No vuelvas a hacer eso, Informante. Ha sido una imprudencia que podría haberte costado la vida —interviene Dhonos y luego nos apunta utilizando el cuchillo con el que está haciendo muescas en las paredes de cada piso para señalarles el camino a nuestros compañeros desaparecidos—. Lo mismo va para el resto.

—Deberíamos tomar un descanso. —La sugerencia de Nadine es la súplica silenciosa de todos nosotros.

—Seguiremos con el plan establecido —espeta Kowl dándonos la espalda para encabezar la marcha.

La falta de compasión en el tono severo de su voz me descoloca. Hay momentos en que no lo reconozco, deja de ser el Cuervo que me ayudó a trepar aquella pared ridícula y se convierte en el Cuervo imponente de la tarima que nos observaba desde la altura como si fuésemos insignificantes. Me mantengo junto a Vera y Nevan, apoyándonos con muecas de ánimo en silencio, porque son en quienes más confío, si es que la confianza entre compañeros se siente así. Nadine le ofrece su hombro a Kirsi y reanudamos la tortuosa marcha hacia la cumbre del primer arco.

Los pasos se tornan más difíciles que los anteriores. La pesadez en los músculos es infernal y la debilidad no tarda en apoderarse de nosotros, haciendo que nuestras piernas tiemblen con cada movimiento. Tengo el cuerpo tan entumecido que apenas me punza el tobillo. En cierto punto, del que ni siquiera soy consciente porque la asfixia me impide pensar con claridad, Vera ancla su brazo al mío y yo lo hago con Nevan con el otro brazo. Subimos nuestros pies a los escalones al mismo tiempo. Así, en caso de que uno pierda el equilibrio debido al mareo, nos aseguramos la estabilidad. Sin embargo, la asfixia pronto arremete contra nosotros de nuevo, como un manto sofocante que nos hace luchar por cada bocanada de aire, y la falta de oxígeno me hace perder la noción de la realidad.

Todo a mi alrededor comienza a girar sin control.

El miedo que me provoca esta sensación cercana a la inconsciencia se suma a los terroríficos estruendos de las ráfagas de viento que atizan la columna y se cuelan por los huecos de la estructura. Por un momento, se me pasa por la cabeza preguntar en alto si acaso el agonizante mareo que nos sacude y los ruidos se deben a que alguna bestia está estrellándose contra el arco y este se está derrumbando con nosotros dentro, pero me atraganto por la sequedad en la garganta.

Hace años, Orna y yo aprovechábamos los días de tormenta para encerrarnos en casa y hacer tartas de chocolate pese a las quejas de las doncellas, que ya sabían cómo terminaría esa merienda. Solíamos comernos una tarta entre las dos, tras apartarle una porción a padre, y la segunda nos la esparcíamos por la cara jugando a alimentarnos con los ojos cerrados. Lo recuerdo tan nítido que me pregunto si todo esto que estoy viviendo se trata de una cruel pesadilla.

De repente, las náuseas me golpean el estómago con la misma fuerza que lo hacían mis compañeros durante los entrenamientos. No soy invencible, siempre lo he sabido, aunque a terca no me ganaba nadie. Me esforzaba hasta el final. Solía torturarme a mí misma recordando la tez pálida de Orna en mi regazo y me imaginaba que ellos eran el enemigo. Resistía hasta que las encías me sangraban de los golpes. Es para lo que me preparaba.

Oigo a Tyropher vomitar y, por acto reflejo, su debilidad se me contagia. Me doblo del dolor en las entrañas, la poca saliva que hay en mi boca repiquetea contra el suelo. Cierro los labios, comprimo la mandíbula. Nevan y Vera me sujetan con firmeza. El instinto, lo que soy y de lo que estoy hecha, me ayuda a recomponerme y a subir un escalón más. Y otro. Y otro más. Y piso como si quisiese aplastar con la suela de mis botas a mis enemigos porque, algún día, cuando esté al límite de mi propia vida por cumplir mi promesa, quiero resistir. Moriré honrando mi propósito, porque es lo único que me ha mantenido viva hasta ahora, como la guerrera que siempre quise ser.

La boca me sabe a metal.

Uno de mis pies trastabilla y noto cómo mis brazos aflojan el agarre, se resbalan entre los de mis compañeros, que me clavan los dedos para no dejarme caer. Duele mucho. ¿El dolor físico también se amplifica aquí? El dolor significa que estoy viva. *Tekhalt, tekhalt, tekhalt.* Hay algo que vibra en mí cuando oigo el lenguaje kheltza. Al principio, pensé que era el odio carcomiéndome porque me trasladaba a la noche del asesinato. Pero no. Es algo similar a lo que sentía cuando contemplaba el abismo desde el precipicio de la muralla y mis piernas colgaban en el vacío. Algo similar a lo que siento cuando miro a Kowl y sus ojos me invitan a zambullirme en su oscuridad. Que él aparezca en mis pensamientos en este preciso instante me alerta. Siempre está presente de alguna manera. Aquí, sumida en la profundidad de mi mente y en el silencio de los Arcos Perdidos en pleno atardecer, descubro que pensar en Kowl me pellizca el estómago. Esto no es bueno. Me cuesta respirar. Tengo que espabilarme. Procuro hacerlo con todas mis ganas.

Parpadeo, pero mi campo de visión se emborrona.

Me balanceo entre los dos cuerpos que me sujetan. No recuerdo cuándo he empezado a verlo todo al revés, cuándo dejé de ver lo que me rodea. Los recuerdos me avasallan. Los músculos me fallan. El pecho me tiembla del sobresfuerzo al respirar. Podría llorar de la rabia ahora mismo si no tuviese los ojos tan secos. Arrugo la cara, ni siquiera me quedan fuerzas para quejarme, y el mentón se me inclina hacia el suelo porque me pesa demasiado.

—¿Qué sucede? —La voz de Kowl suena lejana, aunque sé que está a pocos metros.

—Parece que se ha desmayado.

—Podríamos tomar un descanso hasta que se recupere.

—Tenemos que salir de aquí cuanto antes, Nadine.

—Debemos avanzar —vocifera él, autoritario, anteponiéndose al resto de las voces—. Cargaré con ella. Los demás no os… detengáis, solo quedan…

—Cargar… persona a cuestas intensificará los efec…

Tengo los oídos embotados. Mis compañeros me sueltan. Creo que estoy a punto de matarme rodando por las escaleras, pero me tumban sobre una superficie cálida y las manos fuertes de alguien se afianzan a mis piernas. Me abrazo a su cuello. De pronto, la pesadez en mis músculos disminuye. Su cabello me hace cosquillas en la frente y el olor a cuero y bosque que desprende me sacude el pecho. Pienso en Kowl, ¿es él? Siento el impulso de abrazarlo más fuerte, con más ganas, no sé si por miedo a caerme o porque tenerlo cerca disminuye el dolor de mis pesadillas. Inspiro hondo, me olvido de todo lo demás.

Ko teuskam.

Lo comprendo, son palabras kheltzas sencillas. «Duérmete». Y sonrío a duras penas antes de hacerlo.

Cuando despierto aturdida por una especie de rugido colosal que golpea las paredes de donde sea que me encuentro, cojo una gran bocanada de aire y desenvaino dos dagas, una con cada mano, dispuesta a luchar. Entonces, reparo en que solo se trata del vendaval a las afueras de la estructura. Ha anochecido. Mis compañeros están dormidos descansando la espalda contra la pared del pasillo, excepto Dhonos, que debe de estar haciendo la guardia. Su pelo rubio pálido refulge en la oscuridad y tiene la mirada clavada en las hojas de mis dagas.

—Guárdalas ahora mismo —me ordena en un susurro.

Asiento en silencio, asustada de lo peligroso que ha sido mi movimiento al darme cuenta de que Vera y Nevan están lo suficiente cerca como para que les pudiese haber hecho daño. Tienen sus mejillas apoyadas en mis hombros. Además, ella se ha aferrado a mí entrelazando sus dedos en torno a uno de mis brazos. Busco el número de la planta en la que nos encontramos. Un enorme «49» pintado en la pared me colma el pecho de satisfacción. Lo hemos logrado.

Estamos en la cumbre.

Mi atención recae enseguida en Kowl, que está durmiendo en una esquina del pasillo, completamente solo. Tiene la cabeza gacha y el torso le sube y baja en una respiración relajada. Aún percibo la mezcla de cuero y bosque en mí. Se me acelera el pulso. Así que es cierto, ha sido él quien me ha traído hasta aquí. Recuerdo la sacudida en el pecho. El impulso de estrecharlo con mis brazos. Se me incendian las mejillas. Odio esta sensación. Me asquea y me irrita.

—¿Por qué Kowl se arriesgaría a sufrir peores efectos secundarios por cargar contigo?

La voz pétrea de Dhonos me sobresalta.

—¿Sufrir peores efectos secundarios?

—Se amplifican, por eso a los de rango medio y mayor se nos prohíbe cargar con los enfermos —dice y señala a Kowl con el pulgar—. Casi vomita en varias ocasiones.

La culpa se hace hueco en mi pecho. No sé qué contestarle, yo tampoco comprendo que se las dé de héroe conmigo y con el resto mantenga su fachada de Cuervo impasible. Me distraigo rebuscando en mi bolso y saco la cantimplora. Está casi entera. Quise dosificarla con cautela, así que apenas he bebido agua durante el ascenso. Le doy un sorbo y siento el líquido frío bajándome por la garganta. Qué alivio.

—¿De dónde eres? —me pregunta Dhonos.

—De la región de Khum —miento.

—¿Y dónde has aprendido a pelear?

Me doy unos segundos para reflexionar mi respuesta mientras devuelvo la cantimplora al bolso. Desvío la vista a mis compañeros, a las convulsiones de Kirsi entre pesadillas, y luego me atrevo a mirar fijamente a Dhonos.

—Aprendí con amigos.

—¿En Khum?

—Sí, en Khum. Mi sueño era presentarme a Guardiana.

—Allí suelen perder el tiempo tocando instrumentos estúpidos y cantando leyendas de los orígenes de la isla —declara, escudriñándome con recelo.

—Quizá por eso aprendí a pelear. Odio perder el tiempo.

—¿Y por qué una chica de Khum que quería presentarse a Guardiana terminó especializándose en cartografía?

—Sabía que sería más útil si me especializaba en cartografía y sabía luchar al mismo tiempo —digo rescatando la anécdota que me contó Thago sobre su decisión—. ¿Por qué tengo la sensación de que me estás interrogando?

Dhonos amplía los labios en una sonrisa macabra. Desenfunda una daga del interior de su capa y, cuando creo que va a lanzármela, la hace danzar en el aire para atraparla por la punta de la hoja.

—Esto es tuyo —indica y me ofrece el mango de la daga—. Se la arranqué al Sacránimo que asesinó a Gwyn.

Aunque Dhonos encabeza la lista de las personas que menos confianza me transmiten, reconozco la empuñadura. Sí, es mía. Es la daga que le lancé al falso rostro de Gwyn. La acepto e inclino el mentón en un gesto de agradecimiento antes de regresarla a mi corsé.

—Tus habilidades de combate y tu manera de reaccionar ante el peligro destacan por encima de tus compañeros de secciones. Si cuando salgamos del abismo sigues queriendo ser Guardiana, te recomendaré personalmente al Rey para que te asciendan a rango medio.

Dhonos es la segunda persona que me sugiere esa alternativa. Sobrevivir hasta dar con el Príncipe Cuervo siempre ha sido mi objetivo principal. Sin embargo, me pregunto qué ocurriría si de verdad pudiese convertirme en una Guardiana de la Corte Real. Eso me acercaría al Rey. Me desvelaría la identidad del Príncipe sin arriesgarme a morir en el abismo. Podría matar a dos aves con la misma flecha. Zanjo el tema:

—Por ahora me concentraré en sobrevivir hasta el final.

—Respuesta correcta.

Ninguno dice nada más, él se limita a entrelazar los brazos dando por finalizada la conversación y yo cierro los ojos aprovechando la pausa para descansar, aunque el olor a Kowl en mi cuerpo me impide conciliar el sueño y termino meditando la propuesta de Dhonos con el sonido de las ráfagas de viento y los sollozos de Kirsi de fondo.

El problema sería Rawen Kasenver.

Ella está en la superficie y, si padre leyó la carta a tiempo, lo más seguro es que Rawen siga con vida y haya tomado medidas. Puede que padre decidiese por cuenta propia deshacerse de ella para encubrir mi venganza. O puede que la dejase libre y los Cuervos ya estén esperando a que salgamos del abismo para capturarme. Por infracción al Tratado de Guerra Pausada y por atentar contra la Corona de Khorvheim. En ese caso, solo me esperaría la ejecución en una plaza frente a los ojos codiciosos de los Cuervos. Mis labios se curvan, quizá incluso de una manera más retorcida que la de Dhonos. Da igual cómo lo plantee.

Al final de todo esto, lo único que me espera es la muerte.

23

Qué es el abismo

Arcos Perdidos, 890 aps (Escala de presión abisal)

El cansancio ha hecho mella en nosotros. A diferencia de lo que habían planeado, retomar el rumbo a la parte baja de la siguiente columna del arco para cruzar el puente antes del amanecer, nos hemos quedado aletargados debido al cansancio.

Nos vamos despertando cegados por la luz del mediodía que se filtra por las ventanas de cristal. El viento fuerte no amaina en este nivel y mucho menos lo hace en la cumbre, donde el sonido se convierte en rugidos infernales. Soy de las primeras en levantarse del suelo polvoriento del pasillo. Tengo el cuerpo agarrotado, así que de camino al interior de la vivienda del último piso estiro los brazos y bostezo con todas mis ganas porque de momento me lo puedo permitir. Desde ayer, respirar con normalidad se ha vuelto un privilegio.

La decoración de esta casa es similar a la de abajo, donde estuvimos esperando a Arvin y Kalya: sofás grandes de terciopelo, dispositivo TV o como se llame, muebles lisos, camas gigantes y otros objetos que no he visto antes. Una nube de volutas marronáceas me acompaña allá a donde voy. Todo está demasiado sucio y no encuentro rastro de otros exploradores. Inspecciono la cocina por si pudiese haber agua para mis compañeros o suministros de antiguos habitantes, y me topo con una especie de armario blanco que me deja tan asombrada como cuando leí aquellas hojas de instrucciones. No sé qué es o qué función tendrá en la cocina, supongo que como almacenaje, y su interior se asemeja a una estantería con tablas de cristal. Huele a comida descompuesta. Reprimo la mueca de asco y cierro la puerta para tirar de este mueble que pesa una tonelada. Quizá la parte trasera me dé alguna pista.

Una cuerda dura fabricada de un material que desconozco conecta un recuadro en la pared a la parte de atrás del armario, que parece una tabla de metal con diferentes piezas extrañas. Lo devuelvo a su lugar. Me sacudo las manos de la suciedad y resoplo de camino a reunirme con mis compañeros en el pasillo.

Da igual las vueltas que le dé a cada uno de estos artefactos, sigo sin entender nada.

—¿Algo útil? —inquiere Tyropher colgándose la mochila al hombro mientras vamos descendiendo al final de la formación.

Desde que murió Gwyn, no puedo evitar acordarme de ella y de cuánto le gustaba este chico cada vez que hablo con él. Sus ricitos, del mismo color caramelo que sus pecas, brincan conforme baja las escaleras con una expresión muy distinta a la de ayer. Todos parecemos más descansados y animados, sobre todo porque al descender pisos apenas sufrimos la presión abisal.

—Los muebles y enseres personales de estas viviendas son tan raros que no sé qué es útil y qué no —respondo.

—Te entiendo. Mira —dice y rescata de un bolsillo externo de la mochila una cajita negra con la misma cuerda que tenía el armario de antes—. ¿Qué crees que puede ser esto?

Me la entrega y la examino con detenimiento a un lado y a otro. Tiene como dos varas sobresaliendo de la parte estrecha de la cajita. Justo ahí han escrito en una letra minúscula «Cargador de consola portátil».

—¿Un artefacto de medición? —pregunto para mí misma en alto—. Aquí pone que es un cargador de consola portátil. ¿Qué es una consola portátil?

—Esa es la cuestión —me responde con una gran sonrisa y me fijo en que tiene las paletas separadas—. Puede que sirva para transportar otros objetos, de ahí esta cuerda tan resistente.

—Si lo descubres, seré toda oídos —suspiro entregándole la caja, la cuerda o lo que diablos sea esto.

—¿No te parece fascinante? ¿Qué función tienen y a quiénes pertenecían?

Más que fascinante, es… perturbador. De hecho, desde ayer no dejo de preguntarme qué es este lugar, por qué hay viviendas conformando arcos gigantes, para qué sirven esos objetos y muchas más interrogantes que me han ido surgiendo a medida que he analizado el entorno. Y la pregunta importante, qué es realmente el abismo. Porque empiezo a dudar que todo sea una ilusión. Por el contrario, parece que esto hubiese existido antes y se lo hubiese tragado la tierra.

—Lo que me parece es que no tenemos ni idea de qué es este lugar —mascullo cuidando mis pasos para no empeorar la herida del tobillo.

—Este lugar es el abismo.

Cuando Tyropher se encoge de hombros en un gesto de conformidad, entiendo que no estamos haciéndonos las mismas preguntas. Él ha aceptado la información y las mentiras que le han contado en su reino. No lo culpo, es así como el Rey controla a sus soldados.

La travesía rumbo a los pisos inferiores se hace larga y corta al mismo tiempo. Nadie se detiene a investigar qué aguarda en las viviendas ni se nos ocurre la idea de descansar ahora que el descenso se torna un camino de rosas teniendo en cuenta lo que sufrimos ayer. Tampoco pronunciamos palabra, no nos descentramos del objetivo de avanzar sin cesar. Hay una sensación de urgencia entre el grupo, lo que no es de extrañar si contamos la escasez de agua en nuestros bolsos y en el propio territorio, además de que a la mayoría de mis compañeros, después de comerse su barrita diaria, solo les quedan siete para el resto de la expedición. Por no mencionar que ni siquiera hemos terminado de atravesar el primer arco.

Por suerte, la muerte de Gwyn asegurará mi supervivencia.

Su comida ha pasado a formar parte de mis suministros, así que, en caso de que las cosas se tuerzan, tengo más provisiones que los demás. Y el alimento, en momentos críticos, podría ayudarme a ganar aliados o a preservar la vida de los que estén de mi lado.

Cuando nos plantamos en el piso cero del arco, una puerta similar al portón de hierro por el que entramos se alza imponente frente a nosotros. Está abierta de par en par, con gran parte de la zona superior destrozada, dando paso a un pequeño terreno saliente al exterior en forma de pico que conecta con un puente colgante que debe superar los trescientos metros de longitud. Las violentas ráfagas de viento lo azotan haciendo que las tablas de madera se columpien en el aire. De pronto, una bandada de Merogaviolas pasa de largo por encima. Trago saliva y me aferro a las dagas en mis costados por acto reflejo.

—Calcularemos cada cuánto tiempo recorren esta zona —declara Kowl apoyándose contra la pared resquebrajada junto a la puerta.

—¿Crees que obedecen un ciclo de duración? —inquiere Nadine y recuesta la espalda a su lado.

—Todo en el abismo obedece a un ciclo.

—¿En qué orden lo haremos? —pregunto, alzando la voz lo suficiente para acaparar la atención del grupo, aunque desvío la mirada a Nadine en cuanto hago contacto visual con Kowl.

—Buena pregunta —dice ella.

—Está claro que ese puente no soportará el peso de dos personas a la vez. —Thago, el más corpulento de la tropa, no se preocupa en esconder el miedo que le produce su peso sobre un caminito de tablas desvaídas.

—Lo haremos de uno en uno, comenzando por los pesos ligeros y terminando por los pesados —expone Kowl—. Si no me equivoco, el primer turno será de Nevan o de Kirsi.

El rostro de Kirsi empalidece al instante y a mí se me sube el corazón a la garganta de pensar que Nevan pueda ser el primero en pisar el puente. Si el tiempo lo ha desgastado lo suficiente, podría desmoronarse cuando pongamos un pie sobre él.

—Yo lo haré. —Nevan da un paso al frente y la nuez de su garganta se mueve al tragar. Tiene los puños tan apretados que los nudillos se le tornan blanquecinos—. Soy el más bajo y peso poco. Si esa pasarela no llegase a soportar mi cuerpo, sabréis que no debéis cruzarla ninguno de los demás.

Nadine acepta su decisión inclinando la cabeza y, aunque sé que Nevan tiene razón, algo no me cuadra. Él no es así. Él no invierte su tiempo en hacer actos heroicos por el resto. Jamás se sacrificaría por delante de Kirsi. Al regresar a mi lado, mientras Kirsi discute con Vera quién de las dos será la segunda, Nevan me pellizca el brazo por detrás.

—Cruza pronto —me susurra con disimulo.

—¿Por qué?

—Porque las Merogaviolas acabarán de abandonar la zona. Tendrás más posibilidades de que no te pillen a mitad de camino.

Sus ojos celestes brillan con esa astucia que lo han convertido en mi aliado. Asiento, fingiendo que me recoloco el corsé, y le hago señas a Vera en cuanto se da media vuelta con los mofletes colorados de la rabieta porque es imposible llegar a ningún acuerdo con Kirsi. Se acomoda las gafas con los labios torcidos en un gesto de indignación y en ese instante descubro que se ha atado la trenza de Gwyn a la muñeca.

—Acepta el trato —le digo en voz baja—. Cruza antes que Kirsi.

—Odio las alturas —se queja escupiendo un resoplido al aproximarse a nosotros.

—Pero tendrás que hacerlo igualmente. Si el puente aguanta el peso de Nevan, crúzalo después. Yo iré detrás de ti.

—¿Cuál es la estrategia?

Nevan nos observa de reojo. No hemos tenido tiempo para discutir el hecho de incluir a Vera en nuestra alianza, aunque está claro que ella no se ha despegado de nosotros desde ayer y tampoco parece tener intención de implicarse demasiado con los demás. Podríamos aunar fuerzas sin que ello signifique mencionarle el secreto que comparto con Nevan.

—Evitar a las Merogaviolas —se adelanta él, y entiendo que debe de haber llegado a una conclusión similar a la mía—. Si salimos los primeros, tendremos más tiempo de margen hasta que vuelvan a pasar.

—Kirsi se saldrá con la suya —dice ella inflando los mofletes.

—Olvídate del orgullo. Aférrate a esto. —Le acojo la muñeca entre mis manos y su vista recae enseguida en lo único que conserva de su mejor amiga—. Y que le joda al resto.

—Sería gracioso ver cómo las Merogaviolas le picotean la cabeza a la niña estirada del grupo —bromea Nevan esbozando una sonrisilla maliciosa.

De pronto, ambas abrimos los ojos.

—¿Acabas de hacer una broma? —se mofa Vera.

—¿Acabas de sonreír? —me uno yo.

La tez blanca de Nevan se ruboriza de sopetón. El segundo hecho histórico que presencio, esta vez con alguien de testigo que puede corroborar que ha sucedido de verdad. Puede que sea la tensión, el miedo o que existe la posibilidad de que cualquiera de nosotros muera atravesando el vacío que separa un arco del otro, pero terminamos conteniendo la risilla mientras el resto de la tropa decide en qué orden cruzará cada uno.

Me pido la tercera.

Después de mí, a Kirsi no le quedará otra opción que enfrentarse a las alturas sacudidas por el vendaval de los Arcos Perdidos. Tras Mei y Tyropher, irán Nadine y Dhonos. Escudriño a Kowl desde mi posición. Está cruzado de brazos, ajeno a las decisiones de los demás, mirando hacia el exterior y supongo que estudiando el tiempo que tardan las criaturas en reaparecer por encima del puente. Conociéndolo lo poco que lo conozco, no me extrañaría que eligiese el último turno, pese a que con Thago el puente pudiera quedar intransitable.

—Ahí están —vocifera él apuntando su mano enguantada a las bestias—. Lo haremos por rondas de cinco. Que se prepare el primero.

Nevan recorta la distancia entre nuestro trío y el portón de hierro como si se encaminase a la guillotina. Con la cabeza gacha y los puños apretados a cada lado de las piernas. Sé que tiene miedo, las rodillas le tiemblan. Cruzo los dedos en la espalda, no me gustaría perder a uno de los miembros más valiosos de la tropa. Y no me gustaría perderlo a secas. Vera entrelaza sus dedos a los míos.

Cuando las Merogaviolas desaparecen de nuestra vista, Nevan se planta en el saliente que conecta el puente con el siguiente arco. Se saca de los bolsillos unas cuantas bayas y, ante la expectación de todos, las arroja al suelo y las aplasta bajo sus zapatos, empapándose las suelas de un rojo vibrante.

—Procuraré detectar las tablas más resistentes —dice con voz temerosa, ladeando el rostro hacia nosotras, aunque la información servirá para todos—. Seguid el color de mis pasos.

La astucia de Nevan deja a la tropa atónita. Yo sonrío, orgullosa de él, que respira hondo y suelta una gran bocanada de aire mientras extiende los brazos. Una furiosa ráfaga empuja la pasarela de madera dejándola en un constante balanceo, pero no hay tiempo que perder porque ya está comenzando a desvanecerse la luz.

Falta poco para el atardecer.

Y de noche no podremos hacer esto con la misma seguridad. Contengo el aliento cuando Nevan se aproxima al borde del saliente. El viento silba, macabro, colándose por las rendijas de la estructura. Podemos oler el terror escurriéndose a través del grupo. No solo por la vida de nuestro compañero, sino porque esto marcará el destino de todos.

24

El destino elige los turnos

Arcos Perdidos, 1.130 aps (Escala de presión abisal)

Cuando Nevan dirige un pie al puente colgante y da el primer paso, el grupo escupe un sonoro suspiro al unísono. Lo ha soportado. El conjunto de maderas desvaídas ha aguantado el peso de Nevan, ahora solo queda que consiga mantener el equilibrio los casi trescientos metros de puente sin caerse al vacío.

El corazón me late tan rápido que puedo escuchar el bombeo en mis oídos mientras contemplo cómo las pisadas de Nevan van dejando un rastro vívido en la madera.

Me equivocaba.

Nevan sí que puede ser un héroe a su manera, nos lo está demostrando al allanar el camino para el grupo. Y está demostrándoles a todos por qué está aquí, cuáles son los atributos que lo hacen tan valioso en la expedición. Por suerte, nadie parece preguntarse qué tipo de bayas ha utilizado. De hacerlo, no sé en qué tesitura dejaría a Nevan el hecho de llevar consigo tantas bayas venenosas. El rato que tarda en alcanzar el otro extremo del puente se hace eterno, más incluso cuando las ráfagas le sacuden la capa, lo hacen tambalearse y perder el equilibrio durante unos segundos decisivos para su vida. Sin embargo, lo logra. Se planta en el saliente del siguiente arco y un torrente de esperanza nos impulsa a querer atravesar el puente para acabar con esto cuanto antes.

Vera es la siguiente.

Al despegar nuestras manos, el frío de las corrientes de aire revela que tenemos las palmas sudadas debido a los nervios. La detengo tirando de su muñeca antes de que salga.

—Tu capa es más larga que la de Nevan —le digo arremetiendo los bordes del tejido por dentro de su cinturón—, así tendrás menos problemas de equilibrio si alguna ráfaga la agita.

—Gracias, Rawen. —Ensancha la boca en una sonrisa preciosa que le tiembla por el miedo—. Eres la mejor.

Se guarda las gafas en su bolso y avanza hasta el saliente. Esta vez no tengo a quien aferrarme para compartir la angustia de ver a mi compañera caminar por encima del balanceo del puente. Imita a Nevan, extendiendo los brazos, y no titubea al empezar la travesía. El curso de Vera parece incluso más fácil que el anterior, pues repite las pisadas de Nevan y apenas hay corrientes de viento, lo que la ayuda a mantener la compostura mientras camina deprisa sin enfrentarse al peligro de verse al borde del abismo. Cuando por fin se reúne con nuestro compañero al otro lado, alzo los puños en el aire para celebrar su victoria. Una oleada de vértigo se me arremolina en el estómago.

Es mi turno.

Sin embargo, Kirsi se adelanta rumbo al saliente y el corazón me da un vuelco porque no puedo permitirme salir la cuarta. No teniendo en cuenta que, en caso de que pierda el equilibrio o necesite más tiempo que mis compañeros anteriores, podría verme envuelta en una emboscada de Merogaviolas en medio del vacío que existe entre los dos arcos, pendida de un puente de mala muerte. Camino a paso firme hacia Kirsi y la retengo del hombro.

—Es mi turno.

—Por pesos, en realidad es el mío —replica haciendo un puchero infantil que me atraganta un nudo de rabia en la garganta y, por no partirle la cara, respiro hondo. Como si la cosa no fuera conmigo, Kirsi me ignora girándose hacia Nadine—. Si no lo hago ahora, me acobardaré.

—Chicas, no hay tiempo para discusiones —protesta Nadine.

—Está bien —digo liberándola del agarre. Kirsi me mira victoriosa y me aseguro de que vea en mis ojos el infierno que va a sufrir por esto—. Que el destino elija los turnos.

—¿Me estás amenazando?

—Te estoy dejando a merced del destino. —Retrocedo un paso colocándome al lado de Kowl, que está junto al portón de hierro, y le dedico una sonrisa forzada—. Vamos, el puente es tuyo.

La expresión de victoria en el rostro de Kirsi no tarda en desaparecer. El miedo se apodera de sus hombros en tensión. Intenta remeterse la capa en el cinturón, pero se rinde con un bufido porque es tan corta que apenas le roza la cintura. Da un paso adelante, otro atrás. A este ritmo, caerá la noche y el grupo quedará dividido en dos.

—Maldita necia, si no te largas de una vez… —protesta Dhonos y, en cuanto Kirsi lo ve aproximándose a ella a zancadas para empujarla hacia la pasarela de tablas, estira los brazos y se apresura a caminar con las rodillas temblorosas.

Las enormes nubes bailan en el cielo de un azul perfecto. No hay sol ni estrellas porque es un escenario completamente sumergido bajo tierra, en el interior de un abismo que hasta el día de hoy nadie sabe cómo se originó, aunque que se sospecha que lo crearon los Khorvus con su sangre oscura, ansiosos por conquistar la isla y profundizar en el uso de las magias desconocidas.

—La has aterrado con tu sonrisa —me murmura Kowl con la vista fija en Kirsi.

—Se lo tiene merecido.

—No estamos aquí para jugar, Rawen Kasenver.

Entreabro los labios para replicar, pero reparo en la comisura sinuosa de Kowl. Desde aquí puedo distinguir sus rasgos perfilados de lado y no necesito verlo de frente para saber que quiere provocarme. No le daré el gusto, me esfuerzo por ocultar cuánto me hiere el orgullo ser reprendida por el Cuervo que ha puesto en riesgo su vida en varias ocasiones ya, aunque la mayoría de ellas haya sido por protegerme a mí.

—Lo dice el suicida que ha elegido el último turno —bufo.

—Cruzar el último es lo mismo que cruzar el primero. Siempre puedo esperar a que las Merogaviolas pasen de nuevo. —Un atisbo de malicia le atraviesa la mirada. Por lo que veo, Nevan no ha sido el único en trazar su propia estrategia.

—¿Y si te quedas sin puente después de Thago?

Entonces, desvía su atención a mí. La sonrisa de Kowl me recuerda al instante en el que se carcajeó durante nuestra lucha de ego tras huir de la cueva. Me acuerdo del sonido de su voz y de cómo se le rasgaba la mirada al reír mientras el calor me trepa a las mejillas.

¿Acaso estás preocupada por mí?

—Ni lo sueñes —digo rompiendo el contacto visual.

De repente, un ruido ensordecedor proveniente del exterior me vuelca el corazón.

Vemos un trozo de estructura cayendo desde las alturas del arco y, como si se tratase de una obra del mismísimo destino, se estrella contra las tablas unos metros por delante de la posición de Kirsi. El aliento se me escapa de los pulmones. Todos se preocupan por ella, que ha perdido el equilibrio y se ha caído de rodillas sobre el puente colgante, pero yo no puedo quitarme de la cabeza que ese pedazo enorme de piedra podría haberme aplastado de haber salido en su lugar. Porque estoy segura de que mi ritmo habría sido distinto, más veloz.

—Parece que el destino está de tu parte —dice Kowl.

—Pero no de la suya.

El trozo de estructura no le ha hecho daño a Kirsi ni ha derrumbado el puente. Sin embargo, ella ha entrado en pánico. Las piernas no le responden y la capa le ondea con tanta fuerza que incluso las ráfagas de viento le empujan la parte superior del cuerpo. Los improperios de Dhonos, que se encarga de repetirnos lo mal que está yendo la expedición, rompen el silencio. De pronto, tengo miedo de las palabras que recité hace un momento. Si Kirsi no se recompone deprisa, retrasará el curso del grupo y, lo peor, las Merogaviolas la avistarán y alertarán al resto de las criaturas del territorio. Dudo que esta gente haya sufrido los efectos secundarios del canto de un Cantapenas. Yo lo hice hace años y no quiero repetirlo. Porque sé que cruzar este puente sería el menor de nuestros problemas.

Mis dos aliados están solos al otro lado.

No pierdo el tiempo. Doy un paso al frente mientras sujeto mi capa con el cinturón del bolso de cuero que llevo atado a mi cadera y aprieto la cinta con fuerza.

—¿Qué piensas hacer?

—Cruzar —le contesto a Kowl, convenciéndome de que esto ha sucedido así por alguna razón—. Si el puente ha soportado ese golpe, no se derrumbará por mi peso.

—Eso no lo sabemos.

—No nos queda otra opción —mascullo—. Soy la que menos pesa de los que quedamos aquí.

Me acaricio la trenza que desciende por uno de mis hombros como si el espíritu de mi hermana pudiese otorgarme la fuerza que necesito en este instante. Aprieto los puños y, cuando estoy a punto de alzar los brazos, unos dedos me rodean la muñeca izquierda.

—Ten mucho cuidado, Rawen —me susurra Kowl—. Es peligroso.

Tiene razón, es peligroso, aunque lo último que tengo es miedo a las alturas. Gran parte de mi vida la he pasado sobre riscos y una muralla de cincuenta metros. Esbozo una sonrisa pícara y aprovecho la oportunidad para contraatacar a su burla de hace un rato.

—¿Acaso estás preocupado por mí?

—Sí, así que asegúrate de sobrevivir.

Me inflo el pecho de aire y me zafo de su agarre para adelantarme.

—He sobrevivido a cosas peores —murmuro para mí, y es una mezcla de coraje y sed de poder lo que me impulsa a acercarme al precipicio sin vacilar.

En el saliente ya se nota que las corrientes de viento son tan poderosas como para derribar a cualquiera que tenga poca estabilidad durante el trayecto. No hay bestias a la vista. Por suerte, al poner un pie en la primera tabla, me percato de que ese pedazo de piedra enorme ayuda a que el puente se mantenga estático, y apoyo gran parte de mi peso en la pierna sana al caminar. Extiendo mis brazos y siento el aire frío correteando entre mis manos. El corazón me galopa en la garganta mientras avanzo rápida hacia la silueta desplomada de Kirsi en el centro del puente. ¿Qué demonios se le pasa por la cabeza? Ni siquiera está haciendo el intento de levantarse.

Las palabras de Kowl resuenan en mis pensamientos: «Parece que el destino está de tu parte». Yo también lo pienso. La noche antes de infiltrarme en Khorvheim, los farolillos de las plegarias brillaban más que nunca y ni siquiera la repentina lluvia los detuvo. En Mhyskard somos así, nacemos para honrar a nuestro pueblo y persistimos a pesar de las dificultades porque creemos en la libertad que nos merecemos. En una vida tranquila sin murallas gigantes ni bestias invocadas para causar el caos.

Estoy a punto de pisar otra tabla desgastada cuando el vendaval me sacude el cuerpo. La trenza me golpea el hombro, furiosa. Pienso en Orna, en su amplia sonrisa y en sus preciosos ojos ámbar. Habría sido increíble bajar al abismo juntas. Doy gracias a que en este punto del puente, casi el centro, nadie puede ver mi rostro con claridad.

El viento se lleva las lágrimas que se me escapan.

Me limpio la humedad de las mejillas con la tela de mis hombros. Estoy a pocos metros de Kirsi. Examino el trozo de estructura y dirijo la vista a mis compañeros en el otro extremo. Vera se aferra al brazo de Nevan con tanta ansia que sonrío al pensar en lo irritado que debe estar él por ese contacto físico, aunque, cuando lo miro, está más preocupado por mis pisadas sobre el puente que por sus peculiares manías.

Subo la mirada al cielo, está oscureciendo. Voy bien, lo lograremos.

—¿Puedes levantarte? —pregunto en cuanto tengo a Kirsi a un metro.

—Rawen, siento mucho haberte hablado así antes… —solloza, amedrentada, sin atreverse siquiera a girarse—. Estoy… Si me incorporo, me caeré…

—Escúchame bien, quiero que hagas lo siguiente.

—Haré lo que me pidas, te lo prometo.

Tiene la melena corta enmarañada por el viento y la capa sacudiéndose violenta entre nosotras. Sus dedos aferrados al borde de la tabla tiritan de forma descontrolada. Me acerco un par de tablas más y doblo las rodillas sobre los rastros rojos que ha dejado Nevan en la madera. Su maldita capa me azota la cara poniendo a prueba mi paciencia.

—Me agacharé a tu lado para que puedas apoyarte en mí y te levantarás poco a poco, pero antes despídete de ese trozo de tela inútil que llevas atado al cuello.

—¿La capa?

—Sí, la capa, Kirsi.

Me obedece al instante. La capa sale volando y cae en picado hacia el vacío que hay debajo de nosotras mientras Kirsi se incorpora agarrándose a mis hombros. Para cuando ella empieza a avanzar en dirección al segundo arco, yo sigo absorta en la tela que se ha desvanecido a través del manto blanco de nubes bajo mi cuerpo. La sensación de vértigo se apodera de mis músculos como si el abismo estuviese intentando manipular mi mente para retenerme. Hay Cantapenas colosales navegando en las profundidades. Una nueva ráfaga de viento me golpea el hombro haciéndome perder la estabilidad. Me sujeto a los cantos de la tabla y esta cruje bajo mi peso. Entonces me esfuerzo en controlar mi respiración.

Kirsi rodea el pedazo de piedra pegando su cuerpo al obstáculo.

—Somos las hijas de la tierra, salvajes y crudas —canto en bajito la melodía de las montañas que me criaron mientras me impulso con los pies—. Rezamos a Mhys, la sangre de la venganza, porque la misericordia de Kard no nos ayuda.

Recuerdo la gargantilla entrelazada a mi cuello.

«El destino siempre viste de hilos mágicos».

—Somos las hijas del mar y del cielo, bravas y libres —persevero, esta vez soltando la madera para estirar los brazos—. Rezamos a la venganza, la sangre vertida roja, porque la sangre exige sangre… —Y, cuando me yergo sobre el puente colgante con el corazón incendiado por el odio que me mueve, escupo—: Y el perdón sobre los culpables jamás se arroja.

Mi compañera está celebrando que ha conseguido llegar al saliente del arco abrazando a Vera. Sin embargo, un silbido inusual capta mi atención. Giro el rostro a mi izquierda, donde las nubes se funden con el atardecer y de ellas emerge la bandada de Merogaviolas que queríamos evitar. Maldita sea. No puedo permitirme el ritmo de mis compañeros. No lograré cruzar el puente a paso lento. Aprieto la mandíbula y los puños. Sí, sí puedo lograrlo.

Aunque será a mi manera.

Cierro los ojos un segundo, mentalizándome de lo que estoy a punto de hacer, memorizando las siguientes marcas rojas en las tablas, y al abrirlos mando al infierno el miedo a caerme y la herida del tobillo. La volveré a coser si es necesario. Empiezo a correr con la visión enturbiada por la adrenalina que me aprieta el corazón. Piso cada rastro rojo que alcanzo a ver, no me detengo al bordear el trozo de estructura al que le doy las gracias de nuevo por impedir que el puente se columpie y no me freno ni siquiera para calcular cuánto tiempo me queda.

Me tropiezo una sola vez.

Una sola vez que no desaprovecho frenándome, sino que me impulsa con más brío y, a medio metro del saliente, salto con todas mis ganas hacia mis compañeros con la fe ciega de que me agarrarán y no dejarán que me precipite al vacío.

25

Todo lo que pertenece al abismo, en el abismo debe permanecer

Arcos Perdidos, 1.150 aps (Escala de presión abisal)

Lo hacen. Me atrapan entre los tres y salimos revoleados contra el portón de hierro del segundo arco.

El impacto nos aturde, pero, antes de que sea demasiado tarde, corremos al interior del pasillo para evitar a la bandada de Merogaviolas y nos ocultamos entre las sombras, esperando en silencio a que el peligro pase. Cuando por fin se alejan, nuestros compañeros al otro lado del puente hacen la señal para seguir con el plan. Exhalo un profundo suspiro. No puedo creer que esté viva.

—Estás loca —refunfuña Nevan.

—Mejor loca y viva que cobarde —respondo aún ahogada por la adrenalina, consciente de lo arriesgado que ha sido mi escape, pero también aliviada de haber evitado un mal mayor.

Kirsi agacha la vista en cuanto se da por aludida. Es cierto que mi movimiento ha sido demasiado atrevido, que debo anteponer mi vida a la de estos Cuervos, como también es cierto que no tengo ni idea de quién se esconde tras la fachada de cada uno de mis compañeros o sus verdaderas intenciones, y, hasta que esclarezca mis dudas, los voy a necesitar vivos para que me ayuden a sobrevivir en el abismo. No me cabe duda de que todos son lo suficientemente valiosos para estar aquí, ya sea por sus habilidades físicas, mágicas o por la información que guardan. Compruebo el estado de mi herida en el tobillo, que solo ha sufrido un pequeño rasguño. Los hilos se me han pegado a la piel, por debajo de la costra de cicatrización, lo que dificulta que se me vuelva a abrir a menos que haga un movimiento más agresivo.

Observo a Mei, que ya va por la mitad del trayecto, y saco mi libreta para dibujar el camino de la columna al puente, sencillo y sin pérdida, mientras me fijo en cómo lo hace Vera a mi lado. Sin embargo, termino desviando mi atención a Kirsi. Está con sus dichosos informes entre manos, apuntando todo lo sucedido al detalle con el dedo índice. La punta de la yema y su uña se han fusionado en lo que parece la punta de una pluma, y expulsa una tinta negra que debe ser la tinta de la verdad de la que hablaba Kalya. Al igual que ella, yo tampoco me creo que todo lo que escriba sea la pura verdad.

Somos humanos.

En nosotros nunca cabrá una perspectiva tan objetiva como para que el oficio de Informante no esté exento de errores. Sobre todo, si la «verdad» sale del dedo de una chica arrogante como Kirsi.

—¿Hay hueco para una más, patanes? —dice Mei al incorporarse al saliente mientras se ajusta el moño de cabello oscuro.

—¡Bienvenida! —la recibe Vera con una sonrisa que le mueve las gafas—. ¿Qué tal se te ha dado?

—Todos están bastante animados al otro lado. —Mei se adentra al pasillo y se pone a escudriñar la suciedad del suelo para sentarse delante de nosotros—. Rawen ha puesto las expectativas muy altas con su carrerilla.

Vera suelta una risilla de orgullo mirándome de reojo, aunque a mí no me enorgullece haber tenido que poner mi vida en peligro por la estirada del grupo. De hecho, debería meditar cuáles serán mis siguientes pasos. La misma urgencia de Dhonos por llegar al final de la expedición se convierte en mi urgencia por descubrir la identidad del Príncipe. Abro la libreta por las últimas páginas y comienzo a escribir las iniciales de los nombres de todos los miembros de la tropa, incluidas las chicas. Me centro en qué características de cada uno pueden impedir que sea la persona que busco. Tacho a Gwyn. Y a Kirsi, ya que su habilidad con el dedo confirma que proviene del linaje de las Informantes. Luego, tacho a Tyropher mientras lo veo cruzando el puente. Su pasión por investigar la vida y su imprudencia llevándose recuerdos de cada nivel son más propias de un biólogo que de un príncipe. Lo único que espero es que abandonase al Coranchín en la cueva después de que asesinaran a Gwyn por culpa de otra criatura colaborativa.

Un pequeño salto al saliente reúne a Tyropher con nosotros.

Tras él, Nadine no se acobarda en absoluto en avanzar por la pasarela a paso ligero. Al recordar la historia de la muerte de sus padres en la anterior expedición, no dudo en tacharla. Sus padres fueron las antiguas Manos del Rey en el Consejo de Expediciones antes de fallecer y, como mínimo, sé que el Rey Kreus sigue calentando el trono con sus mentiras y su codicia. Cuando Nadine se acerca a nosotros con una sonrisilla de satisfacción por haber logrado cruzar sin complicaciones, se sienta junto a Kirsi y le pide que le haga un diminuto moño con los dos mechones malvas que le enmarcan el rostro.

Es el turno de Dhonos. Su despiadado semblante oculta incluso su posible miedo a las alturas. Tiene habilidad con las espadas y dotes de liderazgo, aunque su agresividad y la facilidad con la que pierde la compostura lo convierten más en un Guardián que arrastra una anterior expedición a sus espaldas que en un príncipe de Khorvheim. Tengo entendido que el Príncipe cumplió la mayoría de edad la noche en que asesinaron a Orna, hace cinco años, por lo que sería imposible que bajase al abismo hace diez, tal y como dijo Thago. Tacho a Dhonos porque supera la edad y me detengo antes de tachar a Nevan. Aunque parece más joven que el resto de la tropa, desconozco su edad, así que no descarto la opción de que Nevan pueda estar aquí por su sangre.

Lo analizo con cautela. Está abrazado a sus rodillas, absorto en la decena de grietas que se extiende a lo largo de la pared. Es astuto, demasiado, pero no parece que sepa de combate más de lo básico que enseñan en la Escuela de Cuervos. Eso explicaría muchas cosas. Escupo un resoplido hastiado. No puedo evitar pensar en que quizá me esté apresurando al descartar los nombres anteriores.

—¿Qué haces, Rawen? —me pregunta de pronto Vera, estirando el cuello para echarle un vistazo a mi libreta.

La cierro de golpe y fuerzo una sonrisa sintiendo mis latidos en los oídos como un tambor mientras la guardo en el bolso.

—Solo dibujaba.

—¿Letras?

Por primera vez, la mirada de Vera no refleja ese brillo ingenuo que me ha hecho bajar la guardia a su lado estos días. Ni siquiera me percato de que Thago ha cruzado el puente sano y salvo pese a su tamaño porque el tiempo se suspende un instante entre nosotras.

—Tienes un pasatiempo muy peculiar —comenta frunciendo el ceño.

Tras los cristales de sus gafas, veo el recelo sagaz en sus ojos y, de repente, como si nada, amplía los labios en una sonrisa distinta a las que le he visto esbozar antes. Acto seguido, se retira para felicitar a Thago por la hazaña y me cuestiono si ha sido cosa mía o… Sacudo la cabeza. No debo anticiparme a malinterpretar los gestos, mucho menos tratándose de ella. Todos aquí estamos cansados, hambrientos y sedientos. Sobre todo, lo tercero, y vamos a tener que buscar suministros pronto si no queremos que ninguno sufra deshidratación.

Lanzo mi vista al puente colgante, donde Kowl está cruzando como si formase parte del abismo, ajeno al resto del mundo, sin nadie que lo apoye desde aquí ni miedos que lo perturben. Lleva la capa doblada bajo el brazo, la túnica negra ceñida al torso y su espada enfundada en cuero, bien ajustada al cinturón. A diferencia de nosotros, él avanza con la mirada gacha, como si no le intimidase ahondar en el océano de criaturas que surcan las profundidades de este nivel. O como si no tuviera a quién acudir al otro lado del puente. Una ráfaga de viento le agita el cabello, pero él parece imperturbable.

Una sombra oscura, lejana y etérea, capaz de desvanecerse para siempre en cualquier instante. Para mi espanto, en su reflejo me encuentro a mí.

De algún modo, la tormenta que parece cargar sobre sus hombros me traslada a estos cinco años atrás, al dolor de una soledad autoimpuesta, aislada del mundo, y me pregunto qué pasado arrastrará él para irradiar tanta oscuridad. Para irradiar ese dolor del que no me había dado cuenta, pero que ahora lo siento en el pecho como si resonase con el mío. ¿A eso se refería cuando me contó que podía captar algunas de mis emociones? Es cierto, no me llegan palabras, aunque por primera vez sí lo siento dentro.

En el instante en que sus pies tocan el terreno pedregoso del saliente, alza el rostro despacio y nuestros ojos colisionan, colmados de una complicidad peligrosa. Nadie se da cuenta porque yo soy la única que estaba esperando a que él regresara. A pesar de que tengo la certeza de que oiré su voz en mi cabeza, Kowl pasa de largo rumbo a las escaleras y lo único que oigo dentro de mí es un extraño vacío. No puedo evitar seguir sus pasos firmes, su figura engalanada en negro, su espalda ancha y la manera en la que ondea su capa y se sacude las hombreras de plumas al colocársela de nuevo.

Es el Cuervo más cuervo y, sin embargo, tengo la sensación de que es a quien más me asemejo de todos los presentes. Soy incapaz de apartar la vista de él o de creer que sea el Príncipe, porque no encaja con la persona que protagoniza mis pesadillas. Entonces, me descubro sintiendo la urgencia de descartar su nombre de mi libreta, de encontrar razones para tacharlo de mi lista.

Resoplo, resignada, y me pongo en pie.

—En marcha —nos ordena Nadine una vez que Kowl se reagrupa con ella y Dhonos—. Según los informes, el siguiente puente está a mayor altura, casi en la cumbre, lo que nos ahorrará descender la segunda columna de este arco y ascender la primera del tercer arco —canturrea.

Todos lo celebran vitoreando en bajito, excepto yo, que me he quedado al final de la formación porque aún estoy digiriendo mis emociones. Veo a Nevan mirarme de soslayo, le hace una seña a Vera y ambos reducen su ritmo para retroceder en las posiciones hasta alcanzarme. Lo agradezco en silencio. Anclamos nuestros brazos como en la primera subida y nos concentramos en los escalones que se yerguen por delante de nosotros. Aprieto los párpados un momento, dejándome embriagar por las náuseas de la presión abisal, porque prefiero este malestar físico al emocional, hasta que poco a poco va desvaneciéndose.

De vez en cuando, bebo agua para apaciguar los efectos secundarios. A nadie se le ocurre la idea de saltarse escalones pese a que el rugido del vendaval que se cuela entre las grietas de las escaleras es atronador y se vuelve más fuerte conforme alcanzamos altura dentro de la columna. Gracias a la experiencia del arco anterior, todos sobrellevamos mejor el segundo. Los pisos se suceden como las horas, rápidos y pesados, conduciéndonos a una cumbre que pronto se torna inalcanzable porque, cuando creemos que estamos a punto de alcanzar el punto más alto de la columna, la formación se detiene abruptamente frente a un escenario desolador.

Hay un enorme agujero en las escaleras. Esto explica el ruido del viento que había en este arco desde el principio, aunque nos separa del camino que en teoría debíamos seguir según los informes. Thago y Mei se apresuran en examinar la composición y parece que el trozo de escalera faltante debe haber cedido bajo el peso del tiempo. La desesperación se apodera del grupo debido a la inmensa altura a la que nos encontramos más allá del borde del agujero. Es imposible sortear o saltar la abertura.

—Debe de… —comienza a decir Nadine. Incluso a ella le tiembla la voz.

—¿Debe de ser un error más? —ríe mordaz Dhonos—. Qué sorpresa, no me lo esperaba.

—¿Y si estas escaleras también se derrumban?

La pregunta de Tyropher siembra el miedo entre mis compañeros y la ansiedad les tiñe el rostro al dirigir la atención al suelo, a nuestros pies. Los dedos de Vera se afianzan a los míos con fuerza. Intento mantener la calma, aunque estoy igual de nerviosa que ellos. Empiezo a creer lo que Dhonos ha estado mascullando estos días, que todo está yendo tan mal como podría ir e incluso peor.

—Que no cunda el pánico —nos pide Nadine girándose hacia el grupo, pese a que en realidad parece querer convencerse a ella misma. La corriente de aire es tan violenta cerca del agujero que debemos retroceder unos pasos—. Podemos idear una manera de crear un puente que...

—No, es demasiado arriesgado —la interrumpe Kowl—. Buscaremos otra ruta.

Sin duda estoy con él. No me gustaría enfrentarme a la muerte de nuevo en menos de doce horas. Y no me gustaría cruzar ese vacío a través de un puente de dudosa fiabilidad. Thago también se muestra aliviado por la decisión de Kowl exhalando un suspiro mientras nos adentramos en la vivienda de esta planta, que es igual que todas las anteriores. Nubes de polvo iluminadas por el rastro de una luna que no existe dentro del abismo, muebles y artefactos que no corresponden a los de la superficie y cúmulos de suciedad allá por donde pisamos. De noche estas casas irradian una sensación de desolación abrumadora. Hace frío y el viento que se cuela por las ventanas propaga un hedor a pis insoportable. Casi puedo imaginarme a sus antiguos habitantes haciendo sus vidas a través de las habitaciones, conversando sentados en los sofás sobre temas que ignoramos y utilizando sus extraños objetos de un modo que ni concebimos.

—No sé qué pensarás tú —susurra Nevan a mi lado, escudriñando algo similar al dispositivo TV, pequeño y rectangular del tamaño de una mano. Lo alza entre nosotros y enarca una ceja—. Pero yo creo que estas cosas dicen más de nosotros que de aquellos que vivieron en este lugar.

—¿A qué te refieres?

—A que no entiendo por qué nadie ha sacado a la superficie nada de esto para analizarlo.

Lo que antes me parecía una estupidez ahora suena como un presagio. Abro los ojos, asombrada, y recito lo que me repetía Rawen acerca de este infierno.

—Ya sabes lo que dicen: todo lo que pertenece al abismo, en el abismo debe permanecer.

—¿Las preguntas que nos hacemos aquí abajo también deben permanecer en el abismo? —El celeste en los ojos perspicaces de Nevan se funde con un blanco helado que me eriza la piel—. Que yo sepa, estos objetos no constan en ningún informe.

El viento silba, macabro, y de repente se me pasa por la mente que quizá no sea un elemento del entorno, sino una melodía anticipándose a lo que nos espera, advirtiéndonos de que no deberíamos de haber bajado jamás.

—¡Aquí! —irrumpe la voz de Mei desde un dormitorio del fondo—. ¡Corred!

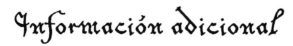

Información adicional

~~G. I.~~
V. C.
N. T.
K. K.
M. P.
~~N. V.~~
~~X. T.~~
~~D. S.~~
T. R.
K.
K. P.
A. K.

26

Eko telem tekhalt

Arcos Perdidos, 910 aps (Escala de presión abisal)

El susto que nos hemos llevado al oír el grito de Mei no tiene punto de comparación con el retortijón que me sacude el estómago cuando llegamos al dormitorio y los vemos reunidos en una extensión que sobresale parecida a los balcones típicos de las casas nobles de Mhyskard. Una barandilla de cristal rodea el balcón y nos separa del vacío. Todos están de acuerdo en que hemos encontrado la ruta alternativa.

Ni más ni menos que escalar al balcón de arriba.

No hay momento para las dudas ni para discutir si es mejor trepar el exterior del arco o atravesar un agujero en la estructura. Mis compañeros se dispersan enseguida en busca de cualquier herramienta que nos facilite esta locura. La cuerda que conectaba aquel armario a la pared podría servir. Corro hasta la cocina y ahí está, el mismo mueble en el mismo rincón, como si las casas fueran réplicas las unas de las otras. Lo retiro, luego desenvaino una daga y corto la cuerda. Descubrir que el interior está repleto de hilos de cobre, el metal con el que acuñamos nuestras monedas en Mhyskard, me hace cuestionarme qué tipo de nobles ricos habitaban estas casas como para permitirse fabricar cuerdas de cobre. Arrugo el ceño, desconcertada, y niego con la cabeza intentando centrarme en la misión. La comparo con mi metro casi setenta de estatura; me sobrepasa por medio metro, así que la doy por válida. Examino la parte trasera de los muebles que pueden retirarse de la pared y voy cortándolas y trenzándolas mientras veo a mis compañeros hurgando en cajones atiborrados de enseres personales sin valor alguno. El único que está hurgando en el interior de su mochila es Tyropher. Una sonrisa le tira de los labios.

No me jodas.

—Tyropher.

—Xilder —me corrige al levantar la mirada.

—Dime que no lo has traído.

—¿El qué?

—Sabes a qué me refiero —espeto, tensando las cuerdas entre mis manos.

—Estoy pensando en que quizá podría ayudarnos a…

—No me jodas, Tyro —masculló mordiéndome la lengua para no sembrar más miedo del que ya se respira en el grupo.

—¿Qué problema tienes con el Coranchín? —inquiere a la defensiva, cierra la mochila y se la cuelga al hombro como si quisiese proteger al bicho de mí—. No ha supuesto ninguna amenaza hasta ahora.

—Tú lo has dicho, hasta ahora. ¿Pretendes arrastrarlo con nosotros hasta que muera alguien por su culpa?

—No permitiré que eso ocurra.

Por la forma en que aprieta los labios en una línea recta sé que no está seguro de las consecuencias de sus acciones. Me arde la sangre. Este chico estúpido está poniendo en peligro a toda la tropa. Debemos quitarle la mochila, tirarla por el precipicio, deshacernos de esa criatura de los demonios. Miro a mi alrededor, después a él.

—¡Eh, chica con agallas! —vocifera Nadine detrás de mí—. ¿Qué tienes ahí?

Los ojos de Tyro brillan con la súplica escrita en ellos. Lo sé, delatarlo delante de todos podría hacer que, como mínimo, Dhonos pierda los pocos estribos que le quedan y que quien termine volando por los aires sea Tyropher.

—Encárgate de esto antes de seguir avanzando, Tyro, o se lo diré a los demás —murmuro para nosotros y, al dar media vuelta, levanto la mano para enseñarle la cuerda a Nadine—. Quizá esto pueda sernos útil.

El diminuto moño que le sujeta los dos mechones malvas en lo alto de su cabeza le brinca al acercarse a nosotros. Me quita la trenza de cuerdas de las manos y, mientras la inspecciona, me fijo en la decena de aretes que le centellea en las orejas ahora que tiene el cabello recogido y en la piel morena de sus brazos. La luz que se filtra por la ventana realza sus músculos contorneados. Creo que nunca me he enfrentado a una chica tan fuerte.

—¿Crees que servirá? —me pregunta.

—Debe hacerlo.

—Eso me dijo Dhonos cuando le pregunté si creía que sobrevivirías al puente colgante. —Nadine sube la vista a mis ojos y esboza una sonrisilla de suficiencia—. Por alguna razón, le caes bien. Creo que empiezo a entenderlo, siempre vas un paso por delante.

—Instinto de supervivencia —me excuso, encogiéndome de hombros, y finjo una falsa modestia que la hace reír.

—Vamos, ayudadme a probar esta cosa.

Nos pasamos los extremos por los hombros y tiramos en direcciones opuestas para tensar la cuerda. Tyropher se tiene que unir a mi lado enseguida porque es imposible competir contra Nadine, posee tanta fuerza que casi me tumba de espaldas. Tras un minuto clavando los talones en el suelo para no retroceder ante la potencia de nuestra compañera y durante el que nos cercioramos de que es fiable usar este invento improvisado, aflojamos y me inclino sobre mis rodillas.

—Esta cosa tiene mi aprobación —dice ella como si nada—. Hora de poner a prueba tu creación.

Tyropher y yo nos miramos, exhaustos. La acompañamos al balcón, donde Kowl y Dhonos se debaten entre la idea de que alguien salte primero para ayudar al resto desde arriba o romper los muebles de la vivienda para unir las tablas sobre el agujero en las escaleras.

—Tenemos la solución —canturrea Nadine agitando el trenzado de cuerdas. Ambos enarcan una ceja y capto su atención por encima del hombro de ella—. ¿Qué pasa, no puede ser ocurrencia mía?

Dhonos niega en silencio.

—Lo tuyo sería algo como apilar muebles en el borde del precipicio —se mofa Dhonos.

—Eres demasiado bruta para ponerte a atar cuerdas —le dice Kowl a Nadine, aunque solo ensancha los labios en una sonrisa disimulada cuando me mira a mí.

Nadine coge por los hombros a Tyropher para pedirle que vaya a avisar a nuestros compañeros mientras discuten quién debería ser el primero en arriesgarse a saltar hacia el balcón superior. Todos estamos de acuerdo en que debe ser alguien ágil y fuerte, ya que no habrá nadie arriba para asegurar su supervivencia en caso de que resbale, y luego debe ser capaz de soportar el peso del primero que ascienda con la cuerda. Finalmente, cuando estamos todos reunidos, Dhonos se adelanta con una mueca de autosuficiencia.

—Aunque Kalya sería perfecta para hacerlo, no está aquí —comenta y se despoja de sus guantes negros para guardarlos en el bolso de su cintura—, así que lo haré yo.

Nadie se lo rebate. En parte, porque tengo la certeza de que más de uno de los presentes desearía deshacerse de la figura de Dhonos durante la expedición. Un silencio espeluznante se apodera del ambiente mientras coge la cuerda, se la pasa por los hombros anudándosela por delante del torso y se coloca de espaldas a la barandilla de cristal con el mentón alto, estudiando a qué parte podrá aferrarse mejor. A pesar de que descarté a Dhonos en mi libreta, aprovecho la ocasión para examinar sus dedos. Ni rastro de anillos o piedras verdes. Kowl y Nadine se ubican a su lado para agarrarlo por si pierde el equilibro. Por suerte, la curvatura del arco facilita el salto, pues hay una pequeña zona de seguridad entre este balcón y el superior, que se adentra más en la vivienda.

Ambos lo ayudan a estabilizarse encima del borde de la barandilla mientras el resto contenemos la respiración ante el horror de verlo precipitarse hacia el vacío por algún error de cálculo.

No es que le tenga un gran aprecio al tipo más imprevisible de la tropa, pero, en cuanto Dhonos se lanza al balcón sobre nuestras cabezas, cierro los ojos. Mido nuestra supervivencia en la cantidad de adversidades que cada uno puede soportar y sé que, si nos faltase él, que ha sido el único en llegar al nivel más profundo del abismo, sería una enorme pérdida para el grupo. Un ruido seco y el gemido de dolor que exhala Dhonos me hacen abrir los párpados de sopetón. El terror de ver a alguien valioso morir cuando todavía no hemos logrado salir ni siquiera del tercer nivel me ahoga. Sin embargo, solo alcanzo a verle los pies porque está sujeto a la barandilla de arriba. Por acto reflejo, todos nos apiñamos bajo sus piernas para impulsarlo con nuestros brazos antes de que sea tarde.

Después, oímos el sonido de sus rodillas contra el suelo y el de las arcadas desembocando en un incontrolable vómito por los efectos secundarios de haber subido un piso de sopetón. A medida que Dhonos se ahoga en su propia tos, el silbido de asfixia se agudiza. Por un momento, permanecemos inmóviles, mirándonos los unos a los otros con la violenta sensación de que nuestro compañero está colapsando y nadie puede ayudarlo.

—¡*Ko natem tekhalt*, Dhonos! —le grita Nadine sin temor a quebrantar el silencio—. ¡Por mis padres!

«Debes vivir, Dhonos».

—*Enam* —brama él con la voz sofocada—. *Eko telem tekhalt*.

«Sí. Elijo vivir».

El golpe brusco de un puñetazo en el suelo seguido de un gruñido nos amedrenta. La tos cesa. ¿Se ha caído? No. El extremo de la cuerda aparece ante nosotros.

—Que suba el siguiente —dice, y el tono rasposo de su voz revela que está reprimiendo la tos a duras penas.

—¡Vamos, siguiente! —se desespera Nadine.

Sé que debe de haber un Jefe de Tropa o un Guardián por cada grupo de exploradores, razón por la que Nadine sea probablemente la última en subir, y Dhonos está débil. No confío en las habilidades de nadie aparte de las mías. Quizá en Kowl sí, pero no parece dispuesto a subir ahora, y, si el siguiente es incapaz de soportar nuestro peso y tira la cuerda en un amago por sobrevivir, estaremos bien jodidos.

—Iré yo —espeto tras darle un trago de agua a la cantimplora para menguar los efectos secundarios.

—Cómo no, ya está la heroína… —murmura Mei.

—Eh, que Rawen te salvó la vida en las cuevas —le reprende Thago y le da una palmadita en el hombro.

—Eso —añade Nadine al pegar su hombro al mío de brazos cruzados—. Que se haga la heroína quien tenga los ovarios para serlo.

Al sujetarme a la cuerda, fulmino con la mirada a Mei y pone los ojos en blanco antes de apartar la vista. Si estuviésemos tras la muralla, ya le habría caído alguna paliza por soberbia. Allí no nos gusta dárnoslas de héroes o heroínas porque son nuestras armas las que hablan de nuestra destreza en combate. Aquí, sin embargo, dejo que sean mis compañeros quienes defiendan mi honor de su arrogancia.

Kowl se sitúa detrás de mí, aferra sus manos a mis caderas y, aunque estoy concentrada en el salto, el cuerpo se me estremece.

—Estoy lista —mascullo.

Me impulsa hacia arriba y yo enredo las piernas en torno a la cuerda ayudándome de mis brazos para trepar. Una sacudida en el estómago me aletarga unos segundos. Sello mis labios y alzo el mentón localizando a Dhonos al borde el balcón. Pero no solo lo veo a él con la tez pálida, sutilmente iluminada por la luz del anochecer, sino que más arriba, cerca de la cumbre, detecto algo que me congela los pulmones. Es una estructura marrón e imponente de varios metros de diámetro, adherida al arco. Mientras me empujo hacia arriba envolviendo la cuerda alrededor del pie para asegurar mi agarre, escudriño las ramas secas, hierbas y palos entrelazados que conforman esa estructura ajena al arco.

Es un nido.

Y está vacío.

Acelero mis movimientos, a pesar de que la sensación de ahogo se intensifica cuanto mayor es la velocidad a la que subo, y no miro atrás ni a mi alrededor. Las náuseas se vuelven intensas, los músculos me arden aplastados por la presión abisal y, en cuanto mis dedos tocan el borde del balcón, Dhonos tira de mis brazos hacia él. Caigo al suelo, cerca de su vómito.

Me duelen las manos y los pies, y el terror por la presencia de ese nido gigante sigue latiendo en mi pecho.

—Hay un… —soplo, asfixiada.

—Está vacío. —Los ojos sombríos de Dhonos me ordenan que guarde silencio—. Si crees que es peligroso escalar mientras el Picafauces está paseándose por los cielos, imagínate si estuviese acechándonos desde el nido.

—Hay que darse prisa.

—Si no queremos que empiece a arrancar cabezas cuando regrese, sí.

27

Convertirse en depredador antes de ser la presa

Arcos Perdidos, 899 aps (Escala de presión abisal)

Tyropher y Vera nos ayudan a subir a los demás, de uno en uno, mientras Nevan busca en el interior de la vivienda algo con lo que cubrir el vómito del suelo que casi hemos pisado todos los que hemos alcanzado el balcón.

Vuelve con una mueca de asco y un paño mugriento cogido de una esquina, y, cuando no puede evitar inflar los mofletes porque sus arcadas se deben más a su manía con la limpieza que a los efectos secundarios, me arranca una risa que me hace aflojar el agarre.

Mei, que está subiendo, empalidece al resbalarse unos centímetros la cuerda. Sus ojos rasgados me maldicen en silencio, y yo lucho por mantenerme seria en un momento tan urgente como este. Lo cierto es que el cansancio y el hambre están afectando a nuestro comportamiento. Dormimos, pero no descansamos lo suficiente. La adrenalina y sentirnos constantemente en peligro nos drena la energía a una velocidad abismal. Por no hablar de las barritas, que, por mucho que nos alimenten lo justo y necesario para sobrevivir, no nos sacian apenas. He pensado en beber bastante agua mientras digiero una barrita para que se infle y adquiera más tamaño dentro del estómago, aunque la escasez de agua es otro de los problemas a los que nos enfrentamos.

Estamos en las últimas.

Thago toma mi relevo al pisar el balcón, se pasa la cuerda por el hombro y yo aprovecho para inspirar una gran bocanada de aire que me despeje la mente, contemplando el cielo nocturno que envuelve todo el paisaje y que no ha terminado de oscurecerse. En la superficie las estrellas se diferencian de la negrura por su glorioso brillo que a veces tintinea y nos hace creer que son los dioses contestando a nuestras plegarias. Aquí no resaltan por encima de la oscuridad, sino que realzan el espectáculo de tonos azules y morados que se dispersan por todo el cielo y a través de la densidad de las nubes, creando un efecto de ensueño. Casi podría decir que aquí las estrellas dejan de ser dioses para convertirse en los anhelos de los humanos.

Y en este balcón, rodeada de personas delante del océano de estrellas de los Arcos Perdidos, me siento tan insignificante y sola que la desazón me oprime el pecho como una cuerda de espinas. Deslizo mi espalda por la pared hasta que toco el suelo. No importa cuánto me esfuerce por respirar, hace mucho que me despedazaron el alma. Se puede seguir vivo aunque la llama interior se apague. Esa es mi tortura. Sin embargo, dentro del abismo, la necesidad de sobrevivir para cumplir un propósito mayor se está convirtiendo en el consuelo que no sabía que necesitaba. Saborear de cerca la muerte me hace sentir viva de nuevo.

Porque la mayor pérdida, además de mi hermana, fue mi propia vida.

Entonces, lo escucho de nuevo. El bombeo de mi corazón vivo al ver las manos desnudas de Kowl sobre la barandilla, al ver su figura alzándose y saltando el cristal que nos separa y al sentir que, por un instante, cuando nuestras miradas conectan en la penumbra, comparto mi sufrimiento con alguien que no necesita palabras para comprenderme. Jamás lo he hecho antes, excepto por la carta que le escribí a padre, que fue más una explicación por haber callado tantos secretos durante cinco años.

Lo echo de menos.

Echo de menos la muralla, plantarme sobre su altura y respirar el aire limpio que me ondeaba el cabello oscuro como si desde ahí pudiese conquistar el mundo. Los abrazos de padre, sus sonrisas colmadas de arrugas y los desayunos en los días libres. El olor a montaña y las risas que me robaban los pequeños de la tribu cuando me tejían pulseras con hierbas entrelazadas. Echo de menos mi vida, y esa que podría haber tenido si no hubiésemos subido a la muralla aquella noche. Hacía mucho que no tenía un momento de debilidad como este. El nudo en mi garganta y las ganas de llorar me obligan a agachar la cabeza, avergonzada. No quiero que me vean así, que conozcan mi vulnerabilidad.

No quiero que Kowl sienta todo mi dolor como yo sentí el suyo.

Vis naltos nabem, okaeror aeros nabem.

Al oír su voz profunda en mi mente, elevo la cara de sopetón. No entiendo esas palabras kheltzas porque algunas son más antiguas que otras, pero Kowl está agachado delante de mí, con una mano extendida en mi dirección y una sonrisa débil que refleja a la perfección la tristeza de mi corazón. Los demás están ayudando a Nadine en su escalada.

—No tengo tanto conocimiento del kheltza —murmuro cuando acepto su mano para incorporarme y me percato de que es la primera vez que siento el tacto cálido de sus dedos en la mía.

—«Quien dolor tiene, un peligroso coraje alberga», esa es la traducción. —Con el paisaje nocturno de fondo, las escasas motitas en los ojos de Kowl parecen titilar al ritmo de las estrellas—. Dentro de poco, la mente será nuestra peor enemiga. Dirige tu coraje aquí —me dice dándome un toquecito en la sien—, lo necesitarás más que nunca para sobrevivir.

—¿Qué ves en mí? —le pregunto.

Aunque sé que estas palabras no son nuevas para mí. Se enredaron en mis pensamientos desde el día en que sentí esta extraña conexión con él y solo se deslizan entre mis labios como una petición sin intención de seguir ocultándose.

—A una chica que no quiere ser vista... y por eso me cuesta tanto apartar los ojos. —me contesta, bajando el tono de la voz. Un brillo le cruza la mirada taciturna mientras aparta la mano para enguantársela—. Debemos avanzar.

Nadine y Dhonos se adelantan rumbo a la salida de la vivienda junto a Kowl, que encabeza la formación para seguir ascendiendo por las escaleras. De camino a la cumbre, que está a pocos pisos, pienso en lo que Nevan me dijo no hace mucho: «Solo las mentes frías llegarán al final». Tengo la sensación de que quienes más secretos parecen guardar en la tropa más saben acerca del abismo, y eso hace que mi foco de atención se reduzca a unas pocas figuras.

Conforme subimos escalones, los efectos de la presión abisal se ciernen sobre nosotros con la misma fuerza que el primer día que pisamos los Arcos Perdidos, aunque con menos impacto en nuestras mentes. Estamos aprendiendo a combatirlos. El instinto de supervivencia nos obliga a adaptarnos y no puedo evitar plantearme aquello que mueve al ser humano, la necesidad de convertirse en depredador antes de que el entorno lo vuelva su presa.

Ese fue mi móvil.

Convertirme en la depredadora de mis enemigos, del propio abismo.

Consigo apartar mi desolación al plantarnos en la cumbre y ser azotados por las ráfagas de viento que han devorado algunos rincones de esta estructura. Guardo la libreta en la que he cartografiado el desvío debido al agujero en las escaleras. Unos cuantos pisos abajo se encuentra el puente colgante que nos mencionó Nadine, aún a mayor altura que el primero y con la ventaja de que apenas tendremos que subir unos pocos pisos para alcanzar la cumbre del tercer arco. Cuando nos detenemos frente al portón de hierro que revela la siguiente pasarela de tablas, más ancha, corta y robusta que el primer puente, Nadine despliega el mapa de la anterior expedición.

—En el mapa hay marcado un punto de suministros unas cinco plantas abajo —expone ella y se dirige a Dhonos—: ¿Qué sabes de eso?

—Son las provisiones de los compañeros que cayeron en los arcos. Armas y comida. No podíamos cargar con todo ese peso, así que decidimos guardarlos ahí —explica él.

—¿Y por qué abajo?

—Porque las bases de las columnas son lo último que se derrumba con el paso del tiempo.

—Pero la comida… ¿no se habrá descompuesto ya? —inquiere Thago.

—Las barritas no se pudren, están elaboradas por los alquimistas del Rey —interviene Nadine—. También necesitamos agua. Me contaste que…

—Sí —la interrumpe Dhonos—, hay agua abajo. El geólogo que quedaba con vida hizo uso de su magia para asegurar la calidad del agua hasta que se volviesen a abrir las cantimploras.

—De acuerdo. En ese caso, nos separaremos aquí —declara ella mientras se guarda el mapa en el bolso—. Lo haremos como en las cuevas, Dhonos se quedará con vosotros. Iré con

Kowl, pero nos acompañarán dos personas de refuerzo para compartir el peso.

El rugido del viento se cuela por el portón y me sacude la trenza sobre el hombro. Como era de esperar, nadie se ofrece voluntario y yo prefiero mantenerme al margen por esta vez, así podré trazar alguna estrategia con mis aliados para atravesar este puente.

—Iré con vosotros —dice Tyropher y, cuando su vista se pasea por los miembros de la tropa hasta recaer en mí, me temo lo peor—, con la condición de que se una Rawen a nosotros.

—¿Por qué Rawen? —inquiere Kowl, alzando la voz por encima del vendaval.

—Alguna cartógrafa tendrá que dibujar el camino a los suministros. —Junta las manos en su pecho a modo de disculpa y le dedica el gesto a Vera—. Confío más en su destreza para la misión.

Vera aprieta los labios, haciéndose pequeñita ante la confesión de Tyro.

Miro a Kowl y luego a Vera. No puedo evitarlo, yo también confío más en mis habilidades, no de cartografía, sino de supervivencia.

—Iré —acepto al fin.

—Está bien. —Nadine inclina el mentón conforme con su petición—. Descansaremos unas horas y reanudaremos la marcha durante la madrugada.

La vivienda está sumida en un silencio devastador, sin contar con los rugidos que a veces nacen del agujero en las escaleras. Hace un rato que nos acurrucamos en el salón, aunque decidimos repartirnos en dos grupos, el que bajará a por los suministros y el que aguardará nuestra llegada, así que no tuve otra opción que recostarme junto a Tyro, lejos de mis dos aliados. A menos de un metro, Nadine y Kowl descansan la espalda contra la pared. Me giro a un lado, luego al otro. Aprieto los párpados, irritada.

No puedo, por más que lo intente. No puedo dormir.

Reprimo un gruñido y me levanto con cuidado de no despertar a mis compañeros. Salgo del salón y atravieso el pasillo que conecta la vivienda con el estrecho rellano de las escaleras. Me apoyo en la pared, una corriente de aire me refresca la cara y respiro hondo. Desde aquí puedo contemplar ese agujero como lo hacía con el abismo desde la muralla y, por absurda que sea la similitud, consigue relajarme.

Sin embargo, el sonido de pisadas en el pasillo me alerta. Mi cuerpo se tensa en cuanto entreveo, de soslayo, que alguien se acerca a mí. Soy rápida y sutil al desenvainar una daga de mi corsé. Escondo la mano tras la cadera y finjo seguir absorta en la abertura de ahí abajo. Cuando me alcanza y distingo la silueta de Kowl, no dice nada, tan solo se detiene e imita mi postura en la pared del frente, a escasos centímetros de mí.

—¿Tú tampoco puedes dormir? —murmuro.

—Prefiero estar aquí —dice. Aparto la vista del agujero y me enfrento a sus ojos, cargados de una intensidad oscura y peligrosa, tan adictiva como esta imperiosa necesidad de quererlo cerca—. No tienes que bajar si no quieres.

—Tyropher tiene razón. Soy mejor opción que Vera en caso de que la situación se complique.

—¿Insinúas que tu compañera sería un lastre? —inquiere en tono grave y se cruza de brazos, aunque enseguida reparo en la mueca de diversión que tira de las comisuras de sus labios.

—No, pero confío más en mis capacidades.

—No entiendo por qué tanto afán en correr hacia el peligro.

—Yo no entiendo por qué debería dejar que otros hagan lo que puedo hacer por mí misma.

—Así que de verdad piensas que puedes hacerlo todo por tu cuenta. —Cierra los ojos y asiente despacio mientras da un paso al frente—. Entonces, ¿por qué no has bajado sola al abismo? ¿Por qué una tropa?

«Porque vengo a asesinar al Príncipe de Khorvheim» no es la respuesta más adecuada, así que carraspeo, me enderezo y me meto en la piel de Cuervo.

—Porque el ser humano es demasiado estúpido y frágil. No somos trece para aunar fuerzas y ayudarnos entre todos; somos trece porque algunas situaciones requerirán sacrificios y necesitaremos que nos reemplacen en algún momento.

La diversión en su rostro se esfuma. Su sonrisa se oscurece y opta por estudiarme durante unos segundos antes de que su semblante abandone cualquier pizca de amabilidad.

—¿Sugieres que la organización por secciones es una estupidez? ¿Que una tropa únicamente formada por Guardianes sería igual de eficiente?

—Supongo que las secciones son necesarias para comprender el entorno —apunto, y él descruza los brazos, atento a mi explicación—, aunque dudo que puedan marcar la diferencia teniendo en cuenta que vamos a ciegas, que las bestias nos siguen sorprendiendo con nuevos comportamientos y que el abismo tiene el poder de alterar los caminos a su antojo, como ocurrió en las cuevas.

—Es una buena conclusión. Perspicaz por tu parte. —Kowl recorta la distancia. Alzo el mentón para encararlo—. Pero no responde a mi pregunta.

—¿Y cuál es tu pregunta?

—¿Por qué te empeñas en hacerlo todo sola?

—Porque puedo.

—Me pregunto hasta qué punto tu arrogancia puede ser peligrosa.

Sacude la cabeza, como si mi manera de pensar fuera un despropósito. Su perspectiva está limitada por las enseñanzas de Khorvheim y no entiende que los guerreros no presumimos de habilidades que no tenemos ni nos creemos superiores al resto, sino que vamos a por nuestro enemigo con todo y nos preparamos para lo peor. No es arrogancia, es un estilo de vida, porque para nosotros la muerte tiene un significado diferente. Y yo no me he entrenado solo para defender una muralla de cincuenta metros de altura.

Chasqueo la lengua. Su comentario ha herido mi orgullo de guerrera.

—No lo entiendes —espeto apretando el mango de mi daga—. No es la arrogancia, el peligro soy yo.

—Son palabras mayores para una simple cartógrafa. —Ríe mordaz.

—Puede que lo sean para una mente cerrada como la tuya.

—Eso está por ver.

—Cuando tenga la oportunidad, haré que te tragues tus propias palabras. —Las mejillas me arden de la rabia—. Puede que entonces tengas que darme las gracias por el «peligro» que supone mi arrogancia.

Un brillo desafiante le cruza la mirada, que se mantiene fija en mí durante unos segundos más, como si estuviera sopesando algo que no pretende decir en voz alta.

—Más que un peligro… —su voz se vuelve un susurro que apenas sobrevuela el espacio entre nosotros—, diría que es una tentación.

De repente, la sombra de su altura se cierne sobre mi cuerpo. Ni siquiera tengo tiempo de prever sus intenciones antes de que sus manos se aferren a mis antebrazos. La torsión me roba un quejido. En un gesto rápido, los inmoviliza detrás de mi espalda, acorralada contra la pared. Sentir todo su cuerpo pegado al mío hace que mi corazón se desboque. Intento liberarme, pero su agarre es inquebrantable, y lo único que consigo es que el roce entre nosotros se vuelva insoportable.

—¿Qué pasa? —Él inclina la cabeza, lo suficiente para que su respiración calmada y mi aliento entrecortado se mezclen en el aire—. ¿Te llenas la boca de amenazas y ahora no puedes liberarte de un simple agarre?

—¿Qué demonios te crees que haces? —pregunto, alterada.

—Querías una oportunidad, yo la he creado. —Mientras habla, analizo su agarre: es firme pero indoloro si mantengo la postura—. Vamos, demuéstrame lo que dices.

La rabia me infla el pecho. No quiere una demostración por mi parte, sino recordarme que cualquiera podría controlarme en un momento de guardia baja. Su cadera aplasta mi vientre. Lo miro con los ojos llenos de furia y algo más que no quiero admitir. Por suerte, aún tengo la daga, sujeta desde hace un rato, con la hoja apretada contra mi espalda. Pienso en distintas maneras de crear un hueco que me facilite maniobrar con ella. Me encantaría poder girar el mango y que sus dedos notasen el frío del metal a punto de cortarle la piel.

Si quiere jugar con mi orgullo, lo haremos, pero será a mi manera.

—¿Esta es tu excusa para acercarte a mí?

Por un instante, frunce el ceño y me analiza con algo más que curiosidad. Lo hace con deseo.

Y odio admitir que me gusta demasiado haber dado en el clavo.

—Solo quiero demostrarte que estás equivocada —insiste y, como si no fuera suficiente para provocarme, añade en tono sarcástico—: Y que te liberes de mí, si es que puedes.

—¿Y si no quiero hacerlo?

—¿Qué tipo de chica no querría liberarse de su oponente? —murmura, con una media sonrisa que me cuesta soportar, y acerca su boca a mi oreja—. ¿Una arrogante y bocazas?

Cuando se aleja unos centímetros, esperando ver en mí alguna mueca de derrota, solo puedo pensar en la casi inexistente distancia que separa nuestras bocas.

—Un tipo de chica que quizá no hayas conocido antes —susurro, atrevida. Me humedezco los labios y, a medida que me acerco a los suyos, noto cómo contiene la respiración—. Un tipo de chica que está segura de que tiene el poder en sus manos.

El desafío en mis palabras parece incendiar algo en él. No me detiene cuando me impulso hacia delante para acortar el espacio porque no sabe que el poder al que me refiero es la daga que tengo en mi mano. Noto cómo Kowl va aflojando el agarre. Nuestros labios se rozan. Su olor a bosque y cuero se mezcla con el tambor de mis latidos contra su pecho. Me suelta un brazo, me rodea la cintura con su mano libre y me atrae hacia sí para presionar su boca contra la mía, con una intensidad que me hace dudar de mi jugada. Me muero por abrir los labios, dejarlo entrar, saborear los suyos. Entonces, una ráfaga de viento zarandea su capa.

Las plumas de cuervo revolotean violentas sobre sus hombros.

Aprieto los labios y ahogo mi deseo, ese que nunca debería haber sentido hacia alguien como él. Aprovecho que tengo un brazo libre para sujetar fuerte el mango de mi arma y dirijo la hoja de metal a su cuello. En cuanto el filo se hunde de forma superficial en su piel, el brillo en su mirada da paso a un huracán de sombras.

—Apártate —le ordeno. Traga saliva y lo hace.

—¿De dónde has sacado...?

—Me he liberado, ¿sí o no?

—Has jugado sucio —dice con voz áspera mientras se limpia la humedad de los labios con el pulgar, y detesto pensar que se está deshaciendo del rastro de nuestro beso con ese gesto.

—Te he demostrado lo que querías.

No contesta. Se limita a volver la cara hacia la profundidad del agujero de las escaleras y me convenzo de que han sido mis estúpidas ansias por ganarle a este juego las que me han nublado el juicio. Enfundo la daga en mi corsé, donde aún quema porque siento la calidez de su mano.

—Ve a descansar, Rawen Kasenver.

—No tengo sueño.

—Es una orden —zanja, rotundo.

Entreabro la boca para replicar, pero no digo nada porque, cuando vuelve a mirarme, lo hace con un odio que me estremece. Asiento y, de camino a la vivienda, la corriente de viento trae consigo el aroma de Kowl, como si el propio abismo quisiera burlarse de mi derrota. Sonrío, cínica. Aunque le haya ganado a él, he perdido contra mí misma. Alejarlo de esa manera me ha dolido incluso más que cruzar los límites que me había establecido.

Porque no he besado a cualquier chico.

Kowl es un Cuervo.

28

El lamento primigenio de los Arcos Perdidos

Arcos Perdidos, 899 aps (Escala de presión abisal)

Maldigo la hora en que decidí salir al rellano.

Mis compañeros se despiertan cuando empiezo a conciliar el sueño. Me duele la cabeza porque no he podido sacarlo de mis pensamientos. Cuanto más intentaba olvidar ese instante, más revivía nuestro beso. Lo breve que fue, lo mucho que me habría gustado que el tiempo se congelara. Que él no fuera de Khorvheim ni estuviese en mi lista de amenazas.

Los labios me arden y todo me da vueltas.

Una vez que terminan de organizar la incursión a por los suministros, Nadine nos hace la señal de que la sigamos rumbo a las escaleras. Les lanzo una mirada rápida a Nevan y Vera, que me suplican en silencio que vuelva pronto, y me concentro en el sonido de nuestras botas repiqueteando sobre los escalones. Me duelen las plantas de los pies. Voy a matar a Tyro. Pienso patearle el trasero para que se caiga por las escaleras y tenga que sufrir la tortura de subirlas de nuevo.

En cuanto nos alejamos lo suficiente de la tropa y diviso a Nadine conversando con Kowl sobre cuestiones acerca del mapa, tiro de la correa de la mochila de Tyropher para atraerlo a mí. El susto hace que trastabille de espaldas a punto de tropezarse con el escalón anterior.

—¿Se puede saber por qué me involucraste en esto? —le recrimino en bajito.

—Joder, Rawen —se queja reajustándose las correas—. Porque voy a necesitar a alguien que me cubra las espaldas mientras me deshago del Coranchín y tú eres la única que lo sabe.

Abro los ojos, aterrada.

—¿Ese bicho viene con nosotros?

—No tuve tiempo antes. Nadine nos arrastró al balcón con la cuerda y… Bueno, ya imaginarás que tampoco podemos desquitarnos del Coranchín como si nada. Si detecta que tenemos intención de librarnos de él o le hacemos una mínima herida, podría adherir su hedor a nuestra piel para delatarnos al resto de las bestias.

—¿Así de estúpidos sois todos los biólogos? —mascullo entornando los ojos.

—¿Cómo crees que hemos aprendido tanto acerca de las bestias del abismo?

—¿Y de qué te ha servido? —le discuto con el fuego en la lengua—. ¿Para arrastrar a un maldito Coranchín durante dos niveles y poner a prueba si es cierto que puede matarnos y devorar nuestros corazones?

—No —responde, seco. Al fin veo a Tyro molesto—. Las bestias tienen muchas funciones, ¿crees que todas son malas? Lo dudo, lo que ocurre es que somos tan cobardes que no nos atrevemos a comprenderlas, a descubrir cómo utilizarlas a nuestro favor.

La verdad de sus palabras me aplasta como una jarra de agua fría. De hecho, el mismísimo Rey Khorvus las utiliza a su favor para amedrentar a la población de Mhyskard en la superficie, pese a que dentro del abismo sea contraproducente emplear la Magia Prohibida.

—Tengo la teoría de que las expediciones al abismo serían muy distintas si supiésemos sacarles provecho a las criaturas sin usar la magia que nos pone en peligro porque las atrae.

—Ahora comprendo la expresión de Tyropher. No está molesto, sino decidido—. Salvaría la vida de muchos exploradores.

Por supuesto. Tiene tanto sentido que me avergüenza no haberlo pensado antes. Lejos de condenar a la tropa al ataque del Coranchín, comprendo que su intención era hacer algún descubrimiento beneficioso para el resto, a pesar de que ello pudiese costarle la vida. Sacudo la cabeza a modo de disculpa. Se me olvidaba que todos están aquí por cualidades que los hacen especiales.

Y nunca había visto a las bestias con esos ojos.

—Es esta —dice Nadine señalando una puerta—. En los muebles de la cocina están los suministros y en el armario de uno de los dormitorios guardaron las armas.

—Iremos a por las armas —se adelanta Tyro y tira de mi capa para que lo acompañe.

—¡No hace falta que te des tanta prisa, muchacho! —vocifera Nadine a nuestras espaldas.

El plan de Tyropher es ganar tiempo dirigiéndonos directamente a la habitación con el balcón para despedirnos de su Coranchín arrojándolo al vacío. Se supone que, al no mostrar emoción alguna delante de la criatura, no debe sentirse en peligro y, por ende, tampoco nos traicionará manchándonos del líquido pestilente que expulsa en defensa. Nuestra intención es sacarlo de la mochila de Tyro y empujarlo hacia el precipicio para que él conserve sus provisiones. Sin embargo, cuando ponemos un pie en la habitación, Nadine se asoma al pasillo.

—Xilder, te necesito aquí.

Tyro me mira por un largo instante. Sé lo que está pensando. Ni loca me voy a encargar yo sola de la bestia colaborativa.

—¡Xilder!

—Ya voy, ya voy —dice él, resoplándose los tirabuzones de caramelo en la frente.

Me adentro en la habitación a oscuras y comienzo a inspeccionar los objetos que hay repartidos por los muebles mientras lo espero. La cama, como todas las anteriores, está deshecha y en pésimas condiciones. Podría ahogarme en la suciedad si me tumbase ahí ahora mismo. Y a Nevan probablemente le daría un colapso mental si viese la capa de polvo de varios centímetros que cubre la cómoda frente a la que me sitúo.

—Ven aquí, biólogo. Necesito que me expliques si esto es comestible —le pide Nadine con un fingido tono de exasperación a mi compañero.

Sonrío y rescato de entre la ropa arrugada lo que parece un lienzo con un marco de madera. Soplo con fuerza el polvo, que crea un espectáculo de volutas marrones al atravesar la escasa iluminación que entra por el balcón, y lo inclino hacia la luz. Una ilustración con todo tipo de colores vívidos, demasiado nítida para haber sido pintada o creada a mano, muestra el rostro feliz de una niña que sujeta una especie de bandera entre las manos.

«Feliz Año Nuevo 2422».

Me quedo atónita intentando descifrar qué demonios significa esto. Tengo la mente agotada y revuelta por todo lo vivido estos días, por lo que sucedió hace unas horas. Me froto los ojos con los dedos y empiezo a plantearme la posibilidad de que el cansancio me esté jugando una mala pasada. Releo el año que marca la bandera, con el corazón sacudiéndome el pecho, para descubrir que no ha sido un error.

—Rawen... —me susurra Tyropher en un hilo de voz desde la puerta.

Desvío la atención a él y lo veo petrificado en el umbral, haciéndome señas con los ojos para que mire hacia el balcón. Tardo un segundo en identificar a la Merogaviola que se ha posado en la barandilla de cristal y nos escudriña desde ahí, y tardo otro segundo en dejar caer el marco al suelo para desenvainar una daga. Mi lanzamiento le atraviesa el cuello. El ave cae al vacío. Sin embargo, la bestia ha sido más rápida que yo. Antes de morir, el graznido que ha emitido nos desgarra los oídos. Escuchamos uno, dos, tres más... hasta que se expanden por los cielos de los Arcos Perdidos. Están comunicándose entre sí para alertar a las bestias del territorio.

El terror me trepa por la espalda y me eriza la piel. Ahora todas las criaturas de los Arcos Perdidos saben que estamos aquí.

Me aferro a la manga de Tyropher y él me mira con el rostro desencajado, ambos con el pánico latente en nuestro interior. Recuerdo el nido. Los Picafauces dejarán de sobrevolar las alturas y los Cantapenas abandonarán la profundidad del nivel para darnos caza. Sabemos que estamos a punto de vivir algo peor. Nadine y Kowl nos lo confirman al acudir al dormitorio cargados de suministros, con los ojos desorbitados y la tez empalidecida.

—¡¿Qué habéis hecho?! —nos grita Nadine, completamente fuera de sí, mientras nos arrastra al pasillo de la vivienda.

No tenemos tiempo ni para responder. Una bandada de Merogaviolas se aproxima al balcón a toda velocidad, y en esta habitación no hay puerta. Corremos al dormitorio de al lado y la cerramos atropellados por el frenesí del batir de las alas en el balcón. Los chillidos de las criaturas nos perforan los oídos. Ante la posibilidad de que puedan estrellarse contra el mobiliario del interior o las puertas, Kowl se queda tras esta empujándola con su hombro. Tyropher y Nadine se esconden bajo un escritorio tapándose las orejas. No podemos hablar para establecer un plan y nuestros compañeros están solos arriba, frente a un portón que no pueden cerrar porque los golpes lo han arqueado, así que recurro al último recurso que tengo. Miro a Kowl y le ruego en silencio, con la desesperación empañándome la vista, que olvide lo de hace un rato y me hable. Necesito indicaciones, tenemos que salir de aquí.

Las armas están ahí.

Me agazapo y me muevo hacia el armario, sin hacer ningún ruido que nos delate. Abro despacio la puerta del armario y encuentro las armas. Hay un arco de madera, un carcaj con decenas de flechas y varias espadas, algunas más cortas y curvadas que otras, mancilladas de un líquido seco y oscuro que se ha transformado en polvo con el paso del tiempo. Sangre. ¿Cuánta gente murió en los arcos para que abandonaran este arsenal? Me guardo un par de dagas cortas en el corsé, me cuelgo al hombro el arco y el carcaj, y le tiendo el resto de las espadas a Tyropher.

Están tan aturdidos que apenas pueden moverse. Kowl sigue asegurando esta puerta. Nos comunicamos por gestos, preparados para salir de la habitación y subir los pisos que nos separan de los demás en cuanto el ruido al otro lado cese. Aunque lo hace pronto y eso nos da una tregua para respirar, solo es el comienzo de lo que se avecina.

Un lamento primigenio retumba en los cielos de los Arcos Perdidos como un grito de dolor eterno. La violenta melodía me araña las tripas, provocándome el primer impulso a vomitar el escaso líquido que conservo en el cuerpo. Es desacompasada y distorsionada, como si naciese desde lo más profundo de la maldición del abismo. Caigo de bruces al suelo. Me muerdo los labios ante las arcadas y cierro los ojos ante los recuerdos macabros que reavivan las pesadillas de mi pasado. Los músculos me tiemblan resistiendo la tortura mental a la que me está sometiendo el canto del Cantapenas que se aproxima. Algunas uñas se me quiebran al arañar el suelo con toda la desesperación que me sacude ahora mismo.

Noto las mejillas húmedas. El dolor me hiela la sangre y me desgarra el alma, y solo puedo rezar para que acabe lo antes posible. No puedo pensar. La sangre de Orna me empapa el regazo. Sus ojos ámbar se apagan entre mis manos. Huelo su muerte y huelo la mía. Revivo el momento en que cojo el cuerno para soplar con la imagen del Cantapenas devorando a mi hermana en mi mente. Los recuerdos ahogan mi cordura.

Estoy atrapada en la parte más sombría de mi cabeza.

Esta vez ha ganado el abismo.

29

El reflejo de nuestro propio infierno

Arcos Perdidos, 949 aps (Escala de presión abisal)

Tengo los oídos embotados y la nefasta melodía del Cantapenas resonando dentro de cada recóndito lugar de mi cuerpo. Unas manos en mis hombros me devuelven a la realidad. Abro los ojos, horrorizada por la agonía que me supone seguir viva. El pánico mengua un instante. Kowl me está levantando del suelo. *Jamás cierres los ojos cuando un Cantapenas emite su melodía.*

Se arranca varios trozos de tela de la capa, hace pequeños rollitos con el tejido y los introduce en el hueco de mis oídos a modo de tapón. La boca me tirita porque tengo el dolor atravesándome el pecho como la hoja curvada que asesinó a mi hermana, pero él acoge mi mentón entre sus dedos y me obliga a mirarlo de frente. Puedo oír los sollozos de mis compañeros detrás de mí.

Estoy aquí, contigo. Céntrate en mí. Céntrate en mi dolor.

Lo hago mientras me suelta para encargarse de Nadine y Tyropher, y lo siento más claro que nunca. Su dolor no es el de la pérdida, sino el de la traición, los engaños y las mentiras. Es un profundo sentimiento de incomprensión y soledad en el mundo. Es retorcido, aunque saber que no me pertenece me devuelve la claridad del pensamiento. Me trago la saliva que se me agolpa en la garganta al retener las arcadas, camino hacia ellos con las extremidades débiles, casi entumecidas, y ayudo a Kowl a traer de vuelta a la realidad a nuestros compañeros.

—No cierres los ojos —le susurro a Tyropher, que tiene la piel pecosa empapada por la tristeza que lo consume, y uso una de mis dagas para rasgarme un pedazo de capa y colocarle los tapones en los oídos.

Kowl ha hecho lo mismo con Nadine. Pienso en Nevan, él es inteligente, espero que esté cuidando de Vera y de los demás, que se les haya ocurrido alguna idea similar. Conseguimos reincorporarnos con el mísero instinto de supervivencia que nos empuja a salir de la vivienda, aunque estamos tan débiles que arrastramos los pies en lugar de caminar. El pasillo está oscuro, salpicado por las plumas de las Merogaviolas que han destrozado la habitación contigua con sus golpes. Respiro hondo, exhalo despacio. Dejamos la vivienda atrás, empezamos a subir escalones.

Ni siquiera los tapones son capaces de aislarnos por completo de esta cacofonía de terror.

Lo que al bajar solo fue soportar los efectos del abismo durante cinco pisos ahora se convierte en un infierno. Tyropher no puede evitar vomitar en las escaleras, cuando aún ni siquiera hemos ascendido dos pisos. Le acaricio la espalda, pero al elevar el rostro veo cómo las ojeras se le amoratan. Se limpia los labios con su capa; los tiene tan agrietados de la deshidratación que le sangra una de las comisuras. Aprieto los míos, impotente por la situación. Impotente porque quizá deberíamos haberle dado más importancia a la urgencia que tenía Dhonos por salir de este lugar. ¿Por eso murieron tantos hace diez años en los Arcos Perdidos?

Dicen que el Cantapenas es una bestia atormentadora.

Yo creo que se trata del mismísimo demonio del abismo. Es la representación de la crueldad. No necesita matarte, tampoco encontrarte. Solo necesita ser consciente de que existes para que su melodía te robe la esperanza de vivir si es que no te asfixia antes.

Alcanzamos el cuarto piso oyendo los llantos de Nadine, que se apoya en los hombros de Kowl balbuceando lo poco que se merecían sus padres fallecer aquí dentro, lo mucho que le dolió enterarse de que habían perdido la vida justo en el último nivel del abismo, al encontrar la Flor de Umbra. Procuro no cerrar los ojos, me aferro a la cintura de Tyropher y tiro de él hacia arriba. Él no se lamenta por el pasado, sino por el futuro, por sus padres, que morirán de hambre si no consigue un puesto como biólogo en la Corte Real para mantenerlos, porque son pobres. Se lamenta por no tener más ideas brillantes para destacar entre los biólogos, por no ser tan especial como para que el Rey lo quiera a su lado.

—Son ancianos y viven en Khyst. Ayúdalos… Ayúdalos si me pasa algo, por favor. Tú… Eres genial, Rawen. Tendrás riquezas al salir —me dice, y a mí se me empapan los ojos porque se lo está diciendo a la persona que menos intención tiene de salir viva del abismo—. No los dejes morir, por favor.

Y se atraganta con sus propias arcadas al mirarme y disculparse por lo que aún lleva en la mochila, porque todo se ha torcido tan deprisa que hemos sido incapaces de deshacernos del Coranchín. Me equivocaba. Tyro es un chico con ideas brillantes y un futuro prometedor, capaz de descubrir nuevos métodos para combatir el abismo y alimentar a su familia, pero no se lo digo porque tengo la boca demasiado seca y me duele hasta el alma, así que arrastro su peso con todas mis fuerzas. No lo abandonaré aquí. No abandonaré a nadie a merced de la bestia que profanó el honor de Orna devorando su cuerpo. Ni a merced de ninguna de las bestias del Rey.

Cuando llegamos al portón de hierro, no me sorprende ver a mis compañeros hechos un ovillo contra la pared, abrazándose las rodillas. Tienen pequeños trozos de tela oscura en los oídos y, al contrario de lo que imaginé, es Vera quien consuela a Nevan frotándole la espalda. En cuanto Nadine divisa a Dhonos a nuestra izquierda, meciéndose sobre sus propios talones con las manos en la cara, corre hacia él y lo estrecha entre sus brazos.

—Lo siento… Siento tanto lo que ocurrió con tus padres. Lo siento tanto… —solloza Dhonos enterrando el rostro en el cuello de Nadine.

Gracias a los dioses que están todos vivos.

Me acerco deprisa a Vera y Nevan, ayudo a Tyro a sentarse junto a ellos, y reviso que tengan los tapones bien colocados en los oídos. Ella no parece tan afectada como muchos de nosotros, lo cual me alivia porque necesitamos refuerzos para sobrellevar esta situación más que nunca.

—¿Qué le atormenta? —le pregunto y cabeceo en dirección a Nevan.

—Su pasado —me contesta con los ojos vidriosos—. Algo relacionado con su familia, con… una traición.

De repente, un ruido hueco al fondo del pasillo nos sobresalta. Kirsi se ha desmayado. Thago, que tampoco parece estar en las últimas como otros, acude a ella para palmearle las mejillas. Me pregunto qué tipo de pesadillas macabras podríamos tener con la melodía del Cantapenas retumbando en los cielos. Sé que Kirsi no será la única que pierda la consciencia si seguimos aquí. El canto penetra en lo más profundo de la memoria y de nuestras debilidades colmándonos de una desesperanza indescriptible. No hay escape ni consuelo suficiente que nos salve de esto. Tenemos que avanzar. Tenemos que huir antes de que prefiramos rendirnos a la muerte.

Aún puedo sentir el asesinato de Orna en mis carnes, pero, por más que el Cantapenas me haga revivir la escena poniéndomela delante de mis narices a través de ilusiones, no permitiré que lo utilice en mi contra. Aunque su canto infernal no deje de evocarla y de hacerme saborear esa agonía, me seguiré repitiendo que es justo este dolor lo que debe impulsarme a sobrevivir hasta mi último aliento. Camino hacia el portón, me pongo frente a la tropa y alzo la daga de mi padre.

—Debemos seguir —vocifero con la voz rota. Me cuesta articular mis propios pensamientos. La mirada de mis compañeros se esclarece cuando desvían su foco de atención a mí y agito la daga en el aire—. Nos hemos entrenado durante años, sabíamos que esto podría ocurrir y... —Mi campo de visión se enturbia. Carraspeo con dificultad. Tengo la garganta áspera—. Joder, sé que nadie nos ha preparado para esta tortura, pero... yo no me quiero rendir aquí.

Kowl no tarda en acercarse a mí. Su dolor sigue vivo. Lo siento en lo más hondo. Siempre le ha dolido. Pero su fortaleza es mantener la compostura, por eso es tan fácil sentirlo a él y dejar de sentirme a mí. Desenfunda su espada y me imita al señalar el puente colgante detrás de nosotros.

—Si no cruzamos ahora, puede que luego sea demasiado tarde —expone con el tono de su voz grave debilitado—. Si una hora os destruye, probad a aguantar la melodía durante días.

—¿Por qué no esperamos a que pare? —inquiere Thago mientras sujeta la espalda de Kirsi, que ha conseguido despertar.

—Porque no pararán hasta encontrarnos. —Dhonos se yergue pasando el brazo de Nadine por sus hombros—. Como ha dicho él, esto puede durar días.

—Para cuando los Cantapenas decidan cansarse, puede que solo quedemos la mitad de nosotros y se hayan acabado los suministros —declara Kowl con las sombras retorciéndose en sus ojos—. ¿Queréis eso? ¿Queréis morir aquí?

—Avancemos. —La voz firme de Nevan nos sorprende. Vera lo ayuda a enderezarse.

—Escapemos de este lugar horrible mientras conservamos nuestras fuerzas —propone Thago y se incorpora para cargar con Kirsi en su espalda.

—Aprovecharemos que este puente es más ancho para cruzar por parejas —dice Kowl envainando la espada para apoyar esa mano en mi hombro—. Mei, encárgate de Tyropher.

Luego, me mira de soslayo dando por hecho que iremos juntos. No me molesta, al contrario. Si estoy así de despierta, es gracias a él. El cabello negro exalta la palidez de su piel y se le pega a la frente sudada. No es inquebrantable como pretende aparentar, yo lo sé. Y él es la única persona que conoce lo vulnerable que soy tras mi fachada de valentía. No le aparto el brazo, quiero ayudar a Kowl como lo ha estado haciendo conmigo. Le sujeto la mano y permito que descanse el brazo sobre mis hombros.

—¿Por pesos? —inquiere Nevan aproximándose al puente.

—Como sea, pero ya —le responde Dhonos también reuniéndose frente al portón.

A diferencia del primer puente, esta vez todos estamos deseando cruzar. La esperanza de llegar al quinto arco para avanzar al siguiente nivel y escapar de la maldición que se cierne sobre los Arcos Perdidos es lo que nos mantiene cuerdos ahora mismo. Nevan y Vera se arremeten la capa por debajo de sus cinturones y se adelantan al saliente. Antes de atravesar la pasarela de madera, comprueban que no haya bestias al acecho.

Por supuesto, debe haberlas, aunque no las veamos. Están esperando a que nos expongamos para convertirnos en su presa.

—Este puente es más corto. Hacedlo rápido, no miréis atrás —les indica Nadine—. No os asustéis si alguna criatura va a por vosotros, solo tenéis que esconderos tras el portón.

—¿Y si intentan entrar? —pregunta Vera y, al respirar, le tiemblan los hombros.

—No lo harán. —Todos observamos expectantes a Dhonos—. Golpean el portón, pero no entran porque saben que están en desventaja en lugares cerrados.

—Si es necesario, corred —insiste Nadine.

En cuanto el vendaval se calma unos segundos y no se avistan criaturas, ambos ponen un pie en el puente y atraviesan la oscuridad de la noche tan deprisa que parece que vayan a echar a correr de verdad. Quizá esa sea la clave, justo lo que ha dicho Nadine: hacerlo rápido, enfocados en el objetivo al otro lado. Mei y Tyropher son los siguientes, pero el malestar de él apenas le permite caminar, así que los dejamos para el final. A Dhonos le cuesta más esfuerzo arrastrar a Nadine por las tablas hasta el portón del frente y desde aquí vemos la silueta de una cola blanca volando por detrás del tercer arco. Es un Picafauces. No decimos nada para que el miedo no los haga titubear y contenemos el aliento rezando por que logren pisar el saliente.

Lo hacen.

Los cuatro al otro lado se esconden tras el portón y Thago avanza hacia el puente colgante con el peso de Kirsi a su espalda. Está tan apagada que cualquiera temería por su vida. Después de varios minutos sin rastro del Picafauces, pone un pie en el puente colgante. El pánico se me sube a la garganta al ver cómo las tablas de la pasarela se mecen bajo el trote de Thago.

Un nuevo graznido de alguna Merogaviola cercana no solo avisa a las criaturas de nuestra ubicación, sino que nos alerta de que vienen en camino. Thago echa a correr. Siento la tentación de cerrar los ojos para no presenciar la muerte de mis compañeros, pero no lo hago. Porque entonces tendría que presenciar la que tengo grabada a fuego en mi memoria.

Volvemos a respirar con normalidad cuando Thago y Kirsi se unen a los compañeros que están tras el portón. Quedamos cuatro. Me sujeto la capa con el cinturón de mi bolso y Kowl me imita en lugar de despojarse de ella.

—¿Aún no puedes caminar? —le pregunto a Tyro.

Niega sacudiendo el mentón. Miro a Kowl de forma disimulada. Él también está débil. Por un instante, se me ocurre que quizá deberíamos cambiar de parejas. Lo descarto enseguida al contemplar a la pareja restante. Kowl no se merece que lo deje a expensas de la imprevisibilidad de Mei, por muy cuerda que se la vea pese a los efectos del Cantapenas, y cruzar con Tyropher sería aumentar las probabilidades de verlos a ambos precipitarse al vacío.

No, no quiero que nadie más conozca mi dolor.

—Ni hablar —le contesto en alto, y tanto Mei como Tyropher fruncen el ceño sin comprender a qué me refiero—. Vamos nosotros.

La fusión de nuestras sombras equilibra el dolor que nos despierta la melodía. Ambos podemos avanzar con normalidad e incluso podremos acelerar el paso en caso de que alguna bestia se lance a por nuestras cabezas. Se afianza a mi hombro y yo lo hago a su cintura, sosteniéndole la capa debajo del brazo. No hace falta tocar demasiado para notar lo ancha y fuerte que es su espalda, propia de los guerreros entrenados de la muralla. Al poner un pie en el saliente, una corriente de aire me azota las mejillas y me dejo embriagar por el olor de Kowl. Escudriño los cielos que nos rodean. Hay un Cantapenas más abajo, casi a la altura del anterior puente, y una bandada de Merogaviolas viniendo a esta dirección. Ni rastro del Picafauces.

—Vamos, Kowl —musito tirando de él.

Esta vez, las pisadas son largas. No hay pausas. Solo el retumbar del corazón en mis oídos retorciéndose con la melodía del Cantapenas y el silbido del viento. Durante un instante, el puente se columpia por las ráfagas que lo atraviesan y juro por los dioses que me agarro con tanta fuerza a Kowl que debe dolerle el pellizco que le he dado en la cintura, pero él se limita a torcer los labios en una curva sinuosa.

Me has hecho cosquillas.

—¿Crees que es momento de bromear? —le reprendo a medio camino.

—Eres tú la que se aferra a mí como una cría.

—Si te suelto, caerás.

—Y, si me caigo, tu dolor te aplastará —susurra con indignación. Su aliento me hace cosquillas en la frente—. ¿Es eso lo que tanto te preocupa?

Trato de ignorarlo, pero la duda me ofende.

—Podría soportarlo. No es la primera vez que mi propio dolor me aplasta.

—Lo sé, por eso puedes permitirte el lujo de demostrar tu poder besando a chicos a los que luego amenazas de muerte con tu daga —me reprocha.

—Deja de decir tonterías. No quiero que mueras, a secas.

Kowl bufa a duras penas y yo intento convencerme, como una necia, de que nuestra conexión no lo hace especial. Qué más da. Hasta que alguno de ellos tenga una diana en la cabeza, no tendré razones para desear su sangre vertida en el abismo. Me centro en las Merogaviolas. Sus picos rojos y cuerpos blancos resaltan en la oscuridad violácea. Comienzan a emitir graznidos unas tras otras.

Casi nos han alcanzado.

Sin embargo, no nos ganan la carrera. Soltamos un resoplido de alivio al pisar el saliente del tercer arco y corremos a resguardarnos detrás del portón, donde están apelotonados los demás. Pese a que la iluminación es escasa, puedo vislumbrar mejor aspecto en ellos. Parece que los tapones están surtiendo algo de efecto, por mísero que sea.

Excepto para una persona.

Cuando Mei y Tyropher se colocan en el saliente del arco anterior, él está tan débil que apenas puede mantener el peso de su cuello y ella está tan empeñada en cruzar el puente lo antes posible que se detiene un solo instante a examinar los cielos. Como las Merogaviolas han pasado de largo, decide emprender la marcha. Lo que no ha visto son las enormes bestias que se lanzan en picado desde la cumbre del arco. Dos cuerpos blancos mitad dragón, mitad ave, salpicados por un plumaje que simula el rojo de la sangre. Sus alas, grandes y membranosas con plumas carmesíes en las puntas, baten lentas pero impetuosas. La velocidad a la que recortan la distancia que las separan de sus víctimas es perturbadora.

Son los Picafauces.

Por instinto, nos retiramos del portón. Oigo el metal cortando el aire cuando Thago desenvaina su espada, dispuesto a intervenir, y Dhonos se aparta de Nadine para dar un paso al frente.

Información adicional

CRIATURAS DEL ABISMO CLASIFICADAS SEGÚN NIVEL DE AMENAZA

(L) Letales. Presentan conductas agresivas y rápidas en ataque en cuanto detectan vida humana en el territorio que habitan o son alertadas por las criaturas colaborativas y atormentadoras de la zona. Tal y como su nombre indica, sus habilidades se centran en los ataques directos y sus movimientos violentos son difíciles de eludir. Suelen presentar cuerpos medianos o grandes y rasgos que las hacen las bestias más peliagudas del abismo, después de las excéntricas.

Puesto que sus puntos que destacar son la corpulencia y la fuerza que albergan en las fauces o extremidades, la mejor medida de seguridad frente a ellas es la elusión o, en caso de ser avistados, el <u>exterminio inmediato</u>, si es posible, a distancia.

Picafauces

Su cuerpo presenta un tamaño grande, plumaje denso mayoritariamente blanco con retales rojos que se asemejan a la sangre de sus víctimas. Posee plumas largas y rojizas a cada lado del cuello, aunque se desconoce su utilidad, y una mandíbula pronunciada que termina en un pico afilado y curvado hacia abajo con el que asesina a sus víctimas. Sus enormes alas le proporcionan una gran velocidad y sus ojos alargados poseen visión binocular, lo que la convierte en la depredadora por excelencia en su territorio.

Los Picafauces construyen sus nidos en lo alto de las cumbres de los Arcos Perdidos, por lo que es fácil localizarlas sobrevolando las masas de nubes de las <u>zonas más altas.</u>

30

La creación más cruel de la historia mhyskardiana

Arcos Perdidos, 917 aps (Escala de presión abisal)

Crecí rodeada de las dagas favoritas de mi padre. Como General de las Murallas de Mhyskard, casi nunca las utilizaba en comparación con la espada a dos manos que le colgaba del cinturón de cuero y que no pude empuñar hasta los diez años por lo pesada que era. Sin embargo, Orna amaba llevar dagas escondidas y yo empecé a hacerlo soñando con que algún día pudiésemos pelear juntas contra nuestro enemigo en común.

Misma sangre, misma arma, misma guerra.

En la formación aprendí que una guerrera de la muralla de Mhyskard jamás se limita a un solo arma, porque nunca sabemos a qué bestia tendremos que enfrentarnos. Y, a pesar de que tras el Tratado de Guerra Pausada el único ataque que sufrió Mhyskard fue el del Cantapenas de hace cinco años, siempre nos hemos preparado para lo peor.

Sí, una daga podría salvarme la vida si necesito zafarme o luchar contra un enemigo más o menos de mi tamaño, o incluso podría ayudarme a despistar a una bestia mayor, pero en este instante lo comprendo.

Cuando veo a los Picafauces descendiendo en picado hacia mis compañeros, tardo en reaccionar porque me quedan menos dagas y una de ellas es sagrada. Me siento desnuda hasta que Dhonos se descuelga el arco y recuerdo que tengo otro a mi espalda, el que cogí antes del armario, de alguna Guardiana caída hace diez años. Coloco una flecha y tenso la cuerda, apunto al Picafauces más cerca y…

Un sudor frío me recorre la espalda.

Va demasiado rápido. Es imposible calcular el tiro. Dhonos tampoco dispara su flecha, guarda el arco y desenvaina la espada colgada a su cintura.

—¡No os detengáis! —les grita.

Más que por Mei, temo por la vida de Tyro, que depende de ella. Y maldigo estar en lo cierto cuando lo deja caer desfallecido sobre la pasarela de madera para salir corriendo en nuestra dirección. La miserable no conoce el significado del honor hacia su propia gente. Bajo el arco y disparo a una tabla justo a los pies de Mei, que alza la mirada estupefacta y entorna sus ojos rasgados en una amenaza al percatarse de que he sido yo quien lo ha hecho. Sé que podría dispararle a la cabeza y me daría menos lástima que el Sacránimo de Gwyn.

—¡Voy a por Xilder! —grita Thago.

—¡No! Saca a Mei del puente —le ordeno avanzando hacia el saliente, pues Thago es un blanco demasiado grande como para llegar ileso hasta Tyro—. Yo iré a por él. Dhonos, ¿puedes cubrirme la espalda?

El Guardián asiente. Miro atrás, a Kowl, extenuado por haber querido protegerme apropiándose del sufrimiento que he cargado yo estos años. Me mira y asiente, de acuerdo con el intercambio de emociones que hemos estado llevando a cabo. Solo un poco más. Necesito que siga reteniendo mis sombras solo un poco más y luego sacaré a Kowl de ese agujero oscuro que se convirtió en mi hogar desde el asesinato de Orna, aunque me terminen consumiendo a mí.

—Cuidado con el Cantapenas de abajo —les advierto.

Al acercarme al saliente junto a Thago y Dhonos, me acaricio las dagas en el corsé, pero no las empuño porque esta vez no lucharé. Eso se lo dejaré a Dhonos, que me sigue al trote por la pasarela de madera hasta casi el principio, donde Mei ha abandonado a nuestro compañero, mientras Thago se queda con ella para ayudarla a cruzar.

El primer Picafauces está tan cerca de nosotros que, cuando me agacho a por Tyro, me siento tentada a luchar junto a Dhonos, ya colocado en posición de combate detrás de mí sujetando su espada con firmeza. Sin embargo, para nuestro desconcierto, la bestia alcanza el puente, pero no se detiene porque su velocidad se lo dificulta, así que esquiva las tablas colgantes y desciende unos metros más para impulsarse hacia arriba y rodear el puente.

Tenso la mandíbula, convenciéndome de que debo confiar en que Dhonos nos protegerá de cualquier ataque, y no puedo evitar preguntarme por qué una persona egoísta y despiadada, como se supone que es él, pondría en peligro su vida para salvar las nuestras. Le zarandeo los hombros a Tyro, que está bocabajo, y le doy la vuelta con cuidado de ponerlo de costado sin que aplaste a la criatura en su mochila. Le doy varias palmaditas en las mejillas sin color. No hay reacción. ¿Está muerto? Ahí me doy cuenta. No tiene los tapones.

—*Tekhalt*, Tyro —le vocifero mientras me rasgo un trozo de capa y le coloco los dos rollitos en los oídos con las manos temblorosas—. ¡Maldita sea, *tekhalt* por tu familia!

De repente, un chasquido metálico me sube el corazón a la garganta. La bestia arremete contra Dhonos con tanta fuerza que lo hace tambalearse de espaldas y nos empuja hacia el borde, pero él no vacila al enderezarse de nuevo. Al contrario, se enfrenta al Picafauces y corta el aire con su espada, buscando el punto vulnerable en el plumaje del ave gigante. Me aferro al pantalón de Tyro, una de sus piernas cuelga por el precipicio. No despierta.

Ni siquiera sé si está vivo.

Acerco la cara a su pecho. Sí, lo está. El corazón le late atropellado, como si estuviese experimentando la misma pesadilla de la realidad en sus sueños. ¿Deberíamos…? No. No abandonaré a Tyro. Y no es por él o por su familia, no soy tan bondadosa ni suicida como para intercambiar mi vida por la suya. Si se tratase de sobrevivir, ya habría desistido, pero no es así. Le tapo las orejas con fuerza, aislándolo de la melodía del Cantapenas que se aproxima desde las profundidades. Una de las razones por las que quiero salvarlo es su cabeza. Estoy segura de que alberga ideas revolucionarias que el mundo necesita para combatir el abismo.

De repente, su torso convulsiona. Ladea el rostro, quiere vomitar. Lo ayudo sujetándole los hombros mientras se recompone y contemplo horrorizada cómo el otro Picafauces engancha su pico curvado al moño recogido de Mei. Sus pies se separan del puente. Thago le arroja su espada para que ella se zafe cortándose el cabello oscuro y, al caer de bruces sobre la pasarela, un alarido infernal hace retumbar el espacio entre los arcos. No proviene de ese Picafauces, sino del que tengo a mi espalda. Dhonos le ha hecho un tajo que le cruza desde el ojo derecho hasta el pico, similar a su propia cicatriz.

La bestia toma unos metros de distancia batiendo sus alas hacia atrás. El Picafauces que estaba atacando a la otra pareja hace lo mismo. Creemos que pueden haber retrocedido para tramar su siguiente movimiento y aprovecho el momento para erguir a Tyro, que ancla un brazo a mi cuello con los labios empapados por la saliva que le producen las arcadas, pero enseguida advertimos que hay otro motivo por el que los Picafauces se han retirado unos metros del puente colgante.

La melodía del Cantapenas ha cesado.

—Rawen… Corre todo lo que puedas y no mires atrás —masculla Dhonos con el terror quebrándole la voz.

Miro abajo un solo instante. El manto nuboso de las profundidades ha desaparecido. En su lugar, hay un titánico agujero negro colmado de dientes a punto de engullirnos. El Cantapenas ha abierto sus fauces. Arrastro los pies por las tablas como puedo, fijándome en la espalda de mis compañeros, que corren desesperados hacia el saliente. El puente colgante comienza a temblar bajo el aliento gutural del Cantapenas. Corro sin pensar en quién dejo atrás. Corro empujando la espalda de Tyro con todas mis fuerzas para que avance a mi misma velocidad. Y corro sintiendo el calor que despiden las fauces de la colosal criatura que devoró a tantas personas sobre mi muralla, entumeciéndome la piel de las piernas y trepándome hasta la cintura.

Cuando tengo el saliente a un par de metros, el puente colgante empieza a inclinarse, hundiéndose a mis pies. Tras un rugido, las fauces del Cantapenas producen un chasquido hueco y hondo al quebrar la madera y chocar los dientes entre sí. Lanzo a Tyro hacia mis compañeros y salto detrás de él.

Ahogo un grito al sentir el vacío.

El borde pedregoso del saliente se me clava en el estómago, mis piernas cuelgan por encima de la profundidad del abismo, pero las manos de quienes han sobrevivido me incorporan deprisa. Oigo los desgarradores alaridos de algunos compañeros junto al portón y los rostros de quienes aún se atreven a mirar reflejan el puro horror de presenciar la muerte con sus propios ojos. No es por mí. Me giro, ya de rodillas en el suelo, para contemplar sin aliento cómo el Cantapenas asciende con sus fauces cerradas y algunas tablas sobresalen de su boca. Ha despedazado más de la mitad del puente. Los Picafauces escudriñan su vuelo en el aire, respetando la ley del más fuerte.

Y Dhonos no está.

Lo ha… devorado. Por salvarnos. Por cubrirme. El llanto que la escena le arranca a Nadine desde lo más hondo de su garganta me hace temblar. De nuevo, la misma situación. De nuevo, el abismo se esfuerza en demostrarnos por qué es tan temible. Qué lo hace la creación más cruel de nuestra historia. Oigo el cuerno en mi cabeza, el aviso de la muerte inminente cerniéndose sobre nuestro reino. Las arcadas me doblan por la mitad. Me araño las palmas de las manos al apoyarme en el borde del saliente y escupir al suelo la saliva que me corretea por las comisuras de mi boca. Y los ojos se me abren como platos al verlo ahí abajo, a menos de un metro, columpiándose en el vacío con un reguero de sangre empapándole el cabello rubio pálido. Está aferrado con ambas manos a la empuñadura de su espada, que la ha clavado entre las tablas.

Exhalo el aire contenido en los pulmones en un jadeo temeroso.

Los Picafauces están persiguiendo con sus diminutos ojos negros el movimiento del Cantapenas, creen que esa bestia les ha robado el almuerzo, pero no tardarán en avistar a Dhonos.

—¡Thago! —bramo con los latidos del corazón en la garganta—. ¡Sujétame las piernas como si se te fuese la vida en ello!

Me inclino sobre el precipicio notando la firmeza con la que Thago me aprieta las piernas entre sus brazos. Extiendo los míos. La mirada derrotada y rojiza de Dhonos acude a la mía cuando le rodeo los bíceps rezando por que sea capaz de resistir su peso. Esboza una sonrisa que se balancea entre la derrota y la tristeza. Reconozco esa expresión a la perfección. Es la expresión de una persona que cree que no merece vivir, pero se aferra a la vida porque es incapaz de abandonar lo que deja atrás.

Para su desgracia, yo no lo dejaré morir.

—*Eostrus telem tekhalt*—le digo esbozando una sonrisa idéntica, porque yo sé mejor que nadie lo que se siente. «Nosotros elegimos vivir». Y alzo la voz para dirigirme a Thago—: ¡Súbenos!

Mi compañero me arrastra hacia el saliente y suelta un gruñido mientras clavo mis dedos en torno a los brazos de Dhonos para que no se me escurra. Él también lo hace a mis bíceps, meciéndose despacio a la derecha con cuidado de que su espada anclada a los restos del puente derrumbado no interfiera en el ascenso. En cuanto estoy a salvo sobre la superficie, Thago me suelta y me ayuda a subir a Dhonos. Tiramos de él hacia el interior del siguiente arco, aunque Nadine nos lo arrebata de los brazos antes de que pueda sentarse porque se lanza hacia el Guardián con un llanto desgarrador. No obstante, sé que esta vez no le brota de la garganta, sino del corazón. La vista se me empaña. No me quedan fuerzas ni para respirar, pero tengo el pecho colmado de una satisfacción que no había experimentado antes.

Trago saliva. Las lágrimas me humedecen las pestañas.

En estos momentos es cuando más sola me siento. De repente, algo cálido me envuelve la cintura. Y la espalda dolorida y mis brazos magullados. Parpadeo, conmocionada. Muchos de mis compañeros acuden a abrazarme, aunque ni siquiera puedo ver bien porque la respiración se me entrecorta y me descubro rompiendo a llorar desconsoladamente entre todos ellos, por las pérdidas que me he tragado a solas y por las victorias que nunca me he permitido celebrar. Las lágrimas me arden en las mejillas, pero esta vez no soy yo quien se las limpia a escondidas del mundo.

31

Khorinat naesom ko

Arcos Perdidos, 917 aps (Escala de presión abisal)

Mientras el Cantapenas engullía la madera, hemos podido hidratarnos con los nuevos suministros, preparar tapones de oídos más gruesos y repartir las espadas que recuperamos de la anterior expedición entre Dhonos y Thago, que han perdido las suyas al enfrentarse a los Picafauces.

Está amaneciendo.

Los primeros rayos ya se cuelan por la abertura del portón e iluminan las volutas de polvo que sobrevuelan por el pasillo, proyectando nuestras sombras sobre las paredes casi de una forma simbólica. Nadie pronuncia ni una sola palabra. Estamos demasiado exhaustos como para hablar. Aún me escuecen los ojos de haber llorado. Todos, sumidos en nuestros pensamientos y apretándonos la tela dentro de los oídos para evitar que la melodía del Cantapenas nos lleve al límite como antes, empezamos a recoger nuestras pertenencias tras un breve descanso al reparar en la señal que hacen Kowl y Dhonos de reanudar la marcha.

—Gracias —le digo en bajito a Kowl cuando me acerco, asimilando el resquemor que la palabra me produce en la lengua. Sus ojos oscuros recorren a mis compañeros antes de posarse en los míos.

—Yo no he salvado a nadie.

—Me has salvado a mí —musito—, y sin eso yo tampoco podría haber hecho nada.

—No sé de qué me hablas. —Tuerce los labios. Todavía tiene la tez pálida y los carrillos algo hundidos—. Tenías razón, eres más que suficiente para hacer grandes cosas sola.

—Tú también tenías razón. No habríamos salido de esta sin la ayuda de todos. —Agacho la cabeza, avergonzada—. Lo siento si soné arrogante, no era mi intención.

—Eh —susurra y sus dedos me alzan el mentón—, no vuelvas a disculparte por decir la verdad. Esto es mérito tuyo.

—¿Es una orden? —me burlo por cómo me despachó anoche, pero la complicidad con la que sonríe me roba el aliento.

—Es una orden.

Levanta el brazo y me sobresalto al sentir su mano en mi cabeza, despeinándome con una sutileza parecida a la de una caricia.

—¿Estás mejor?

—Ayer me preguntaste qué veo en ti —me dice, ignorando la pregunta que le he hecho—. ¿Aún quieres saberlo?

Ladeo el rostro lo suficiente para escudriñar a mis compañeros. Dhonos está debatiendo algo con Nadine y Kirsi acerca del mapa, y el resto sigue ocupado ajustándose sus vestimentas, capas y armas, excepto Mei, que no ha parado de toquetearse el cabello oscuro que ahora ni siquiera le roza los hombros. No quiero que nadie más se entere de esta conversación. Regreso a la mirada de Kowl, a esa conexión íntima entre nosotros que se está convirtiendo en una especie de refugio dentro del abismo, y asiento despacio.

—La fragilidad que te hace fuerte —declara, y me atraviesa el pecho con cada palabra que pronuncia—. Ese dolor que llevas tan dentro, siempre a punto de romperte.

—¿Esa es la única razón?

Kowl entrecierra los ojos despacio, en un análisis cauteloso. Me pregunto si es capaz de sentir cómo la constelación de motitas en la oscuridad de sus ojos o el aroma que despide su presencia me agita el corazón. Entonces, una de las comisuras de su boca se eleva.

—Cuando estás cerca, haces imposible que no me preocupe por ti —murmura y, al inclinarse hacia mi oreja, la colisión de su aliento cálido en mi cuello me eriza la piel—. Desde la primera vez que te vi.

Khorinat naesom ko.

—Significa «la razón eres tú» —me traduce antes de apartarse.

Eso que dice, probablemente lo último que me esperaba, se me clava tan hondo en el pecho que ni siquiera presto atención al calor de mis mejillas. Mi vista se suspende en la manera en que mueve los labios. Aún puedo recordar el tacto superficial de nuestro beso. El impulso que se me arremolina en el estómago y trepa hasta mi boca me obliga a apartar la mirada. Agacho el mentón y recurro a las hebras enmarañadas que escapan de mi trenza para desviar la atención.

—Será mejor que avancemos —zanjo.

Asiente y se aleja rumbo al grupo de Dhonos. Ojalá pudiese detener el tiempo. Contemplo a mis compañeros, felices por haber sobrevivido y más determinados que nunca a llegar al final de este nivel, ajenos a que yo estoy aquí para arrebatarle la vida a una persona, porque sé que uno de ellos es a quien deberé enfrentarme antes de finalizar este viaje. Hay muchos nombres sin tachar en mi lista, incluido el de Kowl. Por motivos que me cuesta aceptar, el corazón se me ahoga en una sensación de desesperanza. Sí, ojalá pudiese detener el tiempo o despertar y percatarme de que todo esto solo ha sido una larga pesadilla.

—Hora de avanzar —vocifera Nadine.

Me cobijo sujetándome a los bordes de mi capa como si fuese una manta cuando nos dirigimos a las escaleras y veo a Nadine, junto con Mei, echar la vista atrás. Ambas agachan la cabeza en silencio. Ese vacío entre los dos arcos tiene un significado que hemos preferido no mencionar porque, de lo contrario, no habríamos podido celebrar nuestra supervivencia: Arvin y Kalya, si es que aún siguen vivos, ya no podrán cruzar. Los rugidos del vendaval que azota la parte superior de este arco y el silbido de las melodías atormentadoras que se nos cuela a través de los tapones son los únicos que nos acompañan escaleras arriba.

La trenza ensangrentada de Gwyn baila en la muñeca de Vera y choca con mi muslo a cada escalón nuevo que subimos. Es justo eso lo que debo evitar; yo no he venido aquí para estrechar vínculos ni llorar más muertes. Inspiro tanto aire como me permite la presión abisal y resoplo.

Mis pensamientos están enredados en un océano de dudas sin respuestas.

En cuanto alcanzamos la cumbre, a pocos pisos debido a la altura del anterior puente colgante, nos adentramos en la vivienda y desplegamos nuestras capas por el suelo del salón como habíamos planeado. Pronto comenzará un nuevo día y necesitamos descansar si queremos salir de este nivel sin perder la cabeza. Según Dhonos, hemos logrado sobrevivir a lo más difícil de los Arcos Perdidos, pues hace diez años ya habían fallecido cinco exploradores cuando pisaron el tercer arco. Si todo marcha según lo previsto, esta noche llegaremos por fin al Bosque de los Anhelos.

Vera se saca el cuchillo del cinturón y lo coloca junto a sus gafas, entre nosotras, tras darnos las buenas noches a Nevan y a mí con un largo suspiro. Acomoda las manos bajo su mejilla, de costado, y el cabello pelirrojo le va cayendo esponjoso por el cuello a medida que se relaja y su respiración se torna profunda. Tengo tantas ganas de abandonar este condenado territorio de cielos y bestias voladoras que cuando me tumbo en mi capa con la cabeza sobre mi brazo y cierro los ojos, a pesar de sentir mis párpados de plomo, soy incapaz de dormir. Me doy media vuelta sintiendo las hojas de mis dagas en el corsé apretujándome las costillas. Nevan está tumbado a mi lado con el ceño fruncido y la boca entreabierta, y se le cae una baba desde la comisura.

Desde aquí alcanzo a ver a Kowl, con la espalda recostada en la pared del frente y sus brazos cruzados por encima del torso. Tiene los músculos apretados bajo la túnica y el rostro cabizbajo, tanto que apenas puedo ver el diminuto temblor en sus labios al respirar hondo. Llevo mi puño al centro del pecho, donde un pellizco me entrecorta el aliento, y los párpados empiezan a pesarme mientras pierdo la mirada en el movimiento de su cabello negro, meciéndose con parsimonia ante las pequeñas corrientes de aire que irrumpen desde la ventana rota de la cocina.

—¿Eres de esas enfermas que espían a los demás mientras duermen? —sisea Nevan.

El estómago me da un vuelco y el susto hace que baje el puño al corsé por si tuviese que defenderme del chico con la lengua afilada que tengo a unos centímetros de mí. Desvío la mirada lenta, como si de verdad no tuviese nada que ocultar o no me avergonzase el hecho de que me haya descubierto quedándome dormida con la imagen de Kowl, y clavo mi atención en los iris celeste pálido de Nevan.

—¿El silencio es tu respuesta? —insiste torciendo los labios en una mueca burlona.

—¿Acaso me estabas espiando tú a mí?

—¿Te crees especial? —bufa—. No seas arrogante.

Pongo los ojos en blanco. Empiezo a detestar esa palabra.

—¿Sabías que hace un minuto te colgaba una baba de la boca? —le contraataco.

—Me has espiado —se espanta, frunciendo el ceño y restregándose la barbilla.

Los mofletes de Nevan se ruborizan con una facilidad adorable y su tez blanca no lo ayuda en absoluto a ocultar sus emociones.

—Me temo que tienes una percepción distorsionada del tiempo. —Entorna su astuta mirada, inquisitiva—. Llevas más de un minuto embobada con Kowl, mi saliva ya está petrificada.

—Pues será la antigua —digo sin pensar.

—¿Qué antigua?

—Yo qué sé, Nevan. Duérmete.

—Te estás sonrojando.

No me gusta este tema de conversación. Lo fulmino con un vistazo y, antes de que pueda seguir metiendo el dedo en la llaga, me levanto de esta improvisada cama con la excusa de que necesito hacer pis. Maldito enano entrometido y maldito el cosquilleo que me oprime el pecho al respirar. Entro al baño mugriento, que apesta a estiércol, y me encierro contando los segundos hasta volver a salir porque el olor es insoportable. ¿Qué demonios me pasa?

Tomo una gran bocanada de aire al abrir la puerta, más por la rabia que por necesidad, y estoy a punto de abrir mi bolso para coger la cantimplora cuando atisbo, a mis pies, una sombra proyectada que procede de la habitación con balcón que hay a mi derecha. Giro la cara, atemorizada porque cualquier sombra dentro del abismo puede suponer una nueva amenaza, pero solo veo la espalda inclinada hacia delante y la cabellera rizada de Tyro. Está sentado en el suelo con las piernas cruzadas y, a juzgar por el movimiento de sus brazos, sé que tiene compañía.

—¿Has averiguado algo distinto a lo que sabemos?

Los hombros de Tyro se tensan al instante, aunque no se mueve para no asustar al Coranchín. Está brincando en la mano que ha colocado bajo la suave iluminación del exterior.

—Está contento porque al fin puede ver el sol.

—¿Cómo es posible que aún siga vivo? —inquiero al sentarme a su lado—. ¿Las nuevas armaduras se harán de Coranchines?

Tyro se ríe en bajito enseñándome los dientes.

—Magia menor de conservación. La utilizábamos en clases de biología para mantener vivos a nuestros experimentos mientras probábamos distintas técnicas dañinas —me explica con un brillo de ilusión centelleándole en las pupilas.

—¿No es peligroso utilizarla en el abismo?

—Es casi la misma magia que llevó a cabo el geólogo hace diez años. Así conservó el estado de los suministros que rescatamos con Nadine y Kowl.

Me alza una muñeca con la mano libre y aproxima el Coranchín a la palma de la mía, que no duda en saltar encima. Procuro apreciarla con la perspectiva curiosa de Tyropher, con la de sacarle provecho en lugar de percibirla una amenaza. En cuanto mi piel toma contacto con la rojiza del Coranchín, una extraña pero familiar sensación, casi magnética, expande una ola de energía por todo mi brazo. La criatura es suave y blandita, y dirige sus encantadores ojitos a mí mientras brinca a una velocidad diferente a la que mantenía sobre la mano de mi compañero. El corazón se me acelera y el ritmo de los saltos del Coranchín lo hace a la vez.

—¡Tyro! —vocifero en bajito sin poder apartar la vista de los saltitos de la criatura, acompasados a mi corazón—. ¿Está ocurriendo lo que creo?

—¡Está ocurriendo! —me responde en el mismo tono de voz contenido. Emocionado por el descubrimiento que acabamos de presenciar, rebusca en el interior de su mochila hasta sacar la libreta y empieza a tomar apuntes con una sonrisa de oreja a oreja—. ¡Por los dioses, es la primera vez que contemplo una variación de este tipo en el Coranchín!

—¿Qué crees que puede significar?

—Quizá siente más afinidad hacia ti, por eso adapta su ritmo al tuyo.

—Es como si…

—Como si se estuviera comunicando contigo —me interrumpe al despegar el rostro de la libreta. Acerca su mano, pero el Coranchín no abandona la mía—. ¿Qué le has hecho, Rawen?

—Solo he… —Los labios se me amplían en una sonrisa genuina. Lo que en el oasis me pareció una amenaza inminente por las palabras de Thago, ahora me resulta fascinante—. He intentado comprenderla, como me dijiste.

—Gracias por confiar en mí —musita inclinando la cabeza—, por cuidar de mí y salvarme en el puente.

—Somos compañeros.

—Mei también es nuestra compañera y, de ser por ella, estaría muerto. —Cuando Tyro se endereza, el paisaje del amanecer se le refleja en los ojos vidriosos—. La diferencia está en el corazón, Rawen. Tienes un corazón muy bonito, por eso la criatura te prefiere a ti.

Si alguna vez me han dicho algo similar, no lo recuerdo. En Mhyskard yo era Lhyssarys, la chica imprudente que siempre le daba quebraderos de cabeza a padre, la princesa de los salvajes que siempre hacía reír a mi hermana, y la joven que perdió su corazón frente a las plegarias de Mhys, nuestra diosa, y juró venganza con el odio inundándole las venas. Así que las palabras de Tyro concuerdan tan poco con la idea que tengo de mí misma que su voz sincera, retumbando en mi cabeza como un eco lejano, me atemoriza. Porque sé que no podré cumplir sus expectativas. No soy buena persona y, llegado el momento, se lo demostraré traicionando a quien tenga que traicionar para cumplir mi promesa.

—¿Cuántos años tienes, Rawen?

—Veintiuno.

—Perfecto, ya has cumplido la mayoría de edad —dice sonriente, y las pecas parecen titilar en sus mofletes a la luz del exterior—. Cuando salgamos del abismo, te llevaré a una taberna secreta en Kheltzaris y te enseñaré con calma todas las anotaciones acerca de las bestias que tengo en esta libreta.

Me sorprende y agrada a partes iguales que llame a la ciudadela de Khorvheim por el nombre original, el que tenía antes de que los Cuervos nos arrebatasen medio reino y la coronaran como la capital Khorv, en honor al Rey Khorvus, que erigió el mayor castillo de la Isla de Mhyskard.

—No sé si debería confiar en alguien que pretende llevarme a tabernas secretas —bromeo y le entrego el Coranchín para que lo ponga al sol.

—¡Vamos! Te encantará el *Khanasomet* especiado de allí.

Abro los ojos de sopetón y arrugo la cara en una mueca de repugnancia al imaginarme el sabor de la famosa bebida de Khorvheim, esa que ni siquiera los comerciantes tienen permiso para vender en Mhyskard, pero que conozco a través de las anécdotas de Rawen. Según ella, el *Khanasomet* sabe a una mezcla de alcohol, miel y varias hierbas que se recogen en lugares distintos de Khorvheim, y vomitó tres veces seguidas la primera noche que la probó. Tyro se echa a reír.

—Mi abuela me contó en mi vigesimotercer cumpleaños que *Khanasomet* es un juego de palabras kheltzas, la fusión de *naesom* y *kaet*, «ser» y «casa», por eso la llaman la bebida del hogar.

—¿Cuántos años tienes tú? —le pregunto mientras tiro de un hilo de la herida del tobillo. Está seca y falta poco para que cicatrice por completo.

—Veintiséis, me gradué hace cuatro años.

Parpadeo, consternada. «La edad del Príncipe», pienso al instante. Aparto la vista del tobillo y la subo hacia el rostro de Tyropher. ¿Se me ha escapado algo? No aparenta su edad, tampoco se asemeja a la imagen de príncipe que tengo preconcebida en mi mente. De hecho, si fuera él, habría pasado tan desapercibido todo este tiempo que me sentaría como una patada al estómago. Mi mente cavila cada posibilidad a una velocidad insólita. ¿Quizá por eso se siente así de seguro manipulando a las criaturas del abismo?

De repente, el ruido de una puerta a nuestras espaldas nos sobresalta. Tyro regresa el Coranchín a su mochila enseguida. Alguien ha entrado en el baño. Los párpados me pesan y ambos sabemos que deberíamos estar descansando en lugar de arriesgarnos a jugar con la bestia colaborativa que lleva cargando a escondidas durante casi toda la expedición.

Me pongo en pie y me sacudo las manos en el trasero de mi pantalón, algo recelosa a la presencia de Tyro ahora que tengo información nueva. Él me imita colgándose la mochila al hombro.

—Será mejor que vayamos a dormir.

32

La libertad de renunciar a la vida

Arcos Perdidos, 858 aps (Escala de presión abisal)

Me despierto aturdida por los vozarrones que están pegando dos de mis compañeros en el salón.

La luz que entra por las ventanas me calienta la piel y la primera alegría del día es descubrir que las melodías de los Cantapenas están menguando, ya sea porque sospechen que estamos en otro arco o porque nos hayan dado por muertos. Me restriego los párpados y, al abrirlos, a mi izquierda encuentro la risita reprimida de Vera mientras contempla cómo la desquiciada de Mei se tira de las puntas del cabello y acusa a Thago de ser un inútil. Nevan revisa algo en su libreta y, por acto reflejo, busco a Kowl frente a nosotros. No está, ni él ni Nadine. Kirsi tampoco. Creo que he dormido más que la mayoría de mis compañeros porque casi todos van por la mitad del desayuno. Saco el agua y una barrita del bolsito, y me uno al espectáculo.

El primer bocado me sabe a esparto.

—Yo no tengo la culpa de que cruzaras el puente sin asegurarte de que no hubiera bestias cerca —se queja Thago con sus musculosos brazos apretados contra el torso.

—¡Pero, si lo hubieras hecho mejor, mi cabello seguiría intacto!

Qué manía tienen las Phiana'rah con su melena. O quizá sea esa familia en concreto. Recuerdo a Kalya asesinarme con la mirada cuando las hojas de mis dagas le rozaron las puntas. Y en parte agradezco que en Mhyskard no haya chicas tan impertinentes como ellas, con la obsesión de tratar sus melenas como si fuesen sagradas, porque serían un verdadero grano en el culo. No obstante, después del choque de realidad que me llevé con Tyro, esta vez abro mi mente. Puede que Mei y Kalya tengan razón. Que sus cabellos guarden relación con algo importante. ¿Y si son la fuente de su magia? ¿O un identificativo de la realeza? Bostezo, hastiada. Es demasiado temprano para esto.

—Puse mi vida en peligro por ti, Mei —le dice Thago, frustrado.

—Y aun así me habrían matado de no haberme cortado la melena yo misma.

Una carcajada cínica prorrumpe en la habitación.

—Si tuvieras un ápice de decencia y autocrítica, te estarías hundiendo en la vergüenza por haber abandonado a Xilder en el puente —espeta Dhonos, recostado en el sofá, inmune a la capa de polvo que levanta cada vez que se remueve sobre el asiento.

Tyro, en la otra esquina de la habitación, agacha la cabeza.

—Mi vida es más importante que la de ese biólogo tarado —escupe ella.

—¿También es más importante que la mía? —salta Thago con un deje de reproche en el tono de su voz.

—Por supuesto. Para mí, sí.

Todo lo que sale de la boca de Mei es tan detestable que la barrita se me va por mal camino al tragar. Vera me da palmaditas en la espalda en cuanto se percata de que estoy luchando por contener un repentino ataque de tos. Me inclino sobre mi estómago mientras abro la cantimplora de agua y, entonces, la tos se me corta en seco al reparar en lo que está haciendo Nevan. Las iniciales en las últimas páginas de su libreta, eso en lo que ha estado tan absorto desde hace rato. Reconozco lo que está haciendo porque yo misma lo he hecho en la mía y, cuando se da cuenta de que le he echado el ojo, la cierra de sopetón antes de que pueda distinguir cuáles ha tachado y cuáles no.

Subo la vista a la suya, pálida como los glaciares que se yerguen imponentes al norte de Mhyskard. Sin embargo, no encuentro amenaza en su mirada, sino un gesto de complicidad que se afianza al encorvarse para devolver la libreta a su bolso de cuero.

—La tuya está tachada —me susurra en un hilo de voz—. Recuérdame que te advierta luego sobre algo.

—¿Por qué no lo haces ahora? —inquiero, aún ronca por el nudo de tos reprimido en mi garganta.

—Porque no puedo advertirte del peligro delante del peligro.

Sus ojos se apartan de mí y me indican el blanco de sus palabras. O los blancos, porque apunta a los tres involucrados en la discusión.

—Si Kalya estuviese aquí, no te atreverías a hablarme así —declara Mei, con los mechones más cortos rozándole las mejillas enrojecidas por la rabia.

—¿Desde cuándo se supone que le tengo miedo a tu prima? —inquiere Dhonos enarcando una ceja, y sus labios se amplían en una sonrisa provocativa—. Ah, es cierto, ya no importa. Kalya está muerta y, si no lo está, se pudrirá en el abismo porque no podrá cruzar ese puente.

Mei le da una patada a su bolso hecha una furia para abalanzarse contra Dhonos, que ni se molesta en levantarse porque Thago hace el trabajo por él y la retiene de los brazos, aunque se lleva la mano a la empuñadura de su espada dispuesto a pelear. De pronto, la iluminación natural es opacada por una bandada de Merogaviolas que sobrevuela la cumbre. Ante el horror de que se repita lo de ayer, nos agachamos en silencio al instante. Los hombros se me agarrotan mientras me aprieto con fuerza la superficie del corsé. Si alguna de ellas se posa en las ventanas del salón, no permitiré que nos delate de nuevo, aunque tenga que lanzarle todas las dagas a la vez o atravesarle la cabeza hueca a Mei para que no vuelva a abrir su bocaza. Escudriño mi alrededor preguntándome dónde demonios están Nadine, Kirsi y Kowl. Deberíamos irnos de aquí cuanto antes.

Un ruido seco procedente del pasillo nos alerta. Todos miramos en esa dirección, temerosos de que sea una bestia la que ha irrumpido en la vivienda. Puede que haya sucedido como la vez anterior, que una Merogaviola haya entrado desde el balcón del dormitorio. El corazón me zumba en los oídos. Estoy desenfundando una daga de mis costillas cuando el rostro de Nadine aparece por la puerta llevándose un dedo a los labios para que guardemos silencio.

—Si tenéis que ir al baño, ahora es el momento. Terminad los preparativos e id saliendo de uno en uno —nos susurra.

Pasados unos minutos, aunque la luz regresa a la normalidad y no atisbar a la bandada desde la ventana nos devuelve el aliento, ninguno se atreve a pronunciar una sola palabra mientras recoge sus enseres personales y sacude la capa de la suciedad del suelo. Me coloco la mía antes de salir entre las últimas, después de Nevan y Vera, y hacemos formación en el pasillo esperando al resto en un absoluto silencio. Estoy a punto de preguntarle a Nevan acerca de la advertencia que se ha quedado revoloteando en el aire. Extiendo la mano para pellizcarle el brazo, que es la forma que tiene él de llamar mi atención a escondidas de los demás. Sin embargo, Dhonos y Mei se unen a la formación enseguida, tras nosotros, y desisto.

En cuanto Tyro sale de la vivienda junto a Thago, emprendemos la marcha escaleras abajo. La esperanza de que ya queda poco para acabar con el martirio que supone recorrer los Arcos Perdidos nos ayuda a acelerar el ritmo durante el descenso. Nos reservamos la energía sin hablar ni detenernos. No hacemos pausas, tampoco preguntas. La mayoría no sabe cómo será el siguiente puente colgante al que nos enfrentaremos, pero no necesitamos saber más que estos escalones nos conducen a la salida. Lo único que me carcome es que cada piso que bajamos es un piso que tendremos que subir en el cuarto arco.

Nadine dice que el quinto arco no cuenta, porque en el cuarto cruzaremos desde la cumbre, así que en el quinto nos limitaremos a descender hasta la salida y ahí terminará nuestra tortura. Inspiro aire profundo y lo suelto en un soplido. «Solo un ascenso y dos puentes más», me repito.

Cuando menos nos lo esperamos, tras haber bajado casi treinta pisos a paso rápido, una violenta ráfaga de aire agita nuestras capas provocando el mismo sonido de las banderas al izarse. Estamos frente al portón. Aquí ni siquiera hay barrotes de hierro torcidos porque alguna bestia debe de haberlos arrancado, por lo que la corriente del vendaval atraviesa la planta con más ímpetu de lo que se siente a la intemperie. Kowl se asoma al saliente del exterior y comenta algo con Nadine y Dhonos, que nos hacen señas para que nos adelantemos.

—Lo haremos igual que en el primer puente. De uno en uno, por peso —nos explica ella—. Este puente parece inestable, aunque es el más corto de todos. —Y se gira hacia mí apuntándome con un dedo acusador—. Nada de correr.

No hace falta que nos demos instrucciones ni decidamos los turnos. Nos ajustamos las capas por debajo de los cinturones y nos armamos de paciencia mientras contamos cada cuántos minutos sobrevuelan las Merogaviolas esta zona. También inspeccionamos lo que alcanzamos a ver de las cumbres de ambos arcos para asegurarnos de que no hay Picafauces al acecho. Los Cantapenas no suelen abandonar las profundidades del territorio si no tienen indicios de nuestra existencia, y el que nos atacó no parece andar cerca por el eco lejano de su melodía.

Kowl y Nadine se colocan a cada lado del saliente para avisarnos de cualquier avistamiento o amenaza. Como en el primer puente colgante, Nevan pisotea unas pocas bayas contra el suelo. El hecho de que las haya contado en la palma de la mano al sacarlas de su bolso significa que ha empezado a dosificarlas porque se le están acabando. Después de cerciorarse de que el líquido rojo deja marcas consistentes en el suelo, me echa una mirada inquieta y asiento en un gesto alentador, cruzándome las manos sobre el pecho. El símbolo del Cuervo en mi torso le roba una sonrisa antes de poner un pie en el puente.

El viento zarandea el cuerpo de nuestro compañero en varias ocasiones, pero logra plantarse en el saliente del cuarto arco sin problemas. Le sigue Vera, que me da un apretón de manos antes de repetir el trayecto de las pisadas rojas. Su melena esponjosa y pelirroja brilla como fuego en su espalda y tiene los dedos cerrados en torno a la trenza de Gwyn. Cuando se reúne con Nevan al otro lado, se me escapa un resoplido de alivio que no pasa desapercibido para nadie.

—Tu turno, chica con agallas. —Nadine amplía los labios y extiende el brazo en mi dirección instándome a cruzar—. Ya sabes, nada de carreras.

Me giro esperando el berrinche de Kirsi, pero hoy no se queja, sino que baja la cabeza y el vendaval que invade este pasillo agita su corto cabello rubio. Me alegro de que la lección de aquella vez le haya enseñado a respetar el turno de los demás.

Doy un paso al frente, Nadine me palmea el hombro mostrándome los dientes en una sonrisilla animada. Luego, miro a Kowl, que tiene su atención puesta en los cielos que nos rodean, y él desvía sus ojos a mí sin mover el rostro.

Nos vemos al otro lado.

El corazón se me acelera tanto que decido que este es el mejor momento para cruzar, antes de que se percate de que me acaba de robar una sonrisa. Elevo los brazos a mis costados y comienzo a dar un paso tras otro. El frescor del viento alivia la sensación acalorada de mi cara, aunque no me permito desconcentrarme porque la madera parece hundirse bajo mi peso. Las repentinas ráfagas de aire tampoco ayudan a mantener la calma ni a estabilizar el contoneo de este puente.

En Mhyskard la gente está acostumbrada a contemplar Khorvheim desde abajo, desde el único portón que atraviesa la frontera y durante los días que los comerciantes tienen pactado visitar nuestras tierras. Nadie, además de los guerreros, tiene permitido subir a la muralla porque el Rey y mi padre como General del Cuerpo de las Murallas coinciden en que conceder visitas a la muralla es una locura. Dicen que las ráfagas de viento a esa altura son demasiado peligrosas para los posibles visitantes a pesar de los metros de anchura que tiene el corredor entre almenas. Se me vienen a la mente todas las veces en que le insistía a padre que me dejase subir a hurtadillas con él y arrugaba el ceño amenazándome con que algún día me encadenaría a mi habitación para que aprendiese a estarme quieta. Luego, la resignación se le escurría entre los labios en una sonrisa de derrota y me acariciaba el cabello oscuro.

Porque sabía que yo nunca cambiaría.

Y, ahora que lo pienso, creo que siempre tuvo miedo de que cumpliese la mayoría de edad. Como si supiese a ciencia cierta que ese mismo día me perdería. La libertad que siento al notar el viento en mi piel, en la trenza que me golpea el hombro, me recuerda a la libertad que le arrebaté la mañana en que partí al abismo. Aún me pregunto si he terminado de romperle el corazón y rezo para que el honor lo sostenga firme, protegiendo Mhyskard de estas bestias despiadadas, y para que encuentre a una mujer que le devuelva la fe en el amor, a pesar de que yo siempre hacía pucheros cuando bromeaba con volver a casarse.

La nostalgia tira de las comisuras de mi boca, no sé si hacia arriba o hacia abajo.

Pero, al pisar el saliente del cuarto arco, no me vuelvo para contemplar cómo cruza el resto de mis compañeros, sino que acudo a los brazos abiertos de Vera, me dejo estrechar por su cariño sincero un instante y luego me adentro en el pasillo para sofocar mi deseo de salir del abismo. Me siento en las escaleras, más confundida que nunca, deseando que algún Cantapenas me arruine la existencia con esas pesadillas que me han acompañado desde hace años. Para así no desear reencontrarme con mi padre ni desear ser esa guerrera que añoraba desde niña.

Porque entré aquí con las ideas muy claras.

Y la más importante es que debo renunciar a mi vida.

33

La estrategia ha cambiado

Arcos Perdidos, 1.152 aps (Escala de presión abisal)

Estoy ausente.

Estoy ausente cuando mis compañeros se reagrupan en el pasillo y celebran que no ha habido ninguna baja o complicación mayor. Nevan y Vera se anclan a mí para iniciar la subida de los treinta pisos que nos separan de la cumbre y del final. Las piernas me duelen del esfuerzo y los pulmones me queman por la presión abisal, que se empeña en dirigirnos hacia el fondo del abismo y nos recuerda que dar un paso en falso durante una huida en ascenso significaría la muerte inminente.

En la Escuela de Cuervos nunca cuentan cómo se sale del abismo. Esa información se la reservan aquellos que han sobrevivido a una expedición. En este caso, el único que vio con sus propios ojos cómo escapar del abismo es Dhonos. Puede que los Jefes de Tropa también lo sepan para poder dirigir la formación hasta ese punto y que las Informantes lleven encima documentos en kheltza con la información necesaria para huir. Ellas se encargan de transmitir la historia dentro del abismo aunque no sea del todo objetiva, porque la historia solo la cuentan los vencedores.

Los que permanecen sobre los que perecen.

Aquí los vencedores son los que salen a la superficie. Su historia personal y su perspectiva acerca de lo ocurrido en el abismo son las únicas que prevalecen. Las únicas creíbles y alabadas en el Consejo de Expediciones, por falsas que puedan ser. Por eso existen las Informantes, para que nos adentremos a este lugar con la confianza de que existe un camino, unos hechos, una salida, un final. Parpadeo, confusa.

—¿Quién escribió los informes de la anterior expedición? —les pregunto en voz baja a mis aliados.

—Pues… —empieza a decir Vera, y veo en su cara cómo la duda crece dentro de ella al percatarse del trasfondo de mi pregunta.

—Dhonos, obviamente —ataja Nevan.

—Pero Dhonos no es Informante —dice Vera frunciendo el ceño.

—No es Informante, es el único superviviente.

—Exacto —contesto echando un ojo a Tyro y Thago, que están a una distancia prudencial detrás de nosotros, distraídos en el dolor de sus piernas—. Y, aun así, ¿aprobaron su historia?

—Al Consejo de Expediciones no le quedó otra opción que creerlo. —El comentario de Nevan va unido a una miradita de aviso por el rabillo del ojo—. Aunque eso ya lo sabes, Rawen. Nos lo dicen en la Escuela de Cuervos.

De pronto, Vera arruga el ceño y se muerde los labios mientras intenta alcanzar el costado de Nevan para arremeterle un pellizco, pero termina quitándose las gafas para soplarse las hebras pelirrojas que se le han metido en el ojo.

—Estamos los tres en esto, ¿vale? —espeta ella en un hilo de voz casi inaudible—. Ya me he dado cuenta de que Rawen no sabe cosas básicas de historia y de que sus mapas no son los propios de una cartógrafa con honores. No haré preguntas, pero tampoco me tratéis como si fuera tonta.

Abro los ojos, impactada porque lo que acaba de soltar por la boca podría traerme tantos problemas como para desear cosérsela con los hilos que tengo hundidos en la cicatriz de mi tobillo. Sin embargo, es imposible que nuestros compañeros hayan escuchado nada. Las ráfagas de viento que nos acompañan en determinadas zonas y los tapones de oídos dificultan que podamos oír incluso de qué están hablando los de delante, que no lo hacen precisamente en cuchicheos.

—Que sepáis que tengo ojos de águila, que sé que escribís iniciales al final de vuestras libretas y tacháis algunas después de quedaros media hora mirando a la pared como maníacos, y que es un grave error subestimar a una cartógrafa que sí se ha graduado con honores, porque soy una observadora nata —farfulla Vera, cuidando el tono de su voz. Luego se sopla el mechón de pelo que le cae en la frente al sacudirse la melena y resopla—. Joder.

El mal genio de Vera y su rotunda declaración nos pilla desprevenidos. Ambos, tanto Nevan como yo, nos quedamos petrificados al ver cómo sus mejillas se sonrojan tras la rabieta. A diferencia de Nevan, que pone los ojos en blanco, irritado por el sermón de ella, a mí se me infla el pecho de satisfacción. Me alegra saber al fin de qué me sirve tenerla cerca, además de su aparente lealtad a nosotros. No obstante, me aseguraré de que Vera no suponga una amenaza para mis planes. Afianzo mi brazo al de ella con más fuerza y le dedico una sonrisilla.

—Entonces, ¿qué me dices del rumor de que Dhonos mató a los padres de Nadine?

—Desde luego, dudo que los haya difundido él.

—No estaba solo —declara Nevan, rotundo, con la vista clavada al frente.

—¿Por qué?

—Porque, por mucho que sobreviviese hasta el final, no podría haber cosechado la Flor de Umbra a menos que él también tenga sangre oscura.

—¿Y no crees que la tenga?

—¿Por qué un sangre oscura asesinaría a las anteriores Manos del Rey en el Consejo de Expediciones? Son personas de confianza de la realeza, sería como cavar su propia tumba —sugiere él—. Lo que creo es que parte de la información que tenemos no encaja con la historia real.

—Puede que fuese un accidente —sugiere Vera.

—O un sacrificio —contesto al atisbar el número cuarenta y uno en la pared de la planta que dejamos atrás.

—¿Y si él fuera el… Príncipe? —La pregunta de Vera se desliza entre sus labios con el temor de que sus palabras sean ciertas.

—Dhonos es mayor que el Príncipe, ¿no?

—Eso pone en los mismos informes que cuentan la historia tergiversada —masculla Nevan y sé, por la rabia contenida que emplea al pronunciarlo, que todo esto debe guardar alguna relación con su objetivo dentro del abismo.

—No tendría sentido que nadie confíe en él… O que Mei, por ejemplo, se dirija a él como lo hace.

—Claro que lo tiene, cartógrafa con honores y ojos de águila —se mofa Nevan—. Nadie sabe quién es el Príncipe, ¿cómo va a saber esa necia que puede estar sentenciándose a sí misma al hablarle así?

—Hay muchas cosas que no cuadran —zanjo.

Nos callamos al notar que quienes encabezan la formación están aminorando la marcha. Nadine, Dhonos y Kowl avanzan atentos a lo que pueda esperarnos ahí arriba. Quedan cuatro pisos para que alcancemos la cumbre. Estamos a punto de dejar atrás este nivel. Solo un puente y el resto será pan comido. El aire se carga de expectativas y anticipación. Movemos los pies con cautela, oyendo el resonar de nuestras pisadas en el silencio opresivo que de pronto envuelve a la tropa. Cada sonido, cada crujido de piedras desprendidas de las paredes o de las escaleras, aumenta la tensión que se apodera del grupo. Y de pronto, cuando llegamos al último piso del arco, a la deseada cumbre, descubrimos que las escaleras para subir a la trampilla del techo se han convertido en un montón de escombros grisáceos.

—No os caguéis encima antes de tiempo —dice Nadine en alto, riéndose de nosotros—. Ya le buscaron solución en la expedición anterior.

Dhonos desenvaina su espada y dirige la punta a una especie de gancho repleto de cuerdas junto a la trampilla. El nudo se deshace; la escalera de cuerdas se despliega frente a nosotros. El primero en escalarla, abrir la trampilla y asomar la cabeza a la superficie es Kowl. Su capa negra ondea por el viento del exterior. Da un paso atrás y nos hace señas con las manos para indicarnos que el camino está despejado. Formamos una fila tras Nadine, sintiendo la irónica alegría de que por fin podremos abandonar los Arcos Perdidos para adentrarnos en un nivel más hondo del abismo. La ridícula esperanza de que las profundidades no aguarden algo peor.

Cuando es mi turno, trepo por las cuerdas y me aferro a la mano de Kowl en cuanto la tengo a mi alcance. El cosquilleo se me extiende de los dedos al estómago. Sus pétreos ojos oscuros recorren las facciones de mi rostro tras hacer contacto visual. El tiempo se suspende cuando descienden hasta mi boca y siento la tentación de hacer lo mismo. Trago saliva y me obligo a centrarme en la firmeza con la que su mano tira de mí para ayudarme a salir del arco. Al poner un pie en la cumbre, exhalo la respiración contenida.

Me quedo pasmada contemplando la pasarela de piedra que une ambos arcos. Debe superar los quinientos metros de longitud y los cinco de anchura. Aunque parece sólida, la superficie está marcada por multitud de grietas, signo del tiempo y la erosión, por lo que debemos cuidar nuestros pasos de los musgos y líquenes que sobresalen de entre las hendiduras de la estructura. Examino los cielos mientras mis compañeros trepan las escaleras, alerta a cualquier avistamiento que pueda suponernos una amenaza, pero es casi imposible vigilar más allá de los bordes de la pasarela. La visibilidad se reduce a poco más de los quinientos metros del puente y nuestro alrededor se desdibuja en sombras por la gran masa de nubes que las corrientes arrastran a esta zona.

El viento sopla con una fuerza estremecedora, zarandeando mi cabello y haciéndome sentir un vértigo irreal. Cierro los ojos un instante, tratando de ignorar la sensación de mareo que pretende dominarme. El silbido que corta el aire me eriza la piel, parecen los lamentos de las almas que quedaron atrapadas en el abismo, con un ligero sabor a humedad que se mezcla con el aroma de la piedra antigua bajo mis pies. Al abrirlos, me siento como si estuviese al borde del fin del mundo, en un lugar donde la realidad se desvanece y los sueños se transforman en pesadillas, y me pregunto qué demonio creó el abismo o qué dios corrompido pudo haber originado este infierno.

Una vez reagrupados todos, Dhonos recoge la escalera de cuerdas fijándola al gancho y cierra la trampilla. Ha llegado el momento de despedirnos de este nivel. Avanzamos hasta el inicio del puente de piedra, donde Nadine nos detiene.

—De uno en uno —establece.

—La pasarela es lo suficientemente… —empieza a quejarse Thago.

—No —lo interrumpe—. No podemos arriesgarnos a cruzar juntos.

—Kirsi, por ejemplo, no sabe luchar —le contesta él—. ¿La vais a dejar cruzar sola?

—Sí —asiente Nadine tensando la mandíbula. Se lleva las manos a la cintura y suspira, mirando primero a Dhonos y luego a Kowl—. Lo que voy a decir no os gustará, pero debéis saberlo. Somos una tropa, un equipo hasta el final, pero a partir de ahora todo cambiará. Cuantos más seamos, más posibilidades tendremos de sobrevivir hasta el último nivel. Si os habéis cagado de miedo en este nivel, preparaos para los siguientes porque son incluso peores. Por eso mismo, a partir de ahora nada de sacrificios, nada de ponerse en peligro por otro compañero. ¿Queda claro?

El silencio corta el ambiente. Nadie se atreve a reconocer que está dispuesto a dejar morir a los demás en sus narices, porque eso no solo significa que no podremos ayudar a los que lo necesiten, sino que los demás tampoco nos ayudarán pase lo que pase.

—Por tanto, si sufrimos una baja por cruzar este puente, que es territorio natural de los Picafauces, será solo una baja y nada más. De hecho, la aprovecharemos para que el resto de la tropa cruce. Así serán las cosas. —Sus labios se estiran en una sonrisa agridulce frente a la inexistente reacción de mis compañeros—. Preocupaos por vuestra propia vida, podríais morir en cualquier momento.

Entiendo lo que dice. De repente, huele a peligro y a posibles traiciones. A que los siguientes enemigos se puedan encontrar entre nosotros mismos. Todos aquí, por mucho que se esfuercen en disimularlo, están acudiendo a los ojos que más confianza les inspiran. Buscan a quienes podrían salvarlos de una situación letal mientras el resto se queda mirando. Como Nevan y Vera, ambos tratan de confirmar que seguimos juntos en esto, ahora que parece legal preocuparse por uno mismo por encima de todo, aunque ello suponga poner en peligro la vida de otros. Yo no subo la vista porque sé que la primera persona a la que enfocaría no está a mi lado.

Recuerdo las palabras de Nevan como un presagio a punto de cumplirse:

«El abismo saca lo peor de las personas. La energía maldita que nos envuelve ahora mismo, a medida que profundicemos en los niveles, se volverá más fuerte y se asegurará de que, si no nos matan el entorno o las criaturas, lo hagamos entre nosotros».

—Me gustaría ser el primero en romper la veda —comenta Dhonos con una mueca mordaz mientras desenfunda su espada—. Es abismal lo harto que estoy de una persona en particular. —Dirige la punta de su arma a la capa de Mei y la hunde con sutileza, forzándola a caminar hacia el puente—. ¿Qué tal si cruzas tú primera?

La chica entrecierra sus ojos rasgados, dispuesta a encararlo de frente, aunque por la repentina palidez en su rostro está claro que se arrepiente, como mínimo, de haberse ganado un enemigo en la tropa, pero Kowl posa su mano en la hoja de la espada y acaricia el filo despacio. Luego, alza la vista a Dhonos.

—Si pretendes convertir este puente en un baño de sangre, recuerda que yo también tengo una espada en mi cinturón. Compórtate —le ordena, y la severidad de su voz hace que Dhonos retire su arma casi de manera instintiva—. Es hora de avanzar.

La rapidez con la que el Guardián obedece a Kowl le roba una mueca altiva a Mei, pero a mí me roba el aliento porque, por primera vez, creo que eso que acabo de presenciar es la jerarquía de poder que existe entre ellos. La profunda brecha que los separa, que no ha sido palpable porque hasta este instante estábamos obligados a mantenernos unidos.

La estrategia ha cambiado.

—¿Qué hay al otro lado? —pregunta Mei levantando la barbilla con un fingido orgullo—. ¿Por dónde entramos al arco?

—Otra trampilla como esta —le responde Kowl.

—De acuerdo, iré yo. Prefiero morir a manos de una bestia antes que estar cerca del rompecuellos de Khorvheim.

Mei aprovecha el momento en que el puente está despejado de nubes para alejarse de la tropa sin titubear, rumbo al otro extremo. En cuanto llega a la trampilla, vemos a lo lejos cómo la abre e inspecciona el interior. Nos hace un gesto para que cruce el siguiente, pero yo no muevo mis pies. Aún me late deprisa el corazón. Nadine es la segunda en avanzar. El vendaval me congela las mejillas. Temo mirar a Kowl y encontrar en él a la figura de la persona que he estado buscando todo este tiempo. Los dedos me tiritan mientras intento encajar muchas piezas que, por algún motivo, siento que siguen sin encajar.

No puede ser él.

Se ha quedado solo en varias ocasiones durante las que su única protección era una espada. Incluso se arriesgó a atravesar uno de los puentes colgantes tras Thago, aun sabiendo que podría haber cedido bajo el peso de su corpulencia. Y no me sirve pensar que Nadine o Dhonos, los mayores rangos actuales, lo desprotegieron porque Kowl posee sangre oscura.

Todos sabemos que utilizar la Magia Prohibida en el abismo es un suicidio.

Aún percibo la conexión invisible que me une a Kowl, esa que me invita a confiar en él como si fuese un aliado más y no mi enemigo natural. Las plumas en sus hombreras se agitan con la misma violencia que las conjeturas en mi cabeza. Entonces, Thago pasa por delante, dispuesto a ser el tercero en llegar hasta la trampilla, y el color carmesí oscuro en las palmas de sus manos acalla todos mis pensamientos. ¿Qué demonios es eso?

No es suciedad.

Estoy segura de que no lo es. Ese es el color de la sangre seca, el mismo del que tuve que desprenderme al escapar del Cantapenas de la muralla. Y nadie tiene heridas nuevas. Le cojo el brazo a Nevan, a mi izquierda, y lo acerco a mí con un mal presentimiento quebrándome la voz antes siquiera de pronunciar una palabra.

—¿De qué tenías que advertirme? —le pregunto con la vista clavada en las manos de Thago, que camina por encima del puente y se lleva una a la empuñadura de su espada.

—Esta mañana, cuando fuiste al baño, Mei no tardó en ir tras de ti.

—¿Qué tiene eso de peligroso?

—Que volvió antes que tú, despertó a Thago y empezaron a murmurar entre ellos. —El recelo centellea en sus ojos claros al mirarme de soslayo—. ¿Qué te vio hacer, Rawen?

Si Nevan no ha sentido la urgencia de contármelo antes, es porque no tiene ni idea de lo que estábamos haciendo Tyro y yo. Se suponía que yo era la única que sabía que él seguía cargando con el Coranchín en la mochila. De inmediato, me giro hacia Tyropher. Está registrando su mochila con la desesperación empalideciéndole el rostro. Yo sé lo que busca. Probablemente Thago y Mei también supiesen lo que había dentro. Al no encontrarlo, ante la sorpresa de los presentes por su inesperado arrebato, vuelca su mochila y todas las pertenencias caen desperdigadas al suelo. Luego, me mira con el terror ahogándole la expresión.

—No está. —Los labios le tiemblan con la muerte escrita en ellos—. Lo ha matado.

—Desenvainad vuestras armas —les ordeno a mis compañeros.

Para cuando Kowl y Dhonos se voltean para que les explique por qué acabo de dar esa orden, ya lo he avistado. El mismo Picafauces que estuvo a punto de matarnos en el puente, al que Dhonos le hizo un tajo similar a su cicatriz en la cara, aparece tras una gigantesca nube que se cierne sobre Thago. Bate las alas impulsándose hacia arriba para maniobrar en el aire y caer en picado hacia nuestro compañero.

En ese momento, Tyro tira la mochila vacía al suelo y echa a correr en su dirección.

Información adicional

Extracto de *fuentes desconocidas*

«La Flor…, la Flor de Umbra es una maldición. Te regresa al pasado a través de las memorias siempre vivas de la sangre oscura. Es un recordatorio de la atrocidad humana. […] No querrás consumir la flor. Porque, si no tienes sangre oscura, morirás. Y, si la tienes, la flor te corromperá».

34

El vivo deseo de la venganza

Arcos Perdidos, 809 aps (Escala de presión abisal)

El intento de Kowl por detenerlo es en vano.

Nadie entiende qué está ocurriendo hasta que Tyropher empuja a Thago con todas sus fuerzas y el pico curvado del Picafauces le atraviesa el pecho. La sangre le sube a la boca y le empapa los labios. Algunos de mis compañeros se aplastan la boca con las manos para contener el grito de horror, otros ni siquiera conseguimos reaccionar. A unos metros, Thago se arrastra por el suelo porque sabe que no le queda otra opción que huir. El alma se me cae a los pies. No podemos luchar en desventaja, no en territorio de Picafauces. Nadine y Mei se apresuran en tirar de Thago y bajar por la trampilla poniéndose a salvo.

—Hacedlo. Desenvainad vuestras armas —musita Kowl empuñando su espada poco a poco— y preparaos para correr.

Cuando la bestia extrae su pico teñido de la sangre de Tyro y este cae al suelo de rodillas, siento como si me hubiese arrancado un pedazo de corazón a mí también. Luego, su cuerpo se derrumba levantando una nube de polvo marronácea. La conmoción me embota los oídos. Pierdo el sentido del tacto, de las yemas de mis dedos sobre las dagas de mi corsé, y lucho contra mis lágrimas al ver el charco de sangre que comienza a extenderse debajo de él, porque no entiendo por qué ha tenido que morir así.

Sin embargo, cuando el Picafauces bate sus alas salpicadas de plumas carmesíes y emite un silbido violento hacia el cielo, no permito que la muerte de nuestro compañero me nuble el juicio.

Porque la bestia está llamando a los de su especie.

Me aferro a las manos de mis aliados y me trago el nudo de impotencia que me hierve en la garganta.

—No os separéis de mí —les digo a Nevan y a Vera.

De repente, de la capa nubosa que flotaba por encima de nosotros emergen varios Picafauces de distintos tamaños, aunque todos superan los tres metros de altura como mínimo. El movimiento de sus alas golpea el aire y las nubes del cielo se convierten en una densa ola de niebla que se dirige hacia nosotros, envolviendo la estructura en un manto grisáceo y espeso. Me fijo en la libreta de Tyro, abierta de par en par junto a los demás enseres personales desperdigados por el suelo, y en las barritas que podrían extender la supervivencia de los demás en el abismo. Luego en las bestias que están volando alto para caer en picado para arremeter contra sus próximas víctimas. Pienso en mí, en nadie más. Suelto a mis compañeros. Cojo la libreta del suelo y la guardo en mi bolso. Después, desenfundo una daga con cada mano y aprieto la mandíbula. En cuestión de segundos, la niebla húmeda nos empieza a dificultar la respiración. Nuestro campo de visión se reduce a un par de metros a la redonda.

—No os detengáis ni retrocedáis, con esta niebla os desorientaréis fácilmente —nos advierte Kowl dando un paso adelante y apuntando con la espada hacia la rectitud del puente que ya ni siquiera somos capaces de ver—. ¡Ahora, corred!

Mis pies se mueven de forma automática. Sé que al menos uno de los Picafauces volverá a por Tyro, así que desviaré mis pasos hacia la derecha para evitar que nos encontremos de frente con la bestia. Nevan y Vera corren tras de mí, y Kowl encabeza el otro grupo por la izquierda, junto a Dhonos y Kirsi. Al adentrarnos en el manto de niebla que colma el puente, noto el sobreesfuerzo en mis pulmones porque me arden con la misma fuerza que la garganta. No vemos nada y no oímos más que las pisadas agolpadas al otro lado y el silbido lúgubre del viento riéndose de lo débiles que somos frente a las amenazas del abismo.

Me muerdo los labios al pasar cerca de Tyro.

No consigo verlo porque la bruma grisácea lo ha engullido, pero sí piso la sangre que se ha escurrido entre las grietas del suelo. No estoy triste de dejarlo atrás. Estoy furiosa. Me quema mi propia sangre, porque su muerte significa la muerte de Gwyn, la de Orna, la de todos los que han sufrido la existencia del abismo en nuestro mundo. Y, aunque la ira me corroe por dentro, me digo a mí misma que debo seguir avanzando. Solo son quinientos metros los que nos separan de la salida. Lo conseguiremos.

O eso creo hasta que un enorme cuerpo blanco y rojizo aparece delante de nosotros.

Nos frenamos en seco ante sus más de tres metros de altura. Las garras del Picafauces elevan la polvareda del suelo al aterrizar y las volutas en el aire me irritan los ojos. Oigo el sollozo de Vera a mi espalda, el silencio sepulcral de Nevan y la cólera con la que aprieto las dagas en mis manos. No tengo miedo. La muerte me acompaña desde el día en que nací y el parto acabó con la vida de mi madre.

—Dividíos —les ordeno.

Retrocedo un paso estudiando el cuerpo del Picafauces, sus ojos alargados y negros clavados en mí, las plumas carmesíes que le sobresalen del cuello y se mecen al viento cuando comienza a caminar en mi dirección. El sonido de las garras arañando el suelo pedregoso me punza en las sienes. No huiré. No esta vez. Siento cómo mi sed de sangre se transforma en un pálpito incontrolable a medida que la bestia se acerca. Aferro mis dedos a las dagas y adopto mi posición de guerrera.

Para esto me he formado.

Sin embargo, el Picafauces no se abalanza contra mí, sino que ladea la cabeza un instante, como si intentase descifrarme. ¿Qué está tratando de…? De repente, me ignora y gira su cabeza bruscamente hacia Nevan. El corazón se me sube a la garganta. Son inteligentes, eligen a sus víctimas. Nevan entra en pánico y, al retroceder de espaldas en un intento por aumentar la distancia entre ellos, tropieza con un pedazo de piedra rota que sobresale del puente y cae al suelo.

—¡Huye, Vera! —le grito.

No permitiré que se repita lo de Tyropher. Las garras se aproximan a Nevan a zancadas. Él no sabe luchar, no lo abandonaré. No permitiré que el Picafauces me arrebate a esta persona. Noto el fuego en mis venas, en mis manos, en las hojas de mis dagas. Corro frenética hacia el Picafauces y aprovecho el gran tamaño de su cuerpo para abalanzarme contra la cola de la criatura. No pienso, solo siento. Y por un instante yo soy la muerte. Hundo mis dagas en sus caderas para treparlo. El Picafauces emite un estridente graznido al cielo antes de abrir sus gigantescas alas. Me desestabilizo, pero no dudo. Cada puñalada en la espalda de la bestia es un nombre en mi mente. Si me quedaba algo de cordura, en este momento me abandona.

Soy el vivo deseo de la venganza.

—¡Vete! —le chillo a Nevan aprovechando que la atención del Picafauces está en el dolor de mis dagas retorcidas en su espalda—. ¡Huye con los demás!

No sé si me hace caso porque el Picafauces bate las alas y la arenilla que levanta del suelo me obliga a cerrar los ojos. Si empieza a volar, tendré que saltar al puente. Saco la daga de su espalda y vuelvo a clavársela más arriba con la esperanza de que el dolor frene su maniobra. Sin embargo, al mover las alas tratando de coger impulso, los músculos del Picafauces me dificultan el agarre a su carne, porque las hojas de mis dagas son demasiado cortas y el movimiento de su aleteo las escupe. Reprimo un grito cuando pierdo la sujeción de una de mis manos. Le aprieto el cuerpo con mis piernas sin soltar la daga que aún tiene hundida, aferrándome a la criatura como puedo.

Entonces, el viento las mece delante de mis ojos de nuevo.

Las plumas carmesíes que le sobresalen a cada lado de su cuello.

Utilizo toda mi fuerza para escalar unos centímetros más y, antes de que sea demasiado tarde, suelto las dagas y salto hacia esas plumas largas. El sonido del metal repiquetea en el suelo al caer. Agarro una pluma con cada mano y el Picafauces empieza a realizar movimientos violentos mientras gira sobre sí mismo, como si supiese que acabo de dar con su punto débil. Desenvaino la daga de mi padre, esa con la que juré matar al Príncipe, y dejo que la voz me trepe por la garganta sin contención al recorrer su cuello con el filo de mi hoja. La muerte le quiebra el graznido.

El cuerpo de la bestia se desploma sobre el puente.

Un estruendo sordo y profundo hace eco en los cielos, conmigo sentada de rodillas encima del Picafauces al que he asesinado. Al final sí se ha convertido en un baño de sangre. Mis manos también están manchadas de un rojo oscuro. Me falta el aliento y estoy llorando. Sin embargo, mientras me limpio las lágrimas, reparo en que también sonrío y sé que no es de alegría.

Es cinismo.

Estoy tan extasiada por el líquido rojo que empapa mis dedos que no me importaría morir ahora mismo. Y ese pensamiento delirante es lo único que me devuelve a la realidad. Me percato de la soledad que me acompaña, sumergida en una niebla densa que tan solo me permite ver poco más de un metro alrededor de mí. Aún debe haber Picafauces en el cielo a la espera de una víctima para atacar. Y yo ni siquiera sé en qué dirección está la trampilla a la que debo dirigirme. Froto la sangre de la daga de mi padre con mi capa y la enfundo en el corsé. Al ponerme en pie, sin una orientación clara hacia la que avanzar, la situación me arranca una risotada de resignación.

Estoy perdida. En todos los sentidos.

Recojo una de las dagas que se me cayeron al suelo hace unos minutos y desisto de encontrar la otra porque deduzco que debe estar bajo el enorme cadáver del Picafauces. No obstante, entre las piedras encuentro algo más valioso que esta vez sí me roba una sonrisa real. El viento desliza sobre las hendiduras del suelo una diminuta bola roja. La sujeto entre mis dedos y busco la siguiente. Es un caminito de agracejos. Nevan posiblemente habrá gastado todas las que le quedaban en indicarme la dirección, así que las voy reuniendo en mi mano a medida que me desplazo por el puente, agazapada, por si hundirme en la bruma me salva de la vista de mis enemigos voladores.

Tras unos minutos inmersa en el sonido del vendaval que azota este lugar, con los ojos enrojecidos por la vorágine de emociones que se me enredan en el pecho y haciéndome a la idea de que mis compañeros ya me hayan dado por muerta, la trampilla se eleva a unos metros de mí. Reconozco los ojos celestes que se asoman amedrentados. Inflo mis pulmones de aire y corro hacia Nevan. Estoy tan emocionada de volver a verlo que me lanzo hacia la trampilla como una idiota, sin recordar la altura a la que se encontraba, y a él no le da tiempo a apartarse. Las bayas salen desperdigadas.

Ambos caemos al interior del quinto arco.

Sus brazos no me sueltan durante la caída, sino que me estrechan contra su torso protegiéndome del impacto al estrellarnos contra el suelo. Me yergo, aturdida, y los ojos se le iluminan al mirarme, a pesar de la mueca de dolor que le arruga el rostro.

—Así que por eso me has salvado —dice torciendo la boca en una sonrisa—. Tu plan era matarme con una embestida.

No le devuelvo la sonrisa. Me inclino hacia él y lo abrazo con fuerza, sintiendo cómo el alivio de que esté vivo me entumece las extremidades.

—Sabía que volverías —me susurra al oído.

—Gracias por hacerme caso —le contesto con el rostro aún enterrado en su cuello—. Y por señalarme el camino.

Al retirarme, Nevan me asiente con la cabeza y las mejillas coloradas. De repente, el carraspeo de Thago a nuestras espaldas me recuerda el origen del problema. Ni siquiera tengo energía para un segundo combate. Sin embargo, su ignorancia nos ha puesto en peligro a todos y ha matado a Tyro. Su ignorancia y la necedad de Mei, porque estoy segura de que ella ha sido la artífice del plan para matar al Coranchín. Me incorporo hecha una furia, me abalanzo hacia Thago y le asesto un golpe en la mandíbula que lo desestabiliza. Su espalda retumba contra la pared al retroceder, y son Nadine y Dhonos quienes acuden enseguida a retenerme por los brazos.

—¡¿Qué hiciste?! —vocifero revolviéndome en un intento por zafarme sin éxito.

—No sé de qué…

—Cálmate, Rawen —me pide Dhonos.

—¡Sabes a qué me refiero! ¡¿Qué demonios hiciste con el Coranchín?!

—¿Qué Coranchín? —interviene Nadine, alterada.

—Yo… lo desintegré con magia —confiesa agachando la vista a sus pies—. En ese momento, mis manos estaban limpias.

—Porque las manchas tardan un rato en aparecer para que las víctimas no se percaten de la diana que llevan en el cuerpo. Su hedor es imperceptible para los humanos —explica Kowl y posa las manos enguantadas en los brazos que me frenan—. Soltadla.

En cuanto me liberan, me froto la quemazón de la piel y fulmino con la mirada a los dos que me han hecho estas marcas enrojecidas. Kowl apoya una mano en mi hombro y su mirada ensombrecida atraviesa el semblante de Thago.

—El Coranchín era… una amenaza —insiste él.

—Olvídate del maldito Coranchín —masculla, amenazante—. ¿Eres un soldado que sirve a Khorvheim o una carga para la tropa?

—Yo nunca…

—¡Firme! —El grito roto de Kowl retumba en las paredes y nos sobresalta a todos.

—¡Un soldado que sirve a Khorvheim, por supuesto! —vocifera Thago y hace el símbolo del Cuervo sobre su pecho con las manos temblorosas—. No le ofrezco mi vida al abismo, sino al reino.

—Cita en voz alta el tercer punto del reglamento dentro del abismo.

De Kowl emerge una energía oscura y autoritaria que obliga a nuestro compañero a apartar la vista un segundo mientras se esfuerza por conservar la compostura. Nadie se atreve a intervenir y, por la expresión incómoda de algunos, comprendo que esto es una humillación para nuestro compañero.

—Alerta permanente, comunicación constante —recita Thago, amedrentado—. Los miembros de la tropa deben mantenerse alerta en todo momento, observando el terreno, el clima, los posibles peligros naturales o avistamientos de criaturas, y comunicarlo al resto de la tropa de manera rápida y segura.

—¿Cuál era tu deber?

—Informar de la amenaza a los rangos mayores.

—Compórtate como un soldado dentro del abismo y no vuelvas a poner en peligro a la tropa de manera innecesaria —concluye Kowl antes de apartarse de mí—. Eres el responsable de la muerte de Xilder. Que tu remordimiento se encargue del resto.

Se da media vuelta de camino a las escaleras y prefiero seguirlo para que la estúpida expresión de culpa de Thago no me hierva la sangre. Por mí puede ahogarse en su propia vergüenza por lo que acaba de ocurrir. Al pasar por el lado de Mei, decido no mirarla para que no sepa que desde ahora tiene una nueva enemiga en el abismo. Solo Nevan y yo sabemos que Tyro ha muerto por la culpa de ambos.

Y me aseguraré de no olvidarlo.

35

Los fantasmas de nuestras familias

Arcos Perdidos, 949 aps (Escala de presión abisal)

He perdido la cuenta de la cantidad de escalones que he pisado a estas alturas y mis talones sobrecargados me lanzan punzadas hasta las rodillas.

Lo peor es que, de no ser por esos pinchazos, ya no sentiría los pies. El descenso de esta última columna se está convirtiendo en un camino sin fin. Hace un buen rato que pasamos el piso cero y continuamos bajando escaleras hacia plantas sin viviendas ni un número en la pared que nos indique cuánto falta para hallar la salida, aunque cada peldaño es un recordatorio de lo lejos que estamos de la superficie. Nadie se atreve a quejarse porque estar vivos ya es un milagro de por sí, sobre todo ahora que la ausencia de Tyro pesa sobre el grupo como un manto de plomo. Sacudo la cabeza cada vez que pienso en la inminente muerte por inanición de sus padres o en el *Khanasomet* especiado al que quería invitarme mientras me narraba los descubrimientos que había hecho y anotado en su libreta de criaturas. Me palpo el bolso con amargura y suelto un suspiro, hastiada. Al menos, conseguí rescatar su cuaderno.

Me fijo en las manchas que me cubren las botas. Luego, abro los dedos y veo el oscuro carmesí incrustado en el relieve de mi piel. La sangre del Picafauces se ha secado y aún no puedo creerme que lo haya asesinado con mis propias manos. El corazón me vibra hambriento cuando recuerdo el instante en que le arrebaté la vida. Ahora que prima la supervivencia individual, me alegro de que mis compañeros no me viesen hacer eso. De hecho, les he contado que me escabullí gracias a la niebla y que la sangre pertenece al cadáver de Tyro. Prefiero que me subestimen, que nadie sepa de lo que soy capaz por sobrevivir o por defender a los que me importan, y que, si llega el momento de enfrentarme a quien sea, no conozca mis fortalezas.

Porque quien conoce tus fortalezas tiene el poder de combatirlas, y eso me convertiría en un blanco fácil y previsible.

A partir de una planta indeterminada, el aire del ambiente se torna denso, cargado de una humedad pegajosa que se nos adhiere a los pulmones y nos obliga a hacer un esfuerzo extra en cada respiración mientras observamos atónitos cómo las paredes lisas de los pasillos anteriores van dando lugar a otras sin baldosas, agrietadas y pedregosas. Conforme profundizamos, nuestro alrededor se va oscureciendo hasta que nos engulle la sensación de claustrofobia. Apenas divisamos las siluetas de los demás y el suelo ha dejado de reverberar con nuestras pisadas porque se nos ha empezado a acumular tierra bajo los zapatos.

De pronto, las escaleras se acaban, el pasillo se estrecha. Avanzamos en fila por un pasadizo que parece querer cerrarse sobre nosotros. Oigo a Dhonos discutir con Nadine que ya deberíamos haber encontrado el portón de salida y que hace diez años él no estuvo en este lugar. Yo tampoco me fío de este camino. Pego mis manos a los lados y noto cómo la superficie rocosa y húmeda me araña la piel. El pasillo se ha estrechado tanto que apenas hay un par de centímetros de distancia entre mis hombros y las paredes.

Es como bajar al inframundo.

No hay mapa que nos guíe ni luz que nos permita ver. La sensación de claustrofobia unida a la incertidumbre hace mella en todos. Nuestros alientos sofocados rompen el silencio cuando Nadine profiere un quejido porque algo afilado le ha atravesado el brazalete de cuero. De pronto, el grupo enmudece al atisbar el haz de luz que se filtra al fondo de este pasadizo. Nos apresuramos a recortar la distancia con esa posible salida mientras el espacio va reduciéndose hasta que tenemos que posicionarnos de costado para poder seguir avanzando.

Es una enorme grieta abriendo la roca del fondo.

Nadine no duda en dar el primer paso en cruzarla. Tras ella, vamos saliendo de uno en uno y, al atravesarla cuidando que la superficie no me cause ninguna herida en la piel descubierta o rasgue el tejido de mis prendas, la luz cegadora del exterior me deslumbra durante unos segundos. Cojo una bocanada de aire perfumado que me embota el olfato. Me cuesta adaptarme a la iluminación, pero en cuanto lo hago contemplo maravillada el bosque que se despliega ante nosotros. Los árboles, cubiertos por una capa de musgo esmeralda, se alzan impetuosos hacia el cielo en copas frondosas que se mecen al compás de la brisa fresca, desde donde se cuelan diminutos rayos del atardecer y se difuminan en un resplandor plateado por el velo de neblina que nos rodea. Me deshago de los tapones de oídos enseguida. El silencio del bosque solo es interrumpido por el murmullo del viento y los gemidos de alivio de mis compañeros.

No soy la única que trata de convencerse de que este paisaje es real. Vera me imita pisoteando repetidas veces la alfombra de hojas caídas y ramitas retorcidas que se extiende a nuestros pies. Por un instante, su sonrisa me contagia la ilusión de lo que significa estar lejos de esas bestias voladoras. Sin embargo, la alegría de haber escapado de los Arcos Perdidos se esfuma de repente, cuando divisamos un par de siluetas a unos metros de nosotros y se nos congela el pecho.

—¡Eh, chicos! ¿La otra bifurcación también tenía salida? —nos grita Kalya mientras se da palmaditas en los hombros y se acerca con Arvin al lado.

Nadine trastabilla al retroceder un paso, aterrada, y es Dhonos quien le sujeta los hombros desde atrás con la misma expresión desencajada que debemos de tener el resto. Delante de mí, Kowl se lleva la mano despacio a la empuñadura de su espada.

—¿Qué hacéis… aquí? —inquiere Nadine con la voz ahogada.

—Nuestro camino tenía un agujero en el suelo —explica Arvin mientras se sacude la media melena rubia entre los dedos—. Rodamos por un túnel repleto de ramas y mierdas que me han roto la camisa.

—Es un alivio que ambos caminos tuvieran salida, porque no habríamos podido subir de vuelta —dice Kalya dirigiéndose con los brazos abiertos hacia Mei para abrazarla, hasta que ver su nuevo corte de pelo la detiene en seco—. ¿Qué diantres te ha pasado?

Me planteo la posibilidad de que el cansancio me esté jugando una mala pasada, de que estas dos personas que dábamos por muertas o perdidas sean una mera alucinación, pero me temo que no lo son. Una punzada de fastidio se me hunde en el pecho. Aunque no le había dado importancia en el momento porque ya los habíamos dejado atrás, tener de vuelta a Arvin y al dúo de primas no me hace ni pizca de gracia. Tras un segundo de desconfianza, Nadine suelta el aliento contenido y corre a abrazarlo hundiendo el rostro en su pecho. Arvin titubea, pero termina apretujándola contra él y amplía los labios, incrédulo.

—¿Hace cuánto habéis llegado? —les pregunta Kowl en tono pétreo.

Yo también me lo pregunto, sobre todo teniendo en cuenta la apariencia tan fresca que tienen los dos pese a la vegetación que se les ha incrustado en la tela de las vestimentas. Arvin hace un mohín de duda antes de estrecharle la mano a Kowl, que relaja la tensión en sus hombros ante un gesto que solo parecen entender los dos.

—¿Minutos? —contesta el rubio en una risotada, como si fuera obvio—. ¿Qué demonios os pasa?

—Nosotros llevamos… días —dice Nadine apartándose de Arvin para señalarle la grieta por la que hemos llegado— cruzando los Arcos Perdidos.

—¿De qué estás hablando? —Arvin vuelve la mirada a ella y luego a todos nosotros, uno por uno, analizando el horrible aspecto que tenemos—. ¿Es una broma?

El silencio fúnebre del grupo habla por todos. Sus rostros empiezan a empalidecer al percatarse de la gravedad del asunto y Nadine sigue tan asustada como el resto cuando les resume el calvario que hemos vivido estos días y las dos bajas que hemos sufrido. Incluso les enseña las barritas restantes en su bolso. Sí, esto debe de ser una broma, porque, cuando nos giramos para inspeccionar la grieta que hemos atravesado para llegar al Bosque de los Anhelos, nos encontramos con una vasta pared de piedra grisácea repleta de hiedras retorcidas, tan ancha y alta que es imposible definir dónde termina. Este no es el aspecto que tenía ninguna de las columnas de los arcos anteriores.

—¿Por dónde habéis venido?

—Ya te lo he dicho. Había un agujero que…

—Os habéis saltado los Arcos Perdidos —deduce Kowl—. Vuestra bifurcación era un atajo.

—Os dije que la desgracia nos acompaña desde el principio —salta Dhonos en un gruñido exasperado y se aleja del grupo con las manos en la cintura para pasear en círculos con la vista clavada en los crujidos de las hojas.

Está claro que el reencuentro le hace la misma poca gracia que a mí, aunque él no se esfuerza en ocultarlo porque su peliaguda relación con Arvin y con la prima de Kalya ha sido evidente desde el principio.

—¿Cómo es eso posible? —inquiere Kalya y el ceño le tiembla al arrugarse—. Kirsi, ¿sabes algo?

—No —responde la chica mientras les echa una ojeada a los informes entre sus manos—. Jamás se han registrado atajos, elusión de niveles o diferencias en el transcurrir del tiempo…, al menos, dentro del abismo —explica observándonos a todos, aunque ha agachado la vista antes de desvelar eso último.

Y me temo que es por miedo a que nos surjan más preguntas que no debería responder.

—¿Cómo que «dentro del abismo»? —habla Nevan.

—Kirsi —la llama Vera, con un velo de horror cruzándole la mirada—. Cuando salgamos de aquí, ¿cuánto tiempo habrá pasado?

—Eso es… incierto.

—¿Por qué no se nos informó de esto en ningún momento? —se exalta Thago.

—¡Porque es incierto!

—¡Pero…!

—La última vez habían pasado varios meses. —La voz de Dhonos resuena en el espacio abierto entre los árboles—.

Nuestros diez días en el abismo fueron más de cuatro meses en la superficie.

Thago se tropieza con una rama rota del suelo y cae de espaldas, blanco como la tez petrificada de Nevan. De ser cierto lo que ha dicho Dhonos, puede que ya hayan pasado un par de meses ahí fuera. Que incluso los padres de Tyro, a los que él pretendía salvar con un buen puesto en la Corte Real, hayan muerto de hambre. Si a mí, que no tengo intención de salir viva del abismo, se me retuercen las entrañas provocándome una intensa arcada, no quiero imaginar cómo se sentirán mis compañeros. O cuánto tardarán sus familias en darlos por muertos y llorar sobre lápidas vacías, sin saber que para nosotros no han pasado ni diez días.

Vera me rodea un brazo, conteniendo el llanto, y veo en sus ojos el terror de haberse convertido en el fantasma de su familia. De pronto, se distingue una diferencia abismal entre nosotros que divide la tropa en dos bandos: los que más tienen que perder ahí fuera se derrumban, mientras que otros soportamos la revelación porque unos meses no nos cambiarán la vida. La desesperanza ya nos acompañaba de antes.

No tenemos nada que perder.

Pienso en mi padre, en cuántos días habrá vivido ya sin mí y en si habrá conseguido rehacer su vida, y miro de reojo a Dhonos, que discute con Nadine y Kirsi en voz baja. No lo culpo de habérnoslo ocultado; habría sembrado el caos y dudo que el número de voluntarios para bajar al abismo fuese tan alto si esa información saliese a la luz. Pero entiendo que él fuera era el único en la tropa maldiciendo cada minuto que desperdiciábamos aquí dentro. Hay otros que tampoco reaccionan, como Kowl, Nadine y Nevan, aunque es difícil descifrar sus razones porque, por algún motivo, siento que todos nos hemos vuelto peligrosamente impredecibles desde que hemos pisado este bosque. No, desde la aparición de Arvin y Kalya. El cinismo tira de las comisuras de mis labios.

¿Acaso hay alguien de rango mayor en quien podamos confiar?

Nevan tenía razón.

El abismo se encarga de arrebatarnos la cordura, la esperanza y todo cuanto nos quede para que al final nos abandonemos a la idea de renunciar a la vida. Muchas veces he comparado este lugar con el infierno. Hasta entonces era una metáfora. Ahora descubro que es la cruda realidad.

Nadie dice nada de camino a las profundidades del bosque y, si lo hacen, no me entero porque estoy absorta en mis pensamientos. Solo continúo la estela de pasos en la tierra musgosa, atenta al comportamiento de mis compañeros por si ellos divisan cualquier amenaza en el territorio mientras me mantengo cerca de Nevan y me aferro a Vera como si en realidad fuera yo quien la consuela.

Al cabo de un rato, cuando empieza a caer la noche, deciden que la mejor idea es detenernos en un claro del bosque para encender una hoguera, calentarnos y descansar un rato antes de seguir al amanecer, puesto que la mayoría de las criaturas de este nivel son Soplones, unos búhos que acechan a sus víctimas de noche y las detectan por la temperatura corporal.

—Generar un campo de calor en una zona mediana será suficiente para camuflarnos hasta que vuelvan a entrar en estado de letargo —nos explica Nevan a las dos en cuanto nos disponemos a buscar ramitas secas por la zona, consciente de la locura que nos parece encender una fogata en medio de un bosque del cuarto nivel—. Es lo más seguro durante la noche.

Luego, Nadine se arrodilla frente al altar de ramas, hojas caídas, trozos de corteza y hongos secos y saca un pedernal de su bolso con la mandíbula tensa en una mueca de concentración. Los demás formamos un círculo en torno al cúmulo de materiales, que primero despide un humo débil y después comienza a crepitar alimentándose de la madera. El resplandor del fuego no tarda en reflejarse en nuestras miradas exhaustas. Vera se ha sentado a mi lado con su libreta entre las piernas cruzadas y dibuja en el mapa el camino que nos ha traído hasta aquí. Nevan a mi izquierda se limita a abrazarse las rodillas con la vista perdida en la ondulación de las llamas que, por un momento, engullen el claro de sus ojos como si pasasen a formar parte de él.

—No me jodas —exclama Kalya echándole un vistazo al informe que está redactando Kirsi—. ¿Xilder ha muerto atravesado por un Picafauces?

—No tuvo la suerte de tomar tu atajo —se mofa Mei y, a diferencia de algunos que la fulminamos en silencio, Kalya le ríe la gracia.

—A Gwyn la asesinó un Sacránimo —le cuenta Kirsi sin detener el movimiento de su dedo sobre la hoja.

Los hombros de Vera se contraen rígidos a mi lado. Se acaricia la pulsera, la trencita rosada por la sangre de Gwyn, y suelta un suspiro tembloroso antes de continuar el boceto del camino.

—Cabe mencionar que, de haber sido por Dhonos, yo también sería una baja ahora mismo —canturrea Mei.

—¿Por qué dices eso?

—No lo sé, pregúntale a él, que ha intentado matarme en varias ocasiones.

Ante la mala cara de Kalya, mis ojos sobrevuelan los rostros de mis compañeros hasta enfocar a una persona en particular. No a Mei, sino a Dhonos. Sé lo que está buscando ella y él debe de saberlo también, porque decide ignorarla pese a que la piedra con la que estaba afilando la hoja de su espada se le escurre entre los dedos.

—¿Dhonos? —inquiere Kalya en tono desafiante.

—Justo por lo que acaba de hacer tu prima —interviene Kowl con la misma amenaza intrínseca en su voz—. Hablar de más.

—No es motivo para asesinar a alguien.

—Por eso sigue viva —masculla Dhonos hundiendo la piedra en el suelo de un manotazo.

—Cuida tu lengua en mi presencia —lo advierte Kalya—, será tu cabeza la que ruede como le pongas las manos encima.

El comentario queda suspendido en el aire como una daga a punto de salir precipitada en cualquiera de las dos únicas direcciones. Nadie hace nada. Dhonos no responde, aunque alza la mirada con el odio contenido torciéndole el semblante y la atmósfera se carga de hostilidad al instante. A pesar de que no es de mi incumbencia, sueño con el día en que Kirsi redacte la baja de Mei Phiana'rah en sus informes. La manera en que reprime una sonrisilla de superioridad al haberlo enfrentado a Kalya me revuelve el estómago y hace que las dagas me ardan furiosas en el corsé, deseosas por arrancarle esa sonrisa de golpe.

Incluso el sonido del crepitar del fuego me molesta.

Cuando me percato de que los nudillos de Dhonos están blancos por la fuerza con la que está sujetando el mango de su arma, no lo soporto más.

Información adicional

CRIATURAS DEL ABISMO CLASIFICADAS SEGÚN NIVEL DE AMENAZA

(C) Colaborativas. A menudo presentan conductas amigables, curiosas o elusivas, e interactúan de forma cercana con los exploradores. Debido a su aspecto inofensivo, suele ignorarse el peligro que acarrea acercarse a una criatura colaborativa. Sin embargo, tal y como su nombre indica, colaboran con el entorno para alimentarse y pueden cooperar con todo tipo de bestias: letales, atormentadoras y excéntricas. Algunas pueden desprender un hedor característico a modo de aviso, aunque desapercibido al principio para los humanos; otras emiten ondas o crean interconexiones invisibles con bestias que se encuentren en la zona.

Puesto que las habilidades ocultas de las colaborativas son amplias y desconocidas, la mejor medida de seguridad frente a ellas es el <u>exterminio</u>, en caso de ser posible, a distancia.

Soplón

Ave nocturna de cuerpo similar a las lechuzas corrientes de la superficie. El color de su plumaje, generalmente blanco o negro, no tiene mayor utilidad que la de camuflarse entre distintas zonas de vegetación. Es una criatura pasiva, no ataca de forma directa a los exploradores y duerme durante el día. Sin embargo, al caer la noche es necesario reducir la marcha e incluso detenerse, pues detecta el contraste del calor corporal humano con el entorno y avisa a otras criaturas letales mediante su **ululación**.

36

Dos vidas a cambio de un secreto

Bosque de los Anhelos, 1.222 aps (Escala de presión abisal)

Rawen decía que la gente en Khorvheim no hace amigos.

Me contaba que en la Escuela de Cuervos no detienen las trifulcas y que los estudiantes incluso pueden llegar a matarse por un simple comentario desafortunado. Que nadie corre peligros por otra persona ni se inmiscuye en asuntos que no le conciernen. Que los Cuervos no se protegen entre ellos, pero eso es mentira. He visto a muchos de mis compañeros salir en defensa de otros, a pesar de que podría haberles costado la vida. Como cuando Tyropher empujó a Thago para evitar que arremetiera contra él. Como cuando Dhonos me cubrió las espaldas en el puente mientras rescatábamos al biólogo.

En Mhyskard mi padre les daría una bofetada a los dos insensatos que osaran poner en peligro la seguridad de la formación o de la comunidad por diferencias personales y, luego, una palmadita en la espalda para que se largasen de la muralla y no regresaran hasta haber reflexionado sobre sus actos.

Por suerte, yo no soy de Khorvheim.

Quizá por eso siento la urgencia de evitar la confrontación que sé que Dhonos está planeando en su cabeza. Me pongo en pie, asqueada por la mera presencia de Mei, y, ahora que he captado la atención de él, escudriño la empuñadura de su espada y niego de forma disimulada antes de dirigirme a Nadine.

—¿Quién empieza la guardia?

—No lo hemos decidido aún.

—Quiero ser la primera. Alguien más y yo —digo volteándome hacia mis compañeros por si alguno se presenta voluntario. Cuando me topo con la mirada expectante de Kowl, la fusión perfecta del fuego en la oscuridad, Nadine se pone en pie y tira de mi codo.

—Te recuerdo que las órdenes las damos nosotros.

—Pues ordéname hacer la primera guardia con alguien más —espeto dando un paso hacia ella y los evidentes centímetros de altura que me saca me obligan a elevar la vista—. No me importa soportar el sueño un par de horas para que los demás descansen.

Entorno los párpados. No sé cómo demonios decirle que debemos parar esta situación o terminará en otro baño de sangre y en la división de la tropa, por muy individualistas que sean las normas ahora. Llegados a ese punto, no me contendré en cortarle la lengua a Mei para hacerla callar hasta el final de la expedición. Nadine enarca las cejas y esboza una sonrisa alzando el mentón en un gesto de aprobación.

—Está bien. Haré la primera guardia contigo.

Respiro con normalidad de nuevo en cuanto Thago acompaña nuestra decisión tendiendo su capa en el suelo alfombrado de hojas junto a la fogata y el resto va rindiéndose al cansancio al imitar su maniobra. Aunque hemos acampado en un claro para minimizar los riesgos de encender un fuego en medio de la vegetación, estamos rodeados de árboles inmensos y Nadine elige el más cercano al círculo que hemos hecho alrededor del calor. No se quita la capa, sino que se sienta directamente sobre ella cubriéndose los hombros de la bruma fría que cae con la noche y descansa la espalda en el tronco robusto. Me coloco a su lado con las piernas cruzadas mientras froto las manos en la tierra húmeda en un intento por desprenderme de los rastros de sangre que no he podido limpiarme porque apenas nos queda agua en las cantimploras.

—Necesitamos encontrar alguna fuente de agua —digo tras sacudirme las manos de la tierra.

—¿Para beber o para darnos un baño? —inquiere en una mueca burlona—. Estamos hechos un asco.

Lo estamos, excepto Arvin y Kalya, porque para ellos solo han pasado un par de días gracias a que la suerte les ha sonreído con un atajo injusto. A diferencia de nosotros, que tenemos los carrillos algo hundidos más por la tortura a la que nos hemos visto sometidos en los Arcos Perdidos que por el hambre en sí, esos dos aún tienen fuerzas incluso para charlar despreocupados antes de dormir. Al lado, Dhonos zanja su conversación con Kowl, se levanta del hueco frente al fuego con cara de mil demonios y se acerca a nosotras hasta sentarse a la derecha de Nadine imitando su postura.

—Despertadme cuando termine vuestra guardia —masculla y se coloca la capucha. Luego se percata de que ambas estamos pendientes de él y profiere un gruñido—. ¿Qué? No confío en ellos.

—¿Y si la chica con agallas te asesina mientras duermes? —se mofa Nadine.

—Tú no se lo permitirías y ella no es estúpida. Tenemos la misma nula afinidad hacia ciertas personas, así que de momento estamos en el mismo bando. —Enarco una ceja, sorprendida—. ¿Crees que no he visto cómo la miras?

—Las orejas me arden cada vez que abre la boca —declaro sin miedo a que me oigan.

—¿Ves? —le dice a Nadine y me señala con una risilla macabra—. Más exploradoras como ella y menos como algunas necias que han bajado al abismo con nosotros.

—Vaya, qué comunicativo estás.

—Sí, ahora centraos en vuestra guardia y dejadme dormir —masculla antes de cerrar los ojos y cruzarse de brazos. Aun así, coloca la punta de los dedos de su mano sobre la empuñadura de la espada atada al cinturón.

Me reservo la sonrisa mordaz que corresponde a su mueca, porque sí, estamos en el mismo bando, pero con saber eso me basta. Ya tengo a mis aliados y uno de ellos está caminando cabizbajo hacia este árbol.

—Otro recluta. —Nadine me pega un codazo y apunta con un cabeceo a Nevan—. Qué alentador que tanta gente confíe en ti, ¿no serás el benevolente dios Kard?

Una de las comisuras de mi boca escapa a mi control.

Más bien, yo sería la desalmada diosa Mhys.

—¿Y tú? —me pregunta subiendo la vista al cielo opacado por las copas de los árboles—. ¿En quién confías tú?

—En mi propia sombra.

—Haces bien.

Nadine se arrima a Dhonos, dándonos espacio a mí y a Nevan, que se coloca a mi lado después de removerse varias veces sobre un montículo de hojas, tratando de encontrar una postura cómoda por las ramitas rotas que sobresalen. Tiene el cabello negro revuelto y una expresión de amargura tan típica en él que ya me he acostumbrado. En cuanto se siente cómodo, suspira y sus ojos celestes relampaguean al encontrarse con los míos en la oscuridad.

—¿No puedes dormir?

Agacha la mirada al suelo, arranca un pedazo de rama y empieza a dibujar líneas en la tierra, obviando mi pregunta.

—¿Tienes miedo de olvidar tu propósito? —murmura para nosotros.

—Jamás podría olvidarlo.

—A veces me da miedo olvidar quién soy. —Clava la rama, se abraza las rodillas y ladea el rostro en mi dirección—. El abismo me confunde.

—¿Por qué lo dices?

—La magia en la que nos hemos zambullido... conoce nuestros deseos, nuestros anhelos y nuestros miedos, y se aprovecha de eso para debilitarnos.

Recuerdo la charla que tuvimos Vera, Gwyn y yo mientras les hacía trencitas en el oasis. Gwyn nos contó algo parecido que le preocupaba. Justo después... Gwyn estaba lo suficientemente débil como para convertirse en el blanco de las criaturas dentro de las cuevas. Cierro los ojos y aprieto los párpados con fuerza intentando sacarme de la cabeza que sea algún síntoma previo a la muerte. La imagen de un posible Nevan sin vida me aterra. Siento la horrible anticipación como una bola en mi garganta. Trago saliva y aferro mis dedos a la rodilla de Nevan, que se sobresalta al notar mi contacto.

—Eres muy inteligente, Nevan. Es imposible que el abismo te gane.

A pesar de la oscuridad, sus ojos brillan de una manera especial, casi mágica. Porque nunca se apagan y, cuanto más reparo en ellos, más creo ver a través de la fachada apática de Nevan. Como ahora, que parece tener llamaradas de hielo flameando y enfriándole la mirada.

—Deja de mirarme como si fuese un bicho extraño —se queja y se vuelve la vista al frente con las mejillas incendiadas.

—Solo pensaba en lo distintos que son tus ojos.

De pronto, frunce el ceño con los labios apretados y esconde la cara entre sus rodillas.

—Es lo que más odio de mí —balbucea—. Lo único que heredé de mi padre.

Me pregunto cuáles son sus motivos para haber bajado al abismo. Sé que prometimos no hacernos preguntas para mantener la confianza dentro de nuestra alianza, pero no puedo evitarlo.

Y lo peor es que no es por sonsacarle información, sino porque de verdad me interesa escuchar su historia, conocerlo mejor.

—¿Puedo saber cuántos años tienes?

—Diecinueve, ¿tú?

—Veintiuno. ¿Y cómo…?

—¿Cómo me gradué en la escuela en la mitad de tiempo? —termina la frase por mí y levanta la cara de las rodillas. Algunos mechones negros de la frente le rozan el puente recto de la nariz—. No necesité cuatro años para graduarme de todas las asignaturas con honores. Aun así, querían prescindir de mí porque soy demasiado joven para bajar al abismo —murmura, sofocando la risa amarga que le trepa por la garganta—, como si necesitaras tener una edad mínima para ir al infierno.

—Nevan, ¿a qué has venido? —le musito con cuidado de que Nadine no me oiga.

—Ya viste lo de mi libreta.

—Vi las iniciales.

—Con eso deberías deducir a qué he venido.

—Buscas a alguien.

Entonces, se suelta las rodillas. Estira las piernas y ladea su semblante taciturno lo mínimo para que perciba ese brillito sagaz que aparece por el rabillo de su ojo. El corazón me da un tumbo.

—Sí, a mí mismo.

Sus palabras congelan el tiempo entre nosotros. Lo observo, atónita, a la espera de que me descifre la ambigüedad de su respuesta. Sin embargo, no dice nada más. Chasquea la lengua en una mueca de fastidio, negando para sí mismo como si estuviese manteniendo una discusión en algún recóndito rincón de su mente, se pone en pie a duras penas y regresa junto a Vera, que ya parece haberse dormido tumbada sobre su capa.

Más allá, a través del resplandor de la fogata, Kowl se funde con la oscuridad del paisaje, aunque el fuego enciende la parte de sus ropajes negros más cercana al calor. Se ha recostado bocarriba con los brazos cruzados apretándole el torso, y debe de estar dormido porque siento en mi pecho la tranquilidad que emana el movimiento lento del suyo. De vez en cuando, tamborilea con los dedos en busca de la empuñadura de su espada, como si le urgiese saber que tiene el arma cerca incluso de forma inconsciente. Es la misma postura que adoptó Dhonos hace un rato, y dudo que a Kowl le preocupen las bestias que rondan el bosque, la mayoría colaborativas al menos en este primer tramo del nivel.

Él tampoco confía en los demás.

Ni siquiera es capaz de bajar la guardia estando Arvin y Thago a su lado. Pensándolo bien, solo un necio conciliaría el sueño teniendo a Arvin a unos centímetros. La mezcla de poder, arrogancia e imprevisibilidad que lo caracteriza me inspira un mal presentimiento. Quizá Kowl no tenga elección y no se haya apartado de ese hueco en la fogata porque debe mantener las apariencias. Ojalá se hubiese adelantado a Nadine y estuviese aquí ahora. Conmigo.

Me acerco la mano al cuello y acaricio los hilos que componen la gargantilla, el regalo de cumpleaños que me hizo Rawen. Recuerdo el día del salto al abismo, cuando Arvin no pudo arrebatármela y, en respuesta, machacó mi brújula con el tacón de su bota. Su mirada me prometió que me aplastaría él mismo si me metía en problemas dentro el abismo.

Un codazo en el costado me devuelve a la realidad.

Ha sido Nadine, que se gira un instante para disculparse por el golpe que me ha arremetido mientras se despoja del brazalete de cuero que le cubre el antebrazo izquierdo. Luego, lo deja caer en el hueco entre sus piernas y empieza a maldecir en murmullos al verse la herida que se hizo en el túnel que estábamos atravesando hacia la grieta. Me sorprende que no se lo haya revisado antes, porque la sangre esparcida por la piel debe de haberle escocido y ha estado rozándose la herida abierta contra el cuero todas estas horas.

—¿Me dejas verlo? —le pregunto, aunque por alguna razón está tan aturdida que no me contesta, y se limita a extender el brazo en mi dirección.

Pego mis dedos a su piel para examinar la herida. Es un corte minúsculo, pero parece peligrosamente profundo. Además, toda la zona está inflamada. Me arriesgo a clavar las yemas y finjo que no estoy ejerciendo una presión que debería arrancarle un quejido como mínimo. Al no obtener reacción alguna por su parte, me temo lo peor.

—Rawen, ¿cuánto sabes de heridas?

—Lo básico. —Lo básico para entender la preocupación que tiñe su expresión desencajada. Aun así, procuro quitarle hierro al asunto obviando que Nadine está en problemas—. Si la dejas al aire libre, se curará pronto. No te pongas el brazalete, empeorará el dolor y puede que te infecte la herida.

—El problema no es el dolor. Es que… —De pronto, se coge un pellizco a unos centímetros del corte y ahoga un jadeo de horror—. No siento mi antebrazo, joder.

Lo que me temía. Este tipo de heridas insidiosas, insignificantes pero traicioneras, tiene un significado entre los guerreros de la muralla. Tras el último ataque del Cantapenas, padre ordenó que se instalaran pinchos de metal entre las almenas para evitar la posibilidad de que escalasen otro tipo de criaturas o enemigos que no quiso nombrar, aunque todos sabíamos que se refería a nuestros enemigos naturales, los Cuervos. Los primeros días, al manipular esos pinchos, muchos guerreros sufrieron cortes a los que llamaron «la herida de la rendición», porque la profundidad dañaba tejidos importantes y hacía que sus extremidades dejaran de responder.

Nunca más podían empuñar una espada.

—Coge esto. —Le tiendo una de mis dagas, pero sus dedos se mueven lentos y, antes de poder afianzarla con firmeza, se le cae entre las piernas. Luego, me observa con una mezcla de terror y vacilación arremolinándose en sus ojos—. Dime que eres diestra.

—Lo soy —dice temblorosa, sin apartar la atención de la herida en su brazo izquierdo—. Gracias a los dioses, lo soy.

Le doy un pellizco en el hombro. Este sí le duele. Luego, en la mano y en los dedos, uno por uno.

—¿Qué notas?

—Entumecimiento.

Subo de nuevo al antebrazo y al codo. Nada.

—¿Crees que volveré a…?

—No le digas a nadie que has perdido sensibilidad en tu brazo izquierdo —la interrumpo—, al menos hasta que salgas del abismo.

Supongo que Nadine ya lo sabe, aunque ninguna dice en alto que, en caso de no recuperar la sensibilidad, acaba de perder su cargo en la Corte Real pese a ser diestra, si es que esto no termina con su vida aquí dentro por no poder defenderse con ambos brazos. Veo cómo lucha consigo misma por reprimir las emociones.

—Yo tampoco diré nada —le aseguro. Ella asiente con el semblante ensombrecido.

Me inclino hacia Nadine para recoger la daga, que ha caído al lado del brazalete y, al tirar de ella, la hoja afilada le da media vuelta a su accesorio de cuero. Un resplandor me ciega por un instante. Y el aire sale de mis pulmones como si me hubiesen propinado una patada en el estómago. Hay una piedra verde incrustada en un compartimento oculto del brazalete. Una piedra tan familiar que me encoge el corazón en un puño, me araña las entrañas con violencia y me agarrota los dedos en torno al mango de mi arma.

—¿Qué es… —empiezo a preguntar con un nudo abrasador quebrándome la voz— eso?

En realidad, ni siquiera espero su respuesta porque ya sé lo que es: la piedra verde que portaba el Príncipe Cuervo aquella noche y la que portaba su padre el día que se disculpó personalmente con Rhyza, el Rey de Mhyskard. ¿Nadine es…? No, no puede ser. Los padres de Nadine fallecieron en la anterior expedición y yo oí al Príncipe recitar con voz masculina la orden que mató a mi hermana en la muralla hace cinco años.

—No debería enseñarle esto a cualquiera porque podría suponer un peligro para la tropa —expone fingiendo que el problema con su brazo izquierdo ya ha dejado de preocuparle—, pero tú no pareces peligrosa. De hecho, nos estás ayudando mucho a todos, así que haré una excepción contigo.

Su voz suena lejana. Cuando coge el brazalete y persigo el brillo verde, estoy tan concentrada en no perder el control, en no echar a perder mis planes y clavarle la daga en el cuello por el simple hecho de ser un Cuervo, que elijo centrarme en el malestar que se me acumula en la garganta, en las náuseas que me nublan la mente por la conmoción.

La piedra verde lo hace todo aún más real.

Porque es lo más cerca que he estado de esa noche desde entonces y del Príncipe Khorvus hasta ahora.

—Es la reliquia que nos protege de la energía del abismo. La necesitamos para sobrevivir aquí abajo y para purificarnos antes de salir a la superficie, pero eso ya te lo habían explicado.

Ya sabía que necesitamos las reliquias para entrar, sobrevivir y salir del abismo, lo que desconocía es que fuesen las piedras de la realeza. Recuerdo mis anotaciones acerca de las reliquias: «Los Jefes de Tropa portarán consigo las dos reliquias que absorberán la energía del abismo para que los efectos secundarios en la tropa sean menores». Nunca imaginé que se trataba de esa piedra verde. Aun así, temo mirar a Nadine a los ojos. Temo ver en ella al enemigo y perder el control. Apuntar a la diana incorrecta. Derrochar la oportunidad de asesinar al Príncipe. No puedo. Me doblo sobre mi estómago. Me cuesta respirar. Ahora mismo no atiendo a razones. Todo el cuerpo me tirita de furia.

El verde de esa piedra fue el último color que mi hermana pudo ver segundos antes de ser asesinada.

Noto la frialdad de la mano de Nadine al posarla en mi hombro.

—¿Estás bien?

—Me encuentro fatal —balbuceo.

Lo único que me separa de asesinarla es levantarme a toda prisa y echar a correr hacia la espesura negra del bosque. A metros de distancia de la fogata, cuando la iluminación comienza a difuminarse con la oscuridad, me desplomo de bruces y escupo la saliva que se me ha agolpado en la boca tras las convulsiones. Necesito recuperar el control de mis pensamientos. Hinco los dedos en la tierra húmeda y me la restriego por la cara repitiéndome a mí misma que ya falta poco para teñirme la piel de una sangre que me pertenece por destino.

Me rindo tumbándome bocarriba. Extiendo el brazo hacia un cielo estrellado que no existe porque dentro del abismo todo es una retorcida ilusión. Ahí arriba las copas de los árboles se mecen salvajes y encierran el paisaje en un círculo inalcanzable. La humedad de la noche se transforma en diminutas gotas que me acarician las mejillas. Bajo el relente, cojo una bocanada de aire que me sabe a musgo y flores silvestres.

De pronto, algo cruza mi reducido campo de visión. Estoy tan alterada desde hace un rato que no siento la diferencia en el ritmo de mis pulsaciones precipitadas. Arrastro la mano a mi corsé, preparada por si se trata de algún Soplón que haya detectado mi temperatura corporal, pero me paralizo justo cuando vislumbro la forma de la criatura que se coloca encima de mí. Sobrevuela mi rostro con un aleteo lento y sigiloso.

Es grande, más de lo habitual, y sus plumas negras irradian destellos iridiscentes incluso en la oscuridad. Sus ojos clavados en mí se encienden por un segundo, reflejando un color dorado y etéreo. Lo reconozco, es el cuervo que vi en aquel bosque que colinda con el abismo. No tengo dudas, sé que es el mismo.

Pero algo ha cambiado.

Mis latidos comienzan a ralentizarse. La brisa cambia de dirección, volviéndose densa y creándome una sensación de opresión en el pecho. Sus diminutos ojos se tornan dorados. Me absorben. Apenas puedo moverme. Es como si la tierra me tragase.

Dos vidas a cambio de un secreto.

—¿Qué…? —susurro sin aliento.

Cuida tu elección, puede que halles al amigo en el rostro del enemigo.

El cuervo me está hablando, pese a que su pico permanece quieto. Kowl me contó que transmiten presagios, que hay gente que enloquece tras escucharlos. Me repito que a mí la muerte no me asusta, aunque cada día que paso en el abismo junto a mis compañeros tenga más miedos. Miedo a perder a algunos de ellos, miedo a perderme a mí misma. Siento cómo se va difuminando el campo de visión mientras contemplo el pesado batir de alas de la criatura, y me pregunto a qué enemigo se refiere si es que esto no es una alucinación.

Cuida tu elección.

A pesar de que no cierro los ojos, la oscuridad me engulle y pierdo la consciencia.

37

La niña maldita

Bosque de los Anhelos, 1.363 aps (Escala de presión abisal)

Orna entrelaza sus dedos con los míos rumbo a la aldea de las Seerhas.

Ambas procuramos mantener los ojos bien abiertos por si algún zorro intrépido se nos cruza en el camino para robarnos las provisiones, que no son más que un par de bollos, el trozo de queso que padre trajo esta mañana a casa y un puñado de frutos secos. Hoy se celebra la noche de las Seerhas, una fiesta que pocos en la capital conocen, para honrar a las brujas que habitan esta aldea, tan eterna como escalofriante. Nadie sabe qué edad tienen, pero sí que han vivido allí durante generaciones.

Sin embargo, nosotras queremos celebrar algo más.

Hoy cumplo trece años.

Miro a mi hermana de soslayo. La luz del atardecer se cuela entre la espesura del bosque bañándole el rostro de un dorado precioso. Su mirada ámbar reluce al posarla en mí y sonreírme con esa bondad que la representa. Le agarro la mano con fuerza, con un miedo a soltarla que me sorprende, porque nunca he temido separarme de Orna. Y siempre me he prometido que, incluso cuando ella se gradúe como guerrera de la muralla, seguiré protegiéndola. Me volveré una guerrera como ella, lucharemos juntas y, cuando llegue el fatídico día en que la muerte se presente para una de nosotras, espero que también lo hagamos juntas. Al menos yo prefiero morir antes de tener que llorar la muerte de Orna.

Los árboles y arbustos que rodean la aldea se abren paso. Huele a hierbas, a leña quemada y a miel derretida. La melodía de las mujeres que cantan alrededor de la gran hoguera impregna el ambiente de una energía que, al igual que las Seerhas, traspasa el tiempo y las generaciones. La magia antigua danza entre los aullidos que nos roban el aliento.

> *Somos las hijas de la tierra,*
> *salvajes y crudas.*
> *Rezamos a Mhys, la sangre de la venganza,*
> *porque la misericordia de Kard no nos ayuda.*
>
> *Somos las hijas del mar y del cielo,*
> *bravas y libres.*
> *Rezamos a la venganza, la sangre vertida roja,*
> *porque la sangre exige sangre*
> *y el perdón sobre los culpables jamás se arroja.*

El fuego crece delante de mis ojos. Desde que este lugar me acogió el día en que me perdí, he visto en él la esperanza. Sin embargo, hoy veo la muerte. Mis emociones se entremezclan con sensaciones que no conozco, que no pertenecen a este momento.

—Somos las hijas de la tierra, salvajes y crudas —se une mi hermana al canto y tira de mi mano para que bailemos junto a la hoguera.

No dudo en ir tras ella, nunca lo he hecho. Alternamos nuestros pasos en pequeños brincos y hacemos el círculo más grande al acoplarnos al resto de las chicas, aunque yo no canto.

Nos saludan con sonrisas cómplices, orgullosas de que hayamos asistido a esta fiesta. Mi hermana me insta a que saque la voz que se arremolina en mi cuello, a que recite con ella esta melodía, pero no puedo hacerlo. Es una canción de venganza y mi interior está repleto del cariño de mi familia y del calor de mi hogar. No encuentro el odio necesario para rezarle a la diosa de la venganza.

Cuando encienden los farolillos colgantes de los árboles y mis pies trastabillan casi al anochecer, Orna decide que nos apartemos y demos un paseo por las tiendas. Su sonrisa no la abandona mientras leemos las etiquetas de los brebajes de frutas que venden y se coloca sobre su cabello trenzado las coronas de flores que la señora de esta tienda la anima a probarse.

—Son preciosas —me dice entusiasmada agarrándose la corona con ambas manos. Una florecilla roja se le escurre por el pelo castaño claro—. ¿Quieres una para ti?

No, no me gustan las coronas ni nada que se me pueda caer al jugar por los bosques. Ella lo sabe, por eso se le escapa una risotada al ver la mueca que hago, y continúa echándole un vistazo a la siguiente tienda de abalorios. Sin embargo, yo me quedo clavada en el mismo lugar. Mi atención se desvía a la hoguera, a las llamas que me atemorizan porque no quiero sentirme identificada con ellas nunca. En cuanto la subo a la gente que celebra esta noche, veo a tres ancianas desgarbadas caminando en mi dirección, envueltas en túnicas oscuras, cuyas capuchas les velan el rostro de una negrura que me eriza la piel. Sus presencias tapan la tienda en la que se encuentra Orna al pasar por mi lado e inmediatamente intento apartarme para encontrarla.

De repente, mi muñeca se congela. Me doy media vuelta, asustada por los dedos que me aprisionan la piel, y son los minúsculos ojos de una de estas tres ancianas desgarbadas los que me reciben. Noto una punzada en el cuerpo cuando se cuelan en mis pupilas y brillan de un dorado cegador. Entonces, me percato de que es una de las legendarias Seerhas. Un terror natural me invade por dentro, aunque me esfuerzo por ocultarlo.

—Eres una niña maldita —me sisea con una voz gutural, como si hubiese dejado de pertenecer a este mundo hace mucho tiempo—, y maldita es la madre que te gestó.

Los ojos me arden solo de mantenerle la mirada. El pecho también me quema. Pese a que tiro de mi brazo, afanosa por zafarme, la bruja no me libera.

—No sé si has nacido destinada a morir por tu sangre… —dice, y el tono se agrieta conforme habla— o destinada a destruir el mundo por la misma razón.

Un huracán de visiones espantosas y difusas se enredan en mi cabeza. Me armo de valor diciéndome a mí misma que a las brujas les gusta atemorizar a las niñas con leyendas falsas, pero lo cierto es que estoy completamente paralizada. El frío en mi muñeca desaparece. Parpadeo y ya no está. En su lugar, Orna me sacude los hombros pidiéndome que vuelva en mí.

—¡Lhyss, te estaba buscando! —vocifera—. ¿Qué haces aquí parada?

Repaso sus rasgos fruncidos por la preocupación. Estoy tan asustada que me cuesta encontrar la voz.

—¿Sigues afectada por lo de padre?

—¿A qué… te refieres?

—A lo que nos comentó esta mañana. —Ante mi nula reacción, exhala un resoplido y me acaricia la cabeza—. Lo de casarnos con el futuro hijo de Rhyza, si es que esta vez el bebé consigue superar el embarazo.

—No nacerá —musito, aún conmocionada—. O espero que no lo haga, porque no pienso convertirme en la princesa de nadie.

—¡Por los dioses, Lhyss! No tientes a la muerte. Además, piénsalo. —Se inclina para ponerse a mi altura y esboza una sonrisa que percibo más lejana que nunca—. Yo soy mayor, pero contigo no existiría tanta diferencia de edad. Si es apuesto y…

Hago un mohín de asco. Orna se echa a reír, es todo lo que necesito para volver en mí.

—Tengo una idea, enana.

Me guiña un ojo al entrelazar nuestros dedos y dejo que me guíe hasta su ocurrente idea, que no es otra que plantarnos frente a la tienda de las Seerhas. Antes de que pueda negarme a entrar, su mano me conduce al interior, oscuro y helado. Las tres brujas permanecen quietas al fondo, ensombrecidas por sus túnicas e iluminadas por una velita en el centro de un altar. Nuestras respiraciones se condensan en nubes de vaho, yo me aferro a mi hermana como si mi vida dependiese de ello y Orna me sonríe con ternura, como si contemplase a una niña despavorida por las leyendas que corren por los bosques.

Eso es porque no tiene ni idea de lo que me ha dicho una de las tres Seerhas.

—¿Qué os trae por aquí, niñas? —inquiere la de la derecha, severa y recelosa.

Sé que a la derecha está Thramtid, la bruja del futuro; el centro lo preside Thilsa, la bruja del presente; y a la izquierda aguarda Thorba, la bruja del pasado. A pesar de la penumbra, enfoco la vista en sus caras. Protegida por mi hermana, el miedo se transforma en rabia. Quiero identificar cuál de ellas me ha soplado al oído que soy una niña maldita.

—Me gustaría saber si Lhyss se convertirá en una princesa —canturrea mi hermana, divertida, y les entrega un par de monedas de cobre.

De pronto, las tres empiezan a reírse sin control. Los hombros les tiemblan bajo las túnicas y ambas sabemos que no es una risa normal, ni siquiera se debe a la ridiculez de la pregunta de mi hermana, porque se deforma en una especie de alarido furioso. Las sombras que se ciernen sobre nosotras comienzan a desfigurarse por la ondulación de la llama de la vela y el fatídico dorado de sus ojos relampaguea al alzar los rostros en nuestra dirección. Entonces, reconozco a la bruja que me agarró la muñeca fuera de la tienda. Está a la izquierda. Es Thorba.

—El trono será destruido antes de que pueda sentarse en él —sentencia Thramtid, la bruja del futuro, con una voz atemporal—. Serán el caos y el terror, y no las personas, los nuevos reyes de los reinos.

Mi hermana y yo deberíamos salir de la tienda a toda prisa como hicimos en aquel entonces, calladas porque el miedo que infunden las Seerhas con sus palabras tienen el poder de sellar los labios de cualquier persona. Sin embargo, no ocurre como en mis recuerdos. No nos vamos de aquí, sino que Orna se gira hacia mí después de haber perdido toda expresión en su cara y me apunta con un dedo.

—Asesina —ruge.

Me vuelvo hacia las brujas. Tuercen la boca hacia abajo con el brillo de sus ojos apagado y las arrugas del rostro tiritándoles en una mueca furiosa, a punto de explotar contra mí. Esta parte de la noche no sucedió. Lo sé. Aun así, soy incapaz de soportar el horror que me retuerce el corazón. Me falta el aire. No espero a Orna, comienzo a correr hasta la salida de la tienda como corrí aquella noche en la muralla para salvarme de la muerte segura. ¿A eso se refería Orna? No, eso no me hizo una asesina.

Al atravesar el telón de la tienda, mi pecho convulsiona tragando una bocanada de aire. Estoy tumbada de espaldas en el terreno musgoso y repleto de hojas del Bosque de los Anhelos, donde anoche perdí el conocimiento. Tengo el cuerpo helado por el relente del amanecer y me doy cuenta de que mis oídos están taponados al arquearme y proferir un quejido sordo. El entorno está cubierto por una espesa capa de niebla blanca que ni siquiera me permite vislumbrar en qué dirección se encuentra la fogata que dejé atrás.

De repente, una multitud de piares agudos me acuchillan las sienes.

Recupero el sentido del oído, pero mis extremidades están aletargadas y me punza alrededor de las orejas como si hubiese estado sufriendo durante horas el efecto de los atronadores sonidos que sobrevuelan la zona. Todo me da vueltas. Varios pájaros azules con las alas y los picos negros pasan de largo a una velocidad abrumadora y perforan la neblina hacia un lugar que no consigo ver desde aquí. No obstante, es fácil suponer a dónde se dirigen.

Son Destripasueños.

Zarandeo los brazos en un intento por recobrar el movimiento y me arrastro a gatas siguiendo el camino de estas criaturas atormentadoras que han sido las causantes de mi pesadilla. El equilibrio me falla en varias ocasiones, mis manos tropiezan torpes con algunas ramas y me doy de bruces contra el suelo, aunque resisto la tentación de desmayarme porque el hecho de que los Destripasueños me hayan dejado en paz significa que tienen mejores víctimas a las que atormentar. Víctimas que estarán atrapadas en sus recuerdos y que, a estas alturas, estarán experimentando lo que ocurrió al final de mi pesadilla, cuando los sucesos comenzaron a retorcerse para atacar mi punto débil.

En cuanto atravieso la neblina, me percato de que la situación es peor de lo que imaginaba. Kirsi y Kalya están dormidas con sus cabezas gachas bajo el árbol donde estuvimos haciendo guardia, aunque la primera tiene la barbilla empapada de saliva espumosa. Thago forcejea con Dhonos mientras arroja al aire improperios incomprensibles porque quiere abalanzarse sobre Mei, que gatea de espaldas al suelo propinándole patadas a la tierra, y, cuando Nadine trata de hacer que el Guardián despierte de sus alucinaciones, este la aparta de un codazo en la mandíbula que la deja inconsciente.

Thago lo libera para proteger a Nadine de la caída.

Mei corre despavorida y Dhonos la persigue, desenfundando su arma.

Y entonces veo a Vera, que está ayudando a Nevan a incorporarse para que no se ahogue con su propio vómito en medio del infierno en el que se ha convertido la acampada. Empujo el terreno húmedo con mis botas haciendo un esfuerzo descomunal por levantarme y caminar hasta ellos, pero un poco más allá un cuerpo engalanado en ropajes negros se agita violento. Es Kowl. Está convulsionando al lado de Arvin, que no se mueve ni siquiera al respirar.

—Están mezclando sus alucinaciones con la realidad, Rawen —me dice Vera a punto de romper a llorar.

—¿Puedes encargarte de Nevan? —balbuceo con dificultad. Ella asiente—. No lo dejes solo hasta que despierte.

Me arrodillo frente al cuerpo de Kowl, arrugo la tela de su túnica entre mis dedos y aprieto con la fuerza que me resta al sacudirle el torso. Sus párpados se mueven frenéticos, como si estuviese presenciando un centenar de escenarios distintos a la vez. O como si quisiera huir desesperadamente de aquello que ve. De pronto, todo cesa.

Las facciones de su cara se relajan, inmóviles. Mi respiración se entrecorta al notar que la suya no se escucha. Observo su pecho con la esperanza de que suba y baje aunque sea a un ritmo débil. Nada. Ni un solo movimiento.

—¡Kowl! —grito, con el miedo estrangulándome la voz.

Le sujeto la cara entre mis manos, temblorosas. Coloco dos dedos bajo su nariz, buscando cualquier señal de que sigue vivo, y le sacudo los hombros una vez más antes de pegar la cara a su pecho. Pero es como si el mundo se hubiera detenido. La quietud de su corazón rompe algo en el mío.

Su piel ha comenzado a perder color.

Me trago las arcadas, no puedo dejarme arrastrar por el pánico. Le inclino la cabeza y sello su nariz. Después, coloco mis labios sobre los suyos. El frío de su piel me impacta. Inspiro hondo y soplo aire en su boca. Me inclino sobre él apoyando ambas manos en el centro de su torso. Siento la rigidez de su cuerpo muerto bajo mis dedos entrelazados. Hago presión con fuerza y ritmo, cuento en silencio. El sonido sordo de su espalda golpeando contra el suelo me aterra. Las lágrimas repiquetean en el dorso de mis manos. Cubro su boca con la mía y mi respiración entra en él una y otra vez, deseando que reaccione, que despierte, que haga cualquier cosa. Entonces, siento algo.

Un espasmo.

El aire parece regresar a su cuerpo en un súbito jadeo, sus labios se abren y su torso se eleva en una bocanada desesperada. Me aparto de golpe y noto cómo el llanto me empapa las mejillas al verlo respirar de nuevo. El pecho se me infla de alivio hasta que, de pronto, la veo a ella.

Todo mi cuerpo se paraliza. Reconozco las botas marrones que se plantan delante de nosotros. Yo misma le cosí su inicial en una de las punteras desgastadas. Me siento sobre mis talones y alzo la mirada. La figura de Orna bañada en sangre se inclina hacia mí con su trenza pendiendo entre nosotras, goteando sobre el pecho agitado de Kowl.

—¿Estás segura de que la verdadera asesina no eres tú? —inquiere ampliando el gesto de los labios sin contención—. Tus manos también se mancharon de sangre aquel día.

A pesar de que quiero contestarle, me atraganto con mi propia saliva y toso repetidas veces antes de recomponerme. Su tez está pálida, igual que cuando murió en mi regazo.

—Dime quién fue —le suplico.

Tiene a todos los posibles responsables de su muerte reunidos en este bosque.

—Dime quién fue —repito y Orna se endereza, alejando su rostro del mío— y te prometo que hoy será su último día de vida.

De nuevo, me señala con un dedo.

—Quería sacarte de allí —sollozo.

—¡¡Me abandonaste!! —me grita con una voz distorsionada que parece provenir del mismísimo infierno. Mis brazos caen lánguidos a los laterales, hundo la punta de los dedos en la humedad de la tierra y siento el hormigueo trepándome por la piel—. Dejaste sola a Gwyn y permitiste que Tyropher cargase con el Coranchín hasta el día en que eso lo mató, todo por tus propios intereses.

—No… Eso no es… cierto.

—Mírate las manos, enana —dice, remarcando con un deje macabro el apodo que me puso de forma cariñosa—. Eres una asesina desde que naciste. Me arrebataste a mi madre y luego me asesinaste a mí por tus deseos egoístas.

Sus palabras tan bien escogidas ensartan cada punto vulnerable de mi corazón. Estoy ahogándome con el golpeteo de los latidos en mi garganta y me escuecen los ojos por las gotas de sudor que consiguen bordear mis cejas. Tal y como me ha pedido, voy a mirarme las manos, pero están enterradas entre hojas. En su lugar, a quien veo es a Kowl, sacudiéndose en el suelo a merced de los chillidos que emiten los Destripasueños.

—No eres real —le susurro a Orna, aunque esas palabras van dirigidas a mí porque necesito recordarme que esto es una alucinación.

Sin embargo, ella no desaparece. Las comisuras de sus labios se ensanchan tanto que se le agrietan. La sangre se desliza por sus dientes. Me llevo una mano al estómago y otra a la boca, conteniendo el impulso de vomitar. Retrocedo, horrorizada, y me incorporo sin dejar de mirar al suelo. En cuanto gano algo de estabilidad, no me lo pienso dos veces. Acelero el paso y corro hacia cualquier dirección, con la amarga desesperanza murmurándome al oído que la expedición termina aquí. Hemos fracasado. Aun así, aun si muero hoy, no permitiré que mi último recuerdo de Orna sea este.

Porque no desaparecerá, sé que no lo hará. Me perseguirá durante horas y me acusará de haberla abandonado en lo alto de la muralla, de haber apartado la vista después de que el Cantapenas comenzase a devorarla. O de lo que más me he arrepentido estos años, de haberme escondido mientras se enfrentaba sola a los tres Cuervos.

Mis pies pierden la fuerza que habían ganado tras el impulso de huir. Me tropiezo con un tronco derruido y caigo a la tierra, casi rezando por que algo me haga perder también la consciencia, pero entonces reparo en que el nivel del terreno está inclinado y adquiero velocidad conforme ruedo sobre las hojas, resbalo por el cúmulo de musgo en la pendiente y las ramas rotas se me clavan por todas partes. Exhalo un quejido tembloroso cuando aterrizo en un pequeño claro. El carcaj de flechas y el arco traquetean en mi espalda. Hay rocas enormes desperdigadas por la zona y el piar de los Destripasueños parece lejano, tanto que creo que podré respirar al fin. Sin embargo, me miro las manos para sacarme las ramitas secas que se me han incrustado en las palmas y compruebo que continúan empapadas de sangre.

Aún estoy sufriendo las alucinaciones de los Destripasueños. La Orna de antes regresará en cualquier momento.

—No, por favor. No... —ruego llevándome las manos a las orejas mientras me mezo sentada en el suelo. Cierro los ojos. El pánico se apodera de los rincones más oscuros de mi existencia. Empiezo a creer que estoy a punto de morir. Que voy a desaparecer, a olvidar quién soy, que quizá por eso soy incapaz de acabar con esta pesadilla—. Soy Lhyss. Lhyssarys... Tengo veintiún años. Estoy viva. Soy Lhyssarys, guerrera de la muralla de Mhyskard. Soy hija de la tierra, salvaje y cruda. Rezo a Mhys, la sangre de la...

Una rama cruje.

Abro los ojos, espantada.

Me encuentro con otros ojos espantados, oscuros y afilados.

Ha escuchado mi secreto.

Información adicional

CRIATURAS DEL ABISMO CLASIFICADAS SEGÚN NIVEL DE AMENAZA

(A) Atormentadoras. Presentan distintas conductas para debilitar la cordura. Se alimentan de la energía vital de las víctimas, invitándolas a rendirse a la muerte a través de episodios de pesadillas o alucinaciones en el nivel en que se encuentren estas criaturas. Algunas han aprendido a imitar voces o rostros para dificultar la toma de decisiones al resto del grupo a la hora de atacar, ya sea después de devorar a una víctima o tras conocer los puntos débiles de los exploradores mediante las pesadillas. Debido a que son criaturas lentas y generalmente menos peligrosas que las letales, prefieren a víctimas débiles. Suelen cooperar con las criaturas colaborativas y letales para su cometido.

Destripasueños

Cuerpo de tamaño mediano y plumaje azulón, con alas y pico negros.

Presenta mayor actividad durante la noche y alcanza su punto álgido al amanecer. Hostiga a sus víctimas con cánticos mientras estas duermen, accediendo a sus recuerdos y alterándolos para utilizarlos en su contra. A veces, puede provocar alucinaciones.

Se desconoce con qué tipo de bestias colabora el Destripasueños y se sospecha que su brutal habilidad para debilitar la voluntad de vivir de sus víctimas se debe a que actúa por cuenta propia.

Se alimenta de **cadáveres**.

38

El precio del silencio

Bosque de los Anhelos, 1.426 aps (Escala de presión abisal)

Toda mi vida he transmutado la desgracia en rabia.

La rabia en muerte.

No me avergüenza ser quien soy porque no necesito cumplir las expectativas de nadie, y el honor de mi hermana nunca fue el mío, así que, cuando me topo con el semblante confuso de Mei, me abalanzo sobre ella como un animal, salvaje y por instinto. Me aprovecho del elemento sorpresa y utilizo toda la potencia de mi cuerpo para impactar contra su abdomen a la vez que le agarro las piernas con ambos brazos. La precipito al suelo. Pero las dos conocemos técnicas de combate, y Mei reacciona rápidamente y me atrapa con sus rodillas ejerciendo una fuerza opresiva en torno a mi cintura. Solo evito que me luxe un brazo inmovilizándole ambas muñecas contra el terreno.

—Qué sorpresa, la heroína del grupo es una impostora —farfulla con dificultad para respirar. Tiene miedo, aunque también veo en sus pupilas dilatadas la satisfacción de creerme bajo su control—. ¿Quién más lo sabe? ¿Debería gritar tu secretito para averiguarlo?

Una sonrisa siniestra tira de mi boca. Me alegro de que su mente retorcida no se canse de demostrar lo insensata que es, porque eso me ayudará a machacar cualquier pizca de compasión que me quede en el alma.

—Me pregunto si los muertos pueden gritar —musito.

—Pregúntales a los tuyos. —Su voz maliciosa se cuela en mi cabeza—. Dime, ¿a quién has visto?

El momento de vacilación durante el que revivo la cruenta imagen de Orna me hace rebajar la fuerza con la que le sujeto las muñecas. Saca ventaja de que ambas estamos embadurnadas de la tierra húmeda del entorno y desliza con rapidez su piel bajo mis manos para empujarme las costillas. Al girarse, sus piernas me derriban al suelo y se libera por completo de mi agarre. No obstante, en cuanto se incorpora intentando huir de mí, afianzo mis brazos a la pierna que tengo a mi alcance y la devuelvo al suelo. Se revuelve y se da media vuelta hasta quedar bocarriba, cara a cara, pero, antes de que pueda emplear otra técnica, me coloco a horcajadas sobre ella y desenvaino una daga de mi corsé.

El filo de mi arma aprisiona el cuello de Mei contra el suelo.

—¿Qué vas a hacer? ¿Matarme? —Escupe una carcajada ahogada por la presión de la hoja.

No permitiré que juegue conmigo como lo hace con Dhonos. Si se piensa que soy una muchacha misericordiosa o que ganará tiempo mientras decido qué hacer con ella, le ahorro las dudas deslizando la hoja de manera superficial por su piel. El terror comienza a arremolinarse en sus ojos. Una gota de sangre le resbala hacia la parte posterior del cuello a la vez que entorna los párpados en una mezcla de vacilación y furia.

—¿Es eso lo que eres? ¿Una asesina?

A pesar de que me sobran ganas para mandar a Mei al infierno, la advertencia del cuervo de anoche regresa a mi cabeza: «Cuida tu elección, puede que halles al amigo en el rostro del enemigo». Tampoco tengo tiempo para meditar qué consecuencias tendrá la decisión que tome.

«Dos vidas a cambio de un secreto».

De repente, Mei afloja la tensión en su cuerpo. Que deje de resistirse me desconcierta, aunque aún tenga las manos colocadas en mis costados como si estuviese esperando el momento correcto para empujarme.

—Anoche Nadine me pidió que te buscase. ¿Sabes, Lhyss? Te encontré desplomada y pensé en marcharme para que fueran las bestias las que te devorasen, pero entonces empezaste a susurrar un nombre.

Mi respiración se congela.

—Y me quedé a disfrutar del espectáculo, de cómo sollozabas el nombre de Orna —habla, torciendo su mueca de miedo en una de diversión—. ¿Es esa la muerta que te atormenta? ¿Orna?

—Ningún Cuervo tiene derecho a pronunciar su nombre.

Me escupe a la cara y mando a la mierda las advertencias y los presagios, empuño la daga con ambas manos y la alzo en el aire que nos separa para arremeter contra su pecho, pero se la hundo en el antebrazo porque Mei lo interpone por delante de su corazón.

—Si muero aquí, te llevaré conmigo —gimotea mirándome a los ojos.

No me detengo, ni siquiera lo hago al escuchar los pasos de alguien más que se acerca a mi espalda ni al notar la quemazón intensa en la parte trasera de mi brazo diestro, donde me toca la otra mano de Mei. Desenvaino la daga de mi padre, le aparto el antebrazo herido y le arranco un grito de dolor que se une al que profiero yo. Entierro la hoja en su torso.

Los labios de Mei se salpican de sangre al exhalar un soplo entrecortado.

El dolor en mi brazo es tan violento que me desmorono a su lado y soy incapaz de ir tras ella cuando comienza a arrastrarse agonizante hacia la persona que ha presenciado esto.

Es Kowl, con unas inmensas ojeras y el cabello de la frente húmedo debido al sudor. La observa un segundo, tendida de espaldas y resistiéndose a morir. Luego a mí, que me palpo desesperada el brazo, donde mi camisa se ha desintegrado dando lugar a un agujero en el tejido y la piel ennegrecida despide un hedor a carne chamuscada.

—Ha escuchado… —balbuceo, vacilante—. Ella debe…

—Lo sé —me interrumpe Kowl, y mi mirada se suspende en las sombras tenebrosas que le colman los ojos—. Ella debe morir.

Saca la espada de su funda y, en un movimiento preciso, le atraviesa la espalda a Mei a la altura del corazón. Su cuerpo se derrumba a sus botas y deja de resollar. En cuanto le toma el pulso y se cerciora de que está muerta, le arranca mis dos dagas y acude a mí. Se arrodilla al lado, limitándose a devolverlas a mi corsé. Después, me dibuja un triángulo en el brazo para atenuar el dolor de lo que sea que me haya hecho Mei.

—Ha utilizado su magia contra ti —responde en alto.

Recuerdo lo que Mei hizo con las estalactitas de la cueva. Me apoyo en un codo y escudriño la herida, que no es más que un trozo de carne que estaba comenzando a desintegrarse tras la tela de mi ropa. Parece una quemadura.

—¿Te duele menos? —Asiento despacio—. No hagas ruido.

Cuando me ayuda a incorporarme pasando mi otro brazo por su cuello, me tiembla cada músculo del cuerpo, agarrotado por el dolor. Su estatura nos complica la maniobra, así que se agacha frente a mí y me sostiene de la cintura porque apenas puedo mantenerme en pie por mí misma. Eleva la mirada a mi rostro y, mientras me limpia las mejillas embadurnadas por la tierra mezclada con el llanto y la sangre, la dureza de su expresión se suaviza. Tiene la barba incipiente por el pasar de los días y las motitas iridiscentes en sus ojos refulgen acelerándome el corazón. Recuerdo lo de antes, su cuerpo inerte, y me estremezco.

Gracias a los dioses que sigue vivo.

—Tenemos que irnos de aquí. Rápido —murmura, alerta—. Te llevaré a cuestas, aunque puede que te duela un poco.

Ahora mismo mi única opción es confiar en Kowl. Abandono el orgullo y asiento de nuevo. Se gira con cuidado y me subo a su espalda mientras él me sujeta con firmeza las piernas para cargar con mi peso al erguirse. En cuanto me abrazo a su cuello y siento que la tortura ha terminado, que todos mis problemas se disipan confusamente, me percato de que no he decidido confiar en él porque sea mi única opción.

—¿Estás bien?

Aprieto los labios, conteniendo el llanto por las imágenes que se repiten en mi cabeza, y me dejo embriagar por la calidez que siento solo con estar cerca de él.

—Puedes llorar si lo necesitas.

—Ha sido… horrible —sollozo en su oído.

—Los fantasmas que te atormentan no son reales, Lhyss. Yo sí, y estoy aquí contigo —me dice y acaricia mis muslos con sus pulgares—. Ya se ha terminado. Estás a salvo, te lo prometo.

Asiento en silencio.

No me pregunta qué ha sucedido. Yo tampoco le pregunto si ya sabe cómo me llamo en realidad o hacia dónde nos dirigimos. Escondo la cara en su nuca, sintiendo el cosquilleo que me provoca su cabello despeinado, y memorizo el sonido que hace al esbozar una sonrisa débil. Cuando cierro los ojos, el aroma que emana la capa de Kowl despeja mi mente de cualquier agonía que me haya perseguido hasta ahora.

En algún momento, me despierto tumbada en el suelo y casi me parece un sueño no haber sufrido otra pesadilla. La niebla ha desaparecido y la luz del sol resplandece en lo alto de las copas de los árboles, creando un mosaico de figuras doradas que no me alcanzan porque el árbol junto al que estoy me proporciona la sombra suficiente. Acaricio el manto de hierba bajo mi cuerpo, que se mece al ritmo de la brisa que corretea por esta zona, y me toco el relieve oscuro en mi brazo mientras me enderezo despacio, estirando los músculos rígidos. El arco y el carcaj están a un lado. A unos metros de mis pies se extiende un enorme lago en el que se reflejan el cielo despejado y algunos pájaros inofensivos que lo sobrevuelan. La vegetación del paisaje es casi tan verde como los prados del Valle Antiguo. Kowl está arrodillado junto al agua, recogiendo con parsimonia un poco en su cantimplora.

Al levantarse y darse la vuelta, el viento fresco le revuelve la cabellera negra y ondea su capa zarandeando las plumas que presiden los hombros. Nuestras miradas colisionan como siempre he pensado que lo hacen, de una manera inevitable y catastrófica, porque desata un caos que no destruye, sino que crea algo nuevo dentro de mí, una sensación que no conocía hasta que lo conocí a él. A medida que han pasado los días, ese hilo que nos vincula por algún motivo, esa atracción invisible que nos une, ha ido convirtiéndose en una sensación cercana a la muerte como la que se expande por mi cuerpo ahora, mientras lo veo acercarse y desabrocharse la capa. La dobla a mi lado y me ofrece la cantimplora.

—¿Qué hacemos aquí? —le pregunto y acepto el agua.

Le doy un trago y reprimo el gemido de alivio al sentir el líquido frío descendiendo por mi garganta. Kowl empieza a desprenderse también de su túnica con gestos pausados, broche a broche, provocando un ligero tintineo metálico. Luego, se desliza la tela de la camisa interior de lino por encima de su cabeza y deja al descubierto su torso esculpido. Me digo a mí misma que debo apartar la mirada, pero me niego a hacerlo. Tiene los hombros anchos y las clavículas ligeramente marcadas, salpicadas por algunos lunares desordenados, y los músculos de su abdomen forman líneas bien definidas, un patrón perfecto que se tensa con cada movimiento. Mis ojos traicioneros descienden a la delgada línea de vello oscuro, casi imperceptible, que recorre desde su ombligo hasta perderse bajo la cintura del pantalón de cuero oscuro.

Joder.

Trago saliva. Todo él proyecta una mezcla de poder y lujuria que me abrasa el rostro. Es la representación de todo lo que está bien y mal al mismo tiempo, porque me descubro adicta al peligro de desearlo aún más cerca.

En cuanto me tiende su camisa blanca, intento aparentar indiferencia bebiendo agua deprisa, pero el líquido se me va por mal camino y termino haciendo el ridículo atragantándome con mi propia tos. Kowl esboza una sonrisa divertida que me aprieta el pecho.

—Solo te había dejado la cantimplora para que la sujetaras, pero eres libre de beberte todo el agua si tanta sed tienes —se burla.

—No has respondido a mi pregunta —me quejo con la dignidad por los suelos y las mejillas incendiadas.

—Tenía que alejarte del resto. Necesitas darte un baño, limpiarte la sangre de Mei y cambiarte la camisa o Kalya reconocerá esa herida.

—¿Por qué? —murmuro al aire. Él sabe a la perfección a qué me refiero.

—No. —Se sienta junto a mí y noto cómo su semblante se oscurece—. La pregunta es por qué lo has hecho tú.

—Ya lo sabes —respondo devolviéndole la cantimplora.

—¿Quién eres?

El silbido de la brisa que agita las copas de los árboles se cuela entre nosotros. Padre siempre decía que en calma todo se observa mejor, que es así cómo la verdadera naturaleza de las cosas sale a la luz. Se pasaba las horas en lo alto de la muralla, pero no contemplaba el desconocido paisaje de Khorvheim o el aterrador abismo, sino el Reino de Mhyskard. Y yo me preguntaba qué diablos pretendía ver en nuestras tierras que no hubiese visto ya.

—Eso también lo sabes, ¿no es así?

—Lhyssarys, guerrera de la muralla de Mhyskard —declara con voz grave y pasa de tener la mirada perdida en algún punto del horizonte a dirigirla a mí con el recelo que implica haber descubierto mi identidad—. ¿Qué haces aquí?

No empuño ninguna daga que me proteja de Kowl porque incluso vestida me siento más desnuda que él. Dejo su camisa a un lado y me desabrocho el corsé. A decir verdad, nunca imaginé que la expedición fuese a complicarme tanto los planes.

—¿Vas a entregarme a tu Rey? —inquiero con sorna.

—¿No crees que ser tu cómplice de asesinato es igual de grave?

—He venido a buscar a alguien —le confieso entonces.

—Vaya, ¿puedo saber a quién? —Finge sorpresa enarcando las cejas y se inclina hacia mí. No me pasa desapercibida la amenaza oculta en sus ojos ni los lunares en su clavícula o en el contorno de sus hombros tensos—. O, mejor dicho, para qué.

—Tengo asuntos pendientes con esa persona.

—¿Tienes o tenías?

—Tengo.

—Es extraño que arriesgues tu vida rodeándote de tus enemigos, a quienes no conoces porque por supuesto tienes prohibida la entrada a Khorvheim, y que busques a alguien con quien, tras todos estos días en el abismo, aún sigues teniendo asuntos pendientes —pronuncia remarcando la importancia de cada palabra. Observo su espada enfundada y sus manos, tan quietas como las mías. Una de las comisuras de sus labios se eleva en una media sonrisa insinuante—. ¿O es que hay algo en concreto que te impide identificarlo?

Respiro hondo y suelto el aire en un suspiro de derrota que me hace sonreír. Lo admito, ha ganado, aunque me ahorro la mueca de fastidio porque, por increíble que me parezca, acaba de liberarme de la carga de silencio que me ha estado aplastando hasta ahora.

—Exacto, no conozco su rostro ni su nombre.

—En ese caso, déjame adelantarte que esa persona no tiene asuntos pendientes con nadie. —Cuando se impulsa con las manos para ponerse en pie, el corazón me da un vuelco por el peligro que supondría que Kowl haga su primer movimiento, pero resisto la tentación de abalanzarme sobre mis armas.

Desde el principio, Kowl ha hecho las cosas a su manera, sé que esto no se resolvería ensañándonos en un combate cuerpo a cuerpo, y me lo demuestra tendiéndome una mano.

—No tienes ni idea —farfullo aceptando su ayuda y me incorporo.

—La tengo, Lhyss. —Al elevar la vista a él, no encuentro amenaza en su expresión, sino una condescendencia indescifrable—. Porque yo sí sé quién es la persona a la que estás buscando.

Me obligo a mantener la compostura a pesar de que el aliento ha escapado de mis pulmones. Siento un leve mareo que contrarresto aferrándome fuerte a su mano y escudriño cada minúscula parte de sus facciones con la esperanza de averiguar si está diciendo la verdad o si se trata de un juego mental. Por mucho que Kowl afirme saber de quién o de qué estamos hablando, no puedo preguntarle directamente quién es el Príncipe Khorvus. Podría ser mi sentencia. ¿O acaso esa es su intención con esta conversación?

—¿Eres tú esa persona?

—Si estamos hablando de la misma, no lo creo.

—Según tú, sabes quién es.

—Relaja esto —dice, me da un toquecito en la frente e interrumpe de sopetón el flujo de mis pensamientos, devolviéndome a la realidad, a que nunca he entendido las motivaciones de Kowl—, y preocúpate de sobrevivir hasta el último nivel. Ahora date un baño, debemos reagruparnos con los demás cuanto antes.

Me deja plantada, con la vista suspendida en el movimiento sinuoso del agua del lago, mientras recoge su camisa de lino doblada en el suelo y la coloca en mis manos.

—Póntela aunque te quede grande, y deshazte de la que llevas puesta.

Doy un paso al frente, rumbo al lago, mientras me separo los mechones que tejen mi trenza, y me detengo un solo instante al encontrar en la telaraña de dudas de mi mente las únicas palabras que puedo pronunciar en este momento sin condenarme a algo peor.

—¿Cómo sé que no eres esa persona? Que has dicho la verdad.

Kowl no se gira cuando sacude la túnica para volver a vestirla, pero los músculos de su espalda se tensan.

Te diré quién es cuando bajemos al último nivel.

39

Eostrus telem kheris tekhar

Bosque de los Anhelos, 1.472 aps (Escala de presión abisal)

La brisa cálida del bosque juega con mi melena mientras me quito la capa a orillas del lago. La coloco sobre una roca con cuidado de no mojarla y, sobre ella, el bolso de cuero atado a mi cintura. La camisa sucia la arrojo al suelo. Después, me desabrocho el pantalón, dejando que la tela se deslice por mis piernas magulladas, y lo doblo encima de los únicos enseres personales que tengo conmigo.

Me volteo un segundo para cerciorarme de que Kowl no está mirando y, cuando confirmo que no le interesa lo más mínimo mi desnudez porque está centrado en afilar la espada con la que remató a Mei, me quito la ropa interior y me adentro en el lago que se extiende ante mí. El suave tacto del musgo a mis pies me desliza al centro de la masa de agua. Por suerte, el triángulo de Kowl en mi brazo me permite nadar sin encogerme de dolor. Sumerjo la cabeza y me escurro la melena empapada hacia atrás con los dedos.

El perfume de las flores silvestres que crecen cerca de la orilla mezclado con el aroma que emana el agua me arranca un gemido de placer. Tras todos estos días sobreviviendo a la escasez de agua, poder darme un baño se siente como cumplir una fantasía. Me zambullo y nado hasta el borde, deleitándome de uno de los pocos momentos de paz que he experimentado dentro del abismo, aunque cerrar los ojos cuando estoy a solas no me ayuda a alejar de mi mente las imágenes de Mei agonizando o las de Orna de hace un rato.

Me atormenta suponer que, de estar viva, podría haber llegado a odiarme.

Flexiono un brazo al borde de la zona profunda del lago y descanso la barbilla sobre él. Kowl se ha sentado con la espalda recostada en el árbol que le proporciona sombra, junto a mi corsé armado de dagas y el carcaj con flechas. Repaso en mi mente el medio cuerpo desnudo que alcancé a verle antes; no tenía cicatrices ni marcas de combates anteriores, aunque tengo entendido que los alquimistas de Khorvheim son capaces de borrar heridas superficiales. El pellizco en mi estómago se acrecienta al subir la mirada a sus labios y encontrarme con la suya.

—¿Eres una acosadora? —vocifera arqueando una ceja.

—¿No crees que eso debería preguntártelo yo? —inquiero hundiéndome en el agua hasta el cuello—. Es de mala educación espiar a chicas que están bañándose desnudas en un lago.

—Lo dices como si fuese la primera vez que te veo desnuda.

De repente, un leve rubor le trepa a las mejillas, aunque las mías se encienden con más furor por otras razones. No porque me hubiese visto desnuda en aquel lago cercano a la Escuela de Cuervos, sino porque acaba de admitir que ese momento sucedió. Que era él y no una alucinación como quería hacerme creer.

—¿Qué?

—Eres un mentiroso —lo acuso, indignada.

—Solo quería mantener las distancias con la loca del bosque —dice entre risas, y juro que, cuanto más sonríe, más desgraciadamente irresistible me resulta.

Siento el impulso de salir corriendo hacia Kowl e interrogarlo hasta que se rinda a contarme qué presagio le transmitió el cuervo de aquel bosque, pero entiendo que quizá no sea agradable repetir en voz alta la desgracia que pudiese vaticinar aquella criatura legendaria. Recordar los presagios que me llegaron a mí anoche me produce un escalofrío que amenaza con romper la fachada de normalidad que ambos estamos intentando conservar para hacer todo esto más fácil. También me gustaría saber por qué a ambos nos habla el mismo cuervo. Carraspeo, tragándome las preguntas, y me aproximo a la roca donde dejé mi ropa interior. Estiro el brazo sano, la meto al agua y la enjuago mientras considero el comentario de Kowl. Reprimo una sonrisilla porque, para qué negarlo, no me importa que me vea desnuda si se trata de él.

Luego, me dispongo a dar brazadas de un extremo a otro del lago mientras la ropa se seca al sol y lo fulmino con la mirada para que agache su vista a las hojas caídas del suelo cuando salgo del agua para vestirme. La camisa de lino que me ha prestado desprende ese olor tan característico en él, mezclado con el cuero de sus otras prendas, y me queda varias tallas más grande, por lo que tengo que doblarme las mangas para poder sacar las manos. Escurro mi melena y la voy desenredando con los dedos de camino al árbol de Kowl, aunque empiezo a notar en la herida del brazo unas punzadas, como si me desgarrasen la piel, y me dificultan moverlo con normalidad.

—¿Tienes hambre? —pregunta, distraído.

—Mucha.

Tomo asiento a su lado, saco dos barritas de mi bolso y le ofrezco una.

—Tengo las… —contesta, pero las palabras quedan suspendidas al fijarse en su prenda ancha en mi cuerpo y recorrer la longitud de mi melena sin trenzar, completamente lisa por la humedad— mías.

La nuez de su garganta se mueve al tragar. No de una manera incómoda ni vergonzosa, sino hambrienta. Pasea sus ojos oscuros por la línea de mis labios y luego aterriza en mis pupilas. La forma en que me mira hace que mis pulsaciones se disparen. Su media sonrisa me hace sentir más desnuda que nunca. Él es la única persona capaz de acceder a mis emociones y, por si fuera poco, ahora también conoce parte de mis secretos.

Lo peor es que empieza a gustarme la sensación de sentirme expuesta ante Kowl, y la naturalidad con la que acepta mis demonios y me defiende de ellos me nubla el juicio casi tanto como el sentimiento de familiaridad que despierta él en mí desde el primer día.

—Debería ser un pecado que lances esas miradas —digo vacilante y agito la mano entre nosotros para que coja la barrita—. Te invito a una.

La acepta en silencio, aunque le da el primer mordisco sin abandonar esa sonrisa letal de la que no puedo apartar la vista. Oculto mi mueca nerviosa tras la barrita.

El pecado debería ser que te quede tan bien la camisa de un chico.

Entonces, sin alzar el mentón, sube su mirada acechante, enmarcada por el espesor de sus cejas oscuras y los mechones que le caen en la frente, y noto cómo ahonda en mi interior. Es imposible escapar de él, así que me trago el bocado como puedo.

Por suerte, es la mía.

—¿Y qué si es la tuya? —replico en defensa.

—Que puedo quitártela cuando me plazca, Lhyssarys.

—Eso está por ver.

—Yo también sé jugar sucio —declara, mordaz—. ¿Quieres que te lo demuestre?

El primer mordisco a la barrita se me atraganta y juro que me dejo la vida en frenar la tos porque hacer el ridículo dos veces en tan poco tiempo ya me parece demasiado. Si antes tenía las mejillas rojas, ahora que me arde la cabeza entera debo de estar como un tomate, y la breve risotada de Kowl me lo confirma, aunque yo sigo ensimismada por el sonido de mi nombre resbalando entre sus labios.

—Solo estaba bromeando —dice acabándose la barrita de un bocado y recostándose sobre sus manos en la tierra para escudriñar el cielo—. Buscaremos al resto cuando se te haya secado el pelo.

—Podemos decirles que hemos encontrado un lago y…

—Ni hablar —me interrumpe, severo—. No tendría sentido que te hayas dado un baño antes de reagruparnos y avisarlos de esta fuente de agua. Los de rangos altos, sobre todo Arvin y Kalya, sospecharán de ti y de la desaparición de Mei.

—¿Y si dan con el cadáver?

—Fingirás sorpresa. No sabremos nada de ningún cadáver. Tú huiste de las alucinaciones de los Destripasueños y yo te perseguí hasta que conseguimos alejarnos lo suficiente —recita la coartada en alto y su expresión se torna sombría, como si estuviese adoptando su verdadera forma—. Si algún dedo te apunta, yo me ocuparé.

—¿Por qué lo hiciste, Kowl?

—Podría decirte que Mei era un incordio y un peligro andante para toda la tropa —empieza a enumerar y amplía los labios con malicia—, pero lo cierto es que tuve que elegir y te elegí a ti.

—Ni siquiera titubeaste al hacerlo —comento, pese a que yo habría actuado igual.

—No veo por qué tendría que titubear.

Una repentina corriente de aire frío me agita la melena y los árboles se ciernen sobre nosotros, aunque estoy tan perdida en sus gestos, en esa oscuridad letal que siempre he visto en él, que ni siquiera me inmuto. Hasta este momento no me había dado cuenta. No soy la única expuesta, Kowl también me está mostrando una faceta de él que desconocía. La que carece de escrúpulos y compasión, la que confirma que esa hostilidad que lo envuelve, esa amenaza sigilosa pero fatal, no es una fachada.

Es la realidad.

Cabeceo en señal de entendimiento. No me decepciona saber que Kowl pueda tener un corazón salvaje como el mío, aunque sí me ayuda a comprender mejor sus decisiones. Y a estar preparada para cualquiera de ellas. Rescato el corsé del suelo y me lo ato a la cintura con cuidado de no mover demasiado el brazo diestro. Luego, rebusco en mi bolso y saco el saquito de hilos y agujas. Escojo el hilo negro, casi del color de mi cabello.

—¿Vas a utilizar hilos de heridas para atarte la trenza?

—Quién dice que la trenza no sea una de mis heridas —ironizo con los tres mechones repartidos entre mis dedos.

Kowl entorna los párpados antes de señalar mi corsé.

—¿Me prestas una de tus dagas?

—Sírvete —lo animo a coger una, pero me suelto el cabello y le retengo la mano cuando la pasa por encima de la daga de mi padre—. Excepto esta, puedes elegir cualquier otra.

Sus dedos me acarician el corsé perfilando la forma de las hojas enfundadas y sé que, aunque trato de aparentar normalidad, este es el acto más valiente que he llevado a cabo desde que bajé al abismo. Estoy permitiendo que las manos de un

Cuervo acaricien las armas que hasta ahora he guardado con tanto recelo. Los tambores resuenan en mi pecho y el movimiento errático que hago al respirar le roba una diminuta sonrisa a Kowl.

Desenfunda la más pequeña.

Acto seguido, sin decir nada, se dirige hacia la orilla del lago, donde se agacha para humedecerse la barba incipiente y ahoga un gesto de dolor cuando se corta a la altura de la nuez de su garganta. Me cuelgo el carcaj al hombro de camino a su lado.

—¿Me permites? —le digo inclinándome enfrente de él con la mano extendida para que me ceda la daga.

—¿Sabes?

—Solía rasurarle la barba a mi padre. —Empuño el arma y me siento enfrente. Con delicadeza, deslizo la hoja afilada siguiendo la curva de su mandíbula—. De pequeña me encantaba recortarle solo el bigote, luego salía corriendo con la navaja y me reía a carcajadas por la casa mientras él me perseguía. Después… se convirtió en una especie de costumbre que aprovechábamos para recordar tiempos mejores.

Kowl me observa en silencio, con una mezcla de sorpresa y afecto.

—¿Tienes ganas de volver con él?

—Muchas. —Resoplo, angustiada por el simple pensamiento de que verlo significaría tener que explicarle demasiadas cosas—. Sigo sin entender por qué me tratas como si…

—Como si no fuéramos enemigos, ¿a eso te refieres?

Asiento despacio mientras acerco el filo a sus labios, con cuidado. Me sorprendo al reparar en el aliento irregular de Kowl, que choca en la palma de mi mano. No puedo sentir su corazón, pero apuesto lo que sea a que le late igual de rápido que el mío por cómo se esfuerza en mantener la compostura.

373

Me centro en no ocasionarle ningún corte y contengo la emoción que siento. En cuanto termino con esta zona, acaricio el hilo de sangre de la herida que se hizo en el cuello antes y conduzco la hoja a su piel.

—*Eostrus telem kheris tekhar* —dice de repente.

—¿Qué significa?

—«Debemos elegir por qué morir». —El movimiento de mi mano cesa de golpe—. Es una expresión kheltza muy antigua.

Un nudo de espanto me corta la respiración al escuchar esa expresión en la boca de alguien más. En la voz grave de un Cuervo que recita las palabras que Orna me dijo la noche en que murió. Las palabras por las que tomé la decisión de estar hoy aquí, viva. Subo mis ojos a los de Kowl, que me contemplan atentos.

—¿De dónde…?

—Es lo único que recuerdo de una persona a la que conocí cuando era niño. —Hace una pausa para tragar saliva—. Esa persona solía repetirlo una y otra vez cuando sentía miedo.

Por un instante, se me pasa por la cabeza la absurda idea de que conociese a mi hermana. No, eso es imposible. El kheltza es muy reducido y Rawen me contó que las palabras y expresiones que utilizan se crearon hace siglos.

—No te trataré como a una enemiga hasta que me demuestres que lo eres. No conozco tus asuntos pendientes ni tus intenciones, pero de momento has cartografiado los caminos y has cuidado de tus compañeros como una exploradora más.

«De momento».

Carraspeo, aflojando el nudo en mi garganta, e intento rasurarle el poco vello que le queda en el cuello sin que me tiemble el pulso, pero Kowl me detiene. Su mano atrapa la mía. El metal brilla débilmente bajo la luz, aunque mi atención ya no está en el filo, sino en él. Su piel es cálida cuando desliza los dedos hasta mi muñeca, bajando la daga con cuidado, y pasea los dedos por mi brazo hasta alcanzar mi hombro, recorriendo con su mirada cada centímetro de piel que toca. Me acaricia la línea de la clavícula y el pecho se me infla al contener el aliento. Sube a mi mentón. Su mano me sujeta la barbilla. En cuanto clava sus ojos oscuros en los míos, todo mi cuerpo responde a él de una manera casi paralizante, adictiva.

Ninguno de los dos habla y, sin embargo, nuestro silencio lo dice todo.

Siento el calor de su piel en mis mejillas cuando me coge la cara, y la tentación de cerrar los ojos ante su roce. Nos quedamos así, suspendidos el uno en el otro, mientras el pulso acelerado me zumba en los oídos y su respiración me hace cosquillas en los labios. Mientras me planteo si alguna vez unos pocos centímetros me han parecido tan lejanos.

Entonces, él sonríe como si me hubiese leído la mente y mi corazón vibra de un modo distinto al que lo haya hecho antes. Se inclina hacia delante y sus labios rozan los míos. Suave al principio, tanto que pienso que me lo he imaginado, pero luego siento la presión más firme. Su boca envuelve la mía y un escalofrío me recorre la espalda cuando entreabro los labios y su lengua se apodera de la mía en un beso profundo. Lento pero impetuoso, como si supiese que esto está mal, prohibido en la superficie, pero fuese incapaz de frenarse. Mi mano libre se apoya de forma instintiva en su pecho. Siento el ritmo agitado de su corazón, y aprieto la tela de su túnica entre mis dedos al empujarlo con sutileza, consciente de que aún lucho por frenar el hambre que me está devorando por dentro.

Él responde con un suspiro ronco, apenas audible, antes de apartarse.

—Para tu reino soy la enemiga —le recuerdo y trago saliva. Tengo ganas de llorar.

—Para tu reino yo también soy el enemigo.

«Y aquí estamos», me dice con una mueca de resignación. Yo infringiendo ese estúpido Tratado de Guerra Pausada y él obviando el hecho de que debería entregarme al Rey Kreus Khorvus para que me condenasen a muerte por ello. Salvándonos el uno al otro y, al menos yo, conteniendo el deseo de besarlo para no perder la cabeza. Hace un mes me habría colgado de la muralla si me hubiesen adelantado que ocurriría esto.

—¿*Vis telem vis naesom ko? ¿Imikus? ¿Enikus?* —inquiere Kowl.

«¿Quién elige quién eres tú? ¿Un enemigo? ¿Un amigo?».

Me aferro a la daga y la enjuago en el agua, asimilando la traducción de sus palabras e intentando alejar la sensación de vacío que ese beso me ha dejado en el pecho.

—Hay que saber elegir por uno mismo, y yo también tengo muchas preguntas para ti —expone mientras me traza un triángulo en la herida del brazo y se yergue delante de mí—, pero deberíamos irnos y reagruparnos antes de que anochezca o estaremos en peligro.

Con una sacudida de mentón señala a mis espaldas. Ladeo el rostro, un mal presentimiento me atenaza el corazón. Las copas de los árboles comienzan a sacudirse con violencia, repletos de hojas inquietas. La niebla está engullendo esa dirección del bosque, sometiéndolo a una noche lúgubre que no corresponde a la luz del día.

40

Una promesa de sangre y muerte

Bosque de los Anhelos, 1.511 aps (Escala de presión abisal)

No regresamos a subir la colina por la que caí rodando porque Kowl está seguro de que volver a la zona de acampada nos retrasaría, ya que la tropa debe de haber avanzado sin nosotros.

Según los informes y mapas anteriores que Kirsi les enseñó a él y a Nadine, los tres puntos clave del camino hacia el siguiente nivel son la susodicha colina, un vasto lago a mitad de trayecto que ocupa el centro del bosque y un puente de madera que cruza un arroyo fronterizo, el que marca el fin del Bosque de los Anhelos.

Sin embargo, por más que aceleramos la marcha a través de la espesura del bosque, el terreno parece conspirar contra nosotros, lleno de raíces entrelazadas y arbustos espinosos que dificultan la urgencia con la que lo transitamos. La noche llega antes de lo previsto, como si el propio nivel supiese de nuestra existencia y quisiese limitar el reducido tiempo del que disponemos para avanzar a salvo del acecho de los Soplones y otras bestias.

—No podemos quedarnos entre árboles —murmura, preocupado.

Asiento. Por su comentario deduzco que está planteándose la posibilidad de acampar y pasar la noche lejos de nuestros compañeros. Aunque el riesgo sea mayor contra cualquier amenaza que si estuviésemos en grupo pudiendo repartirnos las guardias, comparto su decisión. Seguir buscándolos de noche podría suponernos una muerte segura. Cada paso resuena más hueco en la maleza mientras la oscuridad empieza a tejer sombras entre los árboles. Para colmo, la neblina impide que podamos ver más allá de un par de metros a la redonda.

Cada minuto que transcurre, el ambiente se torna más opresivo por la urgencia de asegurarnos un refugio antes de que la noche nos atrape por completo y los murmullos de las criaturas que oímos a lo lejos lleguen a nosotros. Kowl se frena en seco al atisbar un pequeño espacio despejado y, por cómo tensa la mandíbula en una mueca impotente, entiendo que esta será nuestra mejor opción para pasar las horas hasta que amanezca de nuevo. Nos desplegamos enseguida y preparamos un diminuto campamento improvisado colocando nuestras pertenencias en mitad del claro, junto a un cúmulo de ramas que reunimos rápido entre los dos y un montón de hojas secas para encender una fogata.

Nos sentamos alrededor y vigilo los contornos del bosque, que se difuminan en sombras siniestras y puntos de luces que no quiero imaginar qué pueden ser, mientras Kowl genera fricción entre dos piezas de madera para crear el calor necesario que dé lugar al fuego. Cuando por fin vemos el humo seguido de las chispas que hacen prender la madera, ahogamos un suspiro de alivio. La luz ilumina nuestros semblantes fatigados.

No sé cuánto tiempo habrá pasado desde que dejamos atrás el lago de antes, pero tengo los músculos de las piernas entumecidos, como cuando me tocaba hacer las guardias de doce horas durante la formación de guerrera. Me siento frente al fuego compartiendo el silencio con Kowl, absortos en nuestros propios pensamientos mientras el bosque se termina de sumir en la penumbra.

—¿Crees que habrán sobrevivido? —pregunto y me planteo la posibilidad de que, al menos, Nevan y Vera sí lo hayan hecho.

—Quién sabe —pronuncia, concentrado en el crepitar de las hojas al ser devoradas por las llamas—. Depende de la desesperanza. Este nivel te recuerda lo que más anhelas y lo utiliza en tu contra. Si no puedes soportarlo, has perdido.

Me abrazo las piernas y giro la cara hacia Kowl antes de apoyar la mejilla sobre mis rodillas. El resplandor naranja le trepa cada hebra, como si los pequeños destellos de fuego se enredaran en su pelo, y me dejo hipnotizar por la danza de luces y sombras que parece envolverlo. Repaso la línea de su cuello, el movimiento de su garganta al tragar y el contorno de sus labios. El silencio entre nosotros es cómodo, casi reconfortante. Por un segundo, me olvido de todo, de mis demonios y del infierno que nos rodea.

Noto cómo desvía la mirada hacia mí, pero ya no siento la necesidad de apartar la mía para ocultar las emociones que me despierta desde el primer día.

¿Qué anhelas tú, Lhyss?

Parpadeo, confusa, y me abrazo un poco más fuerte a las piernas, tratando de que el calor de la fogata contrarreste el frío que siento, no en el cuerpo, sino en algún lugar más profundo.

—Recuperar a una persona. Quizá, si pudiera, cambiar el pasado y no comportarme como una estúpida cría caprichosa —murmuro en un hilo de voz—. ¿Y tú?

—Supongo que… la verdad —dice en un suspiro y esboza una sonrisa triste—. Parece que desde pequeño he sido un imán para las fachadas y las mentiras.

Por alguna razón, sus palabras me escuecen. Supongo que yo habría sido una de esas mentiras hasta el final, si él no hubiera descubierto mi secreto a raíz del caos de los Destripasueños.

Recuerdo su dolor, el que compartió conmigo durante los arcos. Ese profundo sentimiento de soledad e incomprensión. Una punzada me atraviesa el pecho, como si tuviese la necesidad de proteger al Kowl joven que sufrió todo aquello. Me remuevo sobre mi hueco y me acerco a él. No lo pienso demasiado al pegar nuestros brazos y descansar la mejilla en su hombro.

—Gracias por traerme de vuelta antes, durante las alucinaciones —susurra y me envuelve la espalda con un brazo—, aunque echaras a correr despavorida.

—Lo siento, no fui capaz de quedarme.

El movimiento de su pecho al inflarse de aire me provoca una extraña mezcla de tranquilidad y tensión al mismo tiempo, porque me recuerda que esta mañana había parado de respirar y eso fue suficiente para romperme un poco más.

—Pensé que, si te dejaba ir, te perdería para siempre.

Cierro los ojos tras su comentario, aunque solo pueda permitírmelo durante un segundo porque estamos rodeados de peligros, y memorizo su voz recitando esas palabras. Ahora que lo pienso, Kowl también hizo una elección en aquel momento. Sonrío con la sensación de sentirme importante endulzándome la boca.

—Por eso fui a buscarte.

—Abandonaste a los demás.

—Todos suelen recomponerse poco después de despertar, pero tú parecías atrapada en tu pesadilla.

—Mi vida ha sido una pesadilla desde hace mucho tiempo. —Los hombros me tiemblan cuando me acuerdo de aquella Orna cruel y ensangrentada, pero Kowl me abraza con más fuerza—. Desde que perdí a alguien.

—¿Esa persona a la que te gustaría recuperar?

Asiento despacio.

—Ya no hay vuelta atrás.

—Entonces, asegúrate de darle un sentido a esa pérdida.

—*Eostrus telem kheris tekhar* —soplo al aire y traduzco para mí misma—: Debemos elegir por qué morir.

—Siempre he detestado esa expresión.

—Yo también —le confieso, a pesar de que justo esa expresión es la que me ha mantenido viva, porque desde aquella noche adquirió un único significado para mí: una promesa de sangre y muerte—. Solo una persona que debe enfrentarse a decisiones difíciles diría algo así.

—Aun así, me gusta cómo suena cuando lo dices tú. Cualquiera diría que llevas el kheltza en la sangre. —Ríe suave y aclara—: Tu pronunciación es buena.

—¿Cómo era esa persona? La que repetía esa expresión cuando tenía miedo —le pregunto con temor a que mi hermana encaje en la descripción.

—Recuerdo poco de ella.

De pronto, un ruido entre las ramas de un árbol nos alerta. Llevo una mano al corsé y Kowl a la empuñadura de su espada, pero ambos resoplamos al ver que se trata de un simple pájaro alzando el vuelo. Por instinto, o quizá por ese anhelo de estar en contacto con él, no me abrazo de nuevo, sino que dirijo la mano a su pierna flexionada y comienzo a trazar circulitos con mi dedo sobre la costura lateral de su pantalón.

Kowl carraspea antes de continuar:

—Cuando era pequeño, me daba miedo estar cerca de ella. A veces parecía frágil, lejana y distante, y otras parecía intocable, incluso venenosa, como si en cualquier momento su inestable temperamento pudiese reducir el mundo a cenizas.

Mi pulso se suaviza mientras el resplandor anaranjado calienta nuestros rostros exhaustos. Desde luego, dudo que esté describiendo el carácter de Orna, que siempre fue amable y cercana con todos.

—Cuando decía que tenía miedo era cuando debías huir de su lado.

—¿Por qué?

—Porque, además de peligrosa, era bastante mentirosa. —El tono de su voz se debilita a medida que la rememora—. El miedo no la paralizaba, el miedo le daba poder.

—Hablas en pasado como si…

—No sé si está muerta, solo sé que un día desapareció y no volví a verla.

—¿Compartíais algún vínculo familiar?

Kowl se peina el cabello con los dedos, incómodo. Tras unos segundos de vacilación, suelta un suspiro largo.

—No lo sé. No lo creo. Esa persona no… estaba en sus cabales.

Hay algo en su manera de contarlo que me inquieta. No sé si es la sensación que me transmite la mujer de la que me habla o si es la vulnerabilidad que parece aplastarlo en este momento. Me aparto un poco y lo miro de frente.

—¿Estás bien?

Él asiente, taciturno, mientras me recoge un mechón despeinado tras la oreja.

—¿Sabes? —susurra—. Jamás me imaginé que encontraría esa expresión en ti aquella vez, durante el enfrentamiento de los Devoracielos. Pensé que estarías aterrorizada, pero contemplabas la escena ensimismada.

No le niego que aquel momento me cautivase con el ímpetu que lo hacía la imagen del abismo desde las alturas de la muralla. Jamás había presenciado la magnitud del interior de este lugar ni la grandeza de que dos bestias letales de una misma especie se considerasen enemigas entre sí. Era la pura representación de la condición de la humanidad. Por un instante, me consoló saber que esa crueldad no recaía solo en la superficie.

Enfrentar esa realidad, aunque a los demás les aterrorizara, era como presenciar la destrucción que nos hace humanos.

—Pareces tan dolorosamente solitario siempre —musito.

—No lo parezco, Lhyss. —Kowl me escruta con ese infierno ardiendo en la oscuridad de su mirada—. Lo soy.

—Pero no elegiste serlo.

—A veces estar solo es lo único que te permite vivir en paz.

—Supongo que la clave es encontrar a esas personas con las que estar no sea un esfuerzo, sino algo así como un descanso, un refugio o...

Mis palabras le arrancan una diminuta sonrisa y el corazón me vibra con una paz que ni siquiera recordaba. Es la paz de ser yo misma y saber que nada de mí le asusta. A pesar de todo, sigue a mi lado. Es la paz de poder bajar la guardia, aunque solo sea durante un rato.

—Como si la soledad y su presencia fueran una misma cosa —dice.

—Así es...

Como ahora, con él. Kowl me regala una mueca cómplice y fugaz.

—Deberíamos descansar —murmura, pero ninguno de los dos parece tener intención de hacerlo.

Las llamas crepitan en un murmullo reconfortante, disipando la penumbra circundante. Alargo un brazo y perfilo el contorno de su mandíbula. Analizo su rostro recordando la calma con la que se abandonó a mi daga cuando le rasuré la barba, los lunares que le salpican el cuello y que ahora sé que también le salpican otras partes del cuerpo. El corazón se me acelera, expandiendo una dulce sensación por mi pecho. Puede que, tras el odio y la promesa de venganza, todo cuanto anhelo sea esto. La paz tras el tormento. El refugio en los brazos de alguien que, sin decírmelo con palabras, me haga sentir que todo estará bien. Acerca la mano y deja los dedos suspendidos a la altura de mi mejilla, como si no se atreviera a tocarme de nuevo. Me inclino hacia su mano y permito que sus dedos me acaricien la piel. El asombro centellea en sus ojos por un instante. Bajo la vista a sus labios, que ya no esbozan ninguna sonrisa, y el nudo en mi estómago me trepa a la garganta.

—No me mires así, Lhyss.

—¿Cómo?

—Como si dormir teniéndote tan cerca fuese un pecado.

No respondo porque no sé cómo demonios explicar que soy incapaz de apartar la mirada de él, pese a que debería estar vigilando nuestros alrededores. Cómo le explico que yo no soy así. Si también tiene el poder de oír mis latidos desacompasados, no me importa. Su mano abandona mi mejilla y se dirige a mi cuello para acariciar el relieve de mi garganta con un dedo. Trago saliva. Las comisuras de su boca se estiran en un gesto malicioso al notarlo. Nos miramos con tanta intensidad que el mundo podría desaparecer, y una parte de mí desea que lo haga. Que desaparezca la historia que arrastramos por nuestra procedencia, los recuerdos que me apresan y los reinos que nos enfrentan.

—Yo no quiero dormir —digo en bajito, casi anhelando que el movimiento de mis labios ocupe la distancia que nos separa—. ¿Acaso tú sí?

Aprieta la mandíbula un instante. Luego, cuando tira de mi nuca para acercarme a él, no me resisto. Cedo al movimiento.

Me reclino sobre su cuerpo y nos besamos. Enredo mis dedos en su cabello con el mismo ímpetu que lo hacen nuestras lenguas. Es un beso feroz, capaz de desgarrar la tensión que hemos sostenido durante todo este tiempo. Crudo, visceral, como si cada fibra de nuestros cuerpos se dejase llevar por el hambre voraz que tenemos del otro. Siento su mano recorrer mi espalda. El aire escapa de mis pulmones cuando su otra mano me sujeta la cintura para acercarme a él con la misma urgencia que me abrasa por dentro. Me siento en su regazo y, de repente, el tiempo parece detenerse; solo queda el calor de Kowl envolviéndome, su respiración entrecortada mezclándose con la mía. Sus ojos, oscuros y ardientes, me buscan como si el resto del mundo hubiera desaparecido.

—¿Por qué tú? —susurra contra mis labios.

No espera una respuesta. Me acoge la cara entre sus manos y, cuando su boca roza la mía, me besa de verdad; nada que ver con los besos que me han dado jamás. Sus labios son suaves, me enloquecen. Muevo mi boca sobre la suya, apropiándome de su lengua y robándole el aliento. Cuando empiezo a sentir su erección, la poca cordura que me quedaba me abandona. Froto mi pelvis sobre él y escupe un gruñido sofocado contra mis labios. Arremolina mi cabello entre sus dedos con fuerza, de una manera casi salvaje, mientras desabrocho mi corsé y su túnica. Introduce las manos por debajo de mi camisa y se detiene al acariciarme la piel de la cintura.

—Puedes quitármela cuando quieras —me burlo bajito—. Es tuya.

Ambos sonreímos. Me despoja de la prenda y me voltea con cuidado para tumbarme sobre su capa antes de quitarse la túnica. Tiene la respiración agitada y el cabello revuelto, y el movimiento de las llamas crea un juego de sombras en su torso desnudo casi hipnótico. Todo en él me excita tanto que creo que voy a volverme loca. Me quita los pantalones recorriendo la desnudez de mi cuerpo con sus ojos cargados de un deseo letal, y yo hago lo mismo cuando se despoja de los suyos y se coloca entre mis piernas, ansiosos por devorarnos.

Me besa el vientre y sube hasta pasear su lengua por mis pechos sin dejar de mirarme. Arqueo la espalda al notar el pellizco de sus dientes apresando mi pezón. Las ganas de explotar, de sentirlo dentro. Clavo mis uñas en sus hombros con este maldito deseo quemándome en los dedos y le araño la espalda cuando sube a mi boca y el calor de su cuerpo me envuelve entera. Entonces, entra en mí, lento pero profundo. Me arranca un gemido que no tarda en atrapar entre sus labios. Kowl jadea contra los míos. Enredo mis dedos en su cabellera con la sensación de que lo necesito más cerca, más pegado, más mío. Me roza la mejilla con el pulgar y me abre los labios introduciendo su lengua vehemente. La piel se me eriza ante su roce, ante el movimiento constante de su pelvis. Le rodeo la cintura con las piernas, hundiéndolo más en mí, y entonces el beso se vuelve húmedo e intenso, colmado de una dulzura que me derrite y me aturde a partes iguales.

Besar a alguien de esta forma es tan desconocido para mí como el sentimiento que me oprime el corazón cuando Kowl entra y sale de mi cuerpo. Aflojo mis dedos y los bajo a su cuello. Le acaricio los hombros con delicadeza, sintiendo el tacto de su piel y el relieve de sus lunares. Quiero memorizar cada detalle de su cuerpo, como si estuviera a punto de desaparecer, porque sé que yo lo haré pronto. Luego le rodeo el cuello con las manos y él se aleja unos centímetros, los suficientes para mirarnos a los ojos en la penumbra de este lugar, perdido del mundo y de la realidad. No sé qué verá en los míos, los suyos me atraviesan con una intensidad prohibida, con la promesa de que esto será nuestra perdición.

—Cada vez que me miras y entras en mi mente de esta forma, me vuelves loco por dentro, Lhyss.

Le cojo la cara y lo beso. Despacio, salvaje y sensual. Entierra los dedos en mi pelo y su cadera entre mis piernas. Saboreo la mezcla de nuestras salivas, el anhelo con el que enredamos nuestras lenguas. Al igual que ocurrió con nuestro dolor, ahora siento el placer de Kowl en mí. Una violenta oleada me sacude el cuerpo. Los músculos de su espalda se contraen. Gimo en su boca, él lo hace en la mía. Y es justo ese sonido ronco y profundo, que le trepa la garganta sin contención, el que enciende algo aún más visceral dentro de mí. Mis jadeos se vuelven precipitados mientras sus labios acaparan cada gemido extasiado que escapa de mis pulmones y la razón se nos va de las manos. Kowl acelera el ritmo de las embestidas, al borde de la desesperación, y un latigazo de placer me hace implosionar. Se aparta pocos segundos después, escupiendo una mezcla de gruñido y jadeo mientras termina fuera de mí.

Extiendo los brazos a ambos lados y suspiro. No tengo ni idea de qué acaba de ocurrir, pero ha sido increíble.

—Por lo que veo, no se te da nada bien eso de mantener las distancias con la loca del bosque —bromeo a duras penas, con la vista puesta en la negrura sin estrellas.

—Admito que lo llevo bastante mal —dice y bufa por la nariz mientras se limpia con el agua de su cantimplora.

—Estamos locos. Podríamos haber muerto.

—Tienes razón, eres la sensación más cercana a la muerte que he tenido jamás.

Kowl ríe. Me encanta la manera en que se le rasgan los ojos al hacerlo.

—Deberíamos descansar un poco.

—Haré la primera guardia —me adelanto, ganándome una expresión vacilante por su parte. Me encojo de hombros—. ¿Qué? Yo dormí unas horas mientras esperabas a que me despertase en el lago.

Me pongo en pie para enjuagarme con mi cantimplora y vestirme. Desde que anocheció antes de lo previsto, hemos perdido la noción del tiempo. No sabemos cuánto falta para que amanezca y tengamos que ponernos en marcha. Una vez vestida, cojo ramitas de las que hemos acumulado y alimento el fuego echando algunas de ellas. Kowl hunde varios montoncitos de tierra desnivelados para tumbarse encima. Al final, se mueve hasta mi lado, recuesta la cabeza en mis piernas y cruza los brazos en su pecho. Su cercanía me oprime el corazón de una manera casi asfixiante.

Aún puedo notarlo dentro de mí.

—Me pregunto si la *imikus* de Khorvheim pretende asesinarme en cuanto me duerma —se burla. Que me llame enemiga en kheltza me provoca una risilla maliciosa.

—Tendrás que confiar en mí —contraataco dándole un golpecito en la frente.

—Ya lo hago —musita en un hilo de voz y cierra los ojos.

A diferencia de anoche, hoy Kowl no hace el amago de rozar la empuñadura de su espada con las manos. Inspiro hondo y resoplo flojito. Le retiro algunos mechones oscuros de la frente y descubro el relieve de una diminuta cicatriz en la entrada del pelo. La acaricio con cuidado como si tocar el rastro de una herida pudiese abrirla de nuevo. Sus labios se curvan hacia arriba y yo no puedo evitar soltar un suspiro de alivio, convenciéndome de que un alquimista de la realeza podría borrar esta cicatriz superficial sin dificultad alguna.

—¿Por qué estás en el abismo?

Frunce el ceño. Luego, deja de sonreír y abre los ojos.

—Porque no sé quién soy.

—¿No sabes quién eres?

—Mi vida se ha erigido en cimientos de mentira. Cuando el heredero al trono consuma la Flor de Umbra, yo podré recuperar mi vida. —Entorna la mirada como si supiese que lo siguiente que dirá tiene algo que ver conmigo—: Digamos que estoy aquí para asegurarme de que sea el Príncipe quien consuma la Flor de Umbra.

—¿Eres su Guardián?

—Algo así. Por eso mismo debo estar preparado para los imprevistos como tú.

La sorpresa me enarca las cejas de sopetón, porque con eso me ha dejado claro que sabe a quién busco. No permitirá que nadie chafe los planes del Príncipe: consumir la Flor de Umbra, hacerse con el poder íntegro de la Magia Prohibida y convertirse en un ser eterno, además de casi invencible. En otras palabras, cuando llegue el momento, Kowl será el principal obstáculo entre el Príncipe y yo.

—¿Ahora soy un imprevisto?

—Un imprevisto muy peligroso, al que debo vigilar de cerca.

—¿Ahora también soy muy peligrosa?

—Si no, ¿qué harías aquí?

—Mi sueño era bajar al abismo.

—Eso tiene de cierto lo mismo que el cuento de que tu padre es herrero.

—Entonces, ¿vas a matarme a sangre fría como hiciste con Mei?

—*Ikkam. Aeros kheminus natem tekhalt* —recita en kheltza.

«No. La chica con coraje debe vivir».

¿Qué es eso? ¿Una clase de profecía? Hundo los dedos en la tierra húmeda para enfriar mi cabeza y lo fulmino con la mirada.

—Estás muy equivocado si piensas que podrás controlarme —mascullo.

—Solo quiero protegerte, Lhyss.

—No permitiré que nadie elija de qué me protejo y por qué muero.

—No puedes impedir que otros te protejan.

Sus palabras se convierten en una bola en mi garganta. Por esa misma razón, porque fui incapaz de evitar que Orna me protegiera, ella está muerta. Carraspeo, tratando de deshacer el nudo que me está nublando la vista, pero no puedo. Estoy demasiado sensible desde esta mañana. No, no soy yo. Es la presencia de Kowl lo que me vuelve vulnerable.

—Eh, ¿se puede saber qué te pasa? —inquiere él alargando un brazo para cogerme la barbilla, y contengo el aliento cuando lo hace.

Niego en silencio, intentando zafarme de forma disimulada, y me inclino hacia delante para echar algunas ramitas a la fogata.

—Duérmete —le digo—. Te llamaré en un rato.

—Está bien. Avísame si detectas alguna amenaza.

El fuego produce un chasquido al crepitar. Al principio, las brasas parecen languidecer, casi extinguirse, pero pronto se alimentan de la madera nueva y reviven con fuerza. Entonces, me veo reflejada en las llamas. Descubro que yo también anhelo algo más. Algo nuevo. Cuando estamos juntos, lo único que quiero es que eso no cambie. Todo se vuelve fácil a su lado, como si me ayudara a olvidar la oscuridad que albergo en mi interior, esa de la que me he alimentado todos estos años para sobrevivir y que me conducirá a la muerte.

Aprieto los labios, decepcionada conmigo misma. El amor no tiene cabida en mi futuro. Lo único que debería importarme es mi venganza. No estoy aquí para que nadie me salve de mis demonios, para darme revolcones con un Cuervo ni permitir que las emociones puedan interponerse en mis planes más adelante. No puedo volver a fallarle a Orna.

Mis sombras son mi punto de referencia, lo único que necesito para recordar quién soy.

Pese a que el dolor de mi brazo se intensifica por minutos, no me quejo ni una sola vez. No quiero la ayuda de nadie. No quiero depender de él ni sentir que le debo una parte de mí. Quiero avanzar y darle fin a todo esto. Siento un desagradable pellizco retorciéndome el corazón. Aprieto los párpados un momento y me centro en las punzadas de la herida.

A veces la oscuridad y el dolor son más cómodos que la realidad.

41

La sangre rechaza su sangre porque no sabe reconocerla

Bosque de los Anhelos, 5.971 aps (Escala de presión abisal)

En algún momento de la noche, una voz familiar se cuela en mi cabeza como si estuviese susurrándome cosas al oído. No entiendo si es fruto del terror o si hay alguna fuerza sobrenatural impidiéndomelo, pero soy incapaz de abrir los ojos.

La sangre rechaza su sangre porque no sabe reconocerla.

La brisa helada me roza el lado del rostro que tengo a la intemperie y creo reconocer lo etéreo de esa voz porque hace apenas un día se presentó delante de mí antes de que perdiese el conocimiento en el bosque.

No desenvaines el odio contra aquel enemigo que se presente poderoso, pues su vida salvará la tuya y su muerte significará la de todos.

Un escalofrío en la nuca me desvela. Aturdida por la sobredosis de sueño que me punza en los ojos y sobresaltada por la misma razón, porque hace un buen rato que terminé mi primera guardia y ya siento la luz golpeándome los párpados, me despierto para observar cómo el inicio del amanecer se filtra tímidamente a través de la densa niebla que cubre los alrededores. Hago memoria, frotándome los ojos con los dedos e intentando recordar el sueño que he tenido, cuando veo la madera húmeda y ennegrecida de la fogata apagada. Me siento de un brinco y ahogo el gemido de dolor que me arranca el leve movimiento del brazo herido, agarrotado por las horas que habré pasado en la misma postura.

Kowl no está.

Me pongo en pie con cuidado de no hacer ruido, los sentidos se me agudizan y el relente frío de la madrugada se adhiere a mi piel. El corazón empieza a latirme con fuerza contra el pecho mientras escruto la densidad blanca en busca de su figura.

No está aquí.

Y quiero creer que no se ha marchado y me ha abandonado aquí después de lo de anoche. Hay huellas en la tierra que se dirigen hacia la derecha, donde se van tornando difusas por la bruma. Me agazapo, alerta a cualquier amenaza que pueda estar acechándome desde el otro lado, y acaricio la forma de una de ellas. Los bordes definidos y la humedad en la huella me indican que estas pisadas son frescas. Después, compruebo que todas mis dagas restantes están en mi corsé. Chasqueo los dedos para confirmar que el silencio del entorno no es producto de los Destripasueños como ocurrió ayer y, al cerciorarme de que todo es real, de que puedo oír con perfecta claridad, desenfundo una daga con mi mano izquierda por precaución y sigo lo que parecen los últimos rastros de él.

Camino entre los árboles, contemplando la estela de luciérnagas que traza el sendero de huellas que estoy recorriendo, y el bombeo atropellado del corazón en mis oídos es lo único que perturba el silencio que se cierne sobre mí. En un momento dado, dejo de examinar las pisadas porque tengo el mal presentimiento de que estos insectos se dirigen al mismo lugar.

Primero, me tropiezo con la capa arrugada de Kowl en el suelo. La recojo y acelero el paso, ignorando si las hojas crujen y revelan mi posición si así puedo reencontrarme con él antes. Lo segundo que casi se enreda en mis botas es su cinturón, con la espada envainada y el bolso de cuero que colgaba de él.

Cuando me llevo el cinturón al hombro, advierto que se me ha comenzado a teñir del polvillo dorado que desprenden las luciérnagas, pero no me paro a analizar el ambiente porque estoy luchando por controlar mi pánico a la pérdida diciéndome a mí misma que es imposible que haya sufrido el ataque de una bestia sin que me haya enterado de nada. La neblina blanca no me permite ver más allá de la punta de mis dedos, y la sensación de culpa por no haberme despertado a tiempo para detenerlo empieza a ahogarme.

Las armas me pesan. El polvillo se me cuela entre la ropa produciéndome un escozor más incómodo que la idea de deshacerme de las prendas. Los pensamientos se me nublan, guardo la daga y, de repente, el movimiento de mis piernas obedece al camino sin saber a dónde me estoy dirigiendo. Justo cuando no resisto más la tentación de soltar todo lo que llevo a cuestas y arrojo sus pertenencias al suelo, veo la orilla que se extiende a mis pies. Subo la vista al enorme lago que tengo delante de mí.

Kowl está de pie dentro del agua. Las luciérnagas que revolotean alrededor le alumbran el cabello y la espalda desnuda, creando un paisaje asombroso. Sin embargo, hay algo extraño en la belleza de esa imagen.

Pese a que intento llamarlo con todas mis fuerzas, no encuentro mi voz y él sigue adentrándose en la profundidad, que pronto le rebasa la cintura. Mi instinto, o mi falta de él por el aletargamiento, me insta a quitarme las botas. También la capa, el corsé armado y mi bolso, y deslizo la camisa de lino por encima de mi cabeza para despojarme de ella. Me rasco la piel de los brazos, allí donde el polvo se ha colado, incluso en la herida que por algún motivo ya no me duele, y lucho contra mi propia mente por alcanzar a Kowl.

El agua congelada me entumece las piernas al entrar en el lago, aunque me devuelve la claridad de los pensamientos por un instante y eso me ayuda a aligerar la marcha. Logro recortar la distancia entre nosotros a zancadas, pero ni siquiera el ruido que hago con mi cuerpo al cruzar la corriente del agua consigue acaparar su atención.

—Kowl… —vocifero, tratando de combatir el castañeo de mis dientes, y lo retengo tirando de su hombro—. ¿Qué estás…?

Se gira hacia mí con una expresión ausente. Sus ojos perdidos reflejan la luz vívida de las luciérnagas que danzan a su alrededor; ya no siento la conexión invisible que nos unía. Le zarandeo los hombros. No reacciona. Es como si estuviera sumido en un trance profundo. Muy lejos de aquí.

Como si su cuerpo fuese un simple cascarón sin vida.

Los nervios se me disparan. No entiendo qué está sucediendo ni qué debo hacer para ayudarlo. El Bosque de los Anhelos es el nivel del que menos información tenemos porque, según Rawen, la mayoría de los exploradores sufre tantas alucinaciones y alteraciones de la realidad que es imposible documentar información fiable.

—Vamos, maldita sea, tienes que despertar —le suplico dándole golpes al torso con los puños y me rindo apoyando la oreja en su pecho—. Regresa conmigo. Sé que estás ahí.

Los latidos lentos de su corazón me devuelven la esperanza. Estornudo al respirar las partículas que tenía esparcidas por el pecho y la nube de polvo dorado que sale despedida al aire me provoca un mareo casi placentero. Me sujeto a Kowl por la repentina sensación de somnolencia que me acoge y, entonces, se me ocurre que estos insectos puedan tener algo que ver con su trance. Con el letargo cada vez más intenso, agito los brazos por encima de nuestras cabezas, intentando ahuyentarlos. Sin embargo, no logro alejarlos de nosotros, sino todo lo contrario.

El aleteo furioso de las luciérnagas expulsa un manto de partículas que me obliga a entrecerrar los ojos. Procuro contener la respiración, pero pierdo el control de mis acciones cuando Kowl extiende la mano a mi mentón, lo recoge entre sus dedos y me eleva el rostro.

—Kowl… —lo llamo, sobrecogida.

Tiene la tez pálida por las bajas temperaturas del lago y la mirada más apagada que nunca, extraviada en algún rincón de su mente. Una cálida sensación se expande por mi cuerpo y me trepa de los pies a la cabeza. Nuestro alrededor se convierte en una negrura iluminada por las luciérnagas que nos sobrevuelan. Sin embargo, hago caso omiso a la burbuja que nos envuelve poco a poco, que se torna más y más oscura, porque estoy completamente absorta en algo que ni siquiera puedo identificar qué es. Solo me importa este instante, la ilusión de que mi historia ha acabado.

—Nunca quise reconocer nuestro primer encuentro en el bosque porque me asustaba hacerlo real.

—¿Qué te… asustaba? —balbuceo con dificultad.

—Que había oído mil leyendas sobre los presagios de los cuervos, pero ninguno me había hablado hasta que apareciste tú. —Kowl desciende la mano hasta mi hombro y me atrae hacia sí con la misma lentitud que pronuncia cada palabra—: Tengo una corazonada.

Nuestras voces suenan tan lejanas e irreales que parece que estemos a punto de desvanecernos. No me percato de que el agua me cubre el vientre hasta que agacho la vista un momento para contemplar cómo la luz de los insectos centellea en el reflejo oscuro del agua, creando un efecto fascinante, como si estuviesen buceando entre nuestros cuerpos. Coloco ambas manos en el abdomen de Kowl y subo poco a poco, acariciándole la piel hasta sus hombros fuertes. Cierro los ojos, me embriago del olor a flores silvestres. Luego, recorro con los dedos las curvas de los músculos de sus brazos y me detengo al llegar a sus manos. Lo miro a los ojos. En este instante, nos encontramos. Siento esa conexión, lo veo donde antes solo veía un cascarón.

—¿Qué corazonada? —murmuro en un jadeo débil.

—Que aquel presagio del cuervo no era un mensaje para mí, sino para ti.

Si lo que dice es cierto o no, dejo de prestarle atención en cuanto noto el peso de sus labios sobre los míos y un pálpito interior me obliga a retroceder. Él ni siquiera reacciona, solo se esfuerza por repetir el mismo gesto sin emoción. Juraría que estoy al borde de la muerte porque, de pronto, me falta el aire.

—¿Cuál fue el mensaje, Kowl?

—«El destino que buscas está junto a ti».

Algunas burbujitas le salen de la nariz y las motitas iridiscentes que suelen salpicarle la mirada de constelaciones se atenúan. Kowl parece… ¿dormirse? Pestañeo, confusa. ¿El destino? Cojo una bocanada de aire que les provoca una repentina convulsión a mis pulmones. Intento toser, pero no puedo. Me ahogo. ¿De qué destino habla?

Entonces, recuerdo mi razón de vivir.

Un latido más violento que el anterior me devuelve a la realidad a medida que la oscuridad se evapora como una burbuja de humo negro al explotar. Me permite ver la luz que nos ha estado sobrevolando todo este tiempo. Está arriba porque nosotros no nos encontramos en ningún lugar oscuro, sino inmersos en el fondo del lago. Cojo a Kowl del brazo, lo anclo a mi cuello y empiezo a dar brazadas para salir a la superficie en un desesperado impulso por sobrevivir. La herida del brazo me duele horrores. La iluminación tenue del entorno se filtra en mi campo de visión y el centenar de luciérnagas aparece sobre nosotros cuando cruzamos la línea del agua. Inflo mis pulmones de aire; abro más los ojos, impactada.

Recuerdo quién soy, dónde estoy, para qué he venido al abismo.

Y por qué estoy en este lago.

Quería salvar a Kowl, pero terminé sucumbiendo a la droga que hay en el polvo de estos insectos. No los espanto como antes, sino que le doy varias palmaditas en los mofletes a Kowl para espabilarlo cuando tose el agua que ha tragado ahí abajo. Estamos alejados de la orilla y tengo los músculos tan entumecidos por el frío que pienso que voy a morir en cuestión de minutos. Advierto que el agua está demasiado revuelta como para que estemos solo nosotros dos. Un movimiento sinuoso, errático bajo el agua, me confirma que somos las víctimas de alguna bestia acuática. El hecho de que estas luciérnagas nos hayan embriagado con los efectos de las partículas doradas que expulsan significa que son criaturas colaborativas y que es muy probable que la bestia con la que han estado cooperando y que se desliza bajo nuestros pies sea letal. El corazón me golpetea impetuoso como un eco que anuncia un peligro inminente.

Tiro de Kowl, pero la piel resbala al contacto, así que vuelvo a engancharlo a mi cuello. Me resulta casi imposible avanzar porque pesa demasiado, no soy tan habilidosa en el agua y la maldita herida que me hizo Mei me está matando, además de que la corriente nos arrastra al centro de esta colosal masa de agua. Durante un instante, sopeso nuestras opciones. Debería soltarlo, aseguraría mi supervivencia y me desquitaría de un posible estorbo entre el Príncipe y yo.

Pero no puedo.

Odio admitir que es por los sentimientos que tengo hacia él y me repito a mí misma que nunca podría aprovecharme de la vulnerabilidad de alguien.

Miento, por supuesto que podría hacerlo.

Información adicional

CRIATURAS DEL ABISMO CLASIFICADAS SEGÚN NIVEL DE AMENAZA

(C) Colaborativas. A menudo presentan conductas amigables, curiosas o elusivas, e interactúan de forma cercana con los exploradores. Debido a su aspecto inofensivo, suele ignorarse el peligro que acarrea acercarse a una criatura colaborativa. Sin embargo, tal y como su nombre indica, colaboran con el entorno para alimentarse y pueden cooperar con todo tipo de bestias: letales, atormentadoras y excéntricas. Algunas pueden desprender un hedor característico a modo de aviso, aunque desapercibido al principio para los humanos; otras emiten ondas o crean interconexiones invisibles con bestias que se encuentren en la zona.

Puesto que las habilidades ocultas de las colaborativas son amplias y desconocidas, la mejor medida de seguridad frente a ellas es el <u>exterminio</u>, en caso de ser posible, a distancia.

Alumbrita

Su cuerpo presenta un aspecto casi idéntico al de las luciérnagas. Tiene órganos lumínicos bajo el abdomen mediante los que produce la luz con la que capta la atención de sus víctimas y las conduce a zonas próximas a bestias letales. Además, sus alas esparcen un polvo dorado que causa ensimismamiento, sensación de bienestar y alucinaciones para desproteger a los exploradores ante posteriores ataques.

42

La viva representación de un Cuervo

Bosque de los Anhelos, 5.971 aps (Escala de presión abisal)

Sigo luchando por aproximarnos a la orilla y cuando por fin consigo recostarlo en la tierra, junto a todas nuestras prendas y armas desperdigadas, compruebo su pulso y le doy varias palmadas en las mejillas.

—¡Kowl, la oscuridad no es real! ¡Esa burbuja ilusoria en la que estábamos sumergidos tampoco es real! —bramo, aterrada por la agresiva agitación del agua a mi espalda—. ¡Recuerda tu misión en el abismo, querías recuperar tu vida!

De pronto, algo helado y viscoso me roza las piernas y tira de mi tobillo. Grito aferrándome a Kowl, pero no quiero hundirlo conmigo, así que lo suelto. El agua me cubre la cabeza enseguida, acalla mi voz y entro en pánico al ver la cola viscosa de la bestia que me rodea un pie. Se asemeja a una serpiente, tan ancha como el cuerpo de un humano adulto, con escamas verdosas y una longitud tal que ni siquiera alcanzo a ver dónde comienza ni dónde termina, ni la cabeza que debe de estar retrocediendo para devorarme. Me pregunto si esperará a que me ahogue primero. La falta de aire me aplasta el pecho. Doy bocanadas descontroladas que me hacen tragar agua. Miro arriba, no hay rastro de Kowl. Su cuerpo tampoco se ha hundido en el agua. ¿Lo habrá atrapado a él también? Le propino una patada a la parte de la bestia que me apresa el tobillo, aunque no logro más que descender en la profundidad cuando me zarandea a su antojo, iracunda por el golpe que ha recibido, y el movimiento rápido al que me somete me lleva al borde del desmayo.

De pronto, una corriente sutil me envuelve y, aunque la bestia sigue arqueándose, la parte de la cola que me retiene se queda inmóvil. Levanto la mirada hacia la superficie, todo se torna borroso por la falta de oxígeno, pero veo un remolino descendiendo desde la superficie como si viniese a por mí. ¿Acaso estoy muerta? Me dejo llevar por la sensación de ingravidez, los sonidos amortiguados del mundo exterior apenas son un eco lejano en mi mente. No, no es un remolino en el agua, es la propia masa líquida separándose poco a poco hasta el punto donde me encuentro. Cuando el cielo aparece ante mí, colmado de gigantescos árboles retorcidos sobre el lago, y consigo respirar de nuevo a pesar de que aún no puedo escapar de la cola que sobresale de la masa de agua a mi derecha y me apresa, el corazón se me detiene.

Veo a Kowl alzarse en el aire con los brazos extendidos. Una bruma negra, no del color de la oscuridad, sino de la maldad, se arremolina en su espalda con violencia adoptando la forma de dos enormes alas, repletas de plumas azabaches que se mecen sin obedecer a ninguna ley del abismo. Y juro que hasta ahora los había odiado a todos. Los Cuervos han sido, sin lugar a duda, el enemigo que me ha alentado a conservar mi vida, pero esto… Esto es de otro mundo.

Una voz sabia y lejana retumba en lo recóndito de mi mente, como si la hubiese escuchado antes y no recordase cuándo:

No desenvaines el odio contra aquel enemigo que se presente poderoso, pues su vida salvará la tuya y su muerte significará la de todos.

Siempre he tenido la sensación de que Kowl no es un Cuervo corriente, de que es todo aquello de lo que hablaban los mitos y leyendas, y nadie quería creer porque era demasiado terrorífico para aceptarlo como verdad. Es la viva representación de un Cuervo. Hecho a la imagen y semejanza del Príncipe que he estado buscando todo este tiempo.

Con el puño cerrado, levanta los dedos índice y corazón y se los lleva a los labios mientras susurra unas palabras inaudibles. Luego, traza una línea con ellos, la cola que me apresa se resquebraja en miles de retazos rojos y el lago regresa a la normalidad. Pese a que la contracorriente que se genera al chocar ambas masas de aguas podría haberme matado en el acto, no me afecta porque sigo envuelta en una energía de ingravidez ajena al resto. No obstante, empiezo a dar brazadas desesperadas, ignorando el dolor, las náuseas por ascender a esta velocidad y la bestia que se retuerce furiosa por las aguas.

En cuanto alcanzo la superficie, sigo nadando hacia la orilla. Me precipito hasta mi ropa y los enseres, donde me espera Kowl aún con los dedos apuntando al lago, y me visto tan deprisa que el dolor del brazo me arranca varias lágrimas. Corremos frenéticos, sin mirar atrás aun sabiendo que el aterrador rugido que nos persigue es la criatura herida reptando por el suelo. Pienso en lanzarle alguna daga a los ojos por si así ganamos tiempo y desenvaino una, pero Kowl me grita que la devuelva a su funda.

—¡Es una Replícola! —chilla a mi lado, furioso—. ¿Pretendes hacerle cosquillas? ¡Porque es lo único que conseguirás con eso!

Procuro ignorar el hecho de que nos persigue una bestia legendaria y vigilo a nuestros lados porque sé que la magia que Kowl ha utilizado, como mínimo, atraerá al resto de los letales que estén por esta zona. Miro hacia atrás después de saltar un tronco desvaído en el sendero. La cabeza de la Reptícola es tan alta como Kowl, coronada por incontables cuernos curvos, ojos diminutos que refulgen un brillo metálico y una mandíbula armada de filas de dientes.

—¡No dejes de correr! ¡La magia que he empleado no la contendrá mucho más, pero no se alejará del lago!

Rawen mencionó alguna vez que las bestias legendarias siempre están vinculadas a un lugar, objeto o ser, de ahí que colaboren con criaturas insignificantes para atraer a sus víctimas. Por suerte, parece que haber perdido su cola también ha reducido drásticamente la rapidez con la que repta hacia nosotros y, si es cierto que esta Reptícola está vinculada a ese lago, no lo abandonará. Cuando hemos ganado bastante distancia de ventaja y la perdemos de vista, me doy el lujo de temblar del miedo.

Por el hecho de que ha estado a punto de devorarnos una de las criaturas más peligrosas y por el poder que acabo de presenciar en Kowl. Voy a necesitar mucho más que mis dagas y mi habilidad en el combate cuerpo a cuerpo para enfrentarme a él en caso de que decida oponerse a mis planes y proteja al Príncipe de mí, o en caso de que él sea…

Ladeo el rostro mientras seguimos corriendo y analizo el perfil de Kowl, ajeno a mis sospechas. Hay algo en él, siempre lo ha habido, y nunca he sabido qué es. Recuerdo el presagio de «su vida salvará la tuya y su muerte significará la de todos» y ahora comprendo que hablaba de él. Entonces, recuerdo aquel presagio que recibí junto a este, a través de mi último sueño: «La sangre rechaza su sangre porque no sabe reconocerla».

¿Es posible que Kowl sea el Príncipe y ni siquiera lo sepa?

Me cuesta relacionar a Kowl con la persona que asesinó a mi hermana en lo alto de nuestra muralla, pero ahora más que nunca sé que debería tomar distancia de él.

Aunque hemos dejado atrás el enorme lago que ocupaba más espacio de lo que nos podíamos imaginar y nos orientamos por el sonido de un arroyo que se presenta cerca, percibimos un temblor en el terreno.

Me temo lo peor, como que una avalancha de letales se dirija a esta dirección. De repente, una horda de rugidos violentos retumba en todo el bosque y, entre ellos, hay uno en particular que suena desgarrador. Siento una punzada extraña en el pecho. Kowl me lanza una mirada colmada de esa misma sensación: una mezcla de crudeza y compasión.

Acerca a los enemigos a tu enemigo herido y se despedazarán entre ellos.

Trago saliva y miro al frente, ignorando las preguntas que me avasallan la mente. Avistamos el puente de madera, ese del que me habló Kowl que hacía frontera con el siguiente nivel. Respiro a trompicones, agonizante, casi sin fuerzas para seguir avanzando, y tengo que armarme de valor para no rendirme a unos metros de abandonar este siniestro nivel.

De repente, un sonido a nuestra derecha me alerta.

Me giro rápida, aunque la silueta que estaba al acecho se mueve con más agilidad. Me embiste justo en el brazo herido, el dolor me hace perder la estabilidad. Trastabillo y sus manos me apretujan el cuello de la camisa hasta estamparme contra un tronco de espaldas. El golpe me vacía los pulmones en un jadeo ahogado. La bandada de pájaros abandona la copa de este árbol. Y en su mirada afilada por el odio descubro la misma razón por la que me adentré al abismo.

La letalidad camuflada de venganza.

Información adicional

CRIATURAS DEL ABISMO CLASIFICADAS SEGÚN NIVEL DE AMENAZA

(L) Letales. Presentan conductas agresivas y rápidas en ataque en cuanto detectan vida humana en el territorio que habitan o son alertadas por las criaturas colaborativas y atormentadoras de la zona. Tal y como su nombre indica, sus habilidades se centran en los ataques directos y sus movimientos violentos son difíciles de eludir. Suelen presentar cuerpos medianos o grandes y rasgos que las hacen las bestias más peliagudas del abismo, después de las excéntricas.

Puesto que sus puntos que destacar son la corpulencia y la fuerza que albergan en las fauces o extremidades, la mejor medida de seguridad frente a ellas es la elusión o, en caso de ser avistados, el <u>exterminio inmediato</u>, si es posible, a distancia.

Reptícola

Su cuerpo colosal, similar al de las serpientes, presenta escamas verdes y tacto viscoso, lo que la hace resbaladiza. Su cabeza está presidida por incontables cuernos curvos. Posee unos ojos diminutos que despiden un extraño brillo metálico y una mandíbula armada de dientes letales. Es acuática, aunque capaz de reptar por la tierra durante un breve tiempo durante la caza de una víctima.

Debido a las pocas veces que ha sido avistada, no se ha podido recoger más información acerca de esta bestia, pero se tiene constancia de que siempre ha colaborado con unos insectos de aspecto similar a las luciérnagas, las <u>Alumbritas</u>.

<u>**Es considerada una bestia «legendaria»**</u>.

43

Todos son el enemigo en la historia de alguien más

Bosque de los Anhelos, 1.687 aps (Escala de presión abisal)

No la he visto venir.

En las formaciones de guerrera para la muralla nos enseñan que es mejor derribar a cualquier blanco que suponga un peligro, que amenace nuestra libertad de movimiento y posición de ataque antes de que una mísera duda pueda significar la muerte. Que nuestro campo de visión y alerta no debe reducirse a una sola dirección, sino a todo cuanto nos rodea.

He cometido un error.

He estado demasiado ocupada concentrándome en los posibles enemigos que podían estar persiguiéndonos a nuestras espaldas y en el puente de salida del bosque que había delante de nosotros. La desesperación por huir, puesto que no puedo contar con mi brazo diestro, me ha jugado una mala pasada.

Kalya me tiene acorralada entre el árbol y su férrea mirada, inyectada en sangre debido al llanto. Tras ella, reunidos en el lugar del que Kalya ha salido como una bestia a mi encuentro, mis compañeros aguardan expectantes, con los semblantes uniformemente tensos y escuálidos a causa de la retorcida ansiedad que genera este nivel del abismo.

—¿Has sido tú? —ruge Kalya y frunce los labios secos—. ¿Mataste tú a mi prima?

Compruebo rápido que Nevan y Vera estén bien. Me hacen señas de negación con un disimulo exagerado, como si me estuviesen suplicando en silencio que no me resista porque ya saben lo que ocurrirá. No falta nadie, aunque Kirsi resalta por encima del resto por su tez mortecina y Nadine tiene un moratón violáceo desde el ojo hasta la barbilla, donde Dhonos le propinó el codazo para salir corriendo tras Mei.

No acudo a Kowl en busca de la ayuda que me prometió, sino que encaro a la Guardiana.

—No —respondo y soporto la arcada que me producen sus puños apretados en mi garganta.

—¡No me mientas! —chilla, alterada.

—No he sido yo.

Aunque me esfuerzo por mantener la calma, estoy furiosa y temerosa a partes iguales, porque nunca he consentido que un enemigo me ponga una mano encima de esta manera y porque conozco la sensación que le hierve a Kalya por el cuerpo ahora mismo. De todos modos, tampoco podría haber evitado el enfrentamiento; sabía que llegaría este momento al reagruparnos.

—Su cadáver tenía marcas de haber forcejeado y heridas de armas blancas —dice mientras me examina la ropa de una ojeada por si algún indicio me delata. Los ojos se le inundan de un dolor que conozco a la perfección—. Entre ellas, heridas de daga. Dame una razón para creerte y no matarte aquí mismo, por favor —masculla con el tono resquebrajado por la rabia.

No contesto. No tengo la poca decencia de decirle a la cara que mis dagas están limpias de la sangre de su prima y que no sé quién le asestó el último golpe.

No cuando veo en ella mi propio reflejo.

Y en mí al enemigo que he venido a buscar.

—No te precipites, Kalya —dice Kowl y le pone una mano en el hombro—. También pudo ser una bestia que…

—¡No me toques! —brama ella entre dientes, zarandeándose desafiante, y sus labios se amplían en una sonrisa mordaz—. ¿Por qué diablos encubres a una posible asesina, Kowl?

—No hay ninguna posibilidad de que ella sea una asesina porque ha estado conmigo desde que nos separamos de vosotros —espeta con severidad. Espero a que la aparte de mí, pero no lo hace. Se da media vuelta sin ni siquiera mirarme a la cara—. Mátala si así apaciguas el dolor de tu pérdida, pero deja de hacer preguntas absurdas.

Vuelvo a enfocar la violenta mirada de Kalya, lista para luchar si es necesario, pese a que confío en que la indiferencia de Kowl se trate de una táctica.

—No obstante, te harás cargo de las consecuencias que suponga su muerte durante lo que resta de expedición y te enfrentarás a cargos por asesinato a una compañera inocente al volver a la superficie —prosigue él, que ha frenado su paso de camino al grupo—. Tú decides.

—Continúas defendiéndola —musita ella agachando el mentón a la empuñadura de su arma—. ¿No serás tú... el asesino?

—Puedo serlo si me provocas.

El sonido del metal corta el aire. Kowl dirige la punta de su espada desenvainada al cuello de Kalya. El bosque tiembla. Sin embargo, ella no se amedrenta. En un movimiento rápido se asegura de retenerme colocando el antebrazo en mi garganta y desenfunda su arma con la mano libre para apuntar a Kowl. A la maniobra de Kalya se une Nadine, que no duda en aproximarse a nosotros mientras alza en el aire su espada contra la Guardiana. Dhonos, para mi asombro, no sale en su defensa, sino que se mantiene al margen, cabizbajo junto a mis compañeros.

De pronto, Arvin suelta una carcajada salvaje. Sus ojos brillan con una malicia fuera de control y nos señala agitando su hoja curvada.

—¿Os habéis vuelto todos locos? —La sonrisa en sus labios se esfuma de golpe al inclinar la cabeza a un lado como si tratase de comprender algo desde otro ángulo. Sus ojos recelosos se congelan. Tuerce el gesto—. Cuidado, Phiana'rah. Elige bien a tus enemigos.

La tierra se sacude con más fuerza.

La Reptícola, las bestias atraídas por la magia de Kowl o lo que sea que viene a por nosotros está reduciendo la distancia que le habíamos sacado.

—No he sido yo, Kalya —insisto, pero entonces me percato de que no debo convencerla de nada porque, en realidad, ella tampoco cree que yo sea la asesina. No quiere matarme. La fuerza en su mirada flaquea. Le cojo las manos, reprimiendo la mueca de dolor de mi brazo—. Culpar a alguien de tu dolor siempre te hará sentir mejor, pero, si no me sueltas, moriremos todos. ¿No sientes el retumbar en el suelo?

Frunce el ceño bajo el flequillo recto. Veo la confusión en su rostro. El dolor, la tristeza, el deseo de que todo esto sea una pesadilla, de morir si resulta que no lo es. Comprendo la sensación, la he vivido en mis carnes durante años. Nuestra respiración agitada y los golpes sordos, cada vez más cerca, resuenan en el aire. El arroyo borbotea bajo el puente. Tras un instante de vacilación, Kalya escupe a la tierra, me libera y envaina la espada. No se limpia las lágrimas que se le escurren por los mofletes pálidos. En su lugar, le da un puñetazo al tronco y se destroza los nudillos. Los pájaros que sobrevuelan la zona enmudecen. Espero a que se aparte para regresar con el grupo, pero, cuando Kalya alza la vista tras de mí, todo el cuerpo se le tensa.

—No me jodas —murmura en una sonrisa extenuada—. No hay tregua en este puto infierno.

Algunos retroceden, quienes van armados aferran sus dedos a las empuñaduras y, por acto reflejo, me llevo una mano a mi corsé. Cuando giro lentamente el cuello para atisbar más allá del tronco que tengo a mi espalda, descubro de dónde provienen los sonidos huecos en el terreno. Si el terror me acelera el corazón, ni siquiera lo noto.

Hay un cadáver de Soplón en el suelo.

A su lado, una bestia de apariencia similar a la de los tigres que he visto a veces pintados en los pergaminos de Palacio pisa reiteradas veces el cuerpo del Soplón para cerciorarse de que está muerto. Su cuerpo exhibe un distintivo patrón de manchas oscuras distribuidas de manera uniforme sobre el pelaje dorado, lo que lo hace resaltar entre la tierra musgosa y la vegetación vívida.

Es un Tragadero, la bestia letal con mayor rapidez por excelencia. Aunque quienes estudian en la Escuela de Cuervos saben que eso no es lo peor de esta criatura.

—A la de tres, corred hacia el puente —nos ordena Kowl sin enfundar el arma—. Uno…

Cuando Kirsi se aleja el brazo del vientre para pasarlo por los hombros de Vera, deja al descubierto su mancha de sangre. El cuero está rasgado y no parece una herida de bestia. Es un apuñalamiento.

—Dos…

Kalya retrocede para despejarme el paso. Una rama seca se resquebraja bajo su bota. Los crujidos de la mandíbula del Tragadero se suspenden con el cadáver de Soplón entre los dientes. Las espadas se izan en el aire. Y el terror me sube por la columna como un escalofrío forjado de cuchillos cuando la criatura felina voltea la cabeza y parte su hocico en cuatro tiras de piel colmadas de dientes afilados.

El «tres» no llega nunca, pero todos sabemos que nuestra vida depende de cruzar ese puente antes de que la bestia nos triture. Sin embargo, no daremos ni medio paso sin que se abalance sobre alguien ahora que sabe de nuestra existencia, si es que se contenta con una única víctima. De lo contrario, iremos cayendo uno a uno. Por eso, pese a que nos tiemblan las rodillas en un acto instintivo previo a huir, nadie se mueve.

—Rawen, flecha al ojo izquierdo. —Tras la orden, Kalya inclina el mentón hacia el arco en mi espalda, se descuelga despacio el suyo y tensa la flecha en la cuerda—. El derecho es mío.

Repito el procedimiento, sujeto el cuerpo de madera del arma con la mano izquierda y coloco una flecha. Respiro suave, convenciéndome de que esto me va a doler horrores, de que debo mantener el rostro impasible para que nadie sospeche que tengo una herida, pero, a la hora de hacer contrafuerza para tensar la cuerda, me quedo sin aliento. No puedo.

Por primera vez en mi vida, este dolor es superior a lo que puedo soportar.

Me cuelgo el arco ante el desconcierto de Kalya, escojo mi daga menos preciada de las que quedan en el corsé y asiento levemente. En cuanto el Tragadero engulle el trozo de Soplón restante que tenía en las fauces, se agazapa y da un cauteloso paso al frente, como si estuviese midiendo la distancia que nos separa. Clava sus ojos redondos y grandes en nosotros a medida que fusiona los cuatro pliegues de piel de su hocico y lo regresa a la normalidad. Los dedos de Kalya tiemblan sobre la flecha. Los míos en la daga también.

—Agachaos a mi señal —les susurra Kowl a nuestros compañeros.

El Tragadero comienza a balancear las patas de atrás. Se está preparando para saltar. Maldita sea. Me pregunto cuántas veces habría muerto ya de ser Rawen Kasenver, una cartógrafa con conocimientos básicos de artes marciales y técnicas variadas, porque dudo que ella hubiese sobrevivido a todos los problemas en los que me he metido.

Kalya y yo disparamos a los ojos de la bestia justo en el instante en que despega las patas delanteras para abalanzarse sobre sus víctimas. Acertamos de pleno. Kowl da la señal y nos agachamos rodando a los lados para esquivar a la criatura, que profiere un rugido gutural al chocar de frente contra un tronco. Esto es malo. Lo sabemos, no hace falta que nadie lo diga. Aun así, nos limitamos a esperar agachados porque el sonido de nuestras pisadas solo animaría a la bestia a cazarnos guiándose por el oído.

Esperamos lo que tarda en recomponerse y sacudirse la cabeza del musgo del árbol. Los segundos se alargan conforme se pasea entre el espacio abierto que hay entre nosotros, que estamos desperdigados a la redonda. Da vueltas, desorientado, y gimotea tratando de limpiarse los ojos con las patas. La humedad del suelo empapa la tela de mis pantalones. El corazón me late desbocado en el pecho mientras observo a mis compañeros hacer lo mismo a mi alrededor, con los ojos entrecerrados y los músculos tensos, resistiendo el mareo que produce contener la agitación de la respiración porque cualquier momento podría ser el último.

Vera está pálida, demasiado asustada, tanto que me planteo correr hacia ella cuando emprendamos la huida hacia el puente.

La flecha en el ojo del Tragadero cruje y se la arranca de cuajo con las garras. La herida emite un chasquido, similar al chisporroteo del fuego de una fogata al prenderse, y emana un vapor extraño que nos alerta. Por suerte, con la daga no puede hacer lo mismo. En cuanto pone rumbo a una dirección que la aleja de nuestra presencia, Kowl nos lanza una mirada rápida y asiente. Es la señal. Nos incorporamos con sigilo absoluto, aunque es inevitable que algunas ramas y hojas caídas delaten nuestra posición y, antes de que el Tragadero tenga tiempo de recortar la distancia, empezamos a correr ansiosos por alcanzar el puente de madera que nos dirige al siguiente nivel.

Nadine se une a Vera para ayudarla a arrastrar a Kirsi, que apenas se mantiene en pie, y Kowl no se mueve a la velocidad que sé que podría hacerlo porque me lo ha demostrado en otras ocasiones, sino que reduce la marcha para avanzar a mi lado. El sonido de nuestras pisadas sobre las tablas se mezcla con el rugido de la bestia, que reanuda la persecución. Noto los calambres que me punzan en cada músculo del cuerpo, pero me obligo a redoblar el ritmo e ignoro el cansancio que me pesa en las piernas.

Información adicional

CRIATURAS DEL ABISMO CLASIFICADAS SEGÚN NIVEL DE AMENAZA

(L) Letales. Presentan conductas agresivas y rápidas en ataque en cuanto detectan vida humana en el territorio que habitan o son alertadas por las criaturas colaborativas y atormentadoras de la zona. Tal y como su nombre indica, sus habilidades se centran en los ataques directos y sus movimientos violentos son difíciles de eludir. Suelen presentar cuerpos medianos o grandes y rasgos que las hacen las bestias más peliagudas del abismo, después de las excéntricas.

Puesto que sus puntos que destacar son la corpulencia y la fuerza que albergan en las fauces o extremidades, la mejor medida de seguridad frente a ellas es la <u>elusión</u> o, en caso de ser avistados, el <u>exterminio inmediato</u>, si es posible, a distancia.

Tragadero

Su cuerpo presenta un tamaño y aspecto idéntico a los comúnmente conocidos como tigres, y un distintivo patrón de manchas oscuras distribuidas de manera uniforme sobre el pelaje dorado, lo que la hace detectable a distancias prudentes. Destaca por su hocico, capaz de dividirse en cuatro partes que se entrelazan de manera intrincada, con el que tritura a sus víctimas antes de devorarlas.

Hay informes en los que se insiste que esta criatura debería comenzar a considerarse excéntrica, ya que se la ha avistado alimentándose de otras criaturas menores en el abismo y, en ocasiones, ha ignorado a los exploradores porque no parecía «tener ánimos de comer».

Posee la mayor velocidad de las criaturas letales en relación con su tamaño, aunque una conducta muy predecible.

44

Bienvenidos a la tierra de las bestias excéntricas

Pantano del Dolor, 1.915 aps (Escala de presión abisal)

Alguien delante de mí ahoga un grito de terror tras alcanzar el otro lado del puente.

Comprendo lo que ocurre al contemplar cómo el paisaje engulle su silueta: lo que vemos más allá del puente es una mera ilusión. Así que, cuando estoy a punto de cruzar la última tabla que me separará del Bosque de los Anhelos, recurro por instinto a la mano de Kowl y saltamos juntos. Sus dedos se aferran firmes a los míos mientras los árboles se convierten en un borrón y avanzamos a través de un repentino manto de niebla oscura. Ni siquiera puedo verlo a él, de modo que nuestras manos se transforman en el único nexo con la realidad, con la certeza de que estamos vivos y de que este pasillo etéreo forma parte del abismo.

El Tragadero debe de haber traspasado el nivel, pues la presencia opresiva de la bestia nos acecha incluso aquí, donde sus pisadas retumban como truenos embotados.

De pronto, el suelo embarrado me hace perder el equilibrio, pero no resbalo porque mis botas se hunden lentamente en una superficie viscosa que ralentiza mis movimientos. El olor a tierra podrida impregna mis fosas nasales. Reprimo las náuseas y aguanto la respiración. La bruma negra se disipa. De pronto, un nuevo paisaje se abre ante nosotros.

Estamos sumidos hasta las rodillas en un pantano, envuelto en una neblina que se cierne sobre el terreno como un manto fantasmal. Los árboles muertos crecen desde el fondo de estas aguas turbias y se retuercen formando un dosel de oscuridad que impide que la luz del sol apenas logre penetrar entre las ramas. La mano de Kowl tira de mí hacia un tronco del que pende una escalera de cuerda y por la que mis compañeros están trepando. No hago preguntas. Me aferro a las cuerdas con ambos brazos, me muerdo la lengua al sentir la herida de mi brazo diestro y empiezo a escalarla como si se me fuera la vida en ello. Tras de mí, sube Kowl y luego Kalya y Thago.

El Tragadero ya está aquí. Su hocico se asoma por la niebla que hemos cruzado. Después, la cabeza entera y medio cuerpo. Rezo por que no sea habilidoso saltando a estas alturas y, al elevar la vista a la cumbre del árbol para centrarme en seguir avanzando hacia arriba, descubro a dónde nos dirigimos.

Hay una casa de madera derruida sobre las ramas.

Me alimento de la adrenalina, enfoco la vista en los rasguños de mis nudillos y aprieto los párpados un instante. En cuanto Nevan me agarra de los antebrazos para subirme al saliente, me dispongo a hacer lo mismo con Kowl y él me ayuda con los dos compañeros restantes. Al igual que en otras ocasiones en las que hemos conseguido escapar del peligro, nuestros semblantes se colman de una celebración silenciosa que no dura mucho.

De hecho, la sensación de seguridad ni siquiera nos dura un minuto.

La bestia felina profiere un rugido al intentar escalar el árbol, aunque se derrumba al cenagal porque la corteza en descomposición no soporta su peso. Me asombra la convicción con la que dirige sus ojos a nosotros, pese a estar ciega, y juro que jamás me ha impresionado nada tanto como observar el movimiento errático de la pupila bajo el vapor del ojo. Doy un paso adelante. De hecho, ya no está ciega. En cuanto desaparece el humo, nos enfoca con la pupila.

Se arrancó la flecha para poder regenerar la herida.

Saco una daga de mi corsé, horrorizada por el descubrimiento. Trago saliva, la madera del suelo está tan húmeda que se hunde con mi peso, y apunto con la daga a su pupila desvaída cuando vuelve a escudriñarnos desde el cenagal. Los dedos me tiemblan.

Quizá sea el propio abismo el que las cura. Si no, significaría que algunas bestias saben usar su propia energía para llevar a cabo procesos de regeneración. Recuerdo el corte que Dhonos le hizo al Picafauces en el centro de la cara. Esa herida no se curó. Estoy decidida a quedarme sin apenas armas a cambio de acabar con el terror que se me arremolina en el pecho, pero una mano en el hombro me detiene.

—No hará falta —me susurra Nevan—. Mira eso.

Los reflejos en el agua turbia del pantano revelan movimientos sutiles que empujan el líquido creando un rastro de ondas lentas y pesadas en dirección al Tragadero.

—¿Por qué no hará falta? —repito sin apartar la vista. Todos mis compañeros están al borde de las tablas, expectantes a la bestia.

—Porque las únicas bestias que son capaces de bucear son los Mucílagos. Bueno, y los Mutoformos si adoptan la forma de un Mucílago tras devorarlo —me explica en bajito. La mirada le brilla con la misma fascinación que sentí al contemplar la batalla entre los Devoracielos—. Ambas excéntricas y ninguna de ellas permitiría que una criatura letal pise su territorio.

—Rezad para que sea un Mucílago —masculla Nadine.

El agua estancada se agita repentinamente. Una bestia de aspecto viscoso y de mayor tamaño que el Tragadero emerge del cenagal, cubierta por el fango denso. Es una especie de mamífero de cuatro patas e irradia un aura mortífera que me eriza el vello al instante. No se molesta en esconder su presencia ante el felino, que olvida su interés en nosotros para centrarse en la amenaza. Durante unos segundos eternos, ambas criaturas parecen observarse inmóviles. A medida que el fango ha resbalado por su piel, la verdadera naturaleza de su aspecto ha quedado expuesta.

La criatura nueva es prácticamente invisible.

—Es un… Mucílago. —A Nevan se le rompe la voz.

La piel gelatinosa del Mucílago emite un brillo débil, revelando una textura pegajosa y traslúcida que se camufla con el entorno como una capa de aceite. Tiene filamentos alrededor de la cola y de la cabeza, como si fuese la corona de cabello salvaje de un león, y se mantienen suspendidos en el aire desobedeciendo cualquier ley de gravedad. Es la parte más peligrosa del Mucílago, pues sé que mediante estos filamentos percibe la energía del resto de los seres vivos, se alimenta de ella y prevé sus movimientos.

Entonces, comprendo por qué el Tragadero está tan quieto.

No puede verlo, pero lo siente.

El miedo me hiela la sangre por puro instinto, como si de alguna manera mi cuerpo también fuese capaz de reconocer la jerarquía de poder dentro del abismo y supiese que el Mucílago, al igual que la Reptícola, es una bestia que escapa al control y al poder de cualquier humano corriente. Aunque este es traslúcido y podría pasar desapercibido a simple vista, su presencia es un escalofrío de peligro inminente.

Cuando da un paso adelante, aproximándose a la criatura intrusa en el territorio, deja un rastro brillante que se desvanece casi de inmediato. La estela fantasmal se queda en el aire. De repente, su cuerpo musculoso se convierte en una sombra de un azabache perturbador. Abre las fauces, mostrando una boca llena de dientes que emiten un brillo opaco, y un sonido comienza a elevarse desde las profundidades de su garganta. Es un rugido chirriante, distorsionado, capaz de desgarrar el viento y alterar la realidad.

Entonces, abalanza su prominente pecho hacia el Tragadero y le asesta un zarpazo que le arranca de cuajo una de las cuatro partes en las que divide el hocico. La daga en su ojo sale volando.

Un alarido de dolor sacude los árboles.

El vapor que empieza a despedir ese ojo hace que el Mucílago retroceda despacio. Es la oportunidad perfecta para que el Tragadero huya, pero la retirada no parece ser una opción para él. A medida que le lanza zarpazos y el Mucílago los evita porque es capaz de predecirlos, estudio los distintos comportamientos de cada especie para tomar anotaciones más adelante en la libreta de criaturas de Tyro, y caigo en la cuenta de que, si hubiese estudiado en la Escuela de Cuervos, definitivamente me habría especializado en biología como él y Nevan.

Las garras chocan en un instante que me desconcierta. ¿Acaso el Mucílago puede errar en sus predicciones? No. Ha sido una estrategia. Los ojos se me abren poco a poco, de una forma exagerada, al presenciar cómo el Mucílago aprovecha esta apertura para arremeter hacia delante en un movimiento feroz y agarra el cuello de su presa con la mandíbula. Un segundo rugido inunda el pantano, aunque pierde toda capacidad de emitir sonidos cuando el Mucílago lo arrastra del cuello y le sumerge la cabeza en el cenagal.

Las garras del felino arañan el aire en un intento desesperado por golpearlo, pero no ha tenido ni una sola opción de ganar desde el principio.

La brutalidad con la que el Mucílago lo domina y ahoga me sobrecoge.

Una vez que se cerciora de que ha aniquilado al intruso, abre sus fauces y deja que el cuerpo del felino se hunda en el pantano. Ni siquiera se molesta en alimentarse del cadáver. Contenemos el aliento ante la posibilidad de que seamos sus siguientes víctimas, pero no muestra interés hacia nosotros. Desaparece agazapándose bajo el cenagal y seguimos el rastro de ondas que provoca sobre la superficie al bucear hasta que se aleja lo suficiente.

En cuestión de segundos, el pantano se sume de nuevo en un silencio sepulcral.

La escena ha sido lo suficientemente perturbadora como para que me haya olvidado de respirar, del dolor de la herida y de que Vera está petrificada a mi lado, con las lágrimas agolpadas en los ojos y las uñas clavadas en mi brazo.

—Bienvenidos a la tierra de las bestias excéntricas —espeta Arvin con una macabra diversión en su sonrisa.

Información adicional

CRIATURAS DEL ABISMO CLASIFICADAS SEGÚN NIVEL DE AMENAZA

(X) Excéntricas. No responden a una conducta por defecto y, por lo tanto, son más difíciles de prever y entender. Debido a su carácter imprevisible, son las <u>más peligrosas</u>. Según leyendas pertenecientes al Reino de Khorvheim, las criaturas legendarias como el cuervo común, que transmite presagios a quienes lo encuentran, surgieron del abismo y son clasificadas como excéntricas.

La mejor medida de seguridad frente a ellas es la <u>elusión</u>. Evitar la confrontación contra cualquier pronóstico.

<u>Mucílago</u>

De cuerpo casi invisible, similar al de algunos mamíferos y de tamaño parecido al del Tragadero, que solo se torna tangible cuando va a atacar a sus víctimas. Su piel gelatinosa y traslúcida se camufla con el entorno, pero emite un brillo que revela su posición al moverse. Posee filamentos alrededor de la cabeza, que recuerdan a la melena de un león, y en la cola, gracias a los que percibe la energía de los seres vivos, se nutre de esta y lleva a cabo su habilidad más peligrosa: predecir sus siguientes movimientos. No suele atacar a los humanos, aunque es tan territorial como el resto de las bestias excéntricas y aniquilará a cualquier criatura intrusa en su territorio. **Se trata de una de las dos únicas bestias con la habilidad de <u>bucear</u> a pesar de ser terrestres.**

45

Danza de espadas

Pantano del Dolor, 2.149 aps (Escala de presión abisal)

Estoy exhausta en medio de este bosque oscuro, sentada sobre la madera putrefacta de una plataforma redonda a la que hemos conseguido llegar cruzando pequeños puentes colgantes entre árboles.

El cenagal está cubierto por una capa de musgo y el olor nauseabundo del entorno en descomposición nos ha obligado a más de uno a taparnos medio rostro con nuestras capas para inhalar lo menos posible el aire que, además de parecer tóxico por el fuerte hedor a muerte que despide, está plagado de humedad y hace que la ropa se pegue incómodamente a la piel.

Han pasado horas. Aunque el entresijo de ramas retorcidas nos dificulta ver el cielo con claridad y la neblina blanca le da a este lugar un aspecto fantasmal y atemporal, se supone que debería de estar atardeciendo.

Nadie ha pronunciado más palabras de las necesarias para indicar los caminos o los siguientes movimientos de la tropa, y tampoco nadie se ha atrevido a insinuar que bajemos al pantano para acelerar la marcha en dirección recta en lugar de dar rodeos a través de los árboles. Ni siquiera Dhonos. De hecho, él no ha abierto la boca para nada desde que nos reagrupamos y parece que de repente está evitándonos a toda costa haciendo cualquier tarea estúpida que lo aleje de la tropa.

Saco la cantimplora de mi bolso y le doy varios tragos que me saben a sangre porque el exceso de humedad me está resintiendo las vías respiratorias. Cada bocanada de aire es más áspera que la anterior. No soy la única que emite un silbido al respirar o tose una mucosa asquerosa cuando se atraganta con la densidad del aire.

El calor es insoportable.

Me fijo en Kirsi, que está recostada en el hombro de Nadine, con la tez amarillenta y los surcos bajo los ojos violáceos, sujetándose la herida en el abdomen con ambas manos. La fiebre a causa de la herida la hace tiritar. Luego, desvío la vista a Arvin y Kowl; discuten algo acerca del tiempo máximo que deberíamos pasar en este nivel si queremos sobrevivir a sus condiciones ambientales. Me deleito admirando las líneas que definen su mandíbula, el movimiento de esos labios que sabían a cielo y muerte al mismo tiempo, y recordar el deseo con el que me miraba anoche entre sus brazos me enciende entera.

Sé que el Bosque de los Anhelos juega con nuestros deseos y miedos más profundos. Podría decir que estaba bajo sus efectos, pero yo no tengo excusa. Lo repetiría todo con él con las mismas ganas.

No obstante, haber sido testigo de su magia en el lago de la Reptícola me ha hecho verlo con otros ojos; de alguna manera, incluso temerlo, como me sucedió antes con el Mucílago. Hay algo dentro de mí que reconoce su poder, ese que parece albergar con recelo y que había ocultado hasta ahora. Observo la forma de sus manos enguantadas. A pesar de que no porta el anillo con la piedra y que me ha protegido siempre que he estado en problemas, no comprendo sus verdaderas motivaciones para encubrir mi intrusión en la tropa.

No sé quién es en realidad y su existencia en el abismo comienza a inquietarme.

Sacudo la cabeza como si así pudiera desprenderme del barullo de interrogantes y me concentro en el rasguño del carboncillo arrastrándose sobre el papel que hace Nevan a mi lado al anotar detalles en su libreta. Procuro relajarme unos minutos mientras Vera vigila de forma obsesiva a nuestro alrededor, sin soltarme la mano derecha, pero el resuello de Kalya es una tortura constante. No ha despegado el rostro de sus brazos cruzados sobre las rodillas desde hace horas, pese a que Thago insiste en consolarla acariciándole la espalda y ella le corresponde con gruñidos o manotazos.

Los pensamientos se suceden lentos y confusos, y yo me pregunto qué demonios significan estas casas derruidas entre los árboles. Alguien debió construirlas para evitar pisar el cenagal, es la única razón a la que le encuentro sentido, aunque hemos revisado algunas de camino a esta plataforma y, a diferencia de las viviendas de los Arcos Perdidos, todas estas están vacías y el suelo del interior es incluso menos estable que las plataformas del exterior.

Como si fuesen un mero elemento decorativo del Pantano del Dolor.

Sonrío al acordarme de la expresión de pavor que vi en Nevan cuando puso un pie en el interior de una y la tabla cedió, desmoronándose.

—¿Ves eso? —inquiere él acercándose a mi oído y señala unas marcas viscosas que trazan un caminito casi imperceptible sobre la madera—. Ni se te ocurra tocar uno hasta que esté seco. Son trampas para detectar la presencia humana.

—Hedorines —deduzco.

—Exacto. Así es como vigilan las distintas zonas del nivel —me explica. Pese a que tomé apuntes cuando Rawen me explicó lo peligrosos que son los caracoles colaborativos del pantano, dejo que Nevan prosiga—: Dicen que es la baba que sueltan al arrastrarse, pero en realidad esos hilos invisibles son sus colas. Si la pisas, se rompe al instante como ocurre con las lagartijas, y el hedor que desprende atrae a todas las bestias a la redonda.

—Qué alentador —resoplo apretujando con suavidad los dedos de Vera para llamar su atención y comprobar que está bien.

—Podrías darme las gracias —se queja Nevan—, te acabo de salvar la vida con la información que te he dado.

—Oh, gracias, misericordioso biólogo —me burlo, y me asesta un codazo en las costillas que me hace cosquillas—. Estás muy hablador.

—No, estoy contento porque tenemos el último nivel del abismo tras este pantano, y emocionado por encontrar lo que he venido a buscar. —Giro el rostro hacia él. Nadie que viese su mirada fría e inhumana diría que está contento—. ¿Acaso creías que me moría de ganas por meterme en este infierno?

—Hay gente que vive para ello.

—Sí, como la desquiciada de tu amiga. —Aunque estamos lo suficientemente alejados del resto como para que no nos oigan a menos que alcemos la voz, hace una pausa y se tapa la boca de los demás para mover los labios pronunciando el nombre «Rawen» en silencio—. Me entraban arcadas cada vez que profesaba su amor al Príncipe y repetía cuánto iba a destacar como cartógrafa aquí abajo. —Me escudriña de soslayo y entrecierra los ojos esbozando una sonrisa maliciosa a la que empiezo a acostumbrarme—. ¿Qué hiciste con ella?

Vigilo a Vera, a mi derecha, porque esta información solo quiero compartirla con Nevan. Aunque está aferrada a mi mano, se ha sentado frente a las vistas al pantano dándonos la espalda a nosotros, tan obcecada en observar cada movimiento en el cenagal que apenas nos presta atención. Contemplo su melena ondulada y pelirroja, la trencita ya enmarañada que le hice en el oasis, sus hombros estrechos y sus dedos frágiles entrelazados con los míos. De alguna manera, Vera se ha convertido en una mezcla de Rawen y Orna aquí abajo.

—Salvarla de una muerte segura —le susurro a Nevan.

—Eso está claro. —Escupe una risotada amarga y silenciosa—. En serio, ¿cómo impediste que viniera?

Dhonos, que había ido a revisar las cabañas cercanas por si cabe la posibilidad de que nos alojemos en una, se acerca al círculo que hemos formado en la plataforma y vacila unos segundos antes de sentarse junto a Nadine. Ella le aparta la mirada y se remueve incómoda sobre su hueco, dándole la espalda al Guardián para examinarle la herida a Kirsi. Arranco una diminuta ramita húmeda que debe de haber caído de arriba y se ha quedado atascada entre las tablas de la plataforma, y voy rompiéndola trocito a trocito.

—La traicioné.

El tono de mi voz indiferente, sin una pizca de arrepentimiento, impresiona a Nevan, que enarca una ceja.

—Eres tan escueta en palabras que me fastidia no entender por qué me caes bien.

—¿Por qué a veces hablas como un noble de hace cuatro siglos? —Me río y le lanzo el pedazo de rama que acabo de romper con las uñas—. No te pega nada.

—A ti tampoco te pega traicionar a alguien como ella. Pareces… —Se detiene un segundo y mira hacia arriba. El tiempo en el abismo me ha enseñado que Nevan tiene la costumbre de hacer eso siempre que quiere acceder a su enciclopedia mental y el tiempo que he pasado lejos de ellos me ha enseñado que les he cogido el suficiente cariño como para echar de menos sus particularidades—. Leal. A eso me refería.

Sonrío, sarcástica. Su mirada se clava en mis labios con la confusión de no entender mis reacciones.

Sí, soy leal a mi hermana muerta y a mi sed de venganza. Ni siquiera he sido capaz de mantenerme al lado de mi padre para protegerlo de la vida misma, sabiendo lo mucho que le ha costado perder a dos mujeres en su vida. Me pregunto qué habrá sentido al perder a la tercera y única que le quedaba. A su última hija, a su última familia.

—Soy leal a mi propio beneficio, Nevan.

—La fachada de niña dura que llevas como estandarte me da arcadas.

—Nevan Triferholl, el joven noble superdotado.

—Eres insufrible —se queja. Chasquea la lengua y se cruza de brazos, aunque enseguida me empuja con su hombro—. Pero me alegro de que estés aquí.

—Yo también —admito.

¿Debería habérselo dicho en alto? Probablemente no, porque lo acabo de hacer real. Me juré no confiar en nadie y, cada vez que me percato de cuánto lo hago en algunos de ellos y de cuánto estoy bajando la guardia en su presencia, un escalofrío me recorre la piel. No sé si es temor a que les suceda algo aquí dentro, a sufrir la pérdida de nuevo, o temor a que sea yo quien deba hacerles daño cuando lleguemos al final y se revele la verdad.

Porque puedo estar rompiendo muchas promesas que me hice a mí misma, pero jamás romperé la promesa que le hice a Orna.

—Le puse agracejo en la cena al biólogo que iba a bajar al abismo en mi lugar —confiesa Nevan—. No era un aprendiz, sino un graduado de hace tres años, como lo era Mei.

—¿Mei tenía tres años más que yo? —pregunto y maldigo que la sorpresa me haya alzado el tono de voz.

Para cuando veo a Kalya apartar la cara de los brazos y dirigir sus ojos enrojecidos a nosotros, ni siquiera puedo hacerle señas a Nevan para que olvide la pregunta y deje de hablar de su difunta prima.

—Sí —responde él—, y tengo entendido que nunca quiso presentarse voluntaria hasta este mismo año.

—Qué bien enterado estás —vocifera Kalya. Tiene las puntas del flequillo revueltas, humedecidas por el llanto. Aparta a Thago de un manotazo, rasca una piedrecilla atrapada en los tablones y se la lanza a Arvin, que se gira de forma brusca con una sonrisa de mil demonios.

—¿Quieres reunirte con tu prima? —la amenaza.

—¿Por qué metisteis a Mei aquí? —le pregunta ella, arrastrando las palabras.

—Se presentó voluntaria —espeta Nadine, firme.

—Eso es imposible.

—¿Qué más da eso ahora? —Arvin tuerce el labio superior en una mueca de repugnancia, y ese gesto unido al tono estridente que utiliza me pone de los nervios. Se supone que lleva menos días en el abismo por el atajo, aun así tiene la media melena rubia pringada de grasa y suciedad—. ¿Estás aquí o te has quedado con Mei en el bosque? Ya tendrás tiempo para hacer preguntas y llorar todo lo que quieras. —Se señala la sien con el dedo índice y se da varios toquecitos—. Estrategia, Kalya. Céntrate. Tres días y dos noches. Eso es lo que aguantaremos vivos con la puta humedad de este nivel.

—Podemos conseguirlo —interviene Nadine—. Los informes aseguran que el pantano no es tan extenso como los anteriores y hemos avanzado bastante.

—No es tan extenso para quienes estáis en buenas condiciones —protesta Kalya mientras se ajusta el cabello negro recogido en la coleta.

—Te recuerdo, preciosa —gruñe Dhonos a modo de reproche—, que vosotros dos os saltasteis el paseo por los Arcos Perdidos.

—Tú te has saltado que asesinen a un ser querido casi en tus narices —dice ella entornando los ojos y, al abrirlos, la malicia le ensombrece la mirada—. Oh, es cierto. Se me olvidaba que eres tú quien asesina a sus propios seres queridos.

De pronto, Dhonos le propina un puñetazo a la madera a su lado y esta cruje, resquebrajándose hasta caer un trozo al cenagal y provocar un chapoteo denso. Nadine se sobresalta, pero sigue sin dirigirle la mirada. Mis hombros se tensan. Nevan abandona su libreta y Vera se olvida del pantano para centrarse en la discusión.

—¿Qué…? —empieza a preguntar el Guardián entre dientes mientras se pone en pie y lleva la mano a la empuñadura de su espada—. ¿Qué has dicho?

—¿Acaso no intentaste matar a Nadine hace un día? —canturrea Arvin en defensa de Kalya—. Date la vuelta y contempla el lienzo que le has dejado plasmado en el rostro, puto desgraciado.

—¡No quería hacerle daño!

—Ah, ¿no querías hacerle daño? —ríe Kalya, mordaz—. ¿Por qué no le dices a la cara que esa fue la misma excusa con la que te justificaste en Palacio después de matar a sus padres?

—Tú no estabas presente —brama él.

—Está en los informes, Guardián —le contesta, severa—. Ah, y no me refiero a los que redactaste tú, puesto que eras el único superviviente. Me refiero a los que redactaron los médicos cuando te sometieron a la hipnosis obligatoria por orden del Rey. ¿Le has contado eso?

Entonces, Dhonos empalidece. La manera en que agacha la vista al suelo y suelta la empuñadura de su espada, rindiéndose a este juicio improvisado, nos da a entender que no hay palabras ni excusas válidas para defenderse de eso.

—«Yo nunca les habría hecho daño, pero la situación se complicó. Ellos tenían que morir por mí porque debía ser yo quien sobreviviese a la expedición» —recita Kalya con la voz rota por la rabia—. ¿Pensaste que no te investigaría antes de bajar a este infierno? No deberías subestimarme sabiendo que mi familia tiene acceso a los Archiv…

—¿A eso te referías? —la interrumpe Nadine y, al elevar el rostro hacia Dhonos, el tenue brillo del atardecer le ilumina las lágrimas que se le han acumulado en la mirada. Los dientes le castañean del llanto reprimido. No lo observa con furia, sino con una absoluta aversión—. Cuando me juraste que jamás les habrías hecho daño a mis padres, ¿a eso te referías? ¿A que te arrepentías de haberlo hecho pero la situación lo requería? ¿Cómo fuiste capaz de mirarme a los ojos después de arrebatarme lo único que tenía en la vida?

—Es un cobarde, Nadine. Un cobarde rompecuellos —lo insulta la Guardiana.

Un mal presentimiento me revuelve las tripas cuando los hombros de Dhonos empiezan a temblar mientras ríe en silencio. Luego, escupe una carcajada salvaje y alza el rostro con una mueca espantosa que le arruga la cicatriz que le cruza la cara, fuera de control.

—¿Quieres saber qué pienso, Kalya? Que ojalá lo hubiera hecho —masculla—. Ojalá fuera el monstruo que dices y le hubiese roto el cuello a tu prima. No sabes lo que habría disfrutado viendo a una Phiana'rah escupir su último soplo de vida.

La Guardiana aprieta los dientes, los músculos de su mandíbula se tensan y, cuando se levanta de la plataforma hecha un demonio y Thago intenta retenerla, le da un bofetón a sus manos y las uñas rasgan la piel morena del chico. Ella no acaricia el mango de su espada, sino que la blande directamente apuntando al cuello de Dhonos. Eleva el mentón con los ojos rasgados puestos en él. Después, traza una línea en el aire, de un lado a otro, como si fingiese cortarle el cuello.

—Te desafío a un duelo.

—¿Quieres morir? —ríe él.

—Quiero darte la oportunidad de defenderte. Puedes aceptar el desafío o morir degollado mientras duermes.

Vera se pega a mí, atemorizada. Alguien con autoridad debería detener esto, pero todos están poseídos por sus emociones: Arvin amplía los labios, afanoso por ser el espectador de un combate encarnizado; Nadine parece asustada por las consecuencias, pero la decepción toma el mando y la mantiene al margen. Acudo a Kowl, que contempla lo que ocurre con sus manos a la empuñadura de su espada como si estuviese esperando el momento oportuno para intervenir, sentado al lado de Arvin. Sin embargo, en cuanto Dhonos inclina la cabeza para aceptar el duelo, Kowl abandona su arma. Hacemos contacto visual, niega en silencio.

No puedes impedir u oponerte a un duelo. Es un derecho inherente al ser humano en Khorvheim.

—Dhonos… —musita Nadine dándole un débil tirón a la tela del pantalón que le cubre una bota—. Detén esto, por favor.

—Eso es lo que voy a hacer. —Sacude la pierna para deshacerse de ella y desenvaina su espada frente a la Guardiana con el odio dilatándole las pupilas—. Esto se acaba aquí.

—Que el destino hable —sentencia Kalya.

La madera a los pies de ella cruje cuando adopta una postura defensiva y la ira le chisporrotea en los ojos con la impaciencia de lanzarse hacia Dhonos. Ninguno se fija en las manchas de musgo, que se extienden por algunas partes de la plataforma y que podrían hacerlos resbalar, porque tienen demasiadas ganas de matarse el uno al otro como para preocuparse de algo más.

—No mires —le susurro a Vera, que me está apretando los dedos con tanta fuerza que duele.

—¿Qué te crees que es, una niña? —murmura Nevan y se arrima a nosotras mientras lo fulmino de reojo.

La inercia me hace querer protegerla incluso de esta escena después de ver cómo le afectó presenciar la brutalidad de las bestias al aniquilarse, que no es tan distinto a esto. Al menos, aquellas eran diferentes especies.

Los humanos nos matamos entre nosotros mismos.

El primer movimiento lo hace Dhonos, con una expresión igual de furiosa que ella. Se lanza hacia delante en un feroz ataque lateral y Kalya lo esquiva ágil, mucho más rápida y menos contenida que cuando combatió conmigo. El sonido del metal al chocar produce una reverberación escalofriante en el ambiente. Aunque se ve obligada a retroceder cuando las botas se le deslizan sobre la madera musgosa, contraataca de inmediato con la intención de cortar el músculo del brazo diestro de Dhonos, pero este desvía el ataque con la propia inercia de su espada. La hace trastabillar hacia atrás y le arranca un gemido de dolor al pasarle el filo por la parte externa del hombro.

La rabia la hace gritar entre dientes a la vez que se abalanza sobre él sin vacilación alguna. Kalya está ansiosa por hundir su espada en el cuerpo de Dhonos, como si acabar con su vida tuviese un significado más profundo para ella. Como si quisiese ver al asesino de Mei en él. Por el contrario, Dhonos no parece ansiar matarla, sino que disfruta torturándola, asestándole pequeños cortes por aquí y por allá mientras se mueve errático y juega a que Kalya adivine su siguiente maniobra, casi siempre sacando ventaja de cada ataque.

El aire denso y cargado de humedad pesa sobre ambos, y las gotas de sudor se les cuelan en los ojos, aunque evitan limpiárselos porque un instante de despiste o vulnerabilidad puede significar la muerte. Sus pechos se inflan con la dificultad de respirar el aire espeso de este nivel.

Tengo la boca seca y el corazón encogido. Vera ha optado por apoyarse en mi hombro con la vista al suelo, igual que Nadine, que se cubre los ojos con las manos. Contemplo cómo continúan intercambiando golpes rápidos y secos; el incesante sonido de las espadas enfrentándose entre sí es cautivador y aterrador a partes iguales. Admiras la destreza con la que el acero corta el aire, pero te horroriza ese instante en que corta la carne. Como guerrera, distingo que la experiencia y la habilidad de combate de Dhonos es superior a la de Kalya. Sin embargo, también advierto algo que es incluso más importante que eso.

La está subestimando.

Como Kalya me subestimó a mí en el oasis.

Sonríe mordaz al pasar el filo por la mejilla de la chica y ver el hilo de sangre que le gotea hasta la barbilla. Está tan seguro de que tiene el control y de que puede darle fin al enfrentamiento cuando él quiera que no se ha dado cuenta de la estrategia de Kalya. Entre ataques y contraataques altos, que han mantenido la atención de Dhonos a esa altura, ella lo ha conducido a la zona de la plataforma donde hay más musgo.

En un momento en que las botas de él resbalan inevitablemente y lucha por recuperar la postura, Kalya aferra los dedos al mango de su espada, situando la punta del arma hacia atrás, y levanta las manos a la altura de sus ojos, vidriosos del dolor, mientras flexiona las rodillas con sutileza. Entonces, me lanza una breve mirada de victoria y sonríe para sí misma. Simula un ataque que nunca asesta y da un giro sobre sus tobillos que reconozco al instante porque esa es mi técnica. Es la técnica de guerrera que usé contra ella durante nuestro enfrentamiento en el oasis, la que la pilló desprevenida porque no la conocía y que debió de aprender esa noche.

El tiempo se detiene cuando un estrépito metálico arroja la espada de Dhonos hacia el cenagal y el arma de Kalya le hace un corte horizontal en el costado. Luego, le atraviesa el corazón. El borboteo de la sangre le tiñe los labios y el ruido hueco que hacen sus rodillas al caer de bruces al suelo nos ahoga un grito de espanto. Es la voz desgarrada de Nadine la que sacude el pantano entero.

En cuanto Kalya retira la espada del pecho de Dhonos, su cuerpo se derrumba sobre la plataforma. Nadine corre a acogerle la cabeza en su regazo entre sollozos y Kowl aparta la vista con un gruñido sofocado antes de levantarse y marcharse a zancadas de la escena.

—El destino ha hablado —declara Kalya, pasando el dedo por el filo de su espada, cubierta de la sangre del Guardián.

Veo cómo me mira, cómo me agradece en silencio su victoria agachando el mentón en un gesto de respeto, y no me doy cuenta de las ganas que tenía de que Dhonos se alzara victorioso en el duelo hasta que las lágrimas me empapan los labios y el corazón se me retuerce de arrepentimiento por haberla retado aquella noche, por haberme cobrado la vida del Guardián a través de ella.

Yo también subestimé a Kalya Phiana'rah.

46

Eko khatem ekhar

Pantano del Dolor, 2.408 aps (Escala de presión abisal)

Por un instante, me quedo inmóvil.

El cuerpo de Dhonos yace inerte, desprovisto de todo lo que alguna vez fue él. Miro a mis compañeros; parece como si el abismo tuviera manos propias y pudiese estrangularnos. Siento la desesperanza en cada uno de ellos, en cada poro de mi piel. Nos ha ido aplastando conforme hemos descendido a sus profundidades.

Kowl se ha ido. Ya no puedo verle, aunque sé que se encaminó a alguna de las plataformas contiguas que dejamos atrás. Podría quedarme aquí. Podría tomar esa distancia que llevo exigiéndome desde el principio, dejarlo solo. Sin embargo, algo dentro de mí me araña el pecho. Como si correr tras él fuera un impulso de supervivencia.

Aprieto los dientes y lucho contra esa urgencia.

Me rindo. Kowl siempre ha estado ahí para mí. Puede que no lo sepa y a mí me pese admitirlo, pero él me ha sacado de varios agujeros oscuros durante lo que llevamos de expedición. Me pongo en pie, sorteo el cuerpo de Dhonos y evito el contacto visual con los demás para ahorrarme sus muecas inquisitivas. Empiezo a caminar rumbo a las plataformas altas de antes. Al principio, me esfuerzo por mantener un ritmo lento. Sin embargo, en cuanto me cercioro de que estoy fuera del campo de visión de mis compañeros, acelero el paso.

El viento fantasmal agita las ramas podridas, arrancando pequeños susurros a mi alrededor. Me froto los brazos, pegajosos por el relente, y contengo la tos que amenaza con destrozarme la garganta. La plataforma que rodea los árboles parece tambalearse bajo mis pies mientras avanzo. Sé que es un terreno peligroso, que el pantano bajo nosotros está lleno de peligros y pocos me ayudarían a salir de esa profundidad densa, así que me sujeto como puedo a todas las estructuras estables que voy teniendo a mi alcance.

Entonces, lo veo. Tiene el brazo flexionado contra el tronco de un árbol y la frente apoyada en el dorso de su mano, con la vista al suelo. Su figura alta y poderosa contrasta con la niebla que comienza a elevarse desde abajo y se cuela entre las tablas. Ni siquiera se inmuta cuando la madera a mis pies se resquebraja y lanza un chasquido al aire. A pesar de que no gira la cabeza, puedo sentir su dolor en mi pecho. Alargo una mano y le toco el brazo con suavidad.

—Vete —ruge.

—Kowl, soy yo.

La rigidez en sus músculos cede un poco, pero no contesta. Los segundos se alargan y su respiración irregular se mezcla con el sollozo de Nadine y los ruidos lejanos del pantano.

—No sé qué tipo de relación tenías con Dhonos, pero no te pediré que regreses con los demás —susurro y le doy un apretón en el brazo—. Te esperaré aquí. Te cubriré la espalda hasta que te recompongas.

—¿Por qué?

—Tu oscuridad te pertenece. Yo no soy quién para decirte que la abandones.

—¿Mi oscuridad? —bufa. La espalda le tiembla apenas un instante y sus hombros se tensan—. Qué sabrás tú.

—Sé que, por desgracia, a veces la oscuridad es el único refugio que conocemos.

Lentamente, Kowl gira la cara hacia mí. Está roto. Sus ojos están oscuros, llenos de algo que no puedo descifrar, pero que sí reconozco. Porque veo en ellos el reflejo de mis demonios. La peligrosa mezcla de impotencia y rabia, de querer cambiar algo que ya no tiene vuelta atrás. De repente, se aparta de mí y lanza un puñetazo contra el tronco del árbol. El sonido de sus nudillos al golpear la madera resuena en el pantano. La corteza se resquebraja.

—Maldita sea —gruñe apretando los dientes.

No sé qué decir, así que cierro la distancia entre nosotros. Despacio, apoyo mi frente contra su pecho y siento el latido violento de su corazón bajo la túnica. Al principio, se queda inmóvil, como si no supiera qué hacer. Después, poco a poco, me rodea con un brazo. Es un abrazo torpe, inseguro, como si temiera romperme, o quizá romperse él mismo mientras su puño sigue tiritando contra el árbol.

—No sabes lo que… llevo dentro.

—Entonces, enséñamelo —digo enterrando mi voz en su torso, embriagada por el aroma que desprende y los latidos de su corazón—. Deja que tu dolor me abrace también.

—Solo una necia diría algo así.

—Puede que lo sea. Ya lo sabes, mi arrogancia siempre va por delante.

Su risa amarga se hunde en mi pelo.

—¿Y si mi dolor te destruye?

—No hay dolor en este mundo que pueda destruirme, Kowl —mascullo en bajito—. Ya no.

En los arcos vio mi dolor, lo sintió dentro de él. Cuando estuve a punto de sucumbir a la melodía del Cantapenas, cargó con mi sufrimiento y lo soportó hasta que estuve a salvo. Esta vez quiero ser yo quien lo haga. Quiero saber qué esconde su pasado, sus sombras y cicatrices. Entender por qué se siente tan solo y por qué lo siento tan roto. Quiero entenderlo a él.

—Déjame conocerte mejor.

Kowl no dice nada. Respira fuerte y retrocede un paso. Su mano sujeta la mía. Con la otra me recoge un mechón tras la oreja mientras nos quedamos mirándonos en la penumbra, en medio de un caos que escapa a nuestro control.

—¿Confías en mis sombras? —pronuncia.

—Como tú en las mías.

Tras mi afirmación, sus ojos oscuros comienzan a brillar cargados de esa intensidad letal que siempre me ha hecho temblar. Me estremezco cuando conecta nuestras miradas a un nivel más profundo. De repente, el mundo parece desvanecerse a nuestro alrededor. El aire se vuelve aún más denso y su oscuridad me engulle. Una punzada me atraviesa la frente, como si estuviera desatando una tormenta de emociones en mi mente y un centenar de latigazos me sacudieran el cuerpo. Lo siento en mis carnes: la carga de una soledad que eligió para proteger a otros, la traición de aquellos en quienes había confiado y el derrumbe de una esperanza que se había construido sobre cimientos de mentira.

El fuego me arde por dentro. No es como el mío, fuerte e imparable, capaz de arrasar con todo. Su fuego es débil, un veneno que lo está matando a él por dentro, en silencio y en soledad, porque es la única manera que ha conocido de sobrellevarlo. Y ahora… el sufrimiento corrosivo de haber perdido a alguien después de prometerse a sí mismo que lo protegería. El dolor de Kowl es un grito desgarrador que apenas consigue contener. No veo nada, pero siento los ojos colmados de esas lágrimas que él nunca se ha atrevido a soltar. Mi corazón se aprieta tras un crujido profundo y me tambaleo entre sus brazos.

Comprendo que ha apartado la vista cuando parpadeo, las sombras se desvanecen y logro ver nuestro alrededor. Mis pestañas están húmedas. Se inclina y descansa su frente sobre la mía mientras me limpia las lágrimas de las mejillas con sus pulgares.

—Es suficiente.

—¿Quién te ha protegido a ti todo este tiempo?

—Nadie —murmura con la voz rota y su aliento cálido se estrella en mis mejillas—, pero ojalá te hubiese conocido antes.

Por un instante, me imagino que Kowl fuera un chico cualquiera, quizá un guerrero o el hijo de un panadero de Mhyskard, y que nos hubiésemos conocido sin un abismo de por medio. Sonrío, aunque enseguida tiemblo por el dolor que aún hormiguea en mis extremidades.

—Mi vida era un huracán de sombras —le digo—. Dudo mucho que hubieras confiado en mí.

Se retira y uno de sus dedos me alza la barbilla hasta que nuestros ojos se encuentran.

Eko khatem ekhar, ko khatem ekhar.

—Confío en tus sombras como tú en las mías —me traduce, grave—. Es una promesa.

Entonces, me besa. Es un contacto vehemente pero fugaz, y por un momento dudo de si es cierto que ha sucedido. Luego, me envuelve con sus brazos y ahoga el resuello contra mi pelo. Su respiración es irregular. Los latidos, violentos. Siento sus manos apretarme contra su pecho aún más, y yo permito que se aferre a mí como si de alguna manera tuviera el poder de llenar su vacío.

—Lhyss… —Su voz tiembla cuando dice mi nombre, y hay tanto en su forma de pronunciarlo que me sobrecoge—. ¿Qué estás haciendo conmigo?

—Desafiar los límites, cruzar las fronteras… Desobedecer las leyes de nuestros reinos. —El aire se me escapa de los pulmones al sonreír con cierta resignación—. Confiar en tus sombras.

Estoy haciendo con él todo lo que me prometí no hacer con un Cuervo.

Subo las manos a su espalda y aprieto entre mis dedos la tela de su capa, consciente de que pronto tendremos que despedirnos. Incluso si intento protegerlo de su dolor ahora, sé que terminaré haciéndole daño más tarde.

—¿Sabes cuál es la diferencia entre amar y confiar en kheltza? —me susurra casi al oído—. Una sola letra.

Se despega de mí y mis hombros se tensan. Un pellizco de vértigo me retuerce el estómago. Pienso en decir lo primero que se me pase por la cabeza, convertir mis miedos en una broma sarcástica, pero mi garganta se cierra y olvido cómo hablar. Sin embargo, sus labios esbozan una sonrisa amarga. Tan peligrosa como el poder de sus ojos. Pero jodidamente perfecta.

Khatem *significa «confiar».* Khaltem, *«amar».*

—Ya me pagarás la clase de idiomas —dice y me da un leve tirón de muñeca—. Vamos, regresa con los demás. Yo iré a buscar algún lugar donde podamos enterrar a Dhonos.

47

La voz de la condena

Pantano del Dolor, 2.408 aps (Escala de presión abisal)

No puedo sacarme de la cabeza las últimas palabras de Kowl.

Ni las que Nevan me susurró cuando volví, me senté a su lado y tuvo que zarandearme el brazo para acaparar mi atención: «No te dejes engañar. Los humanos seguirán siendo el mayor peligro en cualquier parte del mundo».

Ha anochecido y Dhonos continúa ahí tirado porque Nadine se niega en rotundo a que Arvin lo empuje al fondo del cenagal para que el fango se lo trague y no atraiga a las criaturas que se alimentan de los cadáveres. Quiere enterrarlo en el bosque que Kowl ha divisado a unas cuantas cabañas de madera hacia el este para poder honrarlo y visitar su tumba cada cinco años durante las siguientes expediciones. Por allí se encuentra la salida del nivel, así que es él quien se encarga de llevar a cuestas el cuerpo mientras avanzamos por los puentes del territorio en un silencio lúgubre.

Al principio de la expedición, la mayoría desconfiaba del Guardián y esperaba que cualquier situación o bestia peligrosa se deshiciese de él. Ahora nadie celebra su muerte. Por el contrario, muchos se esfuerzan por contener el llanto. Thago, que carga en brazos a Kirsi, tiene surcos enrojecidos bajo los ojos porque no puede limpiarse las lágrimas. Yo rezo al destino para que esto tenga algún sentido. Tampoco me quito de la cabeza la idea de que Dhonos no se merecía este final, sobre todo teniendo en cuenta que gracias a él conseguimos salir airosos de muchas amenazas.

Pero no es mi batalla y supongo que, si permitieron que se batiese en un duelo, fue porque no era el Príncipe.

Me anclo al brazo de Vera y sigo caminando junto a ella y Nevan.

Cuando llegamos a una zona donde el fango apenas cubre el terreno y los árboles se van espesando de hojas verdes, Arvin y Kowl deciden sobre la marcha que debemos descansar en la plataforma más próxima al bosque pantanoso antes de adentrarnos en ese territorio en plena noche, por muy cerca que estemos de abandonar el nivel. Kowl tumba con cuidado el cuerpo de Dhonos encima de la madera y Nadine se deja caer temblorosa a su lado. Todos hacemos un pequeño círculo en torno a ellos mientras Arvin discute de forma despreocupada con Kowl el orden en que haremos las guardias y la hora a la que reanudaremos la expedición.

—Lo enterraremos al amanecer —concluye, tajante.

Llega el momento de comer, nadie tiene hambre. Pese a ello, tomamos una barrita para no morir desnutridos, aunque mis razones son distintas. Yo debo hacerlo para tener fuerzas mañana, el día que he esperado desde hace cinco años. Estamos inmersos en nuestros pensamientos, en una quietud solo rota por los chasquidos que hacen nuestros dientes al morder y nuestras gargantas al tragar agua. Nadie quiere hablar, ni siquiera Kowl, que ignora a Arvin y al final, tras la insistencia del rubio por comentar chorradas que no vienen a cuento en estas circunstancias, lo manda a callar y cierra los ojos con el ceño fruncido.

Como me esperaba de Arvin, me ordena hacer la primera guardia y luego cuenta hasta un número indefinido mientras señala al resto, uno a uno, como si fuese un juego. Su dedo recae en Nevan.

—Interesante. Sois amiguitos, ¿verdad? Quizá no debería permitir que hagáis la guardia juntos. Bueno, dadme las gracias, así no tendréis que separaros —canturrea recogiéndose el cabello rubio en una pequeña coleta. Clava sus ojos despiadados en mi gargantilla, los eleva a mí, indiferente, y escupe una risa de repulsión—. En fin, nada de chácharas ni distracciones, o mañana serán tres entierros en vez de uno.

A mitad de la guardia, el barullo de mis pensamientos y el gimoteo de Kirsi son insoportables. Me levanto del lado de Nevan para hacerme hueco junto a ella, que está tendida de costado y se apretuja el abdomen. La coloco bocarriba. Tiene la cara pálida, empapada de sudor frío y saliva densa en la barbilla, y la herida abierta con algunas hojas carmesíes por encima. Las reconozco, son Hojas de Bermellón, capaces de camuflar el hedor a sangre o cualquier otro desagradable. También crecían a pocos minutos de la aldea de las Seerhas, en un pantano donde jugaba a esconderme con los niños de la tribu y nos encontrábamos a las mujeres recogiéndolas en saquitos de tela para sus brebajes.

Le tomo la temperatura pegando los labios a su frente y me limpio la humedad con la manga de la camisa. Todos los músculos del cuerpo se le contraen por la fiebre alta. El calor de este nivel ha disminuido con la noche, aunque el exceso de humedad no ayuda. Rebusco en su bolso, saco la cantimplora e intento verter el agua poco a poco en la diminuta apertura de sus labios, levantándole la cabeza lo suficiente para que no se ahogue.

—¿Puedo? —me pregunta Thago y se aproxima cauteloso a nosotras después de recibir una mueca recelosa de mi parte. Asiento.

Es alto y tiene una corpulencia considerable, por lo que sentarse en el suelo y cruzar las piernas se convierte en un verdadero reto para él. No habíamos hablado desde lo de Tyro y podría seguir guardándole rencor por haber actuado a espaldas de otros compañeros, pero ya no tengo tiempo para asuntos que mañana dejarán de importarme.

—Oye, Rawen —farfulla con voz ronca enredando los dedos en el hueco que hay entre sus piernas musculosas—. Quería disculparme por lo que sucedió con Xilder. Me comporté como un imbécil irresponsable.

—¿Por qué te disculpas conmigo?

—Porque fuiste la única que quiso pegarme. Supongo que… Bueno, te afectó mucho, ¿no? —susurra, atropellado—. Si te sirve de consuelo, me pesa cada mañana al despertar y recordar que soy el culpable de su muerte.

Elevo mis ojos al entresijo de ramas que han ido abriéndose conforme los árboles se han poblado de hojas por el bosque colindante. El pedacito de cielo que consigo contemplar está vacío de luz, de constelaciones a las que pedirles deseos inocentes, de estrellas a las que suplicarles una felicidad absurda. Es tan devastador como este lugar, en el que un compañero asesinado se descompone en el centro de la plataforma y otra compañera parece estar a punto de acompañarlo a la tumba. Y los culpables del estado en el que ambos se encuentran no son el abismo ni sus criaturas, sino sus compañeros de expedición.

Yo también soy culpable de otras muertes. De más de una.

—Si te arrepientes de verdad, discúlpate con su familia cuando salgas de aquí. No conmigo —le digo, pese a que es probable que ahí fuera hayan transcurrido meses y la familia de Tyro ya haya muerto de hambre—. ¿Qué te pasa, no puedes dormir?

—Creo que ninguno de nosotros puede dormir —contesta con la mirada perdida en la herida abierta del vientre de Kirsi, que emana un hedor extraño por las hojas silvestres—, pero fingimos hacerlo porque es lo pertinente.

—Es extraño —musito.

—¿El qué?

—La desolación del pantano. Apenas hemos visto criaturas, exceptuando el Mucílago y los Hedorines.

Los ojos nobles de Thago se inundan de perplejidad y, cuando llega a la conclusión que me ronda la cabeza, se encoge de hombros y se revuelve el cabello castaño con los dedos, avergonzado.

—Porque las bestias somos nosotros —murmura.

—Eso he pensado. Estamos en tierra de criaturas excéntricas, podrían matarnos si se les antojara de un momento a otro.

—¿Crees que serían capaces de subir a las plataformas? ¿Con saltos o algo así?

Bufo por la nariz y niego despacio mientras le acaricio la melena corta y rubia a Kirsi en un intento por calmarla, ya que las convulsiones de su pecho y los gimoteos parecen deberse a sus pesadillas más que a la fiebre.

—Me refería a que parece que no sienten la necesidad de matarnos porque saben que ya lo hacemos entre nosotros. —Me quedo en silencio al recordar un gesto que me consternó, el del Picafauces que me observó directamente a los ojos, ladeó la cabeza y decidió ignorarme para arremeter contra Nevan sobre el puente de piedra—. Puede que de algún modo perciban nuestra energía, y sus conductas estén influenciadas por eso.

—No creo que sean tan inteligentes.

—¿Cómo lo sabes? Eres geólogo.

—Y tú cartógrafa —refunfuña e inclina las cejas haciéndose el ofendido.

—Pero me dijiste que lucho como una Guardiana.

—Eso es cierto, serías una Guardiana formidable. De esas a las que los críos adoran y los adultos admiran —dice. Sonríe y su aliento se condensa en una breve nube de vaho—. Mira eso.

Al seguir la dirección que apunta su dedo, descubro un par de Hedorines deambulando por el filo de una de las tablas. Son caracoles del tamaño de un puño y, para mi asombro, las conchas refulgen con colores fluorescentes. Rawen me contó que las personas más ricas de Khorvheim, cuando se enteraron de lo fascinantes que eran estas criaturas a través de sus hijos que asistían a la Escuela de Cuervos, intentaron contratar a mercenarios exploradores para mandarlos al abismo. Querían capturar sacos de estas criaturas colaborativas, elaborar criaderos privados en la superficie y fabricar joyas luminiscentes que durarían lo mismo que la efímera vida de los Hedorines.

El Rey prohibió esta actividad y cualquiera relacionada con actos ilícitos en el abismo fuera del periodo de expedición, sin supervisión del Consejo de Expediciones o por cuenta propia. La famosa Ley de la Purga Imperial acabó con muchos mercenarios ejecutados en la plaza de la capital, no porque se hubiesen tomado la libertad de saltar al abismo, porque de hecho habría sido imposible que regresaran por su cuenta, sino por la posibilidad de que algún día desobedecieran las leyes después de haber mostrado intenciones de hacerlo.

Sonrío maravillada al contemplar las motitas de luz intermitente que se mantienen suspendidas en el rastro viscoso que despiden los Hedorines. Hay uno vagando en círculos cerca del centro de la plataforma, pero es fácil controlar hacia dónde va y tomar precauciones por la iluminación circundante que emite. Frunzo el ceño, no entiendo la lógica humana. ¿Por qué recorrer el pantano durante el día? Sería más seguro avanzar por las plataformas de los árboles cuando la noche ilumina a estas criaturas, que son las que nos rastrean y avisan a las demás. El Hedorín se acerca al cuerpo de Dhonos, que está tapado con su capa hasta arriba, con la cabeza de Nadine recostada sobre su pecho inerte, escondida entre los brazos. En cuanto los destellos de la luz fluorescente del caracol la alumbran, ella cierra el puño y lo aplasta contra la madera.

La vida se va y la luz se apaga.

Así es el ciclo.

El crujido de la concha resquebrajada me resulta tan incómodo que aparto la vista antes de que Nadine despegue la mano del bicho muerto. Acto seguido, saca varias Hojas de Bermellón del bolso, las esparce por el reguero que ha dejado la criatura para ocultar el hedor que pueda delatarnos y regresa al pecho de Dhonos.

Aún me pregunto quién le ha hecho esto a Kirsi.

Y quién escribirá nuestra historia en los informes si ella muere.

No me lo pienso dos veces. Echo un vistazo a mis compañeros. Todos duermen, o al menos procuran hacerlo, y los únicos que pueden verme no me preocupan. Nevan me guardará el secreto y Thago no hará nada que implique otro enfrentamiento o sume peso a su culpabilidad, mucho menos ahora que Mei no está aquí para manipularlo. Rebusco entre los enseres de Kirsi, atrapo los informes y los coloco en el suelo, pegados al lateral de mi pierna, de manera que mi figura los oculte de las posibles miradas de mis compañeros.

—¡¿Qué haces?! —me susurra Thago en cuanto empiezo a pasarlos hasta dar con la página del día de hoy.

—Cállate. —Lo fulmino entornando los ojos—. Y vigila que nadie nos pille haciendo esto.

—¿«Nos»?

—Sí, desde este momento eres mi cómplice —murmuro distraída mientras leo todo lo rápida que puedo la caligrafía excesivamente curvada de Kirsi.

Sin duda es su letra y tinta. Cuando redactó la información acerca de la muerte de Dhonos, ya estaba indispuesta por la fiebre y la herida, y la letra se torna incluso más ilegible que en los informes anteriores. Me inclino hacia delante. Leo el reducido texto que ha escrito y el corazón me da un tumbo.

«Dhonos Saerendir, distinguido Guardián de rango medio, fallece en el Pantano del Dolor tras un resbalón fatal en una de las plataformas de madera construidas sobre los árboles, donde se desarrollaba un enfrentamiento».

—¿Qué pone? —inquiere Thago en bajito.

Esbozo una sonrisa que me sabe a pura amargura. «Un resbalón fatal». Qué ofensa al honor de un Guardián del calibre de Dhonos. Para qué engañarme, tenía la esperanza de que mis sospechas se quedasen en solo eso, en una desconfianza basada en mi procedencia, en el rechazo que sentimos los mhyskardianos hacia los kheltzarianos. En el trágico pasado que me une a los Cuervos. Las Informantes se jactan de poseer la tinta de la verdad absoluta y se ofenden si alguien duda de la magia en su sangre cuando en realidad cuentan lo que les viene en gana.

Sí, es cierto lo que ha redactado en el informe. No hay una sola mentira. Sin embargo, es una ridícula verdad a medias. El nombre de la asesina, Kalya Phiana'rah, no aparece por ningún lado. Tampoco la verdadera causa de la muerte, que fue la espada de la Guardiana.

Un ronquido a mi espalda me sobresalta. Devuelvo los informes deprisa y finjo estar rascando la madera del suelo mientras veo cómo Vera escupe otro ronquido antes de acurrucarse hecha un ovillo junto a Nevan.

—Pone lo justo para que nadie sepa lo que ocurrió en verdad —le contesto con la misma sonrisa resignada. Me corresponde la mueca.

Miro a Kirsi, su cabello empapado de sudor, la forma en que arruga la cara por el dolor, y solo siento asco. El asco de tenerla en mi regazo, de haber querido cuidar de ella. Le retiro la cabeza y pienso en el despropósito que es todo esto, en que debería desear que su nombre aparezca pronto en la lista de los exploradores caídos. Entonces, sus balbuceos se convierten en palabras apenas audibles. Me acerco para oírla mejor.

De pronto, sus ojos se abren estrepitosos, colmados de lágrimas, y aferra una mano a mi muñeca.

—Te he visto. No está dentro de mí. Eres tú —farfulla en un hilo de voz, salivando tanto que se le escurre por las comisuras de su boca—. Eres la chica del fuego, de la muerte, de la… destrucción.

El pánico le sacude las pupilas. No hay brillo en su mirada. Me asusto. Trato de liberarme, pero sus uñas se me clavan en la piel. Juro que la mataré si no me suelta. Thago mueve los brazos en el aire sin saber qué hacer hasta que zarandeo el brazo y la mano de Kirsi cae desplomada contra el suelo. Sus párpados se cierran lentamente, sumiéndose en el sueño profundo de nuevo como si no hubiese pasado nada.

—¿Una pesadilla? —inquiere él.

—Una pesadilla —repito, atónita—. Será mejor que duermas un rato. Regresaré con Nevan.

Tanteo el suelo a mi espalda mientras me pongo en pie porque me aterra perder de vista un segundo a Kirsi y que vuelva a despertar. Parecía que hablaba en sueños, aunque también parecía que estuviera poseída. Ha dicho cosas tan similares a las que recitaron las Seerhas que no puedo evitar relacionarlo. Me siento junto a Nevan, que persigue cada uno de mis movimientos con su mirada fría, y me pellizco el puente de la nariz. Mis conjeturas no tienen sentido. Estoy divagando.

—¿Cuál era el tuyo? —me pregunta.

—¿Qué?

—Tu secreto.

—¿Cuál de ellos?

—La razón por la que decidiste bajar al abismo.

—Dijimos que no nos haríamos esa pregunta —le recrimino—. Además, como bien dices, es un secreto.

—Puede que estuvieras equivocada.

—Vamos, Nevan. No estoy para acertijos. —Suspiro. El hastío me araña la garganta y apoyo mi frente en su hombro. Todo su cuerpo se tensa mientras me masajeo la muñeca llena de los rasguños que me ha hecho esa Informante de los demonios—. Jamás me equivocaría en la razón que me ha mantenido viva hasta ahora.

—A veces queremos todo lo contrario a lo que nos dicta nuestra cabeza —comenta con un tono tembloroso. Apuesto lo que sea a que está deseando que me aparte por el fastidio que le provoca cualquier contacto humano.

—Somos animales. La mente poco puede hacer contra ello.

—Pero es curioso. Puede que alguien esté deseando morir y al bajar aquí se sienta más vivo que nunca.

Nevan espera a que le pregunte a qué se refiere. No le doy el gusto, así que chasquea la lengua antes de proseguir:

—Porque su verdadero deseo no es morir, sino sentirse vivo.

—Querer morir es una consecuencia de la desesperación que uno sufre…

—Al percatarse de que su corazón late, pero no siente —termina él por mí.

Asiento en silencio, con la vista clavada en el musgo incrustado en la tabla de madera, preguntándome en qué libro habremos aprendido esa oración si cada uno procedemos de un reino distinto, pues la mayoría de los nuestros fueron censurados en Khorvheim y viceversa.

Respiro hondo intentando calmarme y un aroma terroso me invade las fosas nasales. No es el olor del pantano ni del bosque, es uno reconfortante que me traslada a las tardes tormentosas de Mhyskard, al olor que emanaban los jardines de mi hogar cuando llovía y salía a empaparme bajo la lluvia. Nunca había distinguido el aroma corporal de Nevan hasta ahora, pero solo he necesitado un segundo para saber que su hombro huele a paz en medio de la tormenta.

—¿Sabes por qué te cubrí el primer día frente a Nadine, aun sabiendo que no eras Rawen? —susurra, disminuyendo el volumen de su voz, y la respiración se le entrecorta al inflarse el pecho de aire—. Porque la verdadera Rawen nunca me cayó bien, pero tú parecías distinta a ella. Tú me caes bien.

—Gracias. —Una débil sonrisilla me amplía los labios.

Mañana le cederé la libreta de las bestias del abismo, donde Tyro anotaba cada secreto y descubrimiento que hacía.

Puede que así Nevan se gane un buen puesto en la Corte Real, si es que ese es su deseo. No me importa. Tampoco estaré viva para juzgar el modo en que aprovecha esa información. Será mi despedida.

Ya que solo me quedan unas horas de vida antes de cumplir mi promesa.

48

No hay dios que habite las profundidades del abismo

Pantano del Dolor, 2.821 aps (Escala de presión abisal)

Un enjambre de murmullos constantes me arranca del sueño.

Tengo los sentidos embotados por el manto de presión abisal que nos aplasta a esta profundidad del abismo, aunque puedo notar cómo la fría y pegajosa humedad se cuela por mi ropa y se adhiere a mi piel. La desorientación me hace parpadear repetidas veces hasta que consigo enfocar a mis compañeros, todos reunidos en una línea apretada al borde de la plataforma.

El amanecer declara el inicio de mi último día de vida.

Mi garganta emite un silbido al respirar fuerte porque el aire no llega a mis pulmones. Me esfuerzo por incorporarme con movimientos pesados y torpes, el suelo está mojado y resbaladizo bajo mis rodillas y el olor a vegetación en descomposición se mezcla con algo metálico.

—No entiendo por qué no se hunde —protesta Arvin—. Maldita sea.

Al encaminarme a la plataforma, Kowl se gira y me hace señas para que me aleje, pero eso solo logra que tenga más ganas de ver qué demonios están haciendo ahí todos. Cuando descubro de qué se trata, mis piernas flaquean. Me siento al borde, junto a Nadine, con la mirada clavada en el cadáver de Kirsi, que flota sobre el fango del pantano con la piel blanca y el estómago rojo, una mezcla del color de las Hojas de Bermellón humedecidas y de la sangre que le brota porque los gusanos han comenzado a devorarla.

No sé cuántos minutos paso en esta postura, pero vuelvo en mí cuando mis músculos entumecidos me piden a gritos que me mueva para entrar en calor y una violenta convulsión en mi estómago me obliga a vomitar.

—¿Se cayó ella? —alcanzo a pronunciar.

—Amaneció muerta. Arvin la ha lanzado porque no podemos cargar con más cuerpos, y aquí arriba… el hedor había empezado a ser insoportable —comenta Nadine, la única que queda al borde de la plataforma, tan perturbada por la escena como yo—. Me estoy volviendo loca, joder.

—¿Cómo tienes el brazo?

—Puesto en su sitio —bromea a duras penas, aunque enseguida se le tiñe el semblante de culpa—. Perdona, tengo un humor de mierda cuando estoy deprimida. Aún puedo mover el brazo, pero no lo siento.

Tiene el rostro pálido, los carrillos hundidos por el hambre y la devastación, y los surcos alrededor de los ojos irritados del llanto. Kirsi nunca me agradó. Su supuesta magia tampoco me gustaba, mucho menos después del descubrimiento de anoche. Sin embargo, esto es… demasiado.

—¿Quién la apuñaló? —me atrevo a preguntar.

—Ella misma —espeta. La mirada de Nadine se oscurece. Carraspea, sofocada, y entiendo que está luchando contra las arcadas—. Me contó que… Bueno, en esa familia los hermanos se relacionan entre ellos para asegurarse de que sus descendientes heredan el poder intacto. No tienen permitido que ese don se mezcle con otras líneas. Órdenes del Rey. Kirsi nunca quiso participar en ello, pero su hermano no estaba dispuesto a que ella… rompiera la tradición.

La idea de que estén forzados a semejante horror me estremece. No comprendo cómo pueden acatar sin más esos caprichos del Rey, ni siquiera entiendo cómo son capaces de perpetuar algo tan espantoso aun sabiendo que esa tinta de la verdad es una farsa. Nadine tose varias veces, asqueada, antes de continuar:

—Kirsi no pudo soportarlo, de ahí su problema con las pesadillas. Me contó que se notaba el vientre hinchado y que, desde que había bajado al abismo, no paraba de tener visiones que mezclaban el abuso que había sufrido con las imágenes de una joven enfurecida que masacraba a la gente de los dos reinos. Kirsi empezó a creer que llevaba al mismísimo demonio dentro de su vientre porque sentía su presencia demasiado cerca. Estaba… enloqueciendo.

—¿Lo sentía cerca?

—Sí, las Informantes canalizan la energía de la historia de los reinos, las profecías y… En fin, todo lo que necesitan para poder cumplir con su deber aquí abajo y arriba en la superficie. Quién sabe qué se le pasaba por la cabeza a esa chica.

No digo nada. Aprieto los labios y me levanto del suelo. Luego, la ayudo tendiéndole una mano. Recogemos nuestras cosas en silencio mientras Kowl y Arvin cargan con el cuerpo de Dhonos sujetándolo por las extremidades. Encabezan la formación rumbo al bosque, junto a Nadine, que se asegura de que la capa del Guardián no caiga al suelo, y Kalya cubre la retaguardia de la fila.

Pese a que cada muerte nos pesa más y al mismo tiempo menos, porque empezamos a normalizar que cualquiera de nosotros puede ser la siguiente baja, todos se esfuerzan por mantener la cordura. La mayoría se convence de que hoy la expedición llegará a su fin. Eso los ayuda a conservar la esperanza de que todo lo malo tendrá algún tipo de sentido, como si regresar a la superficie pudiese hacerles olvidar el infierno que estamos viviendo en el abismo. Me abrazo al codo de Vera y me acoge con una cálida sonrisa ahogada por el cansancio en sus ojos castaños, a la vez que dibuja en su libreta los caminos que tomamos. Nevan nos va señalando las manchas de musgo resbaladizas para que no tengamos que preocuparnos por nada más.

Descendemos por un caminito de madera, inclinado hacia el terreno que conecta el pantano con el suelo terroso del bosque. Al poco, los árboles se abren. Los pajarillos cantan y el sol se alza por el horizonte, creando un lienzo de colores rosados que se entremezclan con el verde apagado de la vegetación envuelta en niebla. A medida que avanzamos, la melodía de un río envuelve el ambiente con más ímpetu. Ni siquiera nos impresiona descubrir que no estamos en un bosque cualquiera. A ambos lados se yerguen laderas escarpadas que parecen tocar el cielo, con las cumbres salpicadas por la pureza de la nieve en las cumbres más lejanas. Estamos en la entrada al Cañón Ahogado.

—Aquí está bien —dice Nadine.

Hacemos una pausa en un pequeño claro, aún en el bosque. Arvin y Kowl cargan a Dhonos hacia la espesura del bosque, y Nadine los acompaña para vigilar sus espaldas, aunque todos sabemos cuánto le cuesta separarse del Guardián, mientras Kalya se queda con nosotros en esta zona. Me siento en una roca, con la cara entre las manos y la confusión palpitándome en las sienes. Tengo que reorganizar mis pensamientos, elaborar un plan. He dejado de preguntarme quién es el Príncipe porque sé que irremediablemente tendrá que revelar su identidad para cosechar la Flor de Umbra. De igual manera, debería trazar una estrategia para cuando llegue ese momento.

Me froto la cara y suelto un suspiro al elevar la mirada a mis compañeros. Los estudio, las armas que portan, su destreza en combate y su estado emocional actual. De los ocho que quedamos, sé a ciencia cierta que solo Kowl podría suponerme un problema. Kalya está magullada por todas partes por los cortes que Dhonos le hizo durante el enfrentamiento y derrumbada por la pérdida de su prima. Aunque sea una oponente considerable, estoy segura de que podría vencerla.

Nadine es fuerte, pero está en desventaja porque basa su principal forma de lucha en una espada a dos manos y su brazo izquierdo no soportaría el peso del arma, de modo que en una pelea con armas cortas yo podría dominarla. El único veterano que me causa cierta inquietud es Arvin, no lo he visto en acción y puede que sea tan despiadado en combate como lo es con las palabras.

El resto sé que no se entrometerá. Nevan jamás se opondría a mí, Thago no se atrevería a hacerlo y Vera…

Abro los ojos de sopetón. ¿Dónde está Vera? No la veo. Un mal presentimiento me oprime el pecho. Pasan unos minutos, pero no aparece y nadie la echa en falta. Me levanto de un brinco y corro a zarandearle el brazo a Nevan.

—¿Y Vera?

—Se fue a orinar. Supongo que al río.

La dirección que me indica no me relaja en absoluto. Se ha ido en la misma dirección que los otros tres y, aunque Kowl esté con ellos, no me fío. Seguimos en territorio de bestias excéntricas; me pregunto quién de ellos arriesgaría su vida por protegerla a un nivel de salir a la superficie. Cojo las manos de Nevan y le entrego el arco y el carcaj con las flechas para que pueda defenderse de alguna manera si lo llegara a necesitar, y camino deprisa para no levantar sospechas.

—¡Eh!, ¿a dónde crees que vas? —vocifera la Guardiana detrás de mí.

—A mear.

No espero su respuesta. Algunas hojas secas crujen a mi paso. Desenvaino una daga y escudriño a mi alrededor, alterada porque el ruido del río que se extiende caudaloso a mi derecha me impide distinguir los distintos sonidos con claridad. Luego, empiezo a acelerar el ritmo hasta que la urgencia me exige correr, encontrarla cuanto antes y contra cualquier pronóstico. Giro la cara un segundo para comprobar que no estoy a la vista de mis compañeros y al voltearme me choco de bruces contra algo sólido.

Parpadeo, aturdida. Es Kowl.

—¿Qué haces aquí? —me pregunta reteniéndome de los codos.

—Estás solo —digo, aterrada por lo que eso podría significar.

—Nadine está despidiéndose de Dhonos.

—¿Y Arvin?

—Eh, relájate. —Me falta el aliento, y él no tarda en percatarse de la daga en mi mano—. ¿Qué ocurre?

—¿Dónde está Arvin?

—Con Nadine. Es un lugar peligroso para dejarla sola en ese estado.

—Y tú…

—Yo quería volver antes, con vosotros. Por la misma razón.

Escupe un resoplido y me eleva el mentón para obligarme a mirarlo de frente. En cuanto hacemos contacto visual, todo mi cuerpo se tensa.

—Lhyss, escúchame. No confíes en ningún compañero a partir del siguiente nivel. Estaremos cerca de la Flor de Umbra, sometidos a una magnitud de presión abisal peligrosa que puede causar alucinaciones y paranoia, y las criaturas serán la menor de nuestras preocupaciones. —Sus dedos se aferran a mis brazos con firmeza en un intento por realzar la importancia de sus palabras—. Tendremos el tiempo justo para cosechar la flor y marcharnos antes de que las condiciones del ambiente nos maten. Mantente cerca de mí pase lo que pase, no confíes en nadie más.

«No confíes en nadie más». Entorno los párpados en un análisis breve. Por primera vez, tengo la impresión de que oculta algo. Está inquieto, pero se esfuerza en mostrar lo contrario.

—Vamos —dice arrastrándome del codo.

—No. —Agito el brazo y me deshago del agarre—. Necesito orinar.

—¿Quieres que te espere aquí?

—No.

Kowl frunce el ceño, sabe que yo también oculto algo.

—Nos reunimos allí —le digo.

—Está bien. —Asiente en un cabeceo lento, pero me sujeta la muñeca sin dejarme marchar—. Lhyss, prométeme que no te separarás de mí en el siguiente nivel.

—Te lo prometo.

—No tardes.

Compartimos un último gesto silencioso y lo dejo atrás, oyendo cómo las pisadas de sus botas se alejan del sendero. La luz del sol que se filtra a través de los árboles proyecta sombras danzarinas sobre el alfombrado de hojas y helechos hasta que desaparece porque el cielo se oculta tras un manto plomizo.

Mi respiración es un jadeo irregular, el agotamiento se mezcla con la ansiedad. De pronto, un conjunto de raíces intrincadas entre las ramas del suelo me hace tropezar. Ahogo un grito y rezo por que la causa de mi muerte no se deba a un «resbalón fatal» más.

—¿Rawen?

No veo de dónde procede la voz. No hasta que su melena esponjosa y cobriza aparece por la pendiente repleta de árboles y vegetación que se inclina cuesta abajo hacia la orilla del río. La vista se me empaña. Enfundo la daga, suelto el aliento contenido y corro a abrazarla. Ella se tambalea debido al desnivel del suelo. Una oleada de alivio me golpea tan fuerte el pecho que me mareo.

—Estás bien —susurro y siento el calor de su cuerpo, aferrándome a ella como si pudiera desaparecer si la libero. Como si protegerla del abismo pudiera eximirme de no haber protegido a quien debí en su día.

—¿Y tú estás bien?

Nos apartamos, sujeta mis hombros y me dedica una sonrisa genuina. Me río al ver que le he manchado los cristales de las gafas, aunque endurezco el gesto enseguida.

—¿Cómo se te ocurre esfumarte así a estas alturas? Podrías, no sé, haberme avisado tal vez.

—Necesitaba un rato a solas y hacer pis. Siento haberte preocupado, hermana mayor —dice con voz dulce. Su sonrisa se ensancha cuando me coge de la mano y me arrastra pendiente abajo—. Ven, tienes que ver esto.

—Tengo entendido que la vieja de las dos eres tú, te graduaste hace dos años.

—Entonces, ¿es cierto? —inquiere, sorprendida, mientras vigila el suelo que pisamos—. ¿Tienes veintiún años?

—Soy de las jóvenes de la tropa.

—¡Quién lo diría! —dice riéndose.

Vera levanta las cejas, a mí se me tensan los hombros. Me siento pequeña, vulnerable por haberle revelado información real sobre mí, aunque ella siempre se encarga de convertir mis mentiras en algo natural y mis verdades en una celebración, como si no hubiese nada de malo en mantener oculta mi identidad.

Sorteamos algunos troncos repletos de musgo mientras descendemos la inclinación rumbo al río. Justo al lado de la orilla, en la parte baja del tronco de un árbol se abre un enorme agujero. Dentro hay una bola de algo viscoso y brilla como una esfera traslúcida a los rayos de la luz que logra colarse en este hueco.

—Son huevos de Hedorines —murmura, maravillada.

Escupo un suspiro. No me puedo creer que estuviese entretenida analizando un nido de Hedorines mientras yo me desvivía por encontrarla. Me suelta la mano y se sienta a un lado del tronco con la vista puesta en el cielo plomizo.

—Tardan veintidós días en eclosionar, lo equivalente a casi cuatrocientos en la superficie, así que para que tengan ese aspecto… deben de llevar un par de semanas ahí. Según mis cálculos, casi un año para nosotros.

—¿Y quién estuvo veintidós días en este nivel para deducir eso? —replico.

—No lo sé. Es lo que leí en los apuntes de un antiguo compañero de la Escuela de Cuervos. Por suerte rescataron sus anotaciones cuando murió en una expedición. —Se encoge de hombros, ajena a la inquietud que aún me tensa la mandíbula—. Puede que fuera otro biólogo como… Xilder, y robase un huevo del abismo.

—Eso explicaría que esté muerto.

Me planteo la opción de pedirle que volvamos a la zona «segura», con nuestros compañeros, pero tomo asiento junto a ella al borde del río, recordándome que Arvin y Nadine deben pasar por el sendero de arriba, y que podemos regresar tras ellos.

—Deberíamos hacer relojes del abismo con ellos —ironizo.

—No es mala idea. Gwyn estaba convencida de que existían propiedades curativas en la baba de Hedorín —dice con una sonrisilla triste y, cuando detiene la mirada en la trencita atada a su muñeca, sus ojos castaños se tornan vidriosos—. ¿Crees que alguna vez podremos dejar atrás todo esto?

Una lágrima le resbala por el rabillo del ojo y golpetea encima de una hoja seca.

—No lo sé. —Estiro las piernas mientras respiro hondo, pensando en que pronto no tendré ese tipo de preocupaciones—. Puede que nunca consigas dejar atrás lo que has visto y vivido aquí, pero quiero pensar que encontrarás la manera de seguir adelante.

—Yo quiero pensar que estás hablando en singular porque eres lerda y no porque tus planes sean tan graves como para que te condenen al llegar a la superficie —dice con la sospecha frunciéndole el ceño—. Me gustaría que fuéramos amigas al salir de aquí.

Sus palabras quedan suspendidas en el aire, entre el viento que silba a través de los árboles y el borboteo incesante del río. Al principio, reprimo la sonrisa por el sentimiento de culpa que me oprime el pecho cuando me imagino cómo sería nuestra amistad en la superficie y no me parece tan mala idea. Luego, permito que aflore. Mis labios se amplían y Vera se deja contagiar por mi sonrisa.

—¿Cuándo supiste que yo no era...?

—Durante los arcos —dice haciendo un mohín de duda—. Podría llamarlo intuición, aunque lo cierto es que me di cuenta de que eras distinta al resto. Además, te faltaba técnica cartografiando y apuntabas las iniciales de nuestros nombres en las hojas finales de tu libreta. Puede que no fueras cartógrafa o, al menos, no una cartógrafa de la Escuela de Cuervos, pero cuidaste de todos y me salvaste la vida.

—¿Por eso no me delataste?

—Para cuando comencé a sospechar de tu título, ya te habías ganado mi confianza. ¿Quién soy yo para juzgar las razones que te trajeron a este infierno? No me has engañado, si es lo que crees. Elegí seguirte. —Se encoge de hombros con naturalidad y todo mi cuerpo se sume en una calidez que no sabía que necesitara. Luego, dirige la palma de su mano al centro de mi pecho—. Lo importante está aquí. Algún día vendrás a mí y me contarás cosas de amigas, como tu nombre real o en qué región de Khorvheim creciste, y te sonreiré porque habré esperado ese momento con muchas ganas.

—Lhyss —confieso y le tiendo una mano a modo de presentación. La vulnerabilidad me acalora las mejillas, a pesar de que me ahorro el dato de mi procedencia—. Mi nombre real es Lhyssarys.

De pronto, su mirada se enciende de ilusión. En lugar de estrecharme la mano, se abalanza y me estrecha entre sus brazos.

—Tu nombre es precioso, Lhyss.

Al apartarse, me demuestra que no mentía; tiene una sonrisa inmensa en la cara. Sin embargo, sus carrillos ya no se inflan como el primer día. No le pregunto si tiene hambre. Le ofrezco una barrita de mi bolso y la acepta, observándola como si le hubiese regalado un tesoro.

—¿Estás segura?

—A estas alturas de la expedición, se podría decir que me «sobran».

—Gracias —me sonríe, cómplice, y abre la barrita con emoción antes de darle un mordisco mientras hago lo mismo con la mía.

El silencio se instala entre nosotras, aunque no es incómodo. Es un silencio cargado de pensamientos y de la esperanza de supervivencia que supone hacer algo así, comer sin miedo a que las raciones se agoten porque la travesía está a punto de llegar a su fin.

—A veces me pregunto si el abismo refleja lo peor de nosotros, o si simplemente nos corrompe cuanto más tiempo pasamos en él —comenta con los mofletes hinchados de la comida.

—Puede que sea una combinación de ambas cosas, o puede que el abismo nos inspire a sacar ese monstruo que llevamos dentro, la verdadera naturaleza que nos hace humanos.

Vera asiente con la atención puesta en la barrita.

—Desde que descubrimos que Arvin y Kalya habían tomado un atajo, he pensado en cuántos más habrá, que no solo nos ahorren tiempo en el abismo y meses en la superficie, sino peligros y muertes —murmura, seria—. ¿No debería ser ese mi deber como cartógrafa? Deberíamos arriesgar nuestra vida por descubrir caminos que salven otras vidas y no por repetir el mismo camino una y otra vez para anotar los cambios que han sucedido entre cada expedición. ¡Por supuesto que siempre habrá cambios, son cinco años! Si nos hubiésemos atrevido a explorar aquel sendero nuevo de la cueva, habríamos tomado el mismo atajo, y Gwyn y Xilder seguirían vivos.

—Quizá no quieran que descubramos otras cosas. Al fin y al cabo, el único motivo por el que dejan que una tropa de exploradores baje al abismo es la cosecha de la Flor de Umbra.

«Para perpetuar el poder de Khorvheim y de su Rey a costa de la vida de los exploradores», me callo. El sonido de unos pasos rompe la calma del momento. Le pido que guarde silencio, me acerco al tronco y asomo la cabeza con cuidado para cerciorarme de que son Arvin y Nadine.

—Esconde tu barrita. Nos echarán la bronca si ven que estamos comiendo fuera de horario —le susurro a Vera.

Vera se dispone a incorporarse para unirnos a ellos, pero se detienen a unos metros de nuestra posición y escudriñan los alrededores como si quisieran asegurarse de que están solos. Algo en mis entrañas se retuerce. Le hago señas a Vera para que se agache de nuevo.

—Aquí yace el Guardián que fue devorado por sus propias promesas —se burla Arvin con desprecio mientras se sacude las manos de la tierra—. ¿Qué? No me mires así y deja de lloriquear, ese tío siempre fue mejor para hundirse que para nadar. Tantos planes, tantas promesas de robar la flor y está enterrado donde pensaba que nacería su reinado.

—Has manchado el anillo de fango, Arvy —lo interrumpe Nadine con las bolsas de los ojos amoratadas del llanto—. Como vea que te lo has puesto…

—Querida, soy el Jefe de Tropa, tengo derecho a portar su anillo para protegerlo.

—¿Tienes derecho a portarlo o es que te lo quieres quedar para ti? —inquiere Nadine en tono mordaz—. Suéltalo, Arvy. Sé que tienes tu propio plan ahora que Dhonos ha muerto, tú siempre los tienes.

—El viejo me encomendó una tarea —canturrea, y su voz es un eco embotado en mi cabeza—. Mato a su hijito, hago que parezca un accidente y él me nombra heredero al trono.

—¡¿Eres imbécil?! ¡El Rey es eterno, jamás tocarás su trono! —susurra ella, alterada.

—Siempre podemos asesinarlo nosotros.

Arvin alza la mano en un alarde cínico, de espaldas a nosotras, y la piedra verde refulge en su dedo anular. De pronto, el suelo se sacude a mis pies. La confusión me empaña la vista y el vértigo me amenaza con hacerme perder el equilibrio. Es el anillo que tanto he buscado, en una mano que no es la del Príncipe, sino la de otra persona que también quiere asesinarlo. Miro a Vera, que está tan consternada y pálida como debo de estarlo yo.

Puede que no sea mala idea aliarme con ellos, ofrecerme como su asesina, pues la muerte del sangre oscura me pertenece a mí. Arvin es despiadado e impredecible, aunque no necesito hablar con él teniendo a Nadine dentro del plan.

De repente, un crujido a mi lado me espanta. El sonido resuena en el aire quieto, haciendo que Arvin se gire de golpe en nuestra dirección. Me pego al tronco, escondiéndome de ellos, y abro los ojos aterrada al ver que ha sido Vera quien ha pisado una rama mientras retrocedía para ocultarse.

—¿Quién anda ahí? —vocifera él en un gruñido—. ¿Tenemos a una rata escondida?

Vera ha perdido el brillo en los ojos por el miedo que le ha tenido siempre a Arvin. Le niego sacudiendo el mentón para que no se le ocurra salir. Si se acercan esos dos y estamos en peligro, yo misma los enfrentaré. Puede que sea el momento perfecto para convencerlos de que tenemos un objetivo en común. Sin embargo, ella no me hace caso. Traga saliva y me dedica una sonrisa temblorosa.

—No quiero ponerte en peligro —murmura—. Arvin la tiene tomada contigo desde que le plantaste cara.

—Vera, por favor —le suplico. El sonido de las pisadas se aproxima—. Esta vez es diferente.

—¿Confías en mí?

—Por supuesto, en quien no confío es en ellos.

—Tranquila, a mí no me harán nada.

Sin pensárselo dos veces ni darme tiempo para explicarle mis planes, se levanta y sube la pendiente hacia el sendero con paso firme. Me asomo por el otro lado del tronco, la tensión en el rostro de ambos es evidente y Arvin ha colocado su mano sobre la empuñadura de su espada.

—Soy yo. Solo estaba… —dice, y su voz se rompe por el pánico— haciendo pis.

—¿Aquí, tan lejos del grupo?

Arvin la observa con desconfianza, sus ojos entornados recorren cada detalle de su postura; a diferencia de Nadine, que se cruza de brazos con el semblante desencajado, más atenta a las reacciones de él que de Vera.

—Además, ¿comiendo mientras meas? —pregunta él y le señala la camiseta—. Tienes migas por todos lados, ¿a quién pretendes engañar? ¿Es que le has robado comida a otro compañero?

—¡No, claro que no!

—Está bien, regresa al grupo —interviene Nadine, adelantándose, y le hace un gesto teñido de urgencia para que se marche—. No vuelvas a quedarte sola, es peligroso.

Vera asiente y se da media vuelta mientras el silencio se prolonga hasta que se aleja una distancia prudente que me ayuda a recuperar el aliento.

—¿Eres idiota, Nadine? ¿Te arriesgas a que haya escuchado nuestra conversación y la dejas ir sin más?

—¿Qué quieres que haga, coserle la boca? Es imposible que esa chica nos haya…

—¡Vera! —grita Arvin. El nombre de mi compañera retumba en el bosque y un escalofrío me trepa la espalda—. ¡Ven, olvidé decirte algo!

Rezo a los dioses para que eche a correr y no se frene. Cierro los ojos y, cuando los vuelvo a abrir, se me olvida que no hay dios que habite las profundidades del abismo.

49

No existe el llanto para las victorias

Cañón Ahogado, 3.373 aps (Escala de presión abisal)

Vera regresa haciéndose pequeñita por el miedo.

Pienso en tirar una piedra al otro lado del río, aprovechar el momento de confusión para gritarle que huya y enfrentarme a ellos dos yo sola. También podríamos escapar juntas, intentar sobrevivir hasta encontrar la salida del abismo por nuestra cuenta. O correr hacia nuestros compañeros y contarles las intenciones ocultas de Arvin. Sí, tendría muchas opciones si no tuviera planes. Si mi cometido no fuera vengarme. Suspiro hondo. Por acto reflejo, empuño una daga y empiezo a deslizarla fuera del corsé, preparada para atacar si Arvin hace algún movimiento extraño o se dispone a desenfundar su arma en la cintura.

—¿Qué te escribieron en el apartado «Observaciones»? —le pregunta a Vera.

—¿Cómo?

—Sí, joder. Sabes a qué me refiero —gruñe Arvin, exasperado—. Al graduaros con honores, os entregan un documento aparte donde exponen por qué atributos especiales os han elegido. Y no me mientas o acabarás en los calabozos cuando lo compruebe en el Consejo.

—Pensamiento espacial, capacidad analítica —dice agachando la vista a sus pies— y excelente atención al detalle.

—No eres tan imprescindible, ¿no crees? —apunta él mientras se aparta el cabello rubio del cuello para masajearse la zona—. ¿Tú qué opinas? ¿Eres imprescindible o no?

—Arvin, deja de jugar con ella —se interpone Nadine.

—Relájate, relájate. Solo son unas preguntas de rigor. Quiero satisfacer mi curiosidad y que la cartógrafa me cuente su opinión.

—Déjala volver con el grupo —espeta con voz severa.

De pronto, el rostro de Arvin se tensa, su expresión burlona da paso a una grave y hostil.

—Está bien, que se marche.

Vera inclina el mentón en señal de respeto antes de darles la espalda y el resoplido que empieza a escupir Nadine se transforma en un aliento ahogado cuando Arvin desenvaina la hoja curvada de su espalda y comprendo por qué tenía la mano ahí, tan lejos del arma en su cintura y tan cerca de la que pretendía empuñar. Me aferro a mis dagas para abalanzarme sobre él, pero, en cuanto reconozco el movimiento familiar e inconfundible con el que blande la hoja curvada y traza un arco en el aire, todo mi cuerpo se congela. El tiempo se detiene.

Es él.

Su arma cruza la espalda de Vera en un corte diagonal como hizo años atrás con Orna. Su grito de horror acalla el mío de rabia, que queda atrapado en mi garganta. El sonido amortiguado del cuerpo de Vera al desplomarse sobre el suelo me roba el aire. Cae con el pánico en la mirada y los labios temblorosos, pálidos debido a la pérdida repentina de sangre, aunque pronto comienzan a teñírsele de rojo. La humedad de la tierra absorbe la sangre, oscureciéndose a su alrededor. De pronto, la escena de mi hermana se superpone con la figura de Vera como si el pasado y el presente se fusionaran, y un torrente de recuerdos se estrella contra mi mente: la noche en que me la arrebataron, su última sonrisa, la sangre en mi regazo, mi garganta incendiada por los gritos de dolor. Los músculos de mi cuerpo se niegan a moverse. Cada fibra de mi ser se desgarra. Estoy atrapada en una pesadilla recurrente.

Arvin es el Cuervo que ejecutó la orden del Príncipe.

No puedo apartar la vista de Vera, de su melena cobriza, lo único que todavía se mueve, ni de la trencita en su muñeca. Tampoco soy capaz de mirarla sin ver a Orna en su lugar. Nadine retrocede, visiblemente afectada, mientras Arvin se acerca a su víctima con una calma escalofriante. Intento esconderme tras el tronco, pero tengo los pies clavados en el suelo.

—Que se marche, pero al infierno —se carcajea Arvin mientras limpia su hoja en la capa y Nadine se limita a frotarse el brazo herido con un gesto de impotencia que alimenta mi desprecio hacia ella—. ¿De verdad esta perra se creía que vería la superficie después de haber metido las narices en mis asuntos?

Noto el corazón en mis oídos, lento y pesado como un tambor de guerra roto, un eco apagado que hace que me odie a mí misma tanto como odio a mis enemigos. He vuelto a fallarle a alguien, he vuelto a permitir que otra persona se exponga en mi lugar confiando en que sería la mejor elección. Me pego al tronco, mis brazos temblorosos rozan la áspera corteza mientras busco un punto de apoyo. No siento el dolor físico, incluso el dolor de la herida que Mei me ocasionó desaparece. La penumbra de los árboles a mi alrededor parece ceñirse sobre mí mientras las palabras de mi hermana me sacuden como un abrazo asfixiante:

«Debemos elegir por qué queremos morir. Hay cosas mayores contra las que luchar que un miserable peón del enemigo».

Deslizo la espalda por el tronco, derrotada, sintiendo cómo la impotencia me destroza el pecho y una bola de náuseas se agolpa en mi garganta. Esta no es mi lucha, no puedo echar a perder mis planes a estas alturas por vengar la muerte de una kheltzariana.

«No, no es una kheltzariana. Se había convertido en mi amiga».

Y fue Arvin quien asesinó a mi hermana.

«Es un peón más».

Estoy aquí para arrebatar vidas, no para salvarlas.

Me repito que debo soportar unas pocas horas más. Cierro los ojos y entonces me doy cuenta de que estoy llorando, de que tengo la cara empapada y de que tiemblo de miedo con solo imaginarme el cuerpo inerte de Vera o la ausencia de vida en sus ojos castaños, que siempre han estado colmados de inocencia. El pecho se me infla y desinfla con movimientos irregulares. Aun así, me esfuerzo por mantenerme en silencio cuando oigo las pisadas de Arvin asomándose a la zona como si quisiera asegurarse de que no hay más testigos y me encojo dentro del enorme agujero del tronco junto a los huevos de Hedorines.

Aprieto los puños, con el impetuoso deseo de ensuciarme las manos de su sangre. Juro que lo mataré, pero no sin antes acabar con el Príncipe.

—Maldita sea, ¿qué hacemos con el cuerpo de la cartógrafa? ¿Lo enterramos también?

—Te has pasado —lo acusa Nadine. El sonido de las pisadas se aleja—. La muerte de esta chica no era necesaria.

—¿Y qué diablos importa eso? Estamos en el final y la mayoría de esta gente tendrá que morir cuando traicione al Príncipe. ¿O acaso pretendes dejar testigos?

El viento se cuela por los recovecos de este rincón y enfría la humedad en mis mejillas. Me abrazo las piernas, rezando para que decidan enterrar a Vera, porque será el único momento que tendré para regresar con mis compañeros y que no sospechen que yo también he estado aquí. Rezando para que se vayan antes de que pierda la poca cordura que me queda.

—Siempre quisiste que Dhonos muriese en el abismo, ¿verdad? Para ejecutar tu plan.

—Oh, no. No empieces con ese tema, sabes que detestaba a ese malnacido. Si acepté ayudaros, fue por ti. ¿Te has vuelto blandita o te falla la memoria, Nadine? ¿Crees que voy a llorar su muerte? Que le den a él y a toda su estirpe.

—Por eso metiste a las Phiana'rah juntas en la expedición —prosigue ella—, sabías que ellas son las únicas que tienen acceso a los Archivos y que la existencia de Dhonos sería una amenaza a la Corona si ataban cabos de su pasado a nuestro plan.

—¡Qué perspicaz! Esos tres en la misma tropa eran una bomba a punto de estallar, desde luego. Aun así, que se mataran entre ellos era más bien una… ¿apuesta? —se carcajea con un deje cínico en la risa.

—¿Desde cuándo, Arvin?

—¿Desde cuándo qué?

—Desde cuándo empezaste a odiar a los Khorvus.

—Desde que comprendí que no hace falta nacer con su sangre para hacerme con su corona. Ahora céntrate y ayúdame con esto.

Algo dentro de mí se rompe. La tristeza y el remordimiento dan paso a una oscuridad que se extiende como una plaga por mi cuerpo y, pese a que tengo los músculos entumecidos, la crueldad me amplía los labios. Por un instante, me alegro de que Vera haya salido en mi lugar, de que su sangre esté mezclándose con la tierra de este bosque, porque no solo he descubierto quién es el asesino de Orna.

Me ha recordado por qué decidí vestir piel de Cuervo.

Me ha devuelto eso que se había atenuado después de pasar tanto tiempo entre esta gente. Con cada latido, siento el odio endureciéndome el corazón. Los desprecio. Y no puedo esperar a resolver esta sed de venganza. Quiero arrebatarles sus últimos alientos de vida, pisotear sus ridículas ambiciones y destruir todo aquello que les importe.

Transcurren unos minutos hasta que no los oigo cerca y me atrevo a salir del hueco del tronco. No tengo fuerzas para sostenerme en pie, pero empiezo a correr como una desalmada, ignorando los rastros de sangre del cuerpo que ya no está. Como cuando corrí por la muralla soplando el cuerno, con la única diferencia de que hoy no haré sonar ningún Cuerno del Abismo.

Porque el enemigo soy yo.

Mis pisadas golpean el terreno con fuerza. Procuro desesperadamente controlar mi respiración y deshacerme de las lágrimas que me nublan el campo de visión de camino al claro donde esperan los demás. No puedo permitir que mis compañeros sospechen, así que, cuando escucho sus voces en la lejanía, reduzco el paso. Carraspeo y me doy palmaditas en la cara para que mi expresión sea lo más neutral posible.

Es mi oportunidad y voy a aprovecharla.

Ya no tendré que esperar cinco años. Hoy es el día.

Nada más llegar al claro, me siento junto a Nevan y pego mi hombro al suyo como si eso pudiese mantenerme cuerda para cuando vuelvan Arvin y Nadine. Noto el peso de la mirada de los otros, aunque nadie me está prestando suficiente atención, y evito hacer contacto visual con Kowl para que no pueda asomarse a mi mente.

—Estás helada —me susurra Nevan.

—Ya sé quién es… uno de ellos —logro pronunciar con la voz ronca.

—¿De qué estás hablando?

—Los asesinos de mi hermana. —Nevan me lanza una mirada atónita, analizando cada parte de mi rostro.

Nunca le he contado mi propósito, ni siquiera sabe mi nombre real, y supongo que debo tener un aspecto horrible en este momento. Sin embargo, asiente en silencio y no hace preguntas, hasta que Arvin y Nadine aparecen por el sendero y mis hombros empiezan a tiritar. Cierro los puños, las uñas se me clavan en las palmas. El dolor físico controla al emocional. Escudriño la mano del rubio con la esperanza de que aún porte el anillo y alguno de los presentes reaccione, pero se lo ha quitado. Por lo que veo, sí teme al Príncipe.

—En pie, es hora de avanzar —vocifera Arvin.

—¿Y Vera? —inquiere Thago al incorporarse de la piedra en la que se había sentado.

—Vera Crysller ha caído —declara Nadine—. La hemos encontrado muerta a la orilla del río.

—Debe de haber sido atacada por una bestia, es lo que ocurre por alejarse tanto. Por esa misma razón tenemos que irnos ya —dice Arvin aproximándose a Kalya—. Dame los informes, rellenaré la baja de la cartógrafa.

Nevan se tensa a mi lado. La garganta se me cierra. No lo soporto. Separo las rodillas y vomito sobre la tierra húmeda lo poco que tenía en el estómago: la barrita que me comí hace un rato para celebrar algo que nunca debí permitir que sucediera. Alguien aferra sus dedos a mi hombro.

—Lo siento, sé que erais cercanas.

Me limpio la boca con el dorso de la mano y me atrevo a levantar la vista para contemplar con qué clase de expresión miente Nadine. No obstante, es ella quien agacha la cabeza sin valor para encararme al pasar de largo. Es una cobarde, lo fue cuando Kalya mató a Dhonos y lo ha sido al permitir que Arvin lo haga todo a su antojo.

Escudriño a Kowl, la única persona con la que me topé justo antes de reunirme con Vera. Sus ojos están más oscuros que de costumbre y la fijeza con la que los clava en la figura de Arvin es perforadora. Llegados a este punto, no puedo confiar en nadie, quizá una mínima parte en Nevan porque su edad lo tacha de mi lista, y, de las siete personas que quedamos, dos caerán hoy.

Como mínimo.

Agacho la cabeza para ponerme a la altura de su oído y se me enturbian los ojos.

—La han matado, Nevan —masculло entre dientes—. Vi cómo Arvin mataba a Vera por escuchar una conversación que no debía.

Me coge la mano con fuerza y aprieta su mandíbula en un esfuerzo por contenerse.

—Mente fría, ¿recuerdas? —me dice con calma—. Mente fría hasta el final y conseguirás tu objetivo.

—¿Qué hay de ti?

—Yo lo conseguiré. Estoy deseándolo.

Me reservo las ganas que tengo de saber cuál es el suyo. Cuando todos se ponen en pie para emprender la marcha, Nevan se queda conmigo en la retaguardia de la formación, rodeándome los hombros como si creyera que voy a derrumbarme en cualquier momento, y Kowl frena su paso un instante para observarnos de soslayo. Le lanza una mirada de reticencia a Nevan, recorre sus brazos y luego sube a mí. No retiro la vista, sino que lo enfrento con la misma oscuridad que tiene él en los ojos desde que ha vuelto al claro, hasta que forma una línea rígida con los labios y se gira.

—¿Estará la canoa? —pregunta Kalya—. Espero que sí, no pienso atravesar a pie los bosques del Cañón Ahogado.

—¿Qué canoa? —Nevan alza la voz, sin apartarse de mí—. ¿Vamos en canoa?

—Sí, es eso lo que estamos buscando. Siempre aparece en un pequeño muelle al borde del río —dice Nadine ojeando el mapa que cartografiaron hace diez años, y me pregunto qué habrá hecho con los mapas de Vera.

—¿Siempre?

—Siempre. No importa cuántas veces la hayan utilizado en expediciones anteriores. Siempre aparece de nuevo en el mismo lugar —comenta ella—. No olvidéis que muchas cosas del abismo son una mera ilusión, energía oscura adoptando formas convenientes.

Caminamos cerca de media hora siguiendo el mapa. Las copas de los árboles comienzan a separarse cada vez más. El sendero se ensancha, el bosque se abre y el cañón se yergue imponente, con paredes escarpadas de roca oscura que se elevan hacia el cielo de plata, cargado de nubes que contrastan con el color selvático de la vegetación. Ya no hay horizonte ni luz dorada, solo el ambiente cargado de humedad y niebla densa. El ruido del río se hace atronador a medida que avanzamos y, a pesar de que me esfuerzo en aplacar mis emociones, el cuerpo sigue temblándome a ratos.

Nos movemos con cautela acercándonos al muelle del que hablaban, una estructura de madera desgastada que se adentra en el río embravecido. Ahí está la canoa, simple y robusta, balanceándose al ritmo del agua, con capacidad para diez personas.

Como si el abismo tuviera sus propias condiciones para pasar al siguiente nivel.

La madera cruje al subirnos a la canoa. Me fijo en las primeras gotitas que caen del cielo y repiquetean en nuestras cabezas. Nos cubrimos con la capucha de nuestras capas mientras Arvin y Kowl toman los remos en cada extremo de la canoa. Nadine corta la cuerda y Nevan guarda silencio porque los viajes por agua le dan pánico.

Miro al horizonte, donde el cañón se pierde en la neblina, y alcanzo a ver algunas montañas nevadas que me recuerdan al norte de Mhyskard. A esos picos majestuosos de un blanco puro. El camino hacia el último nivel del abismo se extiende ante nosotros. Y sonrío exhausta al elevar el rostro al cielo cuando la lluvia se intensifica y nos empapa, porque el llanto del abismo se funde con el mío mientras una mezcla extraña de rugidos de bestias se propaga por el cañón. Es como si el abismo nos estuviese despidiendo de sus tierras y el baño de agua helada nos ayudara a olvidar todo lo vivido hasta ahora.

En cierta manera, este instante me resulta glorioso.

Una victoria anticipada.

He sobrevivido hasta el final.

Entonces, mi atención recae en Kowl. En las hombreras de plumas de cuervo que han perdido el movimiento porque están aplastadas bajo el peso de la lluvia al igual que su cabello oscuro. El corazón me bombea lento y desacompasado. Pasan los minutos y no puedo despegar la atención de su espalda.

Porque Arvin ha reducido el círculo a tres nombres: Thago, Nevan y Kowl.

Y solo dos de ellos tienen la edad suficiente para ser el Príncipe.

Información adicional

Carta no archivada de Zaharys Khorvus

Que nuestros horribles orígenes se conozcan.

Que la llama de la llama alcance las memorias eternas de los muertos, que sé que deben existir, y conozca la verdad antes de que su llama se propague y acabe incendiando el mundo entero.

Somos los instrumentos de antiguas maldiciones, somos el arma afilada del demonio que no pudo engañarnos en su día, somos la cuna de la Magia Prohibida, la esperanza del futuro de este reino enfermo, basado en un poder oscuro que acabará por hundir la Isla de Mhyskard bajo el agua.

Somos los títeres de la voluntad de nuestro creador, que no es sino la destrucción del mundo del que nosotros lo expulsamos. Somos sus vestigios y algún día deberemos regresar a él aunque sea en el infierno, para que él no regrese a nosotros y traiga el infierno a este mundo enfermo.

No somos el poder superior ni los dioses de una era renacida, somos la desgracia inevitable.

Pocos saben que hablo con los cuervos y menos aún saben que los cuervos hablan conmigo. Ahora entiendo por qué Kreus se autoproclamó Cuervo antes de ser Rey, cuando medio reino lo seguía por estas tierras, sediento de poder y nuevos conocimientos a los que solo él tenía acceso. Los cuervos nunca se equivocan. Sus historias llevan el sello de la inevitable fatalidad, al igual que nuestra naturaleza.

Sin embargo, pese a que el poder no me pertenece, los cuervos me eligieron a mí. Nunca le han hablado a Kreus y él se niega a creer que lo hagan conmigo, obcecado por su orgullo y su idea de que el conocimiento del demonio le pertenece solo a él. Me tacha de loca. Rechaza la realidad. Olvida que los consejeros del demonio eran cuervos.

Que todos sepan que el demonio cayó no por la fuerza de Kreus, sino por la lujuria con la que yo lo tenté, una trampa letal que acabó con su vida y nos maldijo a nosotros…

Que la llama de la llama será dios de la destrucción, como nosotros, pero también de la creación, cuando mis cuervos la alcancen, aprenda a escucharlos y tenga el dominio de la realidad anticipada.

Que todos sepan que el verdadero poder no yace en la fuerza de un ejército, sino en conocer el resultado de la guerra antes de enviarlo al campo de batalla.

50

Las Fauces del Abismo

Fauces del Abismo, 4.113 aps (Escala de presión abisal)

Una mañana de invierno, mientras Orna tarareaba la canción que siempre mantenía vivo el fuego de la aldea de las Seerhas, me contó cuál había sido el día más feliz de su vida.

«La noche en que te cogí en brazos por primera vez», pronunció con una mueca alegre, aunque sus ojos se empañaron de un brillo húmedo debido a la parte trágica de esa historia: mi nacimiento le provocó la muerte a nuestra madre. Sin embargo, ella solía ser así de generosa. Veía los milagros a través de las desgracias y era capaz de apreciar la belleza del atardecer por nefasto que hubiese sido el amanecer.

«La noche en que te cogí en brazos por primera vez».

Nunca pude decirle a nadie que el día en que cogí a Orna en mis brazos se convirtió en el más triste de la mía.

Estamos inmersos en la masa de niebla espesa que ha formado la lluvia en el cañón. El viento gélido me araña la piel, traspasa la ropa y cristaliza las gotas que aún golpetean sobre nuestras capas. Pronto el río también se va cuajando y el sonido del agua se vuelve un murmullo constante pero lejano. La dificultad con la que reman Kowl y Arvin nos confirma que tendrán que desistir en pocos minutos.

Como si existiese un velo invisible que separase el cañón de las Fauces del Abismo, de repente la bruma se disipa y la canoa se detiene a la orilla del río congelado. El nuevo paisaje que se extiende ante nosotros me deja sin aliento. Es un valle gigantesco, idéntico al Valle Antiguo, el primer nivel que pisamos del abismo, con la diferencia de que este lugar está completamente nevado. Los bosques de abetos ocupan las laderas de las colinas a cada lado. A lo lejos, las montañas se yerguen como titanes de hielo y roca, y sus picos afilados rasgan el cielo que ha dado paso a la noche en cuestión de minutos.

No, no es un cielo nocturno.

Siento un bombeo irregular en mi pecho cuando me percato. Esa oscuridad que se cierne sobre nosotros, salpicada de motitas titilantes que iluminan el valle de un azul iridiscente, no es la casa de los dioses que nos hablan a través de constelaciones.

Es el mismísimo agujero negro que tantas veces he observado desde la muralla.

El abismo al que saltamos.

Aquí no está en el suelo, sino en el cielo.

Y creo que solo unos pocos de nosotros lo sabían, porque Nevan lo contempla con una terrorífica fascinación dilatándole las pupilas.

—En cuanto bajéis de la canoa, la presión abisal en vuestros cuerpos cambiará —nos avisa Nadine—. No os asustéis por las sensaciones drásticas, en este nivel la falta de humedad es un poco… extrema.

—¿Y las directrices, Nadine? ¿Quieres que se pongan a jadear en cuanto pisen las fauces? —se queja Arvin dando un salto hacia la orilla.

—Las directrices son las siguientes —se adelanta Kowl con tono grave—. Preparaos. Controlad vuestras respiraciones y no habléis más de lo necesario u os deshidrataréis en cuestión de un par de horas. Tres chasquidos con los dedos significarán el avistamiento de una bestia, ¿entendido?

El entusiasmo brilla por su ausencia mientras asentimos. Nos bajamos de la canoa y emprendemos la marcha tras los pasos de los Jefes de Tropa en silencio. Nuestras respiraciones no tardan en formar nubes de vapor que se disipan en el aire seco. No exageraban. La humedad parece haber sido arrancada del mismo aire, y siento mis labios agrietarse y mi piel agarrotarse bajo las capas de ropa al instante. Cada bocanada es un latigazo de frío en la garganta. La falta de humedad intensifica la sensación de sequedad y malestar general, ya que impide que el cuerpo retenga el calor corporal frente a las corrientes de viento helado.

Nos adentramos en el valle de camino a un pequeño bosque a la izquierda. Esta vasta extensión de nieve, interrumpida solo por las negras siluetas de los árboles que se alzan en las colinas, es el hogar de la Flor de Umbra. Los músculos se resienten, aplastados por la presión abisal, y la cabeza empieza a dar vueltas como si estuviésemos perdiendo la voluntad del pensamiento.

Alzo la vista al manto negro y estrellado por luces pálidas, y me pregunto si el abismo disfruta contemplando nuestra insignificancia desde ahí arriba.

Llegamos al bosque inmersos en el sonido de nuestras botas hundiéndose en la nieve y buscamos refugio entre algunos abetos espesos. Me fijo en las diminutas florecillas de un rojo carmesí escondidas entre la densidad espumosa del suelo. Las ramas crujen por el peso de la nieve cuando el viento ulula de forma tenebrosa en la quietud de este entorno desolador. No dejo de pensar en el plan de Arvin, en qué momento decidirá arremeter contra el Príncipe. En cuanto el terreno se aprecia estable, detiene el paso y se gira hacia nosotros.

—Debemos separarnos —dice Arvin. Su voz está cargada de una suspicacia que no me gusta—. Cubriremos más terreno y tendremos más posibilidades de encontrar la flor.

—¿Separarnos? —inquiere Kalya—. ¿Estás loco?

—¿Acaso crees que mantenernos juntos nos salvará del destino que sufrieron los exploradores hace diez años? Eres una Guardiana, Kalya, limítate a cumplir tu deber —repone Arvin—. Lo haremos en dos grupos: Nadine, Thago y Rawen, conmigo; Kowl, Nevan y Kalya irán por su lado.

Mi corazón late frenético, no solo por el frío, sino por la tensión que noto acumulándose en cada uno de nosotros. Recuerdo la intención del rubio: deshacerse de la mayoría de nosotros para no dejar testigos. Nevan y yo nos lanzamos una mirada recelosa.

—Ni hablar —espeta Kowl y se coloca a mi derecha—. No lo haremos a tu manera en este nivel.

—¿Quieres a Rawen en tu grupito? —inquiere con desdén—. De acuerdo. De hecho, ¿sabes qué? Se me ha ocurrido una idea mejor. Nadine y Thago vendrán conmigo. Kalya y Nevan por un lado, y Rawen y tú por otro. ¿Contento?

Puede que para los demás no sea tan evidente, pero salta a la vista que la urgencia con la que Arvin habla y trama estrategias está impulsada por algo más. No creo que su única intención aquí sea matar al Príncipe.

—Te repito que no lo haremos a tu manera, Arvin —declara Kowl, con un tono implacable que le hace entender que no está dispuesto a negociar, y se cruza de brazos—. Iré con vosotros. El resto esperará aquí, en una zona segura, con Kalya y Rawen al mando por si surge cualquier inconveniente.

Parpadeo, confusa, no entiendo su estrategia. Pensé que me había pedido que no me separase de él bajo ningún concepto.

—¿Estás poniendo a Rawen a mi altura? ¡Es una cartógrafa! —vocifera Kalya, pero agacha la vista al suelo cuando recibe la mirada cargada de amenaza de Kowl.

—En cuanto demos con la Flor de Umbra y nos aseguremos un camino libre de peligros, regresaremos a por vosotros y procederemos con su cosecha. ¿Dónde apareció la vez anterior?

—Detrás de una de estas colinas —declara Nadine, que ha estado en silencio hasta ahora. Luego, asiente con un gesto brusco. La expresión de su rostro está desencajada por la tensión, y veo en sus ojos la misma desconfianza que siento en mi pecho—. Está bien. Lo haremos como dices.

—¿Está bien? —farfulla Arvin y bufa por la nariz—. Pues está bien, qué remedio. Vosotros mandáis.

De repente, un rugido metálico en la lejanía resuena través de las montañas. Por acto reflejo, retrocedemos. El bosque que cubre la colina a la derecha del valle tiembla y los árboles se sacuden. Me llevo las manos a las dagas al ver cómo un Picafauces sale disparado hacia el centro del valle con las alas quebradas. Se estrella contra el hielo. Después, otro rugido. No es el Picafauces el que hace retumbar las Fauces del Abismo con ese sonido chirriante. Una segunda bestia se desliza entre los abetos del frente, derrumbándolos a su paso.

—¿Qué criaturas habitan este nivel? —le pregunto en un susurro a Nevan.

—Todas —dice él sin apartar la vista del Picafauces moribundo—. Eso de ahí arriba puede invocar a cualquier criatura de otro nivel.

—No puede ser. —Aunque Thago hace el amago de dar un paso más atrás, el miedo lo tiene petrificado y se aferra a la empuñadura de su arma como un crío lo haría al brazo de su madre.

En un movimiento veloz, la bestia emerge del bosque y se abalanza sobre el Picafauces, que consigue esquivarlo a duras penas. Me quedo paralizada al reconocerlo. Su cuerpo es de unos tres metros de altura, musculoso y esbelto, con la piel de un tono gris pálido, similar a la cera. Sus extremidades terminan en manos humanas y pies largos con garras afiladas. Su cabeza, de forma extraña y casi humana también, se alza desde un cuello serpenteante que se retuerce con movimientos sinuosos cuando vuelve a lanzarse hacia el Picafauces.

Hunde las uñas de las manos en la carne de la criatura. El ave brama de dolor, pero sus gritos se ahogan rápidamente, en cuanto la boca del Mutoformo se abre en una grieta antinatural, llena de dientes picudos, y comienza a devorarlo. A medida que se alimenta del Picafauces, su cuerpo se tuerce y transforma, adoptando los rasgos de su víctima: las alas quebradas emergen en su espalda y sus ojos, antes vacíos y oscuros como pozos sin fondo, se tornan afilados, imitando los de su presa. Sin embargo, algo sale mal. Las alas se disuelven en una especie de polvo parecido a la nieve. El Mutoformo ruge con un sonido distorsionado, una mezcla entre el suyo propio y el de la víctima, y lanza un gruñido furioso al aire mientras golpea el hielo del suelo, abandonando el cadáver del ave para retirarse de espaldas hacia el bosque del que ha surgido.

Durante unos segundos, estamos todos tan perturbados por el Mutoformo que la urgencia se disipa en el aire. Nadie media ni una sola palabra.

—No pueden poseer rasgos defectuosos —musita Nevan con un brillo de esperanza en sus ojos claros, los dirige al grupo y sube el tono de la voz—: Tenéis que daros prisa. Los Mutoformos tardan un rato en atacar de nuevo si tienen el estómago lleno.

—En marcha —ordena Kowl y se inclina hacia él para murmurarle al oído sin disimulo.

Sus palabras se pierden en el viento, pero percibo el nerviosismo en Nevan por la rigidez de sus hombros. Entonces, Kowl alza la mirada a mí, como si la intimidad de sus palabras me perteneciera. Quiere que sepa que el secreto no es para Nevan. Siento un nudo en el estómago mientras nos repartimos en silencio. Quienes nos quedamos aquí nos colocamos de forma estratégica en un círculo de varios metros, cada uno tras algún abeto tupido que oculte nuestra presencia. Arvin, Nadine y Kowl desenvainan sus espadas tomando la delantera hacia el sendero desconocido. Empuño un par de dagas, a la defensiva, e ignoro lo mejor que puedo el dolor en mi brazo diestro. Thago afianza el mango de su espada cerrando los dedos con fuerza, preparado para liberar la hoja, y Kalya sostiene su arco con una flecha ya en la cuerda, lista para disparar al menor indicio de amenaza real. En las Fauces no podemos esperar a que nos ataquen porque ese segundo de reacción podría ser letal.

—No tardéis —les pide Kalya y, por primera vez desde que la conozco, su mirada extenuada refleja lo asustada que está. Esboza una sonrisa y frunce el ceño—. Me gustaría darles el pésame a mis tíos en persona, no morir en las fauces de un Mutoformo.

Aguardo hasta que se alejan una distancia prudente y doy varios pasos hacia Nevan.

—¿Sabes utilizar el arco que te di?

—¿Tú qué crees? —contesta, entonando un deje de fastidio—. Déjame adivinar, ¿has venido a preocuparte por mí o a preguntarme qué me ha dicho él?

—¿A ti qué te pasa? —susurro, irritada.

—Sé utilizar un arco, lo básico —responde en un hilo de voz, indiferente—: ¿Algo más, Lhyss?

Entorna los párpados con una mueca de amargura que no entiendo hasta que caigo en la cuenta de que nunca le he dicho mi nombre real. Las mejillas se me incendian, ha sido Kowl.

—Quiero saber qué te ha dicho.

—Que cumplas tu promesa.

—¿La promesa?

—«Dile a tu amiga, Lhyss, que no olvide nuestra promesa en el pantano ni lo que le prometí que le desvelaría cuando llegásemos a este nivel» —recita y aparta la vista de mí. El corazón se me acelera. Tal y como sospechaba, las divisiones forman parte de su estrategia—. Pensé que éramos… aliados.

—Y lo somos —me apresuro a decir. Me desabrocho el bolso de la cintura, le cojo las manos y se lo coloco encima—. Aquí tienes barritas de sobra para sobrevivir más de una semana si las cosas se tuercen, agujas, hilos, anotaciones mías y de Rawen, y la libreta de Tyro con todos los descubrimientos que había hecho de las bestias. A cambio, necesito un último favor.

—¿Qué…? —pregunta, consternado, sin saber muy bien qué hacer con lo que le acabo de entregar.

—Sé mi cómplice una última vez.

—¿Te estas despidiendo? —La fachada de chico impasible se derrumba en cuanto me suplica con la mirada pálida que niegue a su pregunta—. ¿Por qué?

—Nevan, por favor.

Kalya se voltea a nosotros para mandarnos a callar, hecha una furia.

—Gracias por haber aparecido en aquellas escaleras con las manos manchadas de agracejos —murmuro. Sí, puede que esta sea nuestra despedida si lo que Kowl tiene que decirme complica las cosas—. Tienes que sobrevivir, Nevan, ¿me oyes?

—Lhyss —sisea en bajito, y me sorprende la fuerza con la que me sujeta la muñeca—, no vayas. Quédate aquí, con nosotros. Quédate conmigo, saldremos a la superficie en cuestión de horas.

Me gustaría abrazarlo, que me corresponda con la cara fruncida y las cejas arrugadas, porque refunfuñar ante cualquier contacto humano o gesto cariñoso forma parte de su personalidad huraña. Sin embargo, me limito a dedicarle una sonrisa breve y me gano la expresión tediosa que quería al despeinarle el pelo oscuro.

Le inclino el mentón a Thago al pasar por su lado, él me corresponde, y me dirijo a la Guardiana.

—Le he dejado mis enseres a él. Voy a…

—No vas a ningún lado, ¿o es que no eres consciente de la situación en la que estamos?

Soy tan consciente que la urgencia me quema en los pies. Porque es cierto, había olvidado aquel pacto. Kowl me diría quién es el Príncipe cuando bajásemos a las Fauces del Abismo, y necesito saberlo antes de que consuma la flor o, de lo contrario, su magia será imparable.

—Voy a ir a orinar y nadie me lo va a impedir, ¿o quieres que nos matemos aquí mismo por esta estupidez?

—Maldita brusca suicida —espeta fulminándome de reojo—. Haz lo que te dé la gana. Por mí como si te pierdes.

Eso hago en cuanto termina de hablar. Finjo irme en la dirección contraria, pero doy un pequeño rodeo entre los árboles para seguir el sendero que han tomado los otros tres. Examino el suelo con cautela, cerciorándome de que no hay rastro de ninguna bestia indeseable acechando desde algún rincón, hasta que encuentro algunas huellas recientes de botas y me dispongo a caminar por encima de ellas. Mi cuerpo pesa menos que cualquiera de los tres, así que la nieve prensada amortigua el ruido de mis pisadas.

Me muevo sigilosa, atenta a cada sonido del entorno. Los chasquidos lejanos de los árboles al ser azotados por el viento agudizan mi estado de alerta. No puedo permitirme ningún error. A medida que avanzo, el bosque parece hacerse más denso y el aire me seca la boca tanto que me cuesta tragar saliva. Las voces de Kowl, Arvin y Nadine empiezan a llegar hasta mis oídos, débiles al principio, pero suficiente para que el truco de las huellas deje de ser útil. Me desplazo a un lado, bajo la espesura de los abetos y oigo cómo mis botas se hunden en la gruesa capa de nieve haciéndola crujir. Aprieto la mandíbula, enfundo las dagas.

Debo tener cuidado.

Con las manos apoyo el peso de mi cuerpo en los árboles antes de cada pisada, aplasto el terreno poco a poco y continúo mi camino.

—Tenemos que avanzar más rápido —protesta Arvin.

Nadine dice algo, pero su voz es tan débil que no logro escucharla.

—Joder, solo digo que, si seguimos así, no llegaremos a ninguna parte. Necesitamos una estrategia más efectiva.

—La estrategia es encontrar la Flor de Umbra y salir de aquí con vida —responde Kowl, seco. Su mirada se topa con el semblante hostil de Arvin—. Y eso haremos.

Al dar un paso adelante, piso una rama y esta se rompe. Aunque Arvin y Nadine no detienen la marcha, Kowl se frena en seco. Me oculto tras un árbol y contengo la respiración. Maldigo a todos los dioses que conozco. El corazón me bombea frenético mientras considero mis opciones. ¿Me ha escuchado?

—Esperadme aquí —espeta él.

Estoy convencida de ello, de que viene a por mí. Dirijo una mano a mi corsé, pero, cuando me asomo para comprobar si estoy en lo cierto, no lo veo. Tardo unos segundos en divisar a Kowl entre los abetos frondosos, desviándose del sendero que habían tomado hacia lo que deduzco que es la dirección que conduce al valle. No pierdo tiempo. Imito sus movimientos adentrándome a donde quiera que esté yendo. La presencia de las diminutas florecillas escarlatas aumenta conforme camino, como si fuesen motitas de sangre salpicadas en la nieve.

El bosque se abre a mi alrededor y el terreno se va volviendo duro, helado, reflejando las sombras alargadas de los árboles, que se retuercen con cada ráfaga de viento. De pronto, siento en mis carnes cómo la presión abisal me oprime los pulmones y me aplasta los músculos con una fuerza asoladora. La sequedad en el aire se hace más intensa, cada bocanada de aire se transforma en una cuchilla que rasga mi garganta.

El sabor metálico me humedece la lengua.

Y, entonces, el valle se abre ante mí.

Un reguero escarlata de florecillas se expande por el suelo hasta la figura sombría de Kowl. Se ha agachado frente a una flor de pétalos grandes y de un azabache traslúcido, cubiertos por una ligera capa de escarcha. El centro es de color carmesí vibrante y las espinas del tallo se mecen al detectar la cercanía de su mano.

Kowl se despoja del guante negro que le cubre la piel.

Lo primero que aprendí acerca de la Flor de Umbra es que solo un sangre oscura puede tocarla sin morir pasados unos segundos. Él extiende los dedos y acaricia las espinas letales. Una de ellas se hunde en su piel y el hilo de sangre desciende hasta su muñeca. Los segundos pasan, pero Kowl no desfallece. En su lugar, esboza una sonrisa taciturna y alza la mirada a mí.

Siempre ha sabido que yo estaba aquí.

—Te prometí que sería sincero —recita con voz lúgubre y suelta la flor sin arrancarla. Se levanta con la majestuosidad de un Cuervo y extiende los brazos a cada lado. Las plumas revolotean en sus hombros tras una ráfaga que suspende cientos de volutas de nieve en el aire. El anillo con la piedra verde refulge en su dedo anular—. Aquí me tienes. Yo soy el Príncipe.

Suelto un único soplo de aliento que me congela los pulmones y envuelve en llamas mi campo de visión. Los costados me tiemblan pidiendo a gritos que desenvaine las dagas y, sin embargo, prevalece la decepción. Hacia él, que me ha mentido y engañado todo este tiempo, y hacia mí, que he hecho lo mismo conmigo porque no quería creer que él fuera el Príncipe. Lo he tenido delante de mis narices desde el principio. Si tan solo hubiese sabido cómo era físicamente, podría haberlo matado en aquel bosque antes de bajar al abismo, y me habría ahorrado todos estos sentimientos que ahora me desgarran el corazón. Recuerdo el presagio del cuervo, ese que Kowl me confesó en el lago:

«El destino que buscas está junto a ti».

Sonrío, agacho la vista y apretujo mi trenza con los dedos. Recuerdo el día en que asesinaron a Orna, grité tanto que pensé que moriría. El intenso sabor a sangre me ardía en la garganta. Me ahogaba. Justo como ahora.

—Cuánto tiempo sin vernos —pronuncio, y el odio me desgarra las entrañas mientras dirijo la mirada encarnizada a mi objetivo—. Y cuánto tiempo he esperado este momento, Príncipe Khorvus.

Información adicional

CRIATURAS DEL ABISMO CLASIFICADAS SEGÚN NIVEL DE AMENAZA

(X) Excéntricas. No responden a una conducta por defecto y, por lo tanto, son más difíciles de prever y entender. Debido a su carácter imprevisible, son las <u>más peligrosas</u>. Según leyendas pertenecientes al Reino de Khorvheim, las criaturas legendarias, como el cuervo común que transmite presagios a quienes lo encuentran, surgieron del abismo y son clasificadas como excéntricas.

La mejor medida de seguridad frente a ellas es la <u>elusión</u>. Evitar la confrontación contra cualquier pronóstico.

<u>Mutoformo</u>

Su cuerpo supera los tres metros de altura y se reconoce por presentar extremidades y rasgos variados, adoptados tras devorar a sus víctimas, generalmente otras bestias del abismo, para adquirir las ventajas de estos rasgos. Su piel se caracteriza por poseer un color gris pálido y una textura similar a la cera, y puede retorcer su cuello de forma serpenteante. Posee unos ojos negros, descritos por los exploradores que han avistado a alguno como dos pozos de oscuridad capaces de generar estados negativos en los humanos que los contemplan por largo tiempo.

Devora humanos y bestias sin contemplación, aunque suele guardar reposo durante un breve lapso tras ello.

<u>Es considerada la bestia más peligrosa e impredecible del abismo.</u>

51

El sabor amargo de encarnar el destino

Cuna de Umbra, 13.022 aps (Escala de presión abisal)

En el fondo, nunca quise creer que Kowl fuera el Príncipe.

Al principio, me costaba encajar que fueran la misma persona. Más tarde, sabía que, si sostenía esa posibilidad y las sospechas aumentaban en mi cabeza, sería incapaz de acercarme tanto a él, confiar y apoyarme en su presencia dentro del abismo. La intensa atracción que nos unía sería una mancha en mi vida, si es que yo lograba sobrevivir.

Me duele el corazón y me quema el cuerpo al recordar que una noche fui suya.

He sobrevivido el tiempo suficiente para saber qué es lo que nos diferencia de los Cuervos. Nosotros, los guerreros, arrebatamos vidas; ellos nos arrebatan el deseo de vivir. Puedo sentir la conexión cuando miro a Kowl a los ojos, ese hilo invisible que le cuenta cosas de mí, que antes me extendía una oleada cálida en el pecho, y me pregunto si es capaz de sentir el vacío que me llena ahora.

La atrocidad del abismo no es sino un reflejo de la esencia de sus creadores.

El hielo se desliza por las ramas y gotea tras mi espalda. Empuño una daga en la mano izquierda y reprimo una mueca de dolor al flexionar el brazo para desenvainar otra daga con la mano derecha. Aunque la herida de Mei está ahí, empiezo a acostumbrarme a su dolor porque es mejor centrarme en eso que en el dolor de mis emociones. Adopto mi postura de guerrera y Kowl roza la empuñadura de su espada.

—Me he estado preguntando por qué habías sobrevivido a la presión abisal de aquel lago, el nido de la Reptícola —comenta con la parsimonia de alguien ajeno a cualquier tipo de temor—. Como sospechaba, no te afecta la presión abisal de estos lugares sagrados. —Su presencia intimidante y sus ojos, desoladores como el vasto paisaje que nos rodea, no muestran ni rastro de la persona en la que había confiado—. Dime, ¿qué asuntos tenías pendientes conmigo?

Mantengo mi postura mientras nos movemos alrededor de la flor y tanteo el terreno resbaladizo a la espera del momento oportuno para atacar.

—¿No crees que es un poco tarde para hablar?

Una sonrisa agridulce le amplía los labios.

—Seré benévolo y te otorgaré algo de tiempo.

—El tiempo que me resta de vida lo emplearé acabando con la tuya —espeto, y la furia me abrasa el corazón.

Soy rápida, muy rápida, y se lo demuestro cuando me precipito hacia él y su semblante de seguridad inquebrantable se tuerce al cortar el aire con su espada. Un silbido mortal retiene mis dagas cruzadas contra su hoja a centímetros de nuestros rostros.

—¿Estás siguiendo órdenes, Lhyssarys?

Su pregunta me arranca una risotada mordaz.

—¿Crees que alguien como yo acataría órdenes? —mascullo entre dientes.

—Eres una guerrera mhyskardiana, sirves al Rey de Mhyskard.

—Sirvo a la venganza.

Empujo con fuerza la espada que me frena. Retrocedo unos pasos, pero me recompongo enseguida sobre la superficie resbaladiza y arremeto de nuevo. Pese a que pruebo distintos movimientos, Kowl esquiva cada uno de mis ataques sin esfuerzo, trazando arcos entre nosotros con una elegancia letal propia de la realeza. Ya no oculta su técnica ni la forma en que lucha. Es veloz, tanto como yo, y la longitud de su arma me saca ventaja en cada maniobra.

Pese a ello, sé que está conteniendo su verdadero poder.

Ni siquiera está utilizando su magia.

—Lucha en serio, maldita sea —bramo, furiosa.

—¿Acaso tú lo estás haciendo? ¿Estás luchando en serio?

Mis contraataques resultan en vano. Yo también me pregunto si estoy conteniéndome. La muerte de Vera me ha afectado más de lo que pensaba. No, hay algo dentro de mí que se resiste a ejecutar una maniobra mortal. La intuición me habla, pero no la quiero escuchar. Me estoy quedando sin aire. ¿Por qué ordenó que asesinaran a mi hermana y, sin embargo, a mí me ha protegido de todos los peligros? Los ojos me escuecen. Me abalanzo hacia Kowl y, antes de que pueda dirigir las dagas a su corazón, empuja su espada contra mí para apartarme. Una daga sale despedida al suelo.

La otra provoca un sonido metálico al bloquear su hoja.

—Me mentiste —escupo—. ¿Lo de tu dolor en el pantano también fue una farsa?

—Hice lo que debía hacer.

Tiene razón, yo también estoy aquí para cumplir mi deber. Me obligo a rememorar el día que me convirtió en lo que soy hoy, la vívida imagen de Orna en mi regazo. El ataque del Cantapenas. El sonido del cuerno a través de la muralla. El bombeo de mi corazón se vuelve impetuoso. Me alimento del odio.

He anhelado esto tanto como la muerte.

Aprovecho este instante, la confianza con la que me retiene frenando el curso de la hoja. Desenvaino otra daga y le asesto una patada baja por detrás de la rodilla. Aunque ambos perdemos el equilibrio por la superficie traicionera, mi filo se hunde en su costado. Kowl tira de mi brazo y me arrastra consigo. Caemos rodando por el hielo y termino a horcajadas sobre él. La decepción le tiñe el semblante al comprobar que acabo de asestarle una puñalada. Si extraigo esa daga, la pérdida de sangre podría matarlo, así que aprieto los labios como una necia y desenfundo la de mi padre. No se resiste cuando presiono el filo contra su cuello.

—Vamos, mátame —murmura, profiriendo un gruñido ronco—, pero, si me matas a mí, condenarás al resto.

—¡Mientes!

—Nadie más podrá regresar a la superficie. Necesitan mi magia para abrir el portal de ahí arriba, el abismo invertido que conecta con Khorvheim.

Una bandada de pájaros abandona los abetos y sacude el bosque tras nosotros. La falta de oxígeno me provoca una oleada de vértigo. Mi campo de visión se enturbia.

—¿Crees que me importan los demás más que mi hermana? —digo, tragándome la tos y sintiendo la sangre en mi garganta—. Orna Tallynx, ¿te suena de algo? Diste la orden de asesinarla sobre la muralla de Mhyskard.

Sus ojos oscuros reflejan el azul iridiscente que revolotea en el ambiente, esa luz titilante de las Fauces, conforme los abre lentamente. El viento zarandea mi trenza y le despeina el cabello sobre la frente. Entonces, su gesto se endurece.

—Eres tú —declara, y distingo un brillo de horror en sus ojos, que se dirigen a la Flor de Umbra de inmediato.

Me propina un codazo en las costillas y me aparta de un empujón. Se precipita hacia la flor. La urgencia me endereza enseguida. No permitiré que se haga con el poder. Corro tras él y, antes de que sus dedos rompan el tallo, me lanzo sobre la flor arremetiendo contra su hombro. Kowl aferra los brazos a mi cuerpo durante la caída y escupe un quejido de dolor. Oigo algo pasar por encima de nosotros cuando él me rodea la cabeza para pegarme a su cuello. Un silbido siniestro. Una daga que no me pertenece se estrella contra el hielo a menos de un metro de distancia.

—Te hice una promesa. *Ko khatem ekhar, eko khatem ekhar* —farfulla a mi oído y las palabras resbalan entre sus labios. «Confía en mis sombras como yo en la tuyas»—. No soy tan cobarde como para matar a alguien por la espalda.

Me separo unos centímetros para girarme y comprobar hacia quién se desvía su mirada, quién ha intentado asesinarme por la espalda, pero entonces veo que tengo la Flor de Umbra entre mis manos ensangrentadas. La he arrancado a mi paso y las espinas me han atravesado la piel. Noto un eco lejano en mi pecho. Busco los ojos de Kowl como si este fuese mi final. Porque lo es. Es cuestión de tiempo. Estoy muerta.

Y debo elegir a quién me llevo conmigo.

El asesino de tu hermana está detrás de ti.

—Vaya, vaya. Nosotros preocupados por el cabo suelto que dejamos aquella noche y resulta que el cabo suelto ha venido a nosotros —habla una voz cínica, más familiar de lo que me gustaría, y un segundo lanzamiento me hunde una daga en el muslo. El gemido de dolor que profiero suena hueco por la sequedad en mi garganta—. Un buen cambio de planes, sin duda.

Al darme la vuelta, veo a Arvin junto a Nadine y juro que soy capaz de notar el hielo resquebrajarse bajo mis pies.

—Déjame confesarte que estábamos allí por ti, no por ella. Tú eras el objetivo. Por desgracia, no sabíamos que habría dos personas y os confundimos —comenta Arvin. Desenvaina la hoja curvada de su espalda y la blande en mi dirección—. Además, ¡tu hermanita era una inútil! ¡No aguantó ni cinco minutos!

Mi mundo se incendia. Comienzo a verlo todo a través de un filtro oscuro y escarlata, colmado de sombras negras que se retuercen a medida que mis pensamientos toman forma, como si pudiera controlarlas a mi antojo. Mi enemigo es rojo. Me olvido de la respiración, de la falta de humedad que me aplasta los pulmones y del dolor en la pierna y en el brazo. Creo que me estoy muriendo por el veneno.

Pero, incluso si este es mi final, me siento más viva que nunca.

—¿Qué es eso que tienes en la mano? ¿La Flor de Umbra? —inquiere Arvin aproximándose a mí.

Las guerreras se ponen en pie en cuanto caen. Cojo la daga de mi padre y me levanto. Separo las piernas, aún con la daga que me ha lanzado en mi muslo. Le enseño la flor.

—Si la destrozo y regresas sin ella…, ¿crees que el Rey mantendrá su promesa de nombrarte heredero al trono? —escupo con el sabor metálico en la lengua—. ¿O le seguirás siendo útil siempre y cuando asesines al Príncipe?

La boca se le tuerce y abre los ojos, fuera de sí.

—¡Suéltala ahora mismo! —grita, desquiciado.

Lo hago. Extiendo los dedos y la flor cae junto a Kowl. Él la atrapa. Tengo las manos llenas de mi propia sangre. No me importa. Cuando le lanzo una mirada a Nadine, que tiene la atención puesta en mis palmas, está tan aterrada que retrocede un paso. Me aferro a la daga de mi padre, desentierro de mi pierna la de Arvin y subo las armas a la altura de mis ojos. Él no duda en dar un paso al frente. Aprieto los dientes y me lanzo hacia él con la velocidad de una depredadora.

Siento la vibración del acero en el primer choque a través de mis brazos, que trepa por mi piel y me araña la herida del brazo. Nos alejamos un instante y ejecutamos los siguientes movimientos a la misma velocidad, con el mismo impulso violento que nos encarna. Con el mismo odio y necedad. Su hoja me alcanza el brazo. Luego, la pierna. Detecto su manera de luchar enseguida, este juego interminable al que intenta someterme como si supiese que puede dar el golpe final cuando le apetezca. Es la misma que Dhonos empleó con Kalya.

Sin embargo, yo no soy ella.

Si Kalya consiguió derrotar a Dhonos, fue por la técnica que aprendió de mí.

Y por el musgo del suelo.

Necesito crear una oportunidad como hizo ella. Por desgracia, me quedo sin tiempo; por suerte, ese será mi as bajo la manga. Ya no tengo nada que perder, excepto mi propia vida. Y, si quiero acabar con Arvin, tendré que sacrificar lo único que me queda.

Nadine hace el amago de avanzar hacia nosotros, pero Kowl la detiene rozándole el cuello con la punta de su espada.

—Su muerte le pertenece —espeta él.

Hago girar mis dagas, apuntando las hojas hacia atrás, y las convierto en una extensión de mi voluntad. Corro hacia Arvin, simulando una maniobra hacia su rostro. Se lo cubre, y entonces doy una vuelta sobre mis tobillos. Dirijo un movimiento preciso y calculado a su cuerpo. Ni siquiera me molesto en esquivar su hoja. Una de mis dagas repiquetea contra el hielo al caer al suelo, pero la otra se hunde en su estómago. Arvin jadea de dolor, con los ojos desorbitados por el espanto.

Cierro los dedos con fuerza en torno a la daga de mi padre al sacarla y enterrarla en su torso, a la altura de los pulmones, ignorando el dolor en mi pecho. La extraigo y su boca se tiñe del color escarlata que alfombra esta superficie helada. Cae de rodillas golpeando el suelo con un ruido sordo. El pánico se apodera de él cuando trata de respirar y solo logra proferir un jadeo ahogado por el borboteo de la sangre. Disfruto del breve instante en que su mirada pierde el brillo y sus labios exhalan el suspiro, aunque mi sensación de victoria se desvanece pronto.

La presión en mi corazón se intensifica.

En cuanto percibo la manera en que Kowl y Nadine me miran, bajo la vista a mi pecho, a la hoja curvada que Arvin empuñó para asesinar a Orna y a Vera, y que ahora está enterrada en él. Me palpo la herida empapada de sangre caliente. Veo a Kowl correr hacia mí, con el terror en su expresión enunciando lo que ya sé. Mi respiración se corta y el mundo se estrecha a mi alrededor. Mis rodillas se estrellan contra el suelo.

El frío se apodera de mí, expandiéndose desde la herida, como si el mismo invierno comenzara a alojarse en mi corazón. Me estoy desangrando y aun así lo único en lo que puedo pensar es en que me alegro de no haberle arrancado la daga del costado. Kowl me coge en brazos. Cada latido se convierte en una explosión de dolor y mis dedos se aferran temblorosos a la daga de mi padre. No quiero perderla, es lo único que me queda de lo que fui. El campo de visión se oscurece conforme mis pensamientos se tornan confusos y el viento se arremolina a nuestro alrededor. Noto las lágrimas agolpadas en mis ojos cerrados.

—¡¿Qué pretendes hacer, Kowl?! ¡No puedes salvarla!

—Limítate a cumplir con tu deber.

—La presión abisal me aplastará antes de que pueda retroceder lo suficiente para encontrar a los demás —farfulla Nadine, alterada—, y, aunque consiga hacerlo, el portal no permanecerá abierto el tiempo suficiente.

—¡El destino no entiende de opciones! —brama él, furioso—. Conoces el camino y el poder.

—¿Nos condenarás a todos por ella?

—No si usas tu poder.

—No puedes dársela, Kowl… No a ella. ¡Sabes quién es!

—Por eso mismo se la daré.

Las lágrimas me mojan los labios de un sabor salado. Aun así, creo sonreír cuando la respiración de Kowl me calienta la piel. Me besa la frente y me doy cuenta de que ya no puedo atrapar una bocanada de aire más. Me ahogo.

—Traerás el caos al mundo.

—Que así sea —sentencia él.

De pronto, el sabor amargo de la muerte entra en mi boca y desciende por mi garganta. Mi pecho convulsiona como si quisiera provocarme arcadas, pero ya no tiene sentido seguir luchando por sobrevivir. Los fragmentos de mis recuerdos se entremezclan con el presente. Pienso en mi padre y en todas las muertes. La sonrisa de Orna me abraza. La de Vera también. Todo en mi cabeza se desplaza y se retuerce en una negrura infernal. La gravedad me abandona.

Dejo de sentir dolor y mi vida se desvanece.

Información adicional

Copia manuscrita de La última profecía de Khorvheim para el actual Rey Kreus Khorvus

«Cuídese de la guerrera feroz que se esconde en
los territorios enemigos. Cuídese de la guerrera feroz
que visitará la frontera entre los reinos durante
la noche del vigesimoprimer cumpleaños del Príncipe.
Cuídese de la guerrera feroz, porque comparte el día
de nacimiento con su hijo, y deténgala con sangre
o la sangre alcanzará los reinos.
Que la corona no nuble su juicio, que el poder que cree
eterno no le haga olvidar estas palabras.
Pues no existe rey que quiera gobernar un reino
de cenizas y cadáveres.
Y es el reino que la guerrera feroz le concederá».

52

Los hilos mágicos del destino

Cuando abro los ojos, un huracán de sombras oscuras me zarandea la mente antes de disiparse en el aire, que huele a cera derretida. El humo de las antorchas proyecta siluetas ondulantes en las paredes de piedra, decoradas por tapices majestuosos. Las historias de conquista, la gloria del linaje y Magia Prohibida están bordadas con plata sobre el tejido, y el murmullo del viento nocturno se filtra a través de las ventanas estrechas y enrejadas situadas entre los tapices.

¿Dónde estoy?

Me duele tanto la cabeza que temo que pueda explotarme en cualquier momento.

Mi postura es firme a un lado de la sala y sujeto la empuñadura de mi espada a la cintura con una mano enguantada. No sé quién soy. Este no es mi cuerpo. Y tardo unos segundos en comprender dónde estoy, hasta que paseo la mirada por la gran alfombra de terciopelo oscuro que conduce a una plataforma elevada. El corazón se me encoge con un resquemor que no entiendo al contemplar el trono de Kreus Khorvus, una estructura hecha de obsidiana negra, cuyo respaldo se erige imponente en una serie de pináculos góticos, cada uno coronado por puntas de cuarzo oscuro que refractan la luz de las antorchas en matices sombríos.

Veo al Rey Khorvus y, cuando repara en mi presencia, parece que le resulta habitual.

Se mueve inquieto por la sala, arrastrando la túnica negra y susurrando palabras en kheltza antiguo mientras se acaricia la barbilla en un gesto lento, poderoso. Porta un anillo en el dedo anular que lanza destellos verdes en mi dirección. Por un momento, siento la ira crecer en mi interior, pero enseguida se desvanece porque sé que esa emoción no le pertenece a este cuerpo. La persona que encarno siente algo más fuerte hacia él: un odio visceral capaz de erizarle la piel. Apenas puedo moverme, pero logro desenvainar unos centímetros mi espada e inclino el rostro.

Veo en el reflejo metálico mi imagen, la de un Dhonos joven e impotente.

El Rey toma asiento y repiquetea con los dedos en los brazos del trono, esculpidos en forma de gárgolas. No, no son gárgolas. Son cuervos agazapados y sus ojos de cuarzo oscuro brillan ligeramente. Esta noche el exterior está repleto de coces, sonidos metálicos y ajetreo, después de que el sonido de los cuernos de Mhyskard retumbase en los reinos y el Rey ordenase la ejecución inmediata del Cantapenas que asolaba al enemigo.

Sé que todo ha sido cosa del Rey. He visto cómo Kreus Khorvus contemplaba la bola de cristal negro que yace sobre el pedestal tallado en ébano, junto al trono, a la espera del momento justo. El latido escarlata dentro de la bola lo ha advertido de que el Príncipe ha estado a punto de utilizar su Magia Prohibida. Posiblemente, en defensa propia, pues no tiene ni idea de los planes de su padre.

—*Abandona tu humanidad, Lhyss* —dice una voz etérea, como los presagios de los cuervos, y sé que no pertenece a esta realidad.

Desvío los ojos a la figura esbelta y negra que flota a mi lado. Es un conjunto de sombras que dibujan y desdibujan su silueta humana en el aire, como si pudiese desvanecerse a su antojo. Me fijo en su mano de humo negro y en cómo la mueve mientras juega a enredar y desenredar unos hilos dorados entre sus dedos índice y corazón.

—*Tu humanidad ya no te pertenece* —canturrea la misma voz, aunque esta vez logro distinguir que es masculina—. *Reconoce tu sangre.*

De repente, las puertas de la sala se abren de par en par. No es la primera vez, estoy acostumbrado a estos estruendos violentos en mitad de la noche, cuando los secuaces del Rey llevan a cabo sus órdenes y vienen atropellados a informar del resultado, o cuando el Príncipe enfurece por las mismas razones. Agradezco en silencio que esta noche mi cometido sea encerrarme en la sala para proteger a este demonio del infierno que él mismo ha creado. Sueño con el día en que pueda arrebatarle su poder y la situación se revierta. Tengo apoyo externo, Nadine dice que me ayudará a conseguirlo, aunque Arvin se oponga.

—*Resiste, Lhyss* —me dice la voz de la sombra al oído—. *No olvides quién eres.*

Me volteo. Ahí viene, a pasos agigantados, con ese cabello que ha heredado del padre, despeinado por la velocidad de su corcel, y sus ojos negros emanando la Magia Prohibida que alberga por nacimiento. Kowl Khorvus me lanza una mirada de complicidad, una mezcla de respeto y apoyo, antes de plantarse frente a su padre.

—¡¿En qué parte de tus planes figuraba el asesinato de esa guerrera de la muralla?!

El Rey no se molesta en contestar a su pregunta. Alza los ojos, dos pozos de un celeste pálido casi inerte, y empuja los brazos del trono para incorporarse con brusquedad. Se adelanta a paso lento, lanza una mano hacia la mejilla de su hijo y le cruza la cara, como ha hecho tantas veces conmigo. La sala se queda en silencio. Kowl enmudece, demasiado conmocionado como para responder.

—Cuida el tono conmigo —dice Kreus, entonando la misma voz ronca y abrasiva con la que me pide que haga la mayoría de sus trabajos sucios—. Por eso no eres digno de mis órdenes.

Entonces, dos personas cruzan la puerta. Nadine y Arvin avanzan a toda prisa hacia el Rey, con el rostro pálido y el aliento entrecortado. Ambos se arrodillan a sus pies en una reverencia urgente. La hoja de Arvin emite un zumbido ahogado cuando la desenvaina. El rojo carmesí extendido por el filo del arma es mate bajo la iluminación de las velas; el rastro de sangre se ha secado. Con las dos manos, sostiene horizontalmente la hoja frente al Rey e inclina el mentón en señal de lealtad.

—Mi Rey, como ordenó.

—Les ordenaste que la asesinaran —deduce Kowl, agitado—. Ese era tu plan. Mi regalo de cumpleaños.

Kreus le dedica una mirada fría y penetrante, pero ni una sola palabra antes de dirigirse a Arvin.

—¿Cómo era la chica?

—Como nos describió.

De pronto, la sombra fantasmal se interpone en mi campo de visión.

—*El tiempo se acaba, Lhyss. Debes volver a tu realidad.*

Siempre que habla, es como si la escena que estoy observando se detuviera. Lo miro un instante. Es alto, espigado y demandante, con esos hilos dorados entre sus dedos, lanzando destellos para acaparar mi atención. Me muevo a un lado y regreso a la escena.

—Aunque no fue necesario buscarla porque salió a nuestro encuentro en cuanto nos detectó en la muralla —dice Nadine.

De pronto, los ojos helados del Rey se abren con una furia contenida. Los hombros le tiemblan como si se alimentara de su propia cólera y adquiriera altura. Las antorchas y velas parpadean. Aprieto el mango de mi espada al ver el aura que empieza a rodear al Rey y la oscuridad serpenteante que emerge de los rincones de la sala.

—Malditos necios —dice con tono gutural y señala a Arvin. Las profundas arrugas de su cara parecen cortarle la piel—. Una guerrera feroz es aquella que no ataca de frente porque cumplir su destino es más importante que enfrentarse a un enemigo cualquiera. La profecía advirtió que se mantendría oculta, por eso debíais encontrarla.

—Mi Rey… —La voz de Arvin se quiebra. La hoja curvada en sus manos empieza a vibrar—. ¿Qué quiere decir exactamente?

—Que sigue viva.

La sala del trono tiembla. Las figuras de los presentes se desdibujan en la escena y el tiempo. Miro a Kowl una vez más; en esta ocasión, con el corazón de Lhyss. Todo se oscurece.

—*¡Despierta!*

Información adicional
Edicto Real
de la Corona de Mhyskard

A todos los súbditos y vasallos del Reino de Mhyskard: Por el presente edicto, se ordena la búsqueda inmediata de la noble Princesa Lhyssarys Tallynx, quien ha sido designada a día de hoy como heredera al trono en ausencia del Rey Rhyza Tallynx, actualmente enfermo y próximo a partir de este mundo terrenal. Mientras la Princesa sea preparada para asumir la Corona de Mhyskard, su respetado padre, Harold Tallynx, General de las Murallas de Mhyskard y único hermano directo de Rhyza Tallynx, será investido como Regente en su nombre.

Se insta a todo hombre y mujer de buen corazón y lealtad al reino que se una a la búsqueda de nuestra Princesa, cuyo paradero es desconocido. Su seguridad y retorno seguro son de la más alta prioridad para la estabilidad y prosperidad de nuestro reino. Cualquier información que conduzca al descubrimiento de la Princesa Lhyssarys Tallynx será recompensada generosamente por la Corona. Aquellos que obstaculicen esta búsqueda o interfieran con el restablecimiento de nuestro orden sufrirán las consecuencias más severas, incluyendo la ira de nuestro reino y la amenaza inminente de nuestros enemigos.

Asimismo, se solicita formalmente al Reino de Khorvheim permitir la extensión de la búsqueda a sus dominios, en virtud del Tratado de Guerra Pausada. De no concederse esta solicitud, se considerará una ofensa y traición a la

Corona de Mhyskard, ante la posibilidad de que la heredera al trono, Lhyssarys Tallynx, haya sido retenida en sus tierras, y la Paz será disuelta.
Se ordena a todos los vasallos que actúen con diligencia y fervor en este asunto crucial. La omisión o traición en este deber traerá consecuencias graves para ellos y sus descendientes.

Que los cielos, las estrellas y los dioses guíen nuestros pasos como siempre.

Dado bajo mi mano y sello en el Palacio de Mhyskard, en este día.
Harold Tallynx, General de las Murallas y Regente del Reino de Mhyskard.

53

La última profecía de Khorvheim

Una brusca convulsión me despierta de esa memoria del pasado que no me pertenecía. De esa noche cruenta para Mhyskard, que en el Palacio de Khorvheim se redujo a gritos y reproches.

Un profundo e intenso sabor amargo me colapsa el paladar.

Noto tierra y muerte en mi lengua.

La cabeza me da vueltas mientras la bruma espesa se agolpa en mi garganta y me aplasta los músculos. Tengo la piel fría, la sangre hirviendo. Parpadeo y, por más que me esfuerzo en abrir los ojos, todo está sumido en una oscuridad infinita que en cierto modo me resulta placentera.

Porque es la misma oscuridad que corre por mis venas.

El dolor ha desaparecido. La calidez en mi pecho persiste, pero es superficial. Ya no hay herida profunda. Floto entre las nubes del infierno, sé que estoy muerta. Estoy completamente convencida de ello. Al menos, hasta que percibo el olor de Kowl y el tacto de sus manos sujetándome con firmeza entre sus brazos. No hay pánico ni temor, solo una paz tan fría como el témpano de hielo que el Rey Kreus Khorvus tiene por ojos.

Por un momento, conforme regreso a la realidad, la desorientación y el vértigo me estancan un nudo de náuseas en la garganta. La densidad del aire es viscosa, asfixiante. La velocidad a la que escalamos entre las sombras disminuye en cuanto vislumbro una diminuta luz blanca al final de lo que parece un túnel vertical. Luego, se expande abriendo un cielo sobre nuestras cabezas e ilumina la tez empalidecida de Kowl. Me escudriña un segundo, impactado, y su mirada se suaviza al verme despierta antes de enfocar su atención de nuevo en la masa grisácea de arriba. Los surcos alrededor de sus ojos están violáceos, casi tanto como estaban los de Kirsi antes de morir. Debe de haber perdido mucha sangre por la daga que le hundí en el costado.

De repente, un latido irregular me provoca un tumbo en el corazón.

Un huracán de recuerdos me sacude. Recuerdo a los demás, la expedición, lo recuerdo todo. Mi enfrentamiento con Kowl. Mis manos empapadas. La Flor de Umbra. La hoja de Arvin. Y mi muerte. Recuerdo mi muerte vívida pero lejana y siento que han pasado meses desde entonces.

Bienvenida al mundo, Lhyss.

Su voz es un susurro acogedor en mi mente. Cojo una gran bocanada de aire cuando comenzamos a atravesar la masa de nubes y la superficie aparece ante mis ojos. Lo primero que veo es la colosal muralla que Mhyskard erigió contra Khorvheim, cortando el cielo plomizo de esta mañana de invierno. Tenían razón, han pasado meses aquí fuera. Lo segundo que distingo, cuando Kowl pisa la tarima desde la que saltamos al abismo aquel día de verano y me baja al suelo pasando mi brazo por su cintura con cuidado, es el retumbar de la horda de soldados que rodea el agujero negro y blande sus armas en nuestra dirección.

—¡Quedaos donde estáis y las manos donde las veamos, en el nombre del Rey! —gritan varios de ellos.

Las espadas tintinean formando un muro de acero que brilla bajo la luz gris del ambiente. Parece que esta no es la bienvenida que Kowl esperaba, porque hace el amago de retroceder, pero no hay nada tras nosotros, solo el borde de la tarima que nos precipitaría de nuevo al abismo. Pese a que ya no tengo heridas graves, siento una pesadez extraña y densa en mi cuerpo, como si la presión del abismo me estuviera aplastando desde dentro y mi cuerpo hubiera olvidado cómo moverse a mi voluntad.

—No digas ni hagas nada —susurra y me rodea los hombros con el brazo libre para acercarme a él—. Tardarás un rato en recuperar el control de tu cuerpo, pero, cuando tengas la oportunidad, huye.

—¿Qué hay de ti?

De repente, algunos soldados se apartan para formar un pasillo estrecho que conduce a un carruaje a pocos metros.

—Ganaré tiempo para que te vayas.

—No lo haré sin ti.

—Sin mí —me ordena. El abdomen le tiembla mientras me sujeta la mano a su costado, donde la sangre aún mancha la tela.

—Podríamos huir a Mhyskard si los contienes con tu magia. Mi padre…

—No, Lhyss. Estoy herido, perderé el control —me interrumpe, y sonríe con esa característica pesadumbre en él, como si estas fueran las cadenas que siempre lo han apresado en pos de proteger a los demás, aunque eso significara sacrificarse a sí mismo—. Si no quiero traer el infierno a la superficie, tendré que contenerlos con mi espada.

No me importaría que este lugar se convirtiera en un infierno, que Kowl se convirtiese en el monstruo que todos teman, pero Mhyskard está demasiado cerca y, ahora que padre sabe lo de Orna, sé que no se contendría ante un nuevo ataque. Desataría una batalla peor que la cruenta noche de hace cinco años y comandaría a los guerreros contra Khorvheim hasta su propia muerte. El terror me sube por las piernas. Sacudo la cabeza. Cualquier cosa menos eso.

Trago saliva y le asiento a Kowl.

Las puertas del carruaje se abren tras un crujido. De la penumbra del interior emerge la figura del Rey Khorvus, vestido con una túnica de terciopelo negro, bordada con intrincados patrones plateados que representan símbolos de magia y poder idénticos a los que vi en la sala del trono, y una capa larga del mismo color abrochada al cuello con la insignia de plata de un cuervo. Su cabello largo y azabache contrasta con su piel pálida, casi tan clara como la nieve que ha cubierto los alrededores del abismo, y acentúa sus pómulos marcados por arrugas.

El viento silba y me sacude la trenza despeinada. Durante un segundo, el tiempo parece estancarse. Ese hombre es quien lo comenzó todo. El taconeo de sus botas sobre el suelo escarchado retumba en la inmensidad de este lugar. Lo tengo a mi alcance por fin. Él a mí también. Porque, aunque desconozco sus razones, ahora sé que yo era su verdadero objetivo. Cuando se aproxima lo suficiente a nosotros y la proyección de su sombra ominosa nos alcanza, se detiene frente a la tarima, pero los soldados no cierran filas tras él, que endurece el rostro en un semblante severo al elevar su mirada a Kowl.

—¿Y los demás? —pregunta el Rey, transformando su voz en un eco gutural parecido al rugido de las bestias a las que hemos sobrevivido, y una mueca siniestra le tuerce la boca—. ¿Muertos?

—¿Qué significa esto? —demanda Kowl con desdén.

Los ojos de hielo del Rey se cargan de hostilidad ante las palabras de su hijo. Entorna los párpados y las manos empiezan a temblarle. Sé que debe estar deseando cruzarle la cara como lo hizo en la sala del trono, pero mantiene la compostura con una calma casi aterradora.

—¿Y la Flor de Umbra, hijo mío? —ruge el Rey, y suena más a una amenaza que a una pregunta—. Entrégamela.

—Te la entregaré cuando ella reciba atención médica.

—¿Ella? —La mirada de Kreus Khorvus se encuentra con la mía por primera vez y juro que el aliento abandona mis pulmones. Siento un huracán de emociones en el pecho, frías y ardientes al mismo tiempo, y tengo la certeza de que algunas son mías, pero otras son heredadas—. ¿Por qué?

—Porque está herida.

La carcajada cínica de Kreus endereza la espalda de todos los soldados.

—Por lo que alcanzo a ver, no más que tú. Dime, hijo, ¿cómo has permitido que alguien vierta tu sangre oscura? ¿Acaso no se te ha entrenado lo suficiente? —Hace un gesto lento con las manos y varios soldados se dirigen de vuelta al carruaje mientras él saca un guante negro de la túnica y enfunda los dedos—. Mejor dejemos la charla para luego. Ahora tengo un asunto pendiente con ella.

Por la manera en que me ha mencionado, sé que estoy en problemas. A su espalda, dos soldados arrastran a alguien y la empujan con brusquedad a un lado del Rey. La joven cae de rodillas al suelo, con las manos atadas por grilletes de hierro. Entonces, Kreus Khorvus entierra los dedos enguantados en el cabello rubio de la chica, forzándola a echar la cabeza hacia atrás.

Un escalofrío me recorre el cuerpo entero.

Es Rawen Kasenver y está destrozada. Viva pero destrozada.

—¿Es ella? —la interroga Kreus.

Tiene la cara tan hinchada de los golpes que apenas se intuye el azul de su mirada. Me estudia a duras penas antes de clavar las pupilas en la gargantilla que me regaló. Después, asiente y el Rey entorna la mirada, que se fija en mis ojos como si intentase ver algo más a través de mí. O a alguien diferente.

—¿Cuál es tu nombre? —me pregunta y mueve la mano para ordenar que se lleven a Rawen de aquí. Antes de que pueda reaccionar, prosigue—: ¿A qué parte de Khorvheim perteneces?

Kowl aprieta su mano contra la mía, como si tratase de protegerme de las palabras de su padre. Pongo todo mi empeño en ocultar cualquier ápice de sorpresa en mi rostro. El Rey sabe que soy una traidora, pero no conoce mi nombre ni mi procedencia. Rawen no se lo ha dicho. ¿Por qué…? Confronto la mirada de Kreus y escupo al suelo. Un brillo de perspicacia le cruza los ojos. El ejército de soldados se aferra a sus armas con más ímpetu.

—Ya veo —resuelve para sí mismo, elevando el mentón en un gesto sombrío—. Kowl, tú vendrás conmigo. En cuanto a ella, parece que no necesitará atención médica. Arrestadla.

Analizo nuestras opciones y reprimo la mueca de resignación que tira de mis labios al caer en la cuenta de que estoy en la misma posición que hace cinco años. Kreus Khorvus es el único sangre oscura capaz de controlar a las bestias. Podría usarlas contra nosotros y contra Mhyskard. No tenemos opciones.

Debemos huir o morir.

Y esta vez no pienso huir aunque tenga la oportunidad.

Los soldados cortan el aire con sus espadas y se recolocan para no romper la formación cuando dos de ellos avanzan hacia nosotros. El Rey ni siquiera se molesta en seguir contemplando la escena; está tan seguro del poder que representa su existencia en el mundo que se da media vuelta de regreso al pasillo que los soldados han erigido con espadas. Su túnica negra ondea al viento de Khorvheim. La sangre me hierve, rabiosa. Entonces los hombros de Kowl ceden y su brazo afloja la fuerza con la que me acerca a él. Por un instante, creo que me entregará.

Sin embargo, me suelta y da un paso al frente, posicionándose delante de mí. El suelo se tambalea a mis pies.

—Huye sola —me dice y lleva una mano a la empuñadura de su espada—. No permitiré que nadie te ponga una mano encima.

Cuando los soldados dan un paso más hacia nosotros, vacilantes por la oposición de Kowl a las órdenes de su padre, no duda en adelantarse y bloquear el camino de ambos con su arma. El Rey se queda inmóvil, de espaldas.

—Su Alteza, si no nos permite cumplir con las órdenes del Rey, tendremos que reducirlo.

—Si es necesario, reducidlo a él también —escupe Kreus, aún sin girarse.

Ambos soldados desenvainan sus hojas. La figura alta y firme de Kowl se alza como un muro entre el peligro y yo, aunque salta a la vista que está agotado. Tiene la herida empapada de sangre y su respiración es cada vez más pesada. Sin embargo, se precipita hacia el primero sin dudar y el sonido del acero provoca un silbido seguido del borboteo de la sangre cuando la armadura cede. El soldado se desploma en la tarima, sobre el rastro de sangre que Kowl está dejando a su paso.

Ya no me pregunto por qué parece estar tan dispuesto a dar la vida por mí. Confío en su espada, en sus sombras, y lo utilizo en mi propio beneficio. Lucho contra la resistencia de mi propio cuerpo y rozo el cuero de mi corsé. Tengo una única daga, la de mi padre. Estoy decidida a reservarla hasta el final, así que le robo al soldado caído la daga del cinturón.

—Lo siento —recito, y los ojos de Kowl acuden a mí de soslayo, desconcertado, cuando doy un paso al frente con el peso del plomo en mis piernas—. No he llegado hasta aquí para huir.

No me detiene, tampoco retrocede. Se enfrenta al segundo y se prepara para los que ya están viniendo a por nosotros. Me aferro al mango y calculo la distancia y la fuerza sin levantar la daga para que nadie sepa cuál será mi objetivo, pero, cuando estoy a punto de lanzarla a la cabeza del Rey, este ladea el rostro un breve instante y me sonríe con el infierno en sus labios.

La daga sale despedida a toda velocidad y Kreus no la esquiva, sino que alza la mano, frena el curso del arma y atrapa la hoja entre sus dedos. ¿Ha anticipado mi…? Se me congela el corazón al ver cómo el acero se torna oscuro como las sombras que emergen de su piel. En cuanto la suelta, la daga vuela en mi dirección. Apenas consigo apartarme. Me roza el brazo y eso es suficiente para que una descarga de dolor se expanda por todo mi cuerpo. La fuerza desgarradora a la que me somete me aplasta las extremidades y me paraliza. El dolor me arranca una bocanada de aire. Caigo de bruces.

Ha envenenado la daga con su magia.

Antes de que Kowl pueda acudir a mí, el Rey levanta la otra mano y su alrededor empieza a oscurecerse. Una neblina negra se eleva desde el suelo, serpenteando como una marea viva en torno a él mientras se gira. Su poder llena el ambiente, despiadado como la mirada que nos dedica. Algunos soldados reculan. De pronto, un humo negro brota de los dedos de Kreus y algo similar a una cadena le apresa el torso a Kowl, inmovilizando sus brazos. Da un paso atrás, jadeante, con la hoja de su arma apuntando al suelo y la respiración entrecortada.

—¿Así es como te presentarás al reino? —dice el Rey. No hay rastro de emoción en él, solo una frialdad inhumana—. Mi hijo, el Príncipe de Khorvheim, defendiendo a una traidora. Qué espectáculo tan lamentable.

Kowl lucha por liberarse, pero su espada termina cayendo al suelo y sus rodillas ceden a la magia oscura de su padre, que deshace sus pasos al dirigirse hacia él. Kowl gruñe, incapaz de pronunciar las palabras que se le agolpan en la garganta. El corazón se me dispara de solo pensar que el Rey pueda estar aprovechando su insubordinación para arrebatarle la vida como le había encomendado a Arvin. Alarga un brazo y le extrae la daga del costado. Kowl profiere un jadeo sofocado. El charco de sangre que despide la herida abierta lo hace tambalearse sobre sus rodillas.

Se está desangrando.

—Has condenado a muerte a todos tus compañeros por salvar a esta traidora, ¿no es así? —Kreus mueve un dedo de forma horizontal y el hilo de bruma negra se cierra con más fuerza en torno a Kowl. Su cuerpo se tensa como un arco a punto de romperse—. Y has querido condenar a nuestro reino conspirando contra tu padre, el mismísimo Rey.

Se agacha para coger la lanza de un soldado desfallecido y le asesta un golpe sordo en las piernas. Kowl lo soporta confrontándolo con el odio en sus ojos, así que el siguiente movimiento de Kreus le atraviesa el muslo, arrancándole un quejido ahogado. Lo derriba al suelo. Intento gritar, desesperada, pero la voz no me obedece y me atraganto con mi propia saliva. Entonces, Kreus Khorvus lo agarra del cuello de la túnica y le propina un golpe, y otro, y otro. Hasta que el rostro de su hijo se convierte en un conjunto de rasgos ensangrentados por la paliza y lo libera para dejar que se derrumbe, agonizante.

El silencio se extiende sobre el lugar, cargado de amenaza. Las lágrimas me empapan las mejillas. Ni siquiera el ejército sabe cómo reaccionar.

—Es una lástima que hayas tomado esta decisión —dice el Rey con desdén mientras se limpia la sangre de las manos en un pañuelo de terciopelo negro que le sirve un soldado. Luego, hace un gesto con la mano y una Sanadora corre a taponar la herida de Kowl con magia, pero él ya no está aquí. Ha perdido la consciencia tan rápido como la sangre. Se aclara la garganta y alza la voz—: Os condeno al aislamiento indefinido en los calabozos de Khorvheim, sometidos a la justicia de este reino, y os sentencio a sufrir las consecuencias de vuestra traición contra la Corona. A partir de hoy, estáis condenados a la Ley de la Purga Imperial.

La sentencia del Rey sobrevuela el ambiente antes de retirarse. Los soldados nos acorralan, pero solo veo el color escarlata que se desparrama bajo el cuerpo de Kowl. O quizá sea el odio que me ahoga y me rompe por dentro aún más. El llanto me enturbia la visión. Los gritos agolpados en mi boca me provocan arcadas. Me levantan de un jalón y cierran los grilletes de hierro en torno a mis muñecas antes de anclar sus brazos a los míos para obligarme a caminar.

La marcha de los soldados resuena con una precisión aterradora. Miro a la muralla, tan inmensa que ni las figuras de mis enemigos pueden hacerle sombra. Me asfixio en mi propia ira y lo único que distingo entre toda esta gente, entre la impotencia y el retumbar de sus pisadas, es la figura del Rey Kreus Khorvus.

Lo mataré.

Lo mataré a él y a toda su gente.

La magia trata de sellarme los labios, pero esta vez mi odio es más fuerte.

—Os destruiré a todos. —Mi voz suena a un rugido ronco, con las lágrimas irritándome los ojos.

—Cierra la boca, escoria —me ordena un soldado.

Un violento empujón me tira al suelo. Tengo las manos atadas, así que no puedo detener la caída y la superficie áspera me corta los labios. Cuando me incorporan, noto tierra, sangre y muerte en mi paladar.

—El caos y el terror asolarán vuestras tierras… —La saliva se me escurre por las comisuras de mi boca—. No quedará nada de vosotros.

—¡He dicho que cierres la boca!

Miro al suelo y me concentro en los insultos que me escupen, y me hago una promesa. Lo juro. Juro que los destruiré a todos, aunque para ello tenga que reducir este mundo a cenizas y cadáveres.

Entonces, un golpe seco en la nuca me corta la respiración.

El color se desvanece.

Y la oscuridad me abraza.

Agradecimientos

En primer lugar, gracias a mi editora Gemma, por descubrirme, por lo cercana que has sido desde el principio y por darme la oportunidad de hacer realidad uno de mis mayores sueños. Gracias también a mi editora Cris, por tu paciencia, por la implicación y todo el cariño que has puesto en la novela; trabajar contigo ha sido increíble y superdivertido. Ambas sois estupendas.

Gracias a Raquel y a Miki, por hacer de la experiencia del Crush Fest un viaje inolvidable, por los sustos y las risas que nos echamos en ese piso que parecía estar maldito, por compartir conmigo los nervios del evento y por ser tan únicos y un apoyo fundamental durante el proceso. Y a Lau, gracias por ser tan magnética y auténtica, por darle amor a esta novela incluso a distancia porque no pudiste venir con nosotros. Sois increíbles, estoy deseando tener vuestras historias también en mis manos.

Gracias a Jose, mi mejor amigo y mi familia encontrada desde pequeños, por ser uno de los mayores fans de *Piel de Cuervo*, por emocionarte mientras me lees y vivir al cien por cien cada una de mis novelas. Gracias por tantas charlas durante horas sobre las historias que escribo y sobre las otras que me rondan la cabeza. Gracias por ser uno de mis mayores pilares, por confiar ciegamente en mí y por estar en cada paso, celebrando este camino como si fuera tuyo.

Gracias a mi madre, por ser mi raíz y mis alas. Me has enseñado a soñar sin límites y a luchar por todo aquello que quiero, y te has enfrentado a muchas tormentas para darme un cielo lleno de posibilidades. Gracias por ser mi cómplice, mi faro de luz y la mejor mamá que pude haber tenido en el mundo. Este logro también es tuyo. Te quiero, eres mi mayor tesoro.

Y, por último, gracias a ti, que has llegado hasta aquí. Gracias por leerme y por darle vida a mi novela en tu imaginación, por regalarme un pedacito de tu memoria y tu tiempo. Gracias por darle la oportunidad a *Piel de Cuervo* de adentrarte en esta aventura. Nunca me cansaré de decir que mis lectores sois mi combustible.